Übungsbuch

DaF kompakt neu A1–B1

Birgit Braun
Margit Doubek
Nadja Fügert
Ondřej Kotas
Martina Marquardt-Langermann
Martina Nied Curcio
Ilse Sander
Nicole Schäfer
Kathrin Schweiger
Ulrike Trebesius-Bensch
Rosanna Vitale
Maik Walter

Ernst Klett Sprachen
Stuttgart

🗫 Arbeiten Sie mit einem Partner / einer Partnerin oder in der Gruppe.

🔊 Sie hören einen Text von der MP3-CD.

❗ Hier steht eine Grammatikregel.

⚙ Hier lernen Sie eine Strategie kennen.

↗ Hier finden Sie eine passende Übung im Übungsbuch.

❗ Hier finden Sie eine Phonetikregel.

(P) Hier finden Sie einen Aufgabentyp aus dem Goethe- / ÖSD-Zertifikat B1.

1. Auflage   1 ⁵ ⁴ ³ ² ¹ | 2020   19   18   17   16

Autoren: Birgit Braun, Margit Doubek, Nadja Fügert, Ondřej Kotas,
Martina Marquardt-Langermann, Martina Nied Curcio, Ilse Sander, Nicole Schäfer,
Kathrin Schweiger, Ulrike Trebesius-Bensch (Phonetik), Rosanna Vitale, Maik Walter
Fachliche Beratung: Daniela Rotter, Universität Graz

Redaktion: Sabine Harwardt
Redaktionelle Mitarbeit: Simone Weidinger
Layoutkonzeption: Alexandra Veigel; Karin Maslo, Stuttgart
Herstellung: Alexandra Veigel
Gestaltung und Satz: typopoint GbR, Ostfildern
Illustrationen: Hannes Rall
Umschlaggestaltung: Silke Wewoda
Reproduktion: Meyle + Müller GmbH + Co. KG, Pforzheim
Druck und Bindung: LCL Dystrybucja Sp. z o.o.,
Printed in Poland

978-3-12-676311-0

Zielgerichtet Deutsch lernen mit DaF kompakt neu A1–B1

Sie wollen in Deutschland, Österreich, der deutschsprachigen Schweiz oder in Liechtenstein studieren oder arbeiten? Sie wollen die dortige Bildungs- und Berufswelt kennen lernen und möglichst schnell das Niveau B1 erreichen? Dann ist **DaF kompakt neu** genau das richtige Lehrwerk für Sie.

DaF kompakt neu orientiert sich eng an den Kannbeschreibungen des Gemeinsamen europäischen Referenzrahmens für die Niveaus A1-B1 und führt rasch und zielgerichtet zum Goethe-/ÖSD-Zertifikat B1. Es eignet sich besonders für Lernende, die schon eine andere Fremdsprache in der Schule oder im Studium gelernt haben oder bereits über Vorkenntnisse verfügen.

Aufbau

Die gründliche Bearbeitung baut das bewährte Konzept von DaF kompakt aus: In 29 Lektionen finden Sie den Lernstoff von A1 bis B1 in konzentrierter Form, verteilt auf drei inhaltliche Doppelseiten und eine weitere Doppelseite mit Überblick über den zentralen Lektionswortschatz, wichtige Redemittel und die in der jeweiligen Lektion behandelte Grammatik. Lektion 30 zeigt einen abschließenden Überblick über die deutsche Sprache und ihre Besonderheiten.

Die von Stufe zu Stufe steigenden Anforderungen des Gemeinsamen europäischen Referenzrahmens spiegeln sich im unterschiedlichen Umfang der einzelnen Teile wider: Der Band A1 umfasst 8 Lektionen, der Band A2 10 Lektionen und der Band B1 12 Lektionen.

Kursbuch

Die Lektionen im Kursbuch enthalten jeweils eine Lektionsgeschichte aus dem universitären oder beruflichen Umfeld und zeigen Kontexte, in denen Sie sich als Studierende oder Berufseinsteiger bewegen. Als Lernende finden Sie sich damit von Anfang an in einer für Sie relevanten Situation und bauen kontinuierlich den Wortschatz auf, der für Sie von zentraler Bedeutung ist. Durch diese situations-orientierte Herangehensweise entsprechen die Sprachhandlungen Ihren realen kommunikativen Bedürfnissen und bereiten Sie optimal auf Ihr Studium oder das Arbeitsleben in einem deutschsprachigen Land vor. Dabei werden Sie immer wieder auch zum kulturellen Vergleich aufgefordert.

Damit Sie klar erkennen können, welche Lernziele mit der jeweiligen Lektionsgeschichte verknüpft sind, sind die Lernziele jeder Doppelseite oben rechts in einer Orientierungsleiste aufgeführt.

Die Grammatikthemen in **DaF kompakt neu** ergeben sich aus dem Kontext der Themen, Texte und Sprachhandlungen; die Grammatik ist somit auf die Lernziele abgestimmt. Im Kursbuch werden die jeweiligen Grammatikphänomene so vorgestellt, dass Sie die Regeln zu Bedeutung, Form und Funktion zielgerichtet und in kompakter Form eigenständig erarbeiten können.

Übungsbuch

Das Übungsbuch ergänzt das Kursbuch und bietet die Möglichkeit, das im Unterricht Gelernte im Selbststudium zu vertiefen. Es folgt dem Doppelseitenprinzip des Kursbuchs und unterstützt den gezielten Aufbau aller Fertigkeiten von Anfang an. Als Abschluss und Ergänzung einer jeden Lektion bietet es unter der Rubrik „mehr entdecken" Lern- und Arbeitsstrategien zu Lese- und Hörverstehen, Textproduktion, Wortschatzerweiterung, die Möglichkeit zur Sprachreflexion sowie Anregungen für passende Projekte über den Stoff im Kursbuch hinaus.

Der Zusammenhang von Übungs- und Kursbuch wird durch klare Verweise im Kursbuch verdeutlicht. Hier wird z.B. auf Aufgabe 1 im Teil A der jeweiligen Lektion im Übungsbuch verwiesen. ⤵ A 1

Aufgaben, die dem Prüfungsformat des Goethe-/ÖSD-Zertifikats B1 entsprechen, sind mit einem Symbol gekennzeichnet. ℗

Den Abschluss jeder Übungsbuchlektion bildet ein ausführliches Trainingsprogramm zur Phonetik.

Im Anhang des Übungsbuchs finden Sie Modelltests zum Goethe-/ÖSD-Zertifikat A1, zum Goethe-Zertifikat A2 (neu) und zum Goethe-/ÖSD-Zertifikat B1.

MP3-CD

Das Kursbuch enthält eine MP3-CD mit allen Hörtexten, die in Kurs- und Übungsbuch vorkommen. Bei den Hörtexten ist durchgehend die passende Tracknummer angeben. 4

Das Autorenteam und der Verlag wünschen Ihnen viel Spaß und Erfolg beim Deutschlernen und beim Eintauchen in die Universitäts- und Berufswelt der deutschsprachigen Länder mit **DaF kompakt neu**!

Inhaltsverzeichnis A1

Grammatik	Mehr entdecken	Phonetik	Seite
› regelmäßige Verben im Präsens › „sein" im Präsens › Personalpronomen im Nominativ › Wortstellung: Aussagesatz, W-Frage mit „Wie?", „Wo?", „Woher?"; Ja / Nein-Frage › Genus und Pluralformen von Nomen › Modalpartikeln „denn", „ja"	› Wortschatz: Wörter auf einer Website finden und kategorisieren › Reflexion: Verben und Personalpronomen › Projekt: berühmte Persönlichkeiten	› Satzmelodie in kurzen Aussagesätzen und Fragen	14
› Artikelwörter: bestimmter, unbestimmter und Negativartikel im Nominativ und Akkusativ; Possessivartikel im Nominativ › Komposita › Akkusativergänzung › W-Fragen mit „Wer?", „Was?", „Wen?", „Wann?" › „haben" im Präsens und Präteritum › Konnektoren „aber", „oder", „und"	› Wortschatz: Wörterbucheintrag › Reflexion: Artikelwörter › Projekt: Restaurants in unserer Stadt	› sch, -sp, -st	22
› W-Fragen mit „Wie viel?", „Wie viele?" › Personalpronomen im Akkusativ › „sein" im Präteritum › W-Fragen mit „Wann?" und „Wohin"?	› Wortschatz: Meine Mahlzeiten › Reflexion: Mengenangaben › Projekt: das Schulmuseum in Middelhagen	› Rhythmus in Wort und Satz	30
› Modalverben im Präsens › Wortstellung: Aussagesatz, W-Fragen mit „Wie?", „Wo?", „Woher?", Ja / Nein-Frage › Konnektor „denn"	› Wortschatz: Berufe raten › Reflexion: Modalverben und Wortstellung › Projekt: Wirtschaft trifft Kultur	› lange und kurze Vokale	38
› Verben mit Vokalwechsel im Präsens › Verben mit trennbaren Vorsilben im Präsens › regelmäßige Verben im Perfekt	› Wortschatz: Wortnetz zum Thema „Freizeit" › Reflexion: Vergangenes › Projekt: Sport- und Kulturangebot der Uni Münster	› „e" oder „i"	46
› unregelmäßige und gemischte Verben im Perfekt › Verben mit trennbaren Vorsilben im Perfekt › Verben mit untrennbaren Vorsilben im Perfekt › einen Ort angeben: Ortsangaben mit Dativ › W-Fragen mit „Wo?"	› Wortschatz: Bildbeschreibung › Reflexion: „zu" + Adjektiv › Projekt: Möbelsuche	› Verben mit trennbaren und untrennbaren Vorsilben	54
› formelle Imperativsätze mit „Sie" › informelle Imperativsätze › Vorschläge mit „wir" › Vorschläge mit „Sollen / Wollen wir …?", „Soll ich …?" › Modalpartikeln: „doch", „mal", „doch mal"	› Wortschatz: Kleider und ihre Materialien › Reflexion: Aufforderungen › Projekt: Gegenstände aus ungewöhnlichen Materialien	› „w" oder „f"	62
› eine Richtung angeben: Richtungsangaben mit Dativ / Akkusativ › Indefinitpronomen: „etwas", „nichts", „alle", „man" › Verwendung von Präsens für Zukunft	› Wortschatz: Redewendungen mit „Wurst" › Reflexion: Lebensmittel und Farben › Projekt: Planung Stadtrundgang	› R-Laute	70

Inhaltsverzeichnis A2

Inhaltsverzeichnis A2

Grammatik	Mehr entdecken	Phonetik	Seite
› Bedeutung von Modalpartikel „ja" › Wortstellung von Orts- und Zeitangaben im Satz › Indirekte Fragesätze › Ortsangaben: „bei", „(bis)zu", „links / rechts / gegenüber von", „entlang", „rein" / „raus", „herein" / „heraus" / „hinein" / „hinaus"	› Strategie: Paralleltexte › Reflexion: Reihenfolge von Zeit- und Ortsangaben › Projekt: über einen Film berichten	› Diphthonge	**126**
› höfliche Fragen, Wünsche, Träume, Empfehlungen; Vorschläge: Konjunktiv II von „haben", „können", „dürfen", „werden", „sollen" › Genitivergänzung mit bestimmtem und unbestimmtem Artikel › Adjektive im Gen. nach unbestimmtem und bestimmtem Artikel › Relativsätze und -pronomen im Nom., Akk., Dat.	› Strategie: Wortfeld Berufe – aus Wortzusammensetzungen Berufs- felder erkennen › Reflexion: Genitivergänzungen › Projekt: eine Präsentation vorbereiten	› unbetonte Endungen und Akzentvokal	**134**
› Passiv: Präsens und Präteritum › Vergleich zwischen Aktiv- und Passivsätzen › „Agens" in Passivsätzen › Passivsätze ohne „Agens" › Wortstellung im Satz	› Strategie: Notizen machen › Reflexion: Passivsätze ohne „Agens" › Projekt: Bewerbermesse	› Konsonantenhäufung und Silbentrennung	**142**
› Vergleichssätze mit „so / genauso ... wie", „nicht so ... wie", „als" › Vorsilbe „un-" › temporale Nebensätze mit „wenn" und „als" › „werden" + Nominativergänzung oder Adjektiv	› Strategie: Doppelbedeutungen („Teekesselchen") › Reflexion: temporale Nebensätze › Projekt: ungewöhnliche Reiseziele	› E-Laute	**150**

Inhaltsverzeichnis B1

Grammatik	Mehr entdecken	Phonetik	Seite
› Passiv im Perfekt › Passiv mit Modalverben im Präsens und Präteritum › „sein-Passiv" › Partizip Perfekt als Adjektiv	› Strategie: Statistik verstehen – Statistik erstellen › Reflexion: Passiv › Projekt: mobile Alternativen	› Satzmelodie	158
› Vergleiche: Komparativ und Superlativ (attributiv) › Relativsätze mit „was" › Charakteristika der Umgangssprache	› Strategie: lange Wörter analysieren › Reflexion: kulturelle Wörter › Projekt: eigenes Video zum Thema „Studium" drehen	› h" oder Vokaleinsatz am Wort- oder Silbenanfang	166
› Adjektive im Gen. nach bestimmtem und unbestimmtem Artikel und vor Nomen ohne Artikel › Infinitivsätze mit „zu" › Infinitivsätze im Passiv › temporale Angaben mit „vor" und „nach" › Alternativen mit „entweder … oder"	› Strategie: Wortschatz selbst erweitern: „Hamburgwörter" finden › Reflexion: Adjektivendungen im Genitiv › Projekte: Theaterstück schreiben, Werbung für Hamburg	› [s] und [ts]	174
› Indefinitpronomen und -adverbien mit „irgend-" › „irgend-" – „nirgend-" › Bildung von Komposita › Konjunktiv II von regelmäßigen, unregelmäßigen und gemischten Verben und von Modalverben › irreale Konditionalsätze mit und ohne „wenn"	› Strategie: neue Verben › Reflexion: Konjunktiv II › Projekt: Sprüche auf Kaffeebechern zum Thema „Alles wäre besser, wenn …"	› harte und weiche Plosive: p – b, t – d, k – g	182
› kausale Verbindungen und Angaben › konzessive Haupt- und Nebensätze mit „trotzdem"/„dennoch", „zwar … aber", „obwohl" › konzessive Präposition: „trotz" › Konjunktiv II: irreale Wunschsätze › Modalpartikeln: „doch", „bloß", „nur"	› Strategie: Anmerkungen zu einem Text machen und über Texte sprechen, Umgang mit (wissenschaftlichen) Texten	› Satzakzent und Emotion	190
› Finalsätze mit „damit", „um … zu", „zum"/„zur"/„für" + Nomen › Verben und Nomen + Präpositionen › Präpositionalpronomen: „da(r)…" › Fragen mit „Wo(r)…?" oder Fragewort + Präposition › Partizip Präsens und Partizip Perfekt als Adjektiv	› Strategie: geschriebene Sprache im Unterschied zu gesprochener Sprache › Reflexion: Finalsätze › Projekt: Bergwaldprojekt	› Vokalhäufung und Vokaleinsatz	198

Inhaltsverzeichnis B1

Grammatik	Mehr entdecken	Phonetik	Seite
› Reflexivpronomen: reziproke und reflexive Bedeutung › Pronomen: „einander" › Reflexivpronomen + „gegenseitig" › konsekutive Haupt- und Nebensätze mit „sodass"/ „so …, dass", „also" und „folglich	› Strategie: verschiedene Formen von Höflichkeit / Sensibilisierung für Register › Reflexion: Verben mit reziproker Bedeutung › Projekt: Sprachzentren der Hochschulen und Universitäten	› Auslautverhärtung	**206**
› Bildung von Komposita › „(sich) lassen" + Verb im Präsens und Perfekt › „lassen" + Nomen / Pronomen im Präsens und Perfekt › Präpositionen: „nach", „über" › Modalverben im Perfekt	› Strategie: Hörstrategien in der Prüfung › Reflexion: Bedeutung von „(sich) lassen" › Projekt: Städte-Quiz	› Assimilationsvorgänge	**214**
› „derselbe", „dieselbe", „dasselbe" › Plusquamperfekt Aktiv und Passiv › Vorzeitigkeit, Nachzeitigkeit und Gleichzeitigkeit mit „nachdem", „bevor", „während" › Konnektoren, Adverbien und Präpositionen der Vor-, Nach- und Gleichzeitigkeit	› Strategie: Wortschatz zum Thema „Humboldt-Universität zu Berlin" selbst zusammenstellen › Reflexion: „derselbe", „dieselbe", „dasselbe", Temporalsätze › Projekt: Linie 100 in Berlin	› Melodiebewegung	**222**
› „werden" + seine Bedeutungen › Modalpartikeln und Adverbien der Vermutung, Zuversicht und Sicherheit › „brauchen … nur zu / nicht … zu / kein … zu" + Infinitiv › zweiteilige Konnektoren: „sowohl … als auch", „nicht nur …, sondern auch", „weder … noch"	› Strategie: Wortschatz lernen und erweitern: unterschiedliche Ausdrücke in Deutschland und Österreich › Reflexion: „brauchen + zu" + Infinitiv › Projekte: Praktikum in Deutschland, Buch der Träume	› Pausen im Satz	**230**
› Verhältnisse ausdrücken mit „je … desto / umso" › Relativsätze mit „was" und „wo(r)…" › Präposition: „statt" › Indefinitartikel und -pronomen: „manch-" und „einig-"	› Strategie: Erläutern und definieren: Politisches Tabu-Spiel › Reflexion: „je … desto / umso" › Projekt: der AStA	› Sprache der Politik	**238**
› Präpositionen: „innerhalb", „außerhalb" › Relativsätze und -pronomen im Gen.	› Strategie: Sprache spielend lernen › Reflexion: Relativsätze im Genitiv › Projekt: Vorlesewettbewerb	› Deutsch in den DACH-Ländern	**246**

A Guten Tag

1 Willkommen im Sommerkurs!

a Schreiben Sie das Gespräch.

~~Guten Tag. Ich heiße Christiane Brandt. Und Sie?~~ | Herzlich willkommen im Sommerkurs! |
Guten Tag. Mein Name ist Tarik Amri. | Freut mich, Herr Amri. Woher kommen Sie? |
Ich komme aus Marokko.

1. ○ *Guten Tag. Ich heiße Christiane Brandt. Und Sie?* ● _____
2. ○ _____ ● _____
3. ○ _____

b Schreiben Sie das Gespräch.

Aus Marokko, aus Casablanca. Und du? | ~~Hallo. Ich bin neu im Deutschkurs.~~ | Woher kommst du? |
Grüß dich. Ich bin Leyla. Wie heißt du? | Ich bin aus der Türkei, aus Ankara. | Ich heiße Tarik. |

1. ○ *Hallo. Ich bin neu im Deutschkurs.* _____
2. ○ _____ _____
3. ○ _____ _____

c Schreiben Sie die Sätze.

Fragen:
Am Ende steht ein
Fragezeichen (?).
Antwort / Aussagesatz:
Am Ende steht ein
Punkt (.).
Exklamation (Ausruf):
Am Ende steht ein
Ausrufezeichen (!).

1. neu | ich | bin | Deutschkurs | im   *Ich bin neu im Deutschkurs.* _____ .
2. du | heißt | wie   _____ ?
3. Name | mein | Marie | ist   _____ .
4. kommst | du | woher   _____ ?
5. bin | ich | Italien | aus | du | Und   _____ . _____ ?
6. komme | ich | Brasilien | aus   _____ .
7. im | Deutschkurs | willkommen   _____ !

2 Was kann man sagen?

Ergänzen Sie „Ich" oder „Ich bin".

1. *Ich bin* aus Deutschland.
2. _____ komme aus Spanien.
3. _____ Student.
4. _____ Deutschlehrerin.
5. _____ Rodrigo.
6. _____ aus Ankara.
7. _____ heiße Anna.
8. _____ neu im Kurs.
9. _____ studiere Philosophie.

3 Du und Sie

Verbinden Sie.

1. Wie heißen Sie?
2. Wie heißt du?
3. Woher kommst du?
4. Woher kommen Sie?

a. Aus Österreich. Und du?
b. Ich bin aus Polen. Und Sie?
c. Mein Name ist Martin Müller.
d. Ich bin Annabel.

4 Begrüßen und verabschieden

Formell oder informell? Kreuzen Sie an.

	formell	informell			formell	informell
1. Grüß dich.	⊔	⊔	4.	Tschüss.	⊔	⊔
2. Auf Wiedersehen.	⊔	⊔	5.	Guten Tag.	⊔	⊔
3. Hallo.	⊔	⊔	6.	Tschau.	⊔	⊔

5 Nobelpreise für Literatur

Woher kommen die Schriftsteller? Ergänzen Sie die Tabelle.

aus Deutschland | aus Frankreich | aus Großbritannien | aus Japan | aus Kanada | aus Österreich | aus Polen | aus Portugal | aus Schweden | aus Ungarn | ~~aus den USA~~ | aus der Türkei | aus Italien | aus China | aus Weißrussland | aus Peru

Schriftsteller	Land	Schriftsteller	Land
1. Toni Morrison (1993)	aus den USA	9. Harold Pinter (2005)	
2. Kenzaburo Oe (1994)		10. Orhan Pamuk (2006)	
3. Wisława Szymborska (1996)		11. Mario Vargas Llosa (2010)	
4. Dario Fo (1997)		12. Tomas Tranströmer (2011)	
5. José Saramago (1998)		13. Mo Yan (2012)	
6. Günter Grass (1999)		14. Alice Munro (2013)	
7. Imre Kertész (2002)		15. Patrick Modiano (2014)	
8. Elfriede Jelinek (2004)		16. Swetlana Alexijewitsch (2015)	

6 Studenten aus aller Welt

a Ergänzen Sie „er" oder „sie".

1. Piotr kommt aus Polen. _Er_ studiert Medizin.
2. Christine ist neu im Deutschkurs. _____ kommt aus Frankreich.
3. Enrique und Maria kommen aus Brasilien. _____ studieren Germanistik.
4. Paul, Mario und Enzo kommen aus Italien. _____ studieren zusammen Informatik.
5. Das ist Patrick. _____ kommt aus Kanada und studiert Physik.
6. Das sind Anne und Angela. _____ kommen aus den USA.

b Schreiben Sie die Sätze. Achten Sie auf die Satzzeichen.

1. Leylakommtausdertürkeiausankarasiestudiertmedizin

   Leyla kommt aus der Türkei, aus Ankara. Sie studiert Medizin.

2. tarikistneuimdeutschkurserkommtausmarokkoauscasablanca

   _____

3. veronikakommtausmoskausiestudiertchemie

   _____

4. patrickundpaulkommenausfrankreichsiestudierengermanistik

   _____

5. dasistthomaserkommtausösterreichundstudiertmaschinenbau

   _____

Satzzeichen

. = der Punkt

, = das Komma

? = das Fragezeichen

! = das Ausrufezeichen

Das 1. Wort im Satz, Namen und Nomen schreibt man groß.

B Sprachen öffnen Türen

1 Ein Sprachgenie

Lesen Sie den Text aus 1a aus dem Kursbuch noch einmal und ordnen Sie zu.

lernen und studieren:
Ich **lerne** Deutsch im
Sprachenzentrum.

Ich **studiere** Deutsch
(= Germanistik) an der
Universität.

1. Das Sprachgenie heißt
2. Alex Rawlings kommt
3. Er spricht
4. Seine Muttersprachen sind
5. In der Schule lernt er
6. Er lernt auch
7. Er studiert in Oxford
8. Jetzt wohnt er
9. Er arbeitet als Sprachlehrer

a. ⸆ Deutsch und Russisch.
b. ⸆ Englisch und Griechisch.
c. ⸆ Französisch, Deutsch und Spanisch.
d. _1_ Alex Rawlings.
e. ⸆ in Ungarn, in Budapest.
f. ⸆ Niederländisch, Italienisch und Katalanisch.
g. ⸆ aus Großbritannien.
h. ⸆ und lernt Ungarisch und Serbisch.
i. ⸆ 14 Sprachen.

2 E-Mail aus Tübingen

a Markieren Sie alle Verben in 1 und schreiben Sie die Infinitive.

1. _heißen_
2. _____
3. _____
4. _____
5. _____
6. _____
7. _____
8. _____

b Ergänzen Sie die Sätze. Verwenden Sie die Verben aus 2a.

Lieber Daniel,
ich ___wohne___ [1] jetzt in Tübingen und _____ [2] Deutsch. Der Deutschkurs im Fachsprachen-
zentrum ist super. Die Deutschlehrerin _____ [3] Christiane Brandt. Sie _____ [4] aus
Köln. Im Deutschkurs _____ [5] 15 Studenten. Sie _____ [6] aus aller Welt: aus China, aus
Spanien, aus der Schweiz, aus der Türkei. Rodrigo _____ [7] aus Brasilien und _____ [8]
Medizin – er ist sehr sympathisch. Rodrigo _____ [9] ein Sprachgenie: Er _____ [10]
Portugiesisch, Englisch, Französisch, Spanisch, Russisch und er _____ [11] jetzt Deutsch.
Annabel _____ [12] aus Spanien. Sie _____ [13] Ingenieurin und _____ [14] schon.
Sprachen sind ihr Hobby.
Viele Grüße
Tarik

3 Du und ich – ihr und wir

Ordnen Sie Fragen und Antworten zu.

1. Wie heißt du?
2. Wie heißt ihr?
3. Woher kommst du?
4. Woher kommt ihr?
5. Was lernst du?
6. Was lernt ihr?
7. Was sprichst du?
8. Welche Sprachen sprecht ihr?
9. Wo wohnst du?
10. Wo wohnt ihr?

a. ⸆ Wir wohnen in Berlin.
b. ⸆ Wir sprechen Französisch und Spanisch.
c. ⸆ Wir lernen Italienisch.
d. ⸆ Wir kommen aus den USA.
e. ⸆ Ich wohne in München.
f. ⸆ Ich spreche Deutsch und Englisch.
g. ⸆ Ich lerne Japanisch.
h. ⸆ Ich komme aus Österreich.
i. ⸆ Ich bin Mia, und das ist Leonie.
j. _1_ Ich heiße Karolin.

4 Hier sind noch Fehler ...

Lesen Sie noch einmal das Interview im Kursbuch B 3. Korrigieren Sie die Fehler und schreiben Sie den Text neu.

Mia kommt aus der Schweiz, aus Bern. Die Mutter ist Schweizerin. Der Vater kommt aus Italien. Mia wohnt in Bonn und studiert Chemie. Sie spricht Französisch als Muttersprache. Sie spricht auch sehr gut Italienisch.

Mia kommt aus der Schweiz, aus Zürich. ...

5 Fragen und Antworten

a Ordnen Sie Fragen und Antworten zu.

1. Arbeiten Sie an der Universität?	a. ⊔	Ja, Deutsch ist meine Muttersprache.
2. Kommst du aus Tunesien?	b. 1	Ja, ich bin Professor für Mathematik.
3. Lernst du Russisch?	c. ⊔	Ja, sehr gut. Meine Mutter ist Engländerin.
4. Sind Sie Deutschlehrer?	d. ⊔	Nein, aus Marokko.
5. Sind Sie Schweizer?	e. ⊔	Nein, Deutscher. Ich komme aus München.
6. Sprechen Sie Deutsch?	f. ⊔	Nein, Englischlehrer.
7. Sprichst du Englisch?	g. ⊔	Nein, Psychologie.
8. Studierst du Philosophie?	h. ⊔	Nein, Ungarisch.

b Schreiben Sie die Fragen.

1. *Kommst du aus Berlin?* — Ja, ich komme aus Berlin.
2. *Woher kommst du?* — Aus Frankreich.
3. ____ — Ich wohne in München.
4. ____ — In Leipzig? Nein, ich wohne in Dresden.
5. ____ — Ja, ich spreche gut Spanisch.
6. ____ — Ich spreche Englisch und Niederländisch.
7. ____ — Ja, ich arbeite hier.
8. ____ — Ich studiere Wirtschaftswissenschaften.
9. ____ — Ja, ich bin neu im Deutschkurs.

6 Nationalitäten im Deutschkurs

a Lesen Sie den Text und markieren Sie die Nationalitäten.

Der Deutschkurs ist international: Tarik kommt aus Marokko, aus Casablanca. Er ist Marokkaner. Rodrigo ist aus Brasilien. Er ist Brasilianer. Leyla ist Türkin und Jan ist Pole. Michèle ist aus Paris. Sie ist Französin. Die Lehrerin kommt aus Köln – sie ist Deutsche.

b Ergänzen Sie die Tabelle. Was fällt auf? Ergänzen Sie die Regel.

Land	Nationalität: männlich ♂	Nationalität: weiblich ♀	Sprache
Marokko		Marokkanerin	Arabisch
Brasilien		Brasilianerin	Portugiesisch
die Türkei	Türke		Türkisch
Polen		Polin	Polnisch
Frankreich	Franzose		Französisch
Deutschland	Deutscher		Deutsch
...			

Oft:
Männlich: Endung -er / ____
Weiblich: Endung ____

Aber:
Michèle ist Franz**ö**sin.
Christiane ist Deutsch**e**.

C Buchstaben und Zahlen

1 Von A bis Z

🔊 1 **a** Ergänzen Sie die Buchstabiertafel. Hören Sie dann und lesen Sie mit.

A	Anton		Gustav		Otto		Theodor
Ä	Ärger		Heinrich		Ökonom		Ulrich
	Berta		Ida		Paula		Übermut
	Cäsar		Julius	Q	Quelle		Viktor
Ch	Charlotte		Kaufmann		Richard		Wilhelm
	Dora		Ludwig		Siegfried / Samuel		Xanthippe
	Emil		Martha	Sch	Schule		Ypsilon
	Friedrich		Nordpol	ß	Eszett		Zeppelin / Zacharias

b Buchstabieren Sie die Wörter rechts wie im Beispiel.

○ Entschuldigung, wie ist Ihr Name bitte?
● Alves.
○ Buchstabieren Sie bitte!
● A – L – V – E – S.
○ Entschuldigung, ich verstehe nicht.
● Anton – Ludwig – …

~~Alves~~ | Meixner | Jäckels | Wirtz |
Caermerlynck | Römer | Courtois |
Düchting | Quast | Dräxler | Bäßler |
Schwarting | Vascotto | Hildebrandt

2 Zahlen

a Schreiben Sie die Zahlen.

1. dreizehn _13_
2. einunddreißig _____
3. vierundfünfzig _____
4. fünfundvierzig _____
5. einundsiebzig _____
6. siebzehn _____
7. einundvierzig _____
8. vierzehn _____
9. neunundzwanzig _____
10. zweiundneunzig _____
11. achtundsechzig _____
12. sechsundachtzig _____

🔊 2 **b** Welche Zahlen hören Sie? Kreuzen Sie an.

Sie hören oft „zwo" für „zwei", „hundert" für „einhundert" und „tausend" für „eintausend".

1. ☒ 16 ⊔ 60
2. ⊔ 67 ⊔ 76
3. ⊔ 48 ⊔ 84
4. ⊔ 113 ⊔ 131
5. ⊔ 335 ⊔ 533
6. ⊔ 2120 ⊔ 2121
7. ⊔ 3335 ⊔ 3353
8. ⊔ 6667 ⊔ 6676
9. ⊔ 9889 ⊔ 9998

c Schreiben Sie die Zahlen.

a. 99 _neunundneunzig_
b. 33 _____
c. 45 _____
d. 58 _____
e. 61 _____
f. 747 _____
g. 828 _____
h. 994 _____
i. 1213 _____
j. 2562 _____
k. 3833 _____
l. 45480 _____
m. 552355 _____
n. 676621 _____

🔊 3–8 **d** Welche Telefonnummern hören Sie? Notieren Sie.

1. _307511_
2. _____
3. _____
4. _____
5. _____
6. _____

3 Beliebte Studienfächer in Deutschland

Wie viele Studenten studieren welche Fächer? Ergänzen Sie die Zahlen.   ◁))) 9

1. Betriebswirtschaftslehre   _209724_
2. Maschinenbau   _____
3. Rechtswissenschaft   _____
4. Medizin   _____
5. Wirtschaft   _____
6. Informatik   _____
7. Germanistik   _____
8. Elektrotechnik   _____

(im Wintersemester 2013/14. Quelle: Statistisches Bundesamt)

4 Sich und andere vorstellen

Interview im Unimagazin: Schreiben Sie die Fragen an Mia.

1. _Wie ist Ihr Familienname?_ ___ Brunner.
2. _____ Aus der Schweiz.
3. _____ In Tübingen.
4. _____ Wirtschaftswissenschaften.
5. _____ Deutsch, Französisch, Italienisch und ein bisschen Chinesisch.
6. _____ 07071 /43 49 08.
7. _____ mia.brunner@xmu.de
8. _____ Goethestraße 28.
9. _____ 19 Jahre.

5 Zu guter Letzt: eine E-Mail schreiben

a Was schreibt man groß? Markieren Sie die Fehler und schreiben Sie die E-Mail noch einmal korrekt in ihr Heft.

> ✕
>
> liebe martina,
> ich bin jetzt in tübingen. tübingen ist super!!! der sprachkurs ist interessant. die lehrerin heißt frau brandt und ist sehr nett. wir sind 15 studenten im sprachkurs. fünf studenten kommen aus china. sie sprechen schon sehr gut deutsch. leyla kommt aus der türkei. tarik ist aus marokko und studiert informatik. antoine kommt aus der schweiz. er ist aus genf und spricht französisch als muttersprache. mein tandempartner heißt tim und kommt aus münchen. er studiert auch in tübingen und lernt portugiesisch. wir sprechen deutsch und portugiesisch zusammen – das macht viel spaß.
> viele grüße
> rodrigo

b Schreiben Sie eine E-Mail über Ihren Deutschkurs in Ihr Heft.

Lieber … / Liebe …,

ich bin jetzt in … | Der Sprachkurs ist (sehr) … | Der Lehrer / Die Lehrerin … | … studiert … | Die Studenten kommen aus … | Mein Tandempartner / Meine Tandempartnerin … | …

Viele Grüße …

Eine E-Mail schreiben:
Anrede:
„Lieber Lukas, …" oder
„Liebe Mia, …"
Gruß:
„Viele Grüße" oder
„Liebe Grüße" +
Unterschrift

1 Ich und die anderen

DaF kompakt – mehr entdecken

1 Wortschatz lernen und erweitern

a Was verstehen Sie schon? Markieren Sie und vergleichen Sie im Kurs.

DSH = Deutsche Sprachprüfung für den Hochschulzugang

der / die Studierende offizielle Bezeichnung;

der Student / die Studentin: umgangssprachlich; oft gebraucht.

> Die Welt in Tübingen: Deutsch lernen im Haus der Sprachen
> Abteilung „Deutsch als Fremdsprache und Interkulturelle Programme"
>
> ## HERZLICH WILLKOMMEN IN TÜBINGEN!
>
> Die Universität Tübingen wurde 1477 gegründet und ist eine der deutschen Spitzenuniversitäten.
> Traditionsreichtum trifft hier auf Innovation und Kreativität.
>
> Aktuell studieren 28.700 Studierende in Tübingen, verteilt auf 8 Fakultäten.
> Wir bieten Ihnen eine herzliche Atmosphäre und individuellen Service.
> Unser Kurs bietet Unterricht auf den Sprachstufen von A2 – C1 an.
>
> **Termine: Anmeldung Intensivkurse: 12. – 15. Oktober 2015**
> **Vorbereitungskurs DSH: 26. Oktober – 17. November 2015**

b Machen Sie Kategorien.

Organisieren Sie neue Wörter in Kategorien.

Internationale Wörter: Programm, ...
Zahlen: 1477, ...
Termine: 12. – 15. Oktober, ...

Geographie: Welt, Deutsch, ...
Universität: Studierende, ...
andere: ...

c Spielen Sie „Stadt-Land-Fluss".

Spielregel: Spielen Sie in Gruppen. Ein Spieler sagt im Kopf das Alphabet. Die anderen sagen „Stopp". Der Buchstabe bei „Stopp" ist der Anfangsbuchstabe. Alle schreiben für jede Kategorie ein Wort mit dem Buchstaben. Wer ist zuerst fertig und hat alle Wörter richtig? Das ist der Gewinner / die Gewinnerin.

	Stadt	Land	Fluss	Name	Nationalität	Sprache	...
A	Ankara	Argentinien	Amazonas	Alonso	Amerikaner	Afrikaans	...

2 Über Sprache reflektieren

Ergänzen Sie die Tabellen. Wie heißen die Wörter in Ihrer Sprache? Vergleichen Sie im Kurs.

Deutsch	Englisch	andere Sprache(n)
kommen	to come	
sprechen	to speak	
lernen	to learn	
studieren	to study	
arbeiten	to work	
sein	to be	

Deutsch	Englisch	andere Sprache(n)
er	he	
sie (Singular)	she	
sie (Plural)	they	

3 Miniprojekt

Stellen Sie im Kurs eine berühmte Person aus Ihrem Land vor. Machen Sie eine Präsentation oder ein Plakat.

Satzmelodie in kurzen Aussagesätzen und Fragen

1 Woher kommen Sie?   ◁》 10

a Hören Sie die Sätze und lesen Sie mit.

1. ○ Wie geht es dir?   ● Gut, und dir?

2. ○ Woher kommen Sie?   ● Ich komme aus der Türkei.

3. ○ Kommen Sie aus Russland?   ● Nein, ich komme aus Polen.

b Hören Sie die Sätze in 1a noch einmal und summen Sie mit.

mmmmmmmm

c Sprechen Sie die Sätze in 1a.

d Hören Sie die Sätze. Was fällt auf? Ergänzen Sie die Phonetikregel und kreuzen Sie an.   ◁》 11

1. a. ○ Wie geht es Ihnen?   b. ● Danke gut, und Ihnen?

2. a. ○ Woher kommen Sie?   b. ● Ich komme aus Südafrika.

3. a. ○ Kommen Sie aus Japan?   b. ● Nein, ich komme aus China.

1. Aussagesatz, z.B. Satz _2b_ + _____   a. ⌴ ↗   b. ⌴ ↘   ❗

2. Ja / Nein-Frage, z.B. Satz _____   a. ⌴ ↗   b. ⌴ ↘

3. W-Fragen, z.B. Satz _____ + _____   a. ⌴ ↗   b. ⌴ ↘

4. Rückfragen, z.B. Satz _____   a. ⌴ ↗   b. ⌴ ↘

2 Guten Tag!

a Hören Sie die Sätze. Was hören Sie: ↗ oder ↘ ? Kreuzen Sie an.   ◁》 12

1. Guten Tag.   a. ⌴ ↗   b. ⌴ ↘
2. Hallo, wie geht's?   a. ⌴ ↗   b. ⌴ ↘
3. Gut, und dir?   a. ⌴ ↗   b. ⌴ ↘
4. Wie heißt du?   a. ⌴ ↗   b. ⌴ ↘
5. Ich heiße Michael.   a. ⌴ ↗   b. ⌴ ↘
6. Bist du Lisa?   a. ⌴ ↗   b. ⌴ ↘
7. Nein, ich bin Olga.   a. ⌴ ↗   b. ⌴ ↘
8. Das ist Anne.   a. ⌴ ↗   b. ⌴ ↘
9. Wohnst du in Mannheim?   a. ⌴ ↗   b. ⌴ ↘
10. Ja, ich wohne in Mannheim.   a. ⌴ ↗   b. ⌴ ↘

b Hören Sie die Sätze in 2a noch einmal und summen Sie mit.   ◁》 12

c Sprechen Sie mit einem Partner / einer Partnerin die Sätze in 2a.

A Früher und heute

1 Dinge im Alltag

a Arbeit mit dem Wörterbuch: Ordnen Sie die Wörter den Bildern zu. Notieren Sie den Artikel und den Plural.

Computer | Handy | Laptop | mp3-Spieler | Schreibmaschine | Smartphone | Tablet | ~~Telefon~~ | USB-Stick | Navigationsgerät

1. _das Telefon, -e_   3. _____   5. _____   7. _____   9. _____

2. _____   4. _____   6. _____   8. _____   10. _____

b Was ist das? Ergänzen Sie den passenden Artikel oder ø.

1. Das ist _ein_ Telefon. _Das_ Telefon ist schon sehr alt.
2. Das ist _____ Smartphone. _____ Smartphone ist sehr praktisch.
3. Das ist _____ Tablet. _____ Tablet hat viele Apps.
4. Das sind _____ USB-Sticks. _____ USB-Sticks haben 16 GB.
5. Das ist _____ Navigationsgerät. _____ Navigationsgerät ist im Auto.
6. Das ist _____ Plattenspieler. _____ Plattenspieler funktioniert nicht mehr.

> Komposita (Wörterbuch, Schreibmaschine …) können aus 2 oder 3 Nomen bestehen. Das letzte Wort ist das Grundwort: Schreib**maschine**, Wörter**buch**. Das Grundwort bestimmt auch das Genus:
> das Wörter**buch** ← das Buch   der Foto**apparat** ← der Apparat

2 Was ist das?

Verstecken Sie Gegenstände aus dem Klassenraum unter einem Tuch.
Lassen Sie Ihren Partner / Ihre Partnerin raten.

Was ist das?

Ich glaube, das ist / sind …

Nein. Das ist kein … / Das sind keine … Das …

3 Was hatte man früher, was hat man heute?

a Ergänzen Sie die Tabelle.

Sg.	heute – Präsens	früher – Präteritum	Pl.	heute – Präsens	früher – Präteritum
ich	habe	_____	wir	_____	_____
du	_____	hattest	ihr	_____	hattet
er / sie / es	_____	_____	sie / Sie	_____	_____

b Ordnen Sie zu und schreiben Sie die Tabelle in Ihr Heft.

~~Telefone / Handys~~ | D-Mark-Scheine / Euro-Scheine |
Plattenspieler / mp3-Spieler | Schreibmaschinen / Computer |
Bücher aus Papier / E-Books | Landkarten / Navigationsgeräte |
Videokassetten / DVDs | Disketten / USB-Sticks |
Postkarten / E-Mails | Videospiele / Spiele-Apps

Früher **hatte** man
Telefone.
Man **hatte** früher
Telefone.

Beachten Sie: Das Verb
steht im Aussagesatz
immer auf **Position 2**.

1. _Früher hatte man Telefone, heute hat man Handys._
2. _____
3. _____
4. _____
5. _____
6. _____
7. _____
8. _____
9. _____
10. _____

4 Verben mit Akkusativergänzung

a Ergänzen Sie den unbestimmten Artikel (einen, ein, eine oder ø) oder den Negativartikel im Akkusativ.

1. Hast du _ein_ Handy? – Nein. Ich habe jetzt _____ Smartphone.
2. Hast du _____ Tablet oder _____ Laptop? – Ich habe _____ Tablet.
3. Hast du _____ Navigationsgerät? – Nein. Ich habe _____ Navigationsgerät.
4. Hast du _____ Kamera? – Nein. Aber mein Smartphone hat _____ Fotofunktion.
5. Hast du _____ Auto? – Ja. Ich habe _____ VW Golf (m.).
6. Hast du _____ CD-Spieler? – Nein, aber ich habe _____ mp3-Spieler.
7. Hast du _____ Smartphone oder _____ Tablet? – Ich habe _____ Smartphone.
8. Hast du _____ Tandempartner? – Ja. Er heißt Aristide und kommt aus Kamerun.
9. Hast du _____ Stifte? – Ja, aber _____ Bleistifte, nur Kulis.
10. Hast du _____ Plattenspieler? – Ja, ich bin ein bisschen altmodisch.

b Lesen Sie noch einmal den Text „Verschwundene Dinge" 5a im Kursbuch. Markieren Sie alle Verben mit Akkusativergänzung.

c Was passt zusammen? Ordnen Sie zu.

1. Jan studiert Journalismus und schreibt
2. Wir lesen im Kurs
3. Wir hören
4. Die Lehrerin benutzt im Kurs
5. Wir schreiben
6. Wir machen im Kurs
7. Die Studenten lesen
8. Wir brauchen im Kurs
9. Das Auto hat

a. ⌴ Bücher in der Bibliothek.
b. ⌴ ein Gespräch.
c. ⌴ ein Kursbuch, ein Heft und Stifte.
d. ⌴ ein Navigationsgerät.
e. ⌴ eine E-Mail.
f. ⌴ eine Wortschatzübung.
g. ⌴_1_ einen Artikel über Dinge von früher.
h. ⌴ einen Computer und einen Beamer.
i. ⌴ einen Text aus dem Kursbuch.

d Was hatten Sie? Was haben Sie? Was brauchen Sie? Machen Sie eine Liste. Vergleichen Sie im Kurs.   ☺☺☺

Als Kind hatte ich einen Plattenspieler, ...
Ich habe einen Kugelschreiber, ein Smartphone, ...
Ich brauche ein Tablet, einen Kaffee, ...

e Was brauchen wir im Deutschkurs? Fragen Sie Ihren Partner / Ihre Partnerin.   ☺☺☺

Brauchen wir im Deutschkurs eine Tafel?

Ja.

Nein. Wir brauchen keine Tafel.
Wir haben ein Smartboard.

B Familiengeschichten

1 Ein Stammbaum

a Wer ist wer? Schauen Sie den Stammbaum an und ergänzen Sie.

Cousins | Enkelkinder | Neffen | Nichte | ~~Schwägerin~~ | Schwager | Schwiegereltern | Tante | Urenkel

Gisela und Klaus sind die Eltern von Sabine und Thomas. Sie sind die _____ [1] von Jürgen und Irene. Sabine ist die Schwester von Thomas und _die Schwägerin_ [2] von Irene. Jürgen ist der _____ [3] von Thomas.

Karolin, Jan, Bastian, Hanna und Fabian sind _____ [4]. Sie sind die _____ [5] von Gisela und Klaus. Sabine ist die _____ [6] und Jürgen ist der Onkel von Hanna und Fabian. Jan und Bastian sind die_____ [7] von Irene und Thomas und Karolin ist ihre _____ [8]. Und Felix? Felix ist der _____ [9] von Gisela und Klaus.

b Wer ist wer? Ergänzen Sie.

Cousin | Neffe | Nichte | ~~Onkel~~ | Schwager | Schwägerin | Schwiegermutter | Schwiegervater | Tante

1. Mein Vater hat einen Bruder. Das ist mein _Onkel_ .
2. Meine Mutter hat eine Schwester. Das ist meine _____ .
3. Mein Bruder hat eine Frau. Das ist meine _____ .
4. Meine Schwester hat einen Mann. Das ist mein _____ .
5. Mein Bruder hat eine Tochter. Das ist meine _____ .
6. Meine Schwester hat einen Sohn. Das ist mein _____ .
7. Mein Onkel und meine Tante haben einen Sohn. Das ist mein _____ .
8. Meine Frau hat einen Vater. Das ist mein _____ .
9. Mein Mann hat eine Mutter. Das ist meine _____ .

2 Meine Familie, deine Familie ... unsere Familie

a Lesen Sie das Gespräch zwischen Jan und Stelios. Welcher Possessivartikel passt? Markieren Sie.

○ Du kommst aus Griechenland, und wo lebt _deine_ / meine [1] Familie?
● Meine / Deine [2] Geschwister wohnen in Berlin.
○ Und Ihre / eure [3] Eltern? Wo leben sie denn?
● Eure / Unsere [4] Eltern leben in Saloniki. Sie haben ein Haus im Zentrum. Sein / Ihr [5] Haus ist sehr schön und groß.
○ Leben seine / eure [6] Großeltern noch?
● Ja. Sie sind schon sehr alt.

○ Haben _deine / seine_ [7] Geschwister Kinder?
● Meine / Ihre [8] Schwester hat einen Sohn und eine Tochter. Seine / Ihre [9] Kinder studieren noch. Mein / Sein [10] Bruder hat einen Sohn und drei Töchter. Sein / Ihr Sohn [11] studiert schon in Frankreich und seine / ihre [12] Töchter sind noch klein. Und deine / eure [13] Familie? Erzähl doch mal ...
○ Meine / Eure [14] Familie ist sehr klein ...

b Das ist meine Familie. Ergänzen Sie *mein / meine, sein / seine* oder *ihr / ihre*. Hören Sie dann und vergleichen Sie. 🔊 13–15

Jan erzählt:
Meine [1] Familie ist nicht sehr groß. Da sind _____ [2] Geschwister Karolin und Bastian und _____ [3] Eltern Sabine und Jürgen. _____ [4] Großmutter Gisela lebt noch. Sie ist geschieden. _____ [5] Ex-Mann Klaus, das ist _____ [6] Großvater, lebt in Österreich. Oma Gisela hat einen Freund: _____ [7] Freund heißt Bernhard.

Felix erzählt:
_____ [8] Mutter heißt Karolin und _____ [9] Vater heißt Manuel. Er kommt aus Spanien. _____ [10] Eltern haben nur ein Kind. Das bin ich. Ich bin ein Einzelkind. Mama hat zwei Brüder: _____ [11] Brüder heißen Jan und Bastian. Sie sind nicht verheiratet. Onkel Jan ist jung, er ist 1995 geboren. Er hat eine Freundin. _____ [12] Freundin heißt Stefanie.

Karolin erzählt:
_____ [13] Mann Manuel kommt aus Spanien. Ich sehe Manuels Eltern, also _____ [14] Schwiegereltern, nicht oft: Sie wohnen in Granada. Manuel hat einen Bruder und zwei Schwestern. _____ [15] Schwestern leben in Granada, aber _____ [16] Bruder César wohnt auch in Deutschland, in München.

3 Ehe und Familie – früher und heute

a Lesen Sie die Texte aus dem Kursbuch 3a und b noch einmal. Ordnen Sie zu.

1. Viele Paare haben Kinder,
2. Früher war das unmöglich,
3. Man heiratet
4. Frauen haben heute Kinder
5. Es gibt noch die traditionelle Kleinfamilie,
6. Benjamins Mutter ist nicht verheiratet
7. Jonas' Vater lebt in Berlin,
8. Viele Menschen leben auch als Single, das heißt sie sind nicht verheiratet

a. ⌒ **aber** das ist heute kein Problem.
b. ⌒ **aber** es gibt heute auch viele Patchworkfamilien.
c. ⌒ **aber** Jonas und seine Mutter leben in Frankfurt.
d. _1_ **aber** sie sind nicht verheiratet.
e. ⌒ **oder** man lebt unverheiratet zusammen.
f. ⌒ **oder** sie sind geschieden.
g. ⌒ **und** erzieht ihre Söhne allein.
h. ⌒ **und** gehen arbeiten.

b Verbinden Sie die Sätze mit „und", „oder" oder „aber" wie in den Beispielen.

A
Ich bin 20 Jahre alt. Ich studiere in Heidelberg.

Ich bin 20 Jahre alt und (ich) studiere in Heidelberg.

B
Mein Mann arbeitet in Stuttgart. Wir wohnen in Tübingen.

Mein Mann arbeitet in Stuttgart, aber wir wohnen in Tübingen.

Vor „aber" steht immer ein Komma.

1. Ich bin Ingenieurin. Ich arbeite bei Mercedes.
2. Ich bin verheiratet. Ich habe zwei Kinder.
3. Viele Menschen sind nicht verheiratet. Viele Menschen sind geschieden.
4. Paul und Simone haben zwei Kinder. Sie sind nicht verheiratet.
5. Ich bin noch Studentin. Ich bin schon verheiratet.
6. Er ist schon 45 Jahre alt. Er ist nicht verheiratet.

4 Meine Familie

Schreiben Sie einen Text über Ihre Familie (Familienmitglieder, Name, Alter, Familienstand, Wohnort …).
Verbinden Sie die Sätze mit „und" und „aber".

Meine Familie ist sehr groß / ziemlich groß / relativ klein / sehr klein.
Meine Eltern … / Meine Mutter … / Mein Vater …
Ich habe … Geschwister: einen Bruder / … Brüder und …
Meine Eltern wohnen in …, aber meine Großeltern …

Meine Familie …

C Wir gehen essen

1 In Deutschland is(s)t man international

Ordnen Sie zu.

Adjektive stehen immer vor dem Nomen und haben eine Endung:

der Wein (M)
ein französisch**er** Wein

da**s** Bier (N)
ein deutsch**es** Bier

di**e** Suppe (F)
eine spanisch**e** Suppe

1. „Karls Bio-Café-Restaurant" ist
2. Das „Topkapı" ist
3. Das „Brunnenstüberl" ist
4. Die „Pizzeria Roma" ist
5. Die „Taverne Mykonos" ist
6. Das „Casablanca" ist
7. Die Sushi-Bar „Tokio" ist

a. ⌐⌐ ein griechisches Restaurant.
b. ⌐⌐ ein italienisches Restaurant.
c. ⌐⌐ ein japanisches Restaurant.
d. ⌐⌐ ein marokkanisches Restaurant.
e. ⌐⌐ ein österreichisches Restaurant.
f. ⌐⌐ ein türkisches Restaurant.
g. _1_ ein vegetarisches Restaurant.

2 Die Wochentage

Für den 6. Wochentag gibt es zwei Namen: **Samstag** oder **Sonnabend**.

a Lesen Sie die Abkürzungen in der Anzeige vom „Brunnenstüberl" im Kursbuch 1a. Schreiben Sie die Wochentage.

1. Mo _____   3. Mi _____   5. Fr _____   7. So _____

2. Di _____   4. Do _Donnerstag_____   6. Sa _____

b Lesen Sie noch einmal die Anzeigen im Kursbuch 1a. Ordnen Sie zu.

1. Am Montag
2. Am Dienstag
3. Am Mittwoch
4. Am Donnerstag
5. Am Freitag
6. Am Samstag
7. Am Sonntag

a. ⌐⌐ gibt es im „Brunnenstüberl" Fisch.
b. ⌐⌐ ist das „Brunnenstüberl" geschlossen.
c. ⌐⌐ gibt es in „Karls Bio-Café-Restaurant" Suppe.
d. ⌐⌐ öffnet „Karls Bio-Café-Restaurant" von 11.30 Uhr bis 16.00 Uhr.
e. ⌐⌐ gibt es in „Karls Bio-Café-Restaurant" Brunch.
f. ⌐⌐ ist das „Topkapı" geschlossen.
g. ⌐⌐ sind alle drei Restaurants geöffnet.

c Um wie viel Uhr öffnen und schließen die Restaurants? Lesen Sie die Anzeigen im Kursbuch 1a und schreiben Sie die Antwort.

1. Um wie viel Uhr öffnet das „Topkapı" am Samstag?   _Am Samstag öffnet das „Topkapı" um 17 Uhr 30._
2. Um wie viel Uhr schließt das „Topkapı" am Samstag?   _____
3. Um wie viel Uhr öffnet das Bio-Restaurant am Sonntag?   _____
4. Um wie viel Uhr schließt das Bio-Restaurant am Sonntag?   _____
5. Um wie viel Uhr öffnet das „Brunnenstüberl" am Freitag?   _____
6. Um wie viel Uhr schließt das „Brunnenstüberl" am Freitag?   _____

3 Was gibt es auf der Speisekarte?

a Vorspeise, Hauptgericht oder Dessert? Schreiben Sie die Gerichte in eine Tabelle in Ihr Heft.

Apfelstrudel | Eis mit Sahne | Karottensuppe | Tafelspitz mit Kartoffeln und Salat | Eis ohne Sahne | ~~Tomatensalat~~ | Wiener Schnitzel mit Pommes frites und Salat | Zanderfilet mit Kartoffeln und Salat | Tomatencremesuppe

Vorspeise	Hauptspeise / Hauptgericht	Dessert / Nachspeise / Nachtisch
Tomatensalat		

b Welche Namen von Gerichten kennen Sie noch? Sammeln Sie im Kurs.

A1: 88

4 Gespräche im Restaurant

a Jan und Stefanie sind in „Karls Bio-Café-Restaurant" und bestellen das Essen. Ordnen Sie das Gespräch in der richtigen Reihenfolge. Hören Sie dann und vergleichen Sie.

🔊 16

a. ⌴ Gern. Was bekommen Sie?
b. ⌴ Heute gibt es leider keinen Tomatensalat. Wir haben aber heute einen leckeren Karottensalat.
c. ⌴ Ich nehme eine vegetarische Pizza, aber ohne Oliven. Geht das?
d. ⌴ Ich nehme einen Veggie-Burger mit viel Käse und einen Tomatensalat.
e. ⌴ Ich trinke einen Rotwein.
f. ⌴ Mmh, Karottensalat. Na gut, dann nehme ich einen Karottensalat und ein Mineralwasser.
g. ⌴ Natürlich geht das. Und was möchten Sie trinken?
h. ⌴ Und Sie? Was bekommen Sie?
i. ⌴1 Wir möchten gern bestellen.

ich	möchte
du	möchtest
er	möchte
wir	möchten
ihr	möchtet
sie	möchten

Ich möchte ein **Bier**.
„möchte" + Nomen

Wir möchten **bezahlen**.
„möchte" + Infinitiv

b Was kann man antworten? Ordnen Sie zu.

1. Was gibt es auf der Speisekarte?
2. Gibt es auch vegetarische Gerichte?
3. Was ist denn „Tafelspitz"?
4. Nimmst du einen Rot- oder Weißwein?
5. Isst du ein Zanderfilet?
6. Was nimmst du als Vorspeise?
7. Nimmst du auch eine Nachspeise?
8. Magst du „Wiener Schnitzel"?
9. Möchtest du noch einen Kaffee?
10. Wie bezahlen wir?

a. ⌴ Nein, danke.
b. ⌴ Nein. Ich bin Vegetarier.
c. ⌴ Das ist ein Fleischgericht.
d. ⌴1 Es gibt Gerichte mit Fisch und mit Fleisch.
e. ⌴ Ich trinke heute keinen Alkohol.
f. ⌴ Ja, einen Veggie-Burger. Er schmeckt sehr gut.
g. ⌴ Mit EC-Karte.
h. ⌴ Nein. Ich mag kein Eis und auch keinen Kuchen.
i. ⌴ Ich nehme eine Tomatensuppe.
j. ⌴ Nein. Ich mag keinen Fisch.

5 Und was mögen Sie?

a Was antworten Sie? Kreuzen Sie an.

1. Mögen Sie Fisch?
   ⌴ Fisch mag ich sehr.
   ⌴ Ich mag keinen Fisch.
   ⌴ Ich esse keinen Fisch und kein Fleisch.

2. Mögen Sie Steaks?
   ⌴ Ich esse kein Fleisch. Ich bin Vegetarier.
   ⌴ Ich mag keine Steaks, aber ich mag Schnitzel.
   ⌴ Fleisch mag ich sehr.

3. Mögen Sie Rotwein?
   ⌴ Ich mag keinen Rotwein, aber Weißwein mag ich sehr.
   ⌴ Ich trinke keinen Alkohol.
   ⌴ Ja, aber nur Rotwein aus Italien.

4. Mögen Sie Kaffee?
   ⌴ Kaffee mag ich sehr, aber Tee mag ich nicht.
   ⌴ Ja. Ich trinke 4 bis 5 Tassen am Tag.
   ⌴ Ich trinke keinen Kaffee.

Nutzen Sie eigene Erfahrungen zum Lernen.

b Markieren Sie die Verben in 5a und ergänzen Sie.

_____ Sie Fisch?   Nein, ich mag _____ Fisch.
Ja, Fisch mag sehr. Aber Fleisch mag ich _____.

Vergleichen Sie:
○ Ich **mag** Fleisch, aber ich **mag keinen** Fisch.
● Fisch mag ich sehr. Aber Fleisch mag ich **nicht**.

	mögen
ich	**mag**
du	**magst**
er/sie/es	**mag**
wir	mögen
ihr	mögt
sie/Sie	mögen

c Schauen Sie die Speisekarte in 2a im Kursbuch an. Fragen Sie im Kurs: Magst du …? / Mögen Sie …?

Magst du …?   … mag ich nicht.   Ich mag kein/keinen …

DaF kompakt – mehr entdecken

A1: 90

1 Wortschatz lernen und erweitern

Wörterbücher im
Internet:

pons.de
dwds.de
duden.de

Arbeit mit dem Wörterbuch. Markieren Sie: Wo finden Sie die Informationen zum Wort?

Ka·me·ra die ['kamәra] <-, -s> ❶ *ein Gerät zum Filmen:* Vor laufender Kamera hat er sie gefragt, ob sie ihn heiraten möchte. ◆-einstellung, -perspektive, -winkel, Digital-, Film-, Kleinbild-, Video- ❷ *(≈ Fotoapparat) ein Gerät zum Fotografieren:* das Objektiv der Kamera einstellen; einen neuen Film in die Kamera einlegen; ■ **vor**

Genus | Silbengrenze | Plural | Aussprache / Phonetik / Betonung

(aus: PONS Kompaktwörterbuch Deutsch als Fremdsprache, © PONS GmbH, 2012)

2 Über Sprache reflektieren

Ergänzen Sie die Tabellen. Wie sagt man das in Ihrer Sprache? Vergleichen Sie im Kurs.

Deutsch	Englisch	Französisch	andere Sprache(n)
Das ist **eine** Kamera.	This is **a** camera.	C'est **une** caméra.	
Das sind – Kameras.	These are – cameras.	Ce sont **des** caméras.	

	Deutsch	Englisch	Spanisch	andere Sprache(n)
Jan	**sein** Bruder	**his** brother	**su** hermano	
Hanna	**ihr** Bruder	**her** brother	**su** hermana	
Hanna + Fabian	**ihr** Hund	**their** dog	**su** perro	

Deutsch	Englisch	Spanisch	andere Sprache(n)
Montag	Monday	lunes	
Dienstag	Tuesday	martes	
…	…	…	
Samstag	Saturday	sábado	
Sonntag	Sunday	domingo	

3 Miniprojekt: Restaurants in unserer Stadt

a Suchen Sie Restaurants in Ihrer Stadt. Lesen Sie die Fragen und machen Sie Notizen.

öffnen ≠ schließen

Das Restaurant **öffnet** um 19 Uhr.

Am Montag **ist** das Restaurant **geöffnet**.

Das Restaurant **schließt** um 1 Uhr.

Am Dienstag **ist** das Restaurant **geschlossen**.

Wo ist das Restaurant (Adresse)?
Welche Spezialitäten bietet das Restaurant (z. B. Spezialitäten aus Österreich)?
Wann öffnet das Restaurant (z. B. um 19 Uhr)?
Wann ist das Restaurant geschlossen (z. B. Montag)?

b Berichten Sie im Kurs. Benutzen Sie folgende Redemittel.

Das Restaurant heißt …
Die Adresse ist …
Es gibt Spezialitäten aus Deutschland / aus Österreich / aus der Türkei …
Das Restaurant öffnet um … Uhr.
Am Montag / Dienstag … ist das Restaurant geschlossen.

sch – sp – st

1 Wie spricht man „sch", „sp" und „st"?

a Hören Sie die Wörter und sprechen Sie sie dann nach.　　🔊 17

- Speisekarte   – Kuchenstück
- Strudel   – Tafelspitz
- bestellen   – Schokolade
- Vorspeise   – Flasche

b Hören Sie die Wörter und sprechen Sie sie dann nach.　　🔊 18

- Restaurant   – Gast
- Espresso   – Wurst
- Eispackung   – köstlich
- Lieblingstorte   – Gäste

c Wann sprechen wir [sch], wann [s]? Kreuzen Sie an.

Wir schreiben	Beispiele	Wir sprechen	
1. „sch"	Schokolade	sch ⎵	s ⎵
2. „sp" am Anfang von einem Wort	Speisekarte	sch ⎵	s ⎵
3. „sp" am Anfang von einer Silbe	Vorspeise	sch ⎵	s ⎵
4. „sp" an der Wort- und Silbengrenze	Eispackung, Espresso	sch ⎵	s ⎵
5. „st" am Anfang von einem Wort	Strudel	sch ⎵	s ⎵
6. „st" am Anfang von einer Silbe	bestellen	sch ⎵	s ⎵
7. „st" an der Wort- und Silbengrenze	Lieblingstorte, Restaurant	sch ⎵	s ⎵
8. „st" am Ende von einem Wort oder einer Silbe	Gast, köstlich	sch ⎵	s ⎵

d Machen Sie aus den Wörtern in 1a und 1b kurze Sätze und sprechen Sie im Kurs.　　👥

Ich mag …

Ich nehme…

Was isst du gern?

Ich esse gern …

Was nimmst du?

e Schreiben Sie die Wörter in die Tabelle in 1c.

türkisch | Samstag | vegetarisch | Donnerstag | sprechen | Österreich | Dienstag | Fisch |
Spezialität | Schwester | studieren | Spanien | schreiben | Liechtenstein | chinesisch | Studentin |
Schweiz

2 Schönes Schreibspiel

Schreiben Sie einen Satz mit vielen Wörtern mit „sch", „sp" und „st".　　👥
Ihr Partner / Ihre Partnerin liest den Satz vor. Tauschen Sie.

A Uni und Termine

1 Der Stundenplan

a Was machen Sie im Studium? Was machen Sie in der Freizeit? Ordnen Sie zu.

Kombinationen:
Lernen Sie Nomen und
Verben zusammen.

~~eine Vorlesung besuchen~~ | eine Übung / ein Tutorium haben | ~~mit Freunden essen gehen~~ | frei haben | ein Referat halten | in der Mensa essen | zur Sprechstunde gehen | die Familie besuchen | eine Klausur schreiben | am Wochenende einen Ausflug nach … machen | eine Besprechung haben | einen Termin beim Arzt haben | Hausaufgaben machen | mit Kommilitonen lernen | Sport machen

Studium: eine Vorlesung besuchen, …
Freizeit: mit Freunden essen gehen, …

b Schauen Sie den Stundenplan von Franziska an und beantworten Sie die Fragen.

Zeit	Montag	Dienstag	Mittwoch	Donnerstag	Freitag
8 – 10	Buchführung V		Statistik V	Markt und Wettbewerb Ü	
10 – 12	Marketing V			Marketing Ü	Projektmanage-ment V
14 – 16	Mathematik V	Markt und Wettbewerb V	Statistik Ü		
16 – 18				Mathematik Ü	

V = Vorlesung, Ü = Übung

1. Was studiert sie?   a. ⌷ Informatik   b. ⌷ Wirtschaft   c. ⌷ Psychologie
2. Wie viele Stunden pro Woche hat sie Veranstaltungen? _____
3. Wann hat sie frei? _____
_____

Semesterwochen-
stunden (SWS):
Veranstaltungen (Vor-
lesungen, Übungen) an
Hochschulen dauern
meistens 2 SWS, d.h.
zweimal 45 Minuten
pro Woche. Studenten
haben in der Regel
15 bis 20 SWS pro
Semester.

c Wann hat Franziska Vorlesungen und Übungen? Schreiben Sie in Ihr Heft.

1. Am Montagvormittag hat sie eine Vorlesung in Buchführung und eine Vorlesung in Marketing.

2 Termine

a Welche Antworten passen? Ordnen Sie zu.

1. Hast du am Montagnachmittag Zeit?
2. Haben wir heute Nachmittag Vorlesung?
3. Haben wir morgen frei?
4. Wann hast du Zeit?
5. Wann schreiben wir die Klausur?
6. Hast du viel zu tun?
7. Wann machen wir den Ausflug nach Rügen?

a. ⌷ Morgen Abend. Ich kann nur am Abend.
b. ⌷*1* Nein. Da habe ich keine Zeit.
c. ⌷ Nein. Morgen um Viertel nach zehn.
d. ⌷ Oh ja! Ich habe jeden Tag Termine.
e. ⌷ Am Wochenende.
f. ⌷ Ich glaube, nächste Woche, am Freitag.
g. ⌷ Ja, natürlich. Professor Jung ist doch nicht da.

b Beantworten Sie die Fragen mit „Nein".

1. Hast du heute Zeit?
2. Kannst du am Montag?
3. Hast du heute einen Termin?
4. Jobbst du am Wochenende?
5. Haben wir morgen frei?
6. Ist die Sekretärin da?
7. Hast du viel zu tun?
8. Gehst du zur Sprechstunde von Professor Hans?

1. Nein. Ich habe heute keine Zeit.   *2. Nein. Am Montag kann ich nicht.*

A1: 92

3 Um wie viel Uhr ...?

a Hören Sie das Gespräch. Schreiben Sie die Uhrzeiten in den Terminkalender. 🔊 19

_8:15_ Vorlesung   _____ Gesprächstermin mit zwei Studentinnen
_____ Besuch von Frau Heinen   _____ Gesprächstermin mit Franziska Urban
_____ Arbeitsessen im Restaurant „Am Markt"   _____ Studententheater
_____ Besprechung im Rektorat

b Ergänzen Sie die Uhrzeiten.

halb sechs | halb sieben | ~~sechs Uhr~~ | vier Uhr | Viertel nach acht | Viertel nach zwei |
Viertel vor vier | Viertel vor zwölf | zwanzig nach sieben

„Das ist mein Tag: Ich schlafe immer bis _sechs Uhr_. Dann dusche ich. Um _____ [1]
frühstücke ich. Ich trinke nur eine Tasse Kaffee. Um _____ [2] nehme ich den Bus und
fahre zur Uni. Die Vorlesungen beginnen um _____ [3] und dauern 90 Minuten.
Um _____ [4] gehen wir zusammen in die Mensa. Dort essen wir zu Mittag. Nachmittags
um _____ [5] haben wir Übungen. Die Übungen dauern bis _____ [6].
Von _____ [7] bis _____ [8] gehe ich in die Bibliothek und lerne."

c Wie verläuft Ihr Tag? Was machen Sie? Schreiben Sie einen Text.

die Mahlzeiten:

das **Frühstück**
→ frühstücken
das **Mittagessen**
→ zu Mittag essen
das **Abendessen**
→ zu Abend essen

4 Stress im Studium?

a Lesen Sie die drei Texte aus dem Unimagazin. Was glauben Sie? Welches Studium macht viel Stress?

Wir haben Greifswalder Studierende gefragt: Habt ihr Stress im Studium?

Lisa (20), Geschichte und Deutsch auf Lehramt:

„Viele Studenten finden das Studium sehr stressig. Das stimmt nicht immer. Zu Semesterbeginn hat man meistens nicht so viel zu tun. Stressig ist es erst im Januar und Februar. Dann schreiben wir Klausuren. Für die Klausuren lerne ich sehr viel; oft lerne ich auch nachts."

Philipp (19), Anglistik:

„Ich lerne jeden Tag ein bisschen für die Klausuren. Dann habe ich am Semesterende nicht so viel zu tun. Referate schreiben ist auch kein Problem. Einmal pro Woche jobbe ich auch – ich gebe Englischkurse. Das mag ich sehr. Stress habe ich nie oder nur ganz selten."

Lennard (21), Umweltwissenschaften:

„Stress habe ich immer: Vormittags und nachmittags bin ich in der Uni. Abends jobbe ich, ich bekomme kein BAföG. Und am Wochenende lerne ich. Freizeit habe ich selten und meine Freunde und Familie besuche ich nur manchmal. In den Semesterferien habe ich auch keine Zeit – da arbeite ich den ganzen Tag."

BAföG: Bundesausbildungsförderungsgesetz www.bafög.de

b Wer sagt was? Ordnen Sie zu.

1. Das Studium ist nicht immer stressig.   _____
2. Studieren und arbeiten – das ist Stress.   _____
3. Wichtig ist ein gutes Zeitmanagement.   _____

Vergleichen Sie:

Ich habe **vormittags** (= jeden Vormittag) Vorlesung.
Heute **Vormittag** habe ich eine Besprechung.

c Markieren Sie alle Zeitangaben in den drei Texten und ergänzen Sie.

1. Semesterbeginn ≠ _Semesterende_
2. morgens – _____ – mittags - _____ – _____ – _____
3. von morgens bis abends = _____
4. immer (100%) – _____ (75%) – _____ (50%) – _____ (25%) – _____ (10%) – nie (0%)
5. am Samstag und Sonntag = _____

B Im Supermarkt

1 Unsere Lebensmittel

Ordnen Sie die Lebensmittel den Kategorien zu und ergänzen Sie die Pluralformen. Arbeiten Sie mit dem Wörterbuch. Beachten Sie: Einige Nomen sind nicht zählbar und haben keinen Plural.

der Apfel | der Joghurt | der Käse | ~~der Zucker~~ | ~~das Brot~~ | das Brötchen | ~~das Ei~~ | das Eis | ~~das Hackfleisch~~ | das Müsli | das Rindfleisch | das Schnitzel | das Steak | ~~die Banane~~ | ~~die Bohne~~ | die Butter | die Fleischwurst | die Karotte | die Kartoffel | die Marmelade | die Milch | die Sahne | die Orange / Apfelsine | die Schokolade | die Tomate | die Weintraube

Obst / Früchte: *die Banane, –n,* _____

Gemüse: *die Bohne, –n,* _____

Fleisch / Wurst: *das Hackfleisch,* _____

Eier und Milchprodukte: *das Ei, –er,* _____

Brot und Getreideprodukte: *das Brot, –e,* _____

Süßigkeiten: *der Zucker,* _____

2 Verpackungen

a Ordnen Sie die Verpackungen den Lebensmitteln zu. Einige Lebensmittel passen in mehrere Kategorien.

~~Apfelsaft~~ | Bier | ~~Bonbons~~ | Brötchen | Butter | Champignons | Cola | Eier | Erdbeeren | Gurken | Joghurt | Kartoffelchips | Kekse | Ketchup | Mais | Marmelade | Mayonnaise | Mehl | Milch | Müsli | Öl | Orangensaft | Pfeffer | ~~Pralinen~~ | Reis | Sahne | Salz | Schnitzel | ~~Schokolade~~ | Schwarzbrot | ~~Senf~~ | Spaghetti / Nudeln | Tee | Thunfisch | Wein | Weintrauben | Würstchen | Zucker

die Flasche: *Apfelsaft,* _____

das Glas: _____

die Dose: _____

der Becher: _____

die Packung / das Päckchen: _____

die Schachtel: *Pralinen,* _____

die Tafel: *Schokolade,* _____

der Beutel / die Tüte: *Bonbons,* _____

die Tube: *Senf,* _____

die Schale: _____

nicht zählbar: _____

b Lesen Sie den Einkaufszettel. Was ist hier falsch? Korrigieren Sie.

2 ~~Packungen~~ Erdbeeren	2 Schachteln Joghurt	5 Becher Pralinen
3 Dosen Butter	2 Tafeln Senf	2 Packungen Marmelade
4 Flaschen Kartoffelchips	2 Tüten Thunfisch	...
2 Gläser Müsli	3 Tuben Orangensaft	
3 Päckchen Mayonnaise	2 Schalen Schokolade	

2 Schalen Erdbeeren

c „Wie viel" oder „Wie viele"? Schreiben Sie Mini-Dialoge wie im Beispiel.

A ○ Wir brauchen Brötchen.
   ● **Wie viele** brauchen wir denn?
   ○ 5 (Stück).

B ○ Wir brauchen Apfelsaft.
   ● **Wie viel** brauchen wir denn?
   ○ 2 Flaschen.

1. Butter   2. Sahne   3. Würstchen   4. Thunfisch   5. Gurken   6. Eier

3 Gespräche im Lebensmittelgeschäft

Welche Antwort passt? Ordnen Sie zu.

1. Gibt es heute Sonderangebote?
2. Was ist heute im Angebot?
3. Wie viel kosten die Bananen?
4. Wie möchten Sie den Käse?
5. Haben Sie noch Hackfleisch?
6. Wie schmecken die Erdbeeren?
7. Haben Sie auch laktosefreien Käse?
8. Ist das Bio-Fleisch?

a. ⌐ Tut mir leid. Das ist ausverkauft.
b. ⌐ Erdbeeren aus Italien.
c. ⌐ 2 Euro 25 das Kilo.
d. ⌐ Geschnitten, bitte.
e. ⌐ Sehr lecker. Sie sind zuckersüß.
f. ⌐ Leider nicht. Den bekommen Sie im Reformhaus.
g. ⌐ Selbstverständlich. Wir verkaufen nur natürliche Produkte.
h. ⌐1⌐ Nein, nur am Wochenende.

4 Jobben im Studium

a Wie finanzieren Studierende in Deutschland ihr Studium? Schauen Sie die Grafik an und ergänzen Sie den Text.

Geld von den Eltern: 64%

Jobben: 58%

BAföG: 33%

Eigenes Vermögen: 25%

Stipendium: 4%

© Reemtsma Begabtenförderungswerk e.V., Institut für Demoskopie Allensbach 2014.

Die Grafik zeigt: In Deutschland leben die meisten Studierenden vom Geld von den Eltern, das heißt
_64_ % (= Prozent) [1]. _____ % [2] jobben zusätzlich; ein Drittel, also _____ % [3] bekommen BAföG vom
Staat. Nur _____ % [4] bekommen ein Stipendium. Ein Viertel, also _____ % [5] hat eigenes Vermögen.

b Lesen Sie den Zeitungsartikel. Markieren Sie: Als was jobben die Studenten?

Jobben und Studium

Viele Studenten sitzen nicht den ganzen Tag in Vorlesungen und Seminaren –
sie studieren und sie jobben. Die meisten jobben als Bürokräfte oder Kellner,
viele sind Kassierer oder Verkäufer im Supermarkt.
Beliebt ist auch der Job als Nachhilfelehrer für Schüler oder andere Studenten.
Viele Informatikstudenten arbeiten als Programmierer. Daneben existieren auch
exotische Jobs wie Sänger (z.B. auf Hochzeiten) oder Weihnachtsmann.

Nicole N. (24) mag
ihren Job als Kellnerin.

c Wie ist das in Ihrem Land?
Machen Sie Notizen und sprechen Sie im Kurs.

In … leben die meisten Studenten von den Eltern.

In … jobben viele Studenten als ….

In … ist es anders.

C Endlich Wochenende

1 Personalpronomen im Akkusativ

a Was passt zusammen? Ordnen Sie zu.

1. Tom war heute nicht im Kurs. Er hat Grippe.
2. Im Museum ist bis Samstag eine Ausstellung über Caspar David Friedrich.
3. Das Essen in der Mensa ist gut.
4. Professor Jung spricht sehr leise.
5. Das Studium ist stressig.
6. Meine Eltern wohnen in Stralsund.

a.☐ Ich verstehe ihn nicht immer.

b.☐ Aber ich finde es interessant.
c.☐ *1* Ich besuche ihn heute Nachmittag.
d.☐ Ich mag es sehr.
e.☐ Ich besuche sie morgen.
f.☐ Ich besuche sie immer am Wochenende.

b Beantworten Sie die Fragen. Verwenden Sie die Personalpronomen im Akkusativ.

1. Kennst du die Insel Rügen?
2. Kennst du die Kreidefelsen?
3. Kennst du den Hafen Sassnitz?
4. Kennst du das Schulmuseum?
5. Kennst du den Naturpark Rügen?
6. Kennst du die Strandpromenade von Binz?

1. Kennst du die Insel Rügen? – Ja. Ich kenne sie. / Nein. Ich kenne sie noch nicht.

c Beantworten Sie die Fragen. Verwenden Sie die Personalpronomen im Akkusativ.

Wann besuchst du …

1. deine Eltern? (am Wochenende)
2. deine Großmutter? (jeden Freitag)
3. mich? (morgen)
4. deinen Bruder? (übermorgen)
5. uns? (heute Abend)
6. deine Schwester? (am Samstag)
7. Anne und mich? (am Donnerstagabend)
8. deine Studienkollegen? (am Sonntagnachmittag)

1. Ich besuche sie am Wochenende.

2 Wer? Was? Wen?

a Welche Frage passt? Ordnen Sie zu.

~~Wer ist das?~~ | Wen besuchst du am Wochenende? | Was ist Rügen? | Was machst du am Wochenende?

1. _Wer ist das?_____ Ein Freund von Franziska.
2. _____ Eine Insel.
3. _____ Einen Freund.
4. _____ Einen Ausflug nach Rügen.

b Schreiben Sie die Fragen.

1. In Middelhagen gibt es **ein Schulmuseum**.   _Was gibt es in Middelhagen?_____
2. **Mein Bruder** wohnt auf Rügen.
3. Ich besuche **Freunde**.
4. Ich besuche **eine Ausstellung**.
5. **Der Hafen Sassnitz** ist sehr interessant.
6. **Meine Freunde** kommen heute.
7. **Das Essen im Restaurant** war gut.
8. Sebastian hat **ein großes Haus**.

3 Alle reden vom Wetter ... wir auch

Was ist für Sie gutes Wetter, was ist für Sie schlechtes Wetter? Ordnen Sie zu.

Es ist kalt. | Es sind nur 3 Grad. | Es sind minus 5 Grad. | ~~Es ist sehr warm.~~ | Die Sonne scheint. |
Es ist bewölkt. | Es regnet. | Es schneit. | Es sind 35 Grad. | Es sind 25 Grad. | Es gewittert. |
Es ist windig.

Das mag ich ☺: *Es ist sehr warm.*
Das mag ich nicht ☹:

4 Glück oder Pech?

Schreiben Sie die Sätze neu. Verwenden Sie „leider" oder zum „zum Glück".

1. Nina hat Grippe.   *Leider hat Nina Grippe.*
2. Das Wetter ist schlecht.   _____
3. Die Sonne scheint.   _____
4. Das Museum ist geschlossen.   _____
5. Im Haus von Franziskas Bruder ist viel Platz.   _____
6. Ich sehe euch nur selten.   _____
7. Wir haben ein langes Wochenende.   _____

> „Leider" oder „schade"?
> **Leider** hat Nina Grippe.
> Nina hat Grippe. **Das ist
> schade.**

5 Und was machen Sie?

a Was antworten Sie? Kreuzen Sie an und vergleichen Sie mit Ihrem Partner / Ihrer Partnerin.

1. Was machen Sie am Wochenende?
   ⊔ Ich mache einen Ausflug.
   ⊔ Ich bleibe zu Hause.
   ⊔ Ich besuche meine Familie oder Freunde.

2. Was besichtigen Sie auf Ausflügen?
   ⊔ Ich besichtige alte Kirchen und andere
      historische Gebäude.
   ⊔ Ich besuche Naturdenkmäler.
   ⊔ Ich besichtige nichts.

3. Waren Sie schon einmal auf Rügen?
   ⊔ Da war ich leider noch nie.
   ⊔ Da war ich schon einmal.
   ⊔ Inseln finde ich langweilig.

4. Wie finden Sie Museen?
   ⊔ Museen mag ich sehr.
   ⊔ Museen besuche ich selten.
   ⊔ Museen interessieren mich gar nicht.

b Berichten Sie im Kurs: Was macht Ihr Partner / Ihre Partnerin?

> Am Wochenende besucht Valeria Freunde.

c Sie haben ein langes Wochenende und machen einen Ausflug. Schreiben Sie eine E-Mail.
Schreiben Sie etwas zu den Fragen. Die Redemittel unten helfen.

Wann?
Wo wohnen Sie?
Wetter?
Was besuchen / besichtigen Sie?
Wann nach Hause?

Lieber / Liebe ..., | Am ... fahre ich / fahren wir nach Hause. | Wir wohnen bei Freunden / im Hotel. |
Das Wetter ist gut / schlecht: Es ... | Heute / Morgen / Am ... besuchen / besichtigen wir ... |
Viele Grüße aus ... | ... finde ich super / nicht besonders ... | Am Donnerstag ... |
In ... gibt es ... | Viele Grüße ...

> **Texte schreiben**
> 1. Organisieren Sie Ihre
> Ideen durch Fragen.
> 2. Beginnen Sie Ihre
> Sätze nicht immer mit
> dem Subjekt (z. B. ich).
> Variieren Sie:
> Am ... / Seit ... /
> Heute ...
> Zum Glück / Leider ...
> 3. Verknüpfen Sie die
> Sätze mit „und" und
> „aber".

⚇ DaF kompakt – mehr entdecken

1 Wortschatz lernen und erweitern: Meine Mahlzeiten

a Was essen Sie wann? Schreiben Sie in Ihr Heft.

Brot | Brötchen | Gemüse | Eier | Marmelade | Wurst | Fisch | Fleisch | Butter | Käse | Reis | Kartoffeln | Nudeln | Salat | Kaffee | Tee | Milch | Kuchen | Müsli | Äpfel | Bananen | Toastbrot | Schokolade | Honig | Joghurt | Schokoriegel | …

Zum Frühstück: …   *Mittags: …*
Zwischendurch: …   *Abends: …*

b Schreiben Sie einen Text über Ihre Mahlzeiten. Variieren Sie Ihre Sätze.

Zum Frühstück esse ich nur wenig: Ich esse ein Brötchen mit Marmelade und trinke eine Tasse Kaffee. Mittags esse ich … Manchmal / Nur selten / … aber …

Lernen Sie Wörter in eigenen Beispielsätzen. Nutzen Sie eigene Erfahrungen zum Lernen.

2 Über Sprache reflektieren

Ergänzen Sie die Tabellen. Wie sagt man das in Ihrer Sprache? Vergleichen Sie im Kurs.

Deutsch	Englisch	Spanisch	andere Sprache(n)
ein Kilo Äpfel eine Tasse Kaffee	a kilo of apples a cup of coffee	un kilo de manzanas una taza de café	
Wie viele Äpfel? Wie viel Mehl?	How many apples? How much flour?	¿Cuántas manzanas? ¿Cuánta harina?	

3 Miniprojekt: Das Schulmuseum in Middelhagen

a Die Tourismus-Webseite von Rügen: Hier finden Sie einen Text über das Schulmuseum. Welche Informationen bekommen Sie wohl? Was vermuten Sie?

b Lesen Sie den Text und überprüfen Sie Ihre Vermutungen.

Lesestrategien:
Sie müssen nicht jedes Wort verstehen!
Erschließen Sie unbekannte Wörter aus dem Kontext oder anderen Sprachen.

http://www.ruegen.de

Das Schulmuseum Middelhagen
Das Schulhaus in Middelhagen gibt es seit 1825. Bis in die 70er Jahre war dies die Schule für die Middelhäger Kinder. Heute gehen sie in Göhren, Binz oder Bergen zur Schule. Das Schulhaus ist heute ein Museum. Hier gibt es jeden Mittwoch um 10 Uhr eine historische Schulstunde. Man erlebt hier, wie der Unterricht früher war und wie das Leben der „Schulmeister" – der Lehrer – war. Im Juli und August gibt es die historische Schulstunde auch dienstags.
Das Museum ist montags geschlossen. An den anderen Tagen öffnet es von 10 Uhr bis 17 Uhr. Von November bis März bleibt das Museum geschlossen.
Für Gruppen gibt es Führungen. Der Eintritt in das Museum kostet für Erwachsene 3 Euro und für Kinder 1 Euro 50. Studenten bekommen eine Ermäßigung. Für die historische Schulstunde bezahlen Erwachsene 7 Euro, Kinder und Studenten 3 Euro.

c Berichten Sie über ein Museum in Ihrer Stadt. Die Redemittel unten helfen.

Das Museum … gibt es seit … Es zeigt …
Das Museum ist … geöffnet. Es gibt Führungen …
Der Eintritt kostet für Erwachsene … und für Kinder … Für … gibt es Ermäßigungen.
Ich persönlich finde das Museum (sehr) interessant / langweilig.

Rhythmus in Wort und Satz

1 Zeit und Rhythmus

a Hören Sie die Rhythmen und lesen Sie mit.   🔊 20

●	●●	●●	●●●	●●●
Nacht	**Mor**gen	Ter**min**	**Vor**mittag	Ka**len**der
Jahr	**Mo**nat	Be**ginn**	**Fei**ertag	Ge**burts**tag

b Hören Sie die Rhythmen in 1a noch einmal und klopfen Sie mit.   🔊 20

Klopfen Sie so:

●	●	●
→ Diese Silbe ist unbetont. Sie ist leise.	→ Diese Silbe ist betont. Dort ist der Akzent. Der Akzent ist laut.	→ Diese Silbe ist unbetont. Sie ist leise.
Ka-	-len-	-der!

c Sprechen Sie die Wörter in 1a.

2 Im Rhythmus der Uni

a Hören Sie die Rhythmen und lesen Sie mit.   🔊 21

Vorlesung	Sprechstunde	Klausur	Kurs	Termine
Semester	Student	Mensa	Übung	Praktikant
Referat	Gespräch	Job	Arbeit	Professor

b Hören Sie die Rhythmen in 2a und klopfen Sie mit.   🔊 21

c Schreiben Sie die Wörter in die Tabelle und sprechen Sie sie dann.

●	●●	●●	●●●	●●●	●●●

3 Termine machen – ein Gespräch

a Hören Sie die Sätze. Wie ist der Rhythmus: **a** oder **b**? Kreuzen Sie an.   🔊 22

1. Guten Tag!   a. ⌐ ●●● b. ⌐ ●●●
2. Hast du Zeit?   a. ⌐ ●●● b. ⌐ ●●●
3. Nicht heute.   a. ⌐ ●●● b. ⌐ ●●●
4. Und morgen?   a. ⌐ ●●● b. ⌐ ●●●
5. Ja, das geht.   a. ⌐ ●●● b. ⌐ ●●●

6. Wann kannst du?   a. ⌐ ●●● b. ⌐ ●●●
7. Um sieben.   a. ⌐ ●●● b. ⌐ ●●●
8. Das passt gut.   a. ⌐ ●●● b. ⌐ ●●●
9. Bis morgen!   a. ⌐ ●●● b. ⌐ ●●●

b Sprechen Sie die Sätze in 3a und klopfen Sie mit.

c Spielen Sie mit einem Partner / einer Partnerin das Gespräch in 3a.

A Hier kann man gut leben und arbeiten

1 Tätigkeiten im Beruf

~~am Computer arbeiten~~ | viel lesen | Texte lernen | in Meetings gehen | Sprechübungen machen |
am Schreibtisch sitzen | zur Probe gehen | am Abend arbeiten | E-Mails schreiben | Termine planen

Webentwicklerin: am Computer arbeiten
Schauspieler:

2 Wer muss oder kann was tun?

a Ergänzen Sie die Formen von „müssen" und „können".

1. müssen → ich _muss_ ; wir _____, du _____, ihr _____, er_____, Sie_____
2. können → du _____, wir _____, er _____, Sie _____, ihr _____, ich _____

b Lesen Sie den Text und ergänzen Sie die richtige Form von „müssen" oder „können".

Leopold probt

Leopold _muss_ [1] warten. Er will seinen Text lernen, aber er _____ [2] sein Buch nicht finden. Der
Regisseur sagt: „_____ [3] du das bitte noch einmal sagen? Du _____ [4] laut sprechen." Die
Schauspielerin antwortet: „Ich _____ [5] den Satz ganz laut sagen, richtig? Aber ich _____ [6]
heute nicht laut sprechen." Der Regisseur sagt: „Okay, Schluss für heute. _____ [7] ihr morgen schon
um 10 Uhr kommen? Wir _____ [8] diese Szene noch einmal proben." Viele Schauspieler _____ [9]
erst um 10:30 Uhr kommen.

c „können" hat zwei Bedeutungen. Kreuzen Sie an.

	man ist fähig	es ist (nicht) möglich
1. Beatriz kann ihren Hund nicht ins Büro mitnehmen.	☐	☒
2. Leopold kann gut Texte lernen.	☐	☐
3. Sie kann Spanisch, Deutsch und Englisch sprechen.	☐	☐
4. Morgens kann er oft lange schlafen.	☐	☐

d Bedeutung von „können". Ordnen Sie die Sätze aus 2b und c den Bedeutungen zu.

Es ist (nicht) möglich: Er kann sein Buch nicht finden, ...
Man ist fähig (Kompetenz):

e Was müssen Sie machen? Was können Sie machen? Ergänzen Sie die Aktivitäten aus 1 und schreiben
Sie in Ihr Heft. Vergleichen Sie dann mit Ihrem Partner / Ihrer Partnerin.

> *Jeden Tag: für die Uni lernen, im Internet surfen, ...*
>
> *Einmal pro Woche: Freunde treffen, ...*
>
> *Am Wochenende:*
>
> *Nur am Sonntag:*

f Schreiben Sie Sätze.

Ich muss jeden Tag für die Uni lernen. Ich kann nur einmal pro Woche Freunde treffen, aber jeden Tag im
Internet surfen.

Lernen Sie Strukturen
mit eigenen Beispiel-
sätzen. Nutzen Sie
eigene Erfahrungen.

g Bilden Sie Sätze und schreiben Sie sie in Ihr Heft. Es gibt immer zwei Möglichkeiten.

1. lange Meetings | oft | besuchen | sie | muss
2. arbeiten | er | am Sonntag | muss
3. um 8 Uhr | im Büro sein | muss | sie
4. wegfahren | am Wochenende | kann | sie
5. lange schlafen | morgens | er | kann
6. muss | im Büro | sie | jeden Tag | arbeiten

1. Sie muss oft lange Meetings besuchen. / Oft muss sie lange Meetings besuchen.

h Markieren Sie das Subjekt und ergänzen Sie die Regel. Was fällt auf?

Das Subjekt steht immer auf Position _____ oder nach dem Verb.

3 Warum ist das so?

a Schreiben Sie Sätze mit „denn".

1. ist | Leopold | Schauspieler **– denn –** das Theater | er | liebt
2. sehr gern | er | nicht | probt **– denn –** muss | oft lange | warten | er
3. mag | seinen Job | er **– denn –** spielt | gern | er | andere Menschen
4. Leopold und Beatriz | in Schwäbisch Hall | leben | gern **– denn –** sie | viele Freude | hier | haben
5. ihre Arbeit | liebt | Beatriz **– denn –** kreativ sein | sie | kann
6. Deutschland | sie | schon sehr gut | kennt **– denn –** am Wochenende | sie | oft | wegfahren | kann

Leopold ist Schauspieler, denn er liebt das Theater.

b Was passt? Verbinden Sie die Sätze mit „und", „oder", „denn" und „aber".

1. Wir gehen ins Theater
2. Am Sonntag schläft sie lange
3. Er spricht Portugiesisch
4. Haben Sie Fragen
5. Ich nehme den Tafelspitz
6. Wir kochen Spaghetti
7. Sie spricht Spanisch und Englisch

und
oder
denn
aber

wir gehen in ein Restaurant.
ich nehme einen Salat.
ist alles klar?
sie muss nicht arbeiten.
er spricht kein Spanisch.
sie lernt Deutsch.
wir gehen in die Oper.

> Vor „denn" und „aber" steht ein Komma.

c Schreiben Sie die Sätze aus 3b in die Tabelle.

1. Hauptsatz	Konnektor – Pos. 0	2. Hauptsatz / 2. Satzteil
Wir gehen ins Theater	*oder*	*wir gehen in die Oper.*

d Markieren Sie die Wiederholung in den Sätzen aus 3c und streichen Sie die Wiederholung im 2. Satz. Welche Sätze kann man kürzer schreiben?

Sätze mit „und" / „oder": Subjekt im 1. und 2. Hauptsatz sind identisch → Man kann den Satz verkürzen.
Sätze mit „aber": Subjekt und Verb im 1. und 2. Hauptsatz sind identisch → Man kann den Satz verkürzen.
Sätze mit _____ kann man **nicht** verkürzen.

Wir gehen ins Theater oder in die Oper.

B Restaurant oder Picknick?

1 Was darf ich? Oder nicht?

Im Bus zur Arbeit: Was darf man nicht tun? Ordnen Sie zu.

1. Man darf im Bus nicht laut Musik hören oder telefonieren.
2. Man darf im Bus keinen Müll liegenlassen.
3. Man darf im Bus nicht essen.
4. Man darf im Bus keinen Alkohol trinken.

2 Das kann / muss / will / möchte / darf ich ... Und Schokolade mag ich!

a Was passt: **a** oder **b**? Kreuzen Sie an.

„mögen" +
Akkusativergänzung:

Ich mag Schokolade.
=
Ich esse gern
Schokolade.

Ich mag Hunde.
=
Ich finde Hunde gut.

1
a. ☒ Er will nicht Klavier spielen.
b. ⊔ Er kann gut Klavier spielen.

3
a. ⊔ Er kann nicht Ski fahren.
b. ⊔ Er will nicht Ski fahren.

5
a. ⊔ Sie muss hier nicht schwimmen.
b. ⊔ Sie darf hier nicht schwimmen.

2
a. ⊔ „Was wollen Sie, bitte?"
b. ⊔ „Was möchten Sie, bitte?"

4
a. ⊔ Sie muss arbeiten.
b. ⊔ Sie kann nicht arbeiten.

6
a. ⊔ Sie mag Schokolade.
b. ⊔ Sie muss Schokolade essen.

b Was bedeutet ...? Ordnen Sie die Sätze zu.

~~Leopold kann seine Texte im Park lernen.~~ | Beatriz muss am Wochenende nicht früh aufstehen. |
Leopold kann sehr gut Texte lernen. | Im Bus darf man nicht essen. | Man darf draußen rauchen. |
Leopold möchte ein Picknick machen. | Beatriz' Schwester will im August nach Deutschland kommen. |
Leopold mag Streuselkuchen. | Am Freitag muss Beatriz arbeiten. | Leopold muss Sprechübungen machen. |
Im Bus darf man nicht laut Musik hören. | Beatriz darf ihren Hund im Bus mitnehmen. |
Beatriz kann sehr gut Englisch sprechen. | Beatriz mag ihren Job. | Leopold will jetzt ein Bier trinken. |
Beatriz möchte im August Urlaub nehmen. | Man darf im Stadtpark ein Picknick machen. |
Leopold und Beatriz wollen am Freitag eine Radtour machen.

1. Es ist (nicht) möglich: *Leopold kann seine Texte im Park lernen.*

2. Man ist (nicht) fähig:

3. Es ist (nicht) nötig:

4. Es ist (nicht) erlaubt:

5. Man wünscht sehr direkt / plant etwas (nicht):

6. Man wünscht höflich etwas (nicht):

7. Etwas gerne haben:

c Bilden Sie Sätze und ordnen Sie sie den Kategorien zu. Schreiben Sie in Ihr Heft.

| Er \| Ich \| Du \| Wir \| Ihr \| Sie \| Sie (Pl.) | wollen \| können \| möchten \| müssen \| (nicht) dürfen \| mögen | Kaffee \| E-Mails \| SMS \| Filme \| Kollegen \| Englisch \| Freunde \| Texte \| Bücher \| Schokolade \| … | schreiben \| lernen \| trinken \| essen \| lesen \| treffen \| arbeiten \| besuchen \| … |

Wunsch: Ich möchte einen Kaffee trinken. …
Erlaubnis, Verbot:
Fähigkeit, Möglichkeit:
Notwendigkeit, Pflicht:
Etwas gerne haben:

d Was passt? Ergänzen Sie, „mag"/„mögen" oder „möchte"/„möchten".

1. Leopold _____ seinen Job.
2. Beatriz _____ am Sonntag ins Kino gehen.
3. Beide _____ deutsche Literatur.
4. Leopold und Beatriz _____ ein Picknick machen.
5. Beatriz _____ Streuselkuchen.
6. Leopold _____ Brot und Käse mitbringen.

3 Spezialistin gefragt

a Leopold möchte eine Website machen. Beatriz plant. Streichen Sie die falsche Verbform.

die Besucher | Leopold | die Website

1. Die Website darf | ~~dürfen~~ nicht langweilig sein.
2. Die Besucher kann | können ein Video sehen.
3. Leopold kann | können zwei Farben wählen.
4. Die Besucher kann | können Fotos von Leopold sehen.
5. Die Website muss | müssen gute Fotos haben.
6. Leopold muss | müssen kurze Texte schreiben.
7. Die Website darf | dürfen nicht zu teuer sein.

b Ergänzen Sie die Modalverben „können", „wollen", „(nicht) dürfen" und „ müssen".

1. Was _wollen_ wir machen? Wir _____ eine Fortbildung besuchen oder einen Online-Kurs machen.
2. Leopold _____ seinen Text gut lernen, denn er _____ auf der Bühne keinen Fehler machen.
3. Wer _____ am Wochenende eine Radtour machen? Wir _____ auch ein Picknick organisieren.
4. _____ ihr in Deutschland im Bus laut Musik hören? Bei uns ist das kein Problem.
5. _____ du im Büro immer korrekte Kleidung tragen oder _____ du in Jeans arbeiten?
6. „Man _____ Ziele setzen." Ich finde das richtig.
7. Toll, ihr _____ im Betriebsrestaurant essen. Wir _____ im normalen Restaurant viel mehr bezahlen.
8. _____ du zur Premiere gehen? Ich _____ Tickets kaufen.

C Im Beruf

1 Der richtige Beruf für mich

Lernen Sie Nomen und
Verben zusammen.

a Wer macht was? Verbinden Sie die Elemente und schreiben Sie Sätze.

1. Wissenschaftlerinnen	Autos	kochen
2 Köche	Bilder	unterrichten
3. Verkäufer	Patienten	malen
4 Autorinnen	Vorträge	halten
5. Automechaniker	Kinder	behandeln
6. Künstlerinnen	Kleidung	verkaufen
7. Zahnärzte	Texte	schreiben
8. Lehrer	Essen	reparieren

Wissenschaftlerinnen halten Vorträge.

b Ergänzen Sie die Regel und finden Sie weitere Beispiele.

Bezeichnungen für Zusammensetzungen mit -mann / -leute heißen als weibliche Form -frau / -frauen,
der Fachmann, die Fach _____ ; die Kauf _____ (M Pl.), die Kauf _____ (F Pl.)
Grundwort bei Zusammensetzungen ist der Beruf:
der Wirt → die Land_____ (F Sg.)
der Händler → die Buch_____ (F Pl.)

	Berufsbezeichnungen					
M	*Architekt*		Maschinenbauer	Werbefachmann		
F		Informatikerin			Journalistin	Praktikantin
Pl.	Architekten / Architektinnen					

der Betriebswirt / die Betriebswirtin, Betriebswirte / Betriebswirtinnen ...

2 Das Jahr

Schauen Sie die Bilder an und ergänzen Sie die Jahreszeiten und Monate.

Oktober | Sommer | November | März | Herbst | Mai | Januar | Dezember | Juli | Winter | Juni |
April | Frühling | Februar | September | August

1. _____   2. _____   3. _____   4. _____

3 Wann ist der Termin?

a Schreiben Sie das Datum.

1. 6.3. *Am sechsten März.*   3. 1.12. _____
2. 3.7. _____   4. 7.11. _____

b Welches Datum hören Sie: **a** oder **b**? Kreuzen Sie an.   🔊 23

1. a. ⌷ 8.7.   b. ⌷ 7.8.   3. a. ⌷ 2.5.   b. ⌷ 5.2.
2. a. ⌷ 6.9.   b. ⌷X⌷ 9.6.   4. a. ⌷ 10.1.   b. ⌷ 1.10.

c Hören Sie die Aussagen. Von wann bis wann? Notieren Sie die Zeitangaben.   🔊 24

1. vom _17.3._ bis _22.3._   3. von _____ bis _____ Uhr
2. vom _____ bis _____   4. vom _____ bis _____

d Hören Sie das Gespräch. Wann machen Frau Meier und Frau Müller Urlaub? Notieren Sie.   🔊 25

	April	Mai	Juni	Juli	August	September
Frau Müller	04.04. – 06.04.					
Frau Meier						

e Lesen Sie die Ergebnisse in 2d laut.

Frau Müller macht vom 4. April bis zum 6. April Urlaub.

Frau Müller macht vom vierten Vierten bis zum sechsten Vierten Urlaub.

f Wann wollen Sie Urlaub machen? Wann ist die typische Urlaubszeit in Ihrem Land? Sprechen Sie im Kurs.

Wollen Sie im Sommer Urlaub machen?

Nein, im Herbst, vielleicht im Oktober.

In ... macht man im August Urlaub.

4 Weltmarktführer aus der Provinz

a Lesen Sie den Text und markieren Sie die zentralen Informationen (Schlüsselwörter).

Die Adolf Würth GmbH & Co. KG in Künzelsau ist das Mutterunternehmen der global tätigen Würth-Gruppe. In seinem Kerngeschäft, dem Handel mit Montage- und Befestigungsmaterial, ist der Konzern Weltmarktführer. Würth hat in Deutschland fast 6.300 Mitarbeiter.
Die Würth-Gruppe besteht aktuell aus über 400 Gesellschaften in mehr als 80 Ländern und hat weltweit über 68.000 Mitarbeiter.

Zahlen geben oft wichtige Informationen. Sie stehen oft mit Schlüsselwörtern zusammen.

b Ergänzen Sie die Zusammenfassung.

Die Adolf Würth GmbH & Co. KG ist ein _____ [1]. Sie hat _____ [2] Mitarbeiter in Deutschland. Sie hat in ihren über _____ [3] in mehr als _____ [4] Ländern über _____ [5] Mitarbeiter.

DaF kompakt – mehr entdecken

1 Wortschatz lernen und erweitern

Berufe raten. Welcher Beruf ist das?

Man kann …   Man muss …

2 Über Sprache reflektieren

a Monatsnamen. Ergänzen Sie die Tabelle. Wie sagt man das in anderen Sprachen? Vergleichen Sie im Kurs.

Deutsch	Englisch	andere Sprache(n)
Januar	January	
…	…	

b Die Bedeutung von „können". Ergänzen Sie die Tabelle und vergleichen Sie im Kurs.

Deutsch	Englisch	andere Sprache(n)
1. Sie müssen für diese Arbeit Englisch sprechen können.	You must be able to speak English for this job.	
2. Ich kann heute nicht kommen.	Today I cannot come to you.	

Wo steht der Infinitiv?

c Stellung vom Verb im Deutschen. Vergleichen Sie die Wortstellung im Aussagesatz. Ergänzen Sie die Tabellen. Wie sagt man das in anderen Sprachen? Vergleichen Sie im Kurs.

Deutsch	Englisch	andere Sprache(n)
Wir gehen heute Abend ins Kino.	**We are going** to the cinema tonight.	
Heute Abend **gehen wir** ins Kino.	Tonight, **we are going** to the cinema.	

3 Miniprojekt: Wirtschaft trifft Kultur

Bilden Sie zwei Gruppen. Gruppe A recherchiert über die Adolf Würth GmbH & Co. KG in Künzelsau, Gruppe B über die Freilichtspiele in Schwäbisch Hall. Finden Sie Antworten zu den Fragen unten und präsentieren Sie im Kurs.

A
Seit wann gibt es das Unternehmen?
Wo gibt es das Unternehmen?
Mitarbeiter?
Umsatz?
Engagement? Kultur?

B
Programm / Spielplan? Welche Stücke?
Premieren?
Wann ist / war das?
Kontaktdaten?

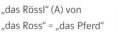

„I mog di!" (A)
=
„Ich mag dich!"

„das Rössl" (A) von
„das Ross" = „das Pferd"

freilichtspiele-hall.de
wuerth.com

Szene aus „Im weißen Rössl" (2013)

Lange und kurze Vokale

1 Familiennamen

a Hören Sie die Namen und lesen Sie mit.   🔊 26

Herr Dahner	–	Herr Danner
Frau Niemer	–	Frau Nimmer
Herr Looke	–	Herr Locke
Frau Wiepe	–	Frau Wippe
Herr Kuhler	–	Herr Kuller
Frau Weener	–	Frau Wenner

b Sprechen Sie die Namen in 1a und machen Sie die Gesten für lange und kurze Vokale.

So sprechen Sie lange Vokale: **So sprechen Sie kurze Vokale:**

c Hören Sie die Namen und markieren Sie den Akzentvokal: _ = lang, • = kurz.   🔊 27

- D<u>a</u>hner   - Wippe   - Weener   - Kuller
- Niemer   - Kuhler   - Locke   - Wenner

d Wie erkennen Sie lange und kurze Vokale in der Rechtschreibung? Ergänzen Sie die Regel!

	lang / kurz	Beispielwörter
1. Vokale + h sind	*lang*	*Dahner,*
2. doppelte Vokale sind		
3. Vokale vor doppelten Konsonanten sind		
4. i + e ist immer		

Vokale im Deutschen:
a, e, i, o, u,
ä, ö, ü

2 Berufe

a Hören Sie die Wörter und markieren Sie den Akzentvokal.   🔊 28

Koch	Schauspieler	Philosoph
Lehrer	Jurist	Kellner
Sänger	Arzt	Professor
Betriebswirt	Journalist	Chemiker

b Hören Sie die Wörter in 2a noch einmal und schreiben Sie sie in die Tabelle.

kurze Vokale: Koch, ... _____

lange Vokale: Lehrer, ... _____

c Vergleichen Sie mit der Regel in 1d oder kontrollieren Sie mit dem Wörterbuch.

d Sprechen Sie die Wörter in 2a.

e Welche Berufe kennen Sie noch? Schreiben Sie sie in die Tabelle in 2b.

Im Wörterbuch ist der
Akzentvokal immer
markiert:
_ = langer Vokal
• = kurzer Vokal

A Das macht Spaß!

1 Blick auf das Schwarze Brett

a Lesen Sie die Anzeigen im Kursbuch, Aufgabe 1a, noch einmal. Welche Anzeige passt?

	Anzeige		Anzeige
a. Sie möchten am Wochenende Rad fahren.	1	d. Sie möchten ins Theater gehen.	☐
b. Sie sehen gerne Filme.	☐	e. Sie möchten Fußball spielen.	☐
c. Sie lesen gerne Romane.	☐	f. Sie möchten am Wochenende Sport machen.	☐

b Lesen Sie die Anzeigen 1–4. Welche Antwort-SMS **a–c** passt? Ordnen Sie zu. Eine Anzeige bleibt übrig.

1
Sprichst du gut Italienisch?
Ich möchte Italienisch lernen u. suche einen Lehrer / eine Lehrerin. Hast du Lust?
Bitte melden unter: 0151 - 156784

2
Hörst du gern Musik?
Gehst du gern ins Konzert? Triffst du gern Freunde? Wir haben viel Spaß. Und du???
Treffen z. B. am WE.
Mobil: 0177-155646

3
Handballmannschaft su. noch Spieler.
Keine Profis!!
Training: jeden Do, 20 Uhr.
Bitte SMS an: 0172 - 156564

4
Hallo Opern- / Konzertfreund / in!
Wir gehen regelmäßig in die Oper / ins Konzert. Kommst du mit?
Kontakt unter Tel.: 01711 - 56564

a Hallo Handballspieler, ich möchte gerne mitspielen. Wo trainiert ihr? Fred

b Hallo Opernfreunde, komme gern mit in die Oper od. ins Konzert! Wann und wohin geht es? LG Martin

c Hallo, ich heiße Rosa. Ich bin Italienerin und Sprachlehrerin. Wohne seit 1999 in Deutschland. Bin zz. in Rom, bin bald wieder da. LG Rosa

Anzeige 1 ☐   Anzeige 2 ☐   Anzeige 3 ☐   Anzeige 4 ☐

c Lesen Sie die Anzeigen und SMS oben aus 1b noch einmal. Finden Sie die Abkürzungen.

1. Liebe Grüße _LG_
2. Donnerstag _____
3. zum Beispiel _____
4. oder _____
5. sucht _____
6. Wochenende _____
7. Telefon _____
8. und _____
9. zurzeit _____

d Antworten Sie auf Anzeige 2. Schreiben Sie eine SMS mit Abkürzungen.

Hallo …

2 Hilfe! Die Vokale sind weg!

Ergänzen Sie die Vokale und Doppelvokale.

	ich	du	er / sie / es	wir	ihr	sie / Sie
l_e_sen	l__se	l__st	l__st	l__sen	l__st	l__sen
spr___chen	spr___che	spr___chst	spr___cht	spr___chen	spr___cht	spr___chen
tr___ffen	tr___ffe	tr___ffst	tr___fft	tr___ffen	tr___fft	tr___ffen
f___hren	f___hre	f___hrst	f___hrt	f___hren	f___hrt	f___hren
schl__fen	schl__fe	schl__fst	schl__ft	schl__fen	schl__ft	schl__fen
l__fen	l__fe	l__fst	l__ft	l__fen	l__ft	l__fen
w___ssen	w__ß	w__ßt	w__ß	w___ssen	w___sst	w___ssen

A1: 108

3 Immer nur lesen?

Ergänzen Sie die Verben. Achten Sie auf die korrekte Form.

lesen (2x) | laufen (2x) | schlafen | treffen | wissen

○ Hallo Annika.
● Hallo Tobias. Was _liest_ [1] du gerade?
○ Ich _____ [2] gerade „Die Verschwörung".
● Tobias und ich _____ [3] am Samstagmorgen im Park. _____ [4] du auch?
  Oder _____ [5] du lieber lange?
○ Mmh, ich _____ [6] noch nicht. Wann _____ [7] du Tobias?
● Um halb acht.
○ Oh, so früh?

4 Freizeit – Zeit für mich: Nomen und Verben in Kombination

a Was passt? Orden Sie zu.

haben | lesen | schauen | fahren | treffen

1. ein Buch _____
2. Spaß _____
3. Freunde _____
4. Fernsehen _____
5. Fahrrad _____

b Was passt zusammen? Kreuzen Sie an. Es gibt immer zwei richtige Lösungen.

1. Musik: a.⊔ hören   b.⊔ sprechen   c.⊔ machen   d.⊔ treiben
2. Freunde: a.⊔ treffen   b.⊔ hören   c.⊔ gehen   d.⊔ besuchen
3. Sport: a.⊔ machen   b.⊔ spielen   c.⊔ treiben   d.⊔ fahren
4. Fahrrad: a.⊔ putzen   b.⊔ reiten   c.⊔ gehen   d.⊔ fahren
5. ein Buch: a.⊔ schreiben b.⊔ treffen   c.⊔ spielen   d.⊔ lesen
6. Gitarre: a.⊔ lernen   b.⊔ treiben   c.⊔ spielen   d.⊔ machen

Lernen Sie Nomen und Verben in Kombination.

5 Was machen Sie gern?

a Welche Antwort passt? Ordnen Sie zu.

1. Spielen Sie gern Tennis?
2. Gehen Sie gern ins Theater?
3. Schwimmen Sie gern?
4. Fahren Sie gern Rad?
5. Hören Sie gern Musik?
6. Spielen Sie gern Klavier?

a. ⊔ Ja, sehr gerne, aber nur im Sommer.
b. ⊔ Ja, aber ich spiele nicht sehr gut.
c. ⊔ Ja, sehr gerne. Aber nur Pop und Rock.
d. ⊔1 Nein, ich reite lieber.
e. ⊔ Ja, ich mache sehr gern Radtouren.
f. ⊔ Nein, ich gehe lieber ins Kino.

b Berichten Sie über sich selbst. Was machen Sie gern, was ungern? Was machen Sie oft, was selten? Ordnen Sie die Aktivitäten in das Raster. Schreiben Sie in Ihr Heft. Vergleichen Sie dann mit Ihrem Partner / Ihrer Partnerin.

arbeiten | lesen | reisen | telefonieren | skypen |
Musik hören | essen | ins Kino gehen | lachen |
Aspirin nehmen | Mails schreiben | kochen |
Freunde treffen | Klavier spielen | im Internet surfen |
Konzerte besuchen | arbeiten | Fernsehen schauen |
Schach spielen | Sport treiben | lernen | schlafen |
Kurse an der Universität besuchen | Musik machen |
chatten | schwimmen | ins Kino gehen | …

Lernen Sie Strukturen in eigenen Beispielsätzen. Nutzen Sie eigene Erfahrungen zum Lernen.

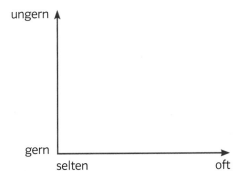

B Hochschulsport

1 Hochschulsport Münster

a Lesen Sie den Text im Kursbuch B, Aufgabe 1a, noch einmal. Was ist richtig (**r**), was ist falsch (**f**)? Kreuzen Sie an.

	r	f
1. Das Kursangebot ist nur für Studenten.	☐	☐
2. Alle Kurse haben noch freie Plätze.	☐	☐
3. Das Kursangebot ist für das nächste Semester.	☐	☐
4 Man kann alleine oder in der Gruppe Sport treiben.	☐	☐
5. Man kann jeden Tag Kurse besuchen.	☐	☐
6. Es gibt noch für acht Kurse freie Plätze.	☐	☐

b Suchen Sie aus dem Sportangebot vom Hochschulsport Münster den richtigen Sportkurs für jede Person, begründen Sie Ihre Entscheidung wie im Beispiel. Vergleichen Sie mit Ihrem Partner / Ihrer Partnerin.

1 Sabine, 21, Studentin, hat immer bis 17 Uhr Unterricht, trainiert gern alleine, muss jeden Tag früh aufstehen.

5 Lukas, 19, Student, erstes Semester, hat keine Freunde, findet Sport-arten wie American Football gut.

4 Maximilian, 52, Mitarbeiter im Inter-national Office an der Universität Münster, sitzt den ganzen Tag am Computer, hat Probleme mit dem Rücken.

3 Sofie, 30, Mitarbeiterin in der Mensaküche an der Universität Münster, steht immer bei der Arbeit, arbeitet mit dreißig Kollegen.

2 Laura, 24, Studentin, arbeitet an ihrer Masterarbeit, will Abwechslung im Unialltag und sport-lich aktiv sein.

1. Für Sabine ist Laufen gut, denn sie kann alleine laufen und kommt nicht spät nach Hause.

c Ergänzen Sie die Wörter in den Sätzen.

Öffnungszeiten | Rabatt | Sporthallen | ~~Mannschaftssport~~ | Angebot | Mitarbeiter | Individualsport

1. Tobias treibt nicht gern allein Sport. Er macht lieber _Mannschaftssport_ .
2. Annika trainiert gern allein. Sie mag _____ .
3. Man kann von 8.00 bis 22.00 Uhr Sport treiben. Das sind gute _____ .
4. Herr Meier arbeitet bei der Universität Münster. Er ist ein _____ .
5. Die Sportkurse finden nicht außen statt. Sie sind in den _____ .
6. Für die Sportkurse muss man nicht den kompletten Preis bezahlen. Man bekommt einen

   _____ .
7. Der Hochschulsport Münster bietet viele Sportkurse an. Es gibt ein großes _____ .

2 Tobias macht beim Lauftraining mit

a Ergänzen Sie die trennbare Vorsilbe.

1. ○ Machst du _____ ?
2. ● Gern! Holst du mich _____ ?
3. ○ Wann stehst du _____ ?
4. ● Um acht. Rufst du dann _____ ?
5. ○ O.k., bis dann!

b Verbinden Sie die Wörter und schreiben Sie die Sätze in Ihr Heft.

1. Ihr	kommen	den Schwimmkurs	auf.
2. Wir	findet	Professor Mertens	mit.
3. Tobias und Annika	macht	montags und freitags	aus.
4. Schwimmen	rufst	zum Probetraining	an.
5. Ich	stehe	um 7 Uhr	mit.
6. Du	probieren	beim Lauftraining	statt.

1. Ihr macht beim Lauftraining mit.

c Formulieren Sie Fragen und schreiben Sie sie in die passende Tabelle in Ihr Heft.

1. uns | ihr | mitnehmen
2. stattfinden | wann | das Training
3. du | am Wochenende | aufstehen | wann
4. das Lauftraining | Annika und Tobias | ausprobieren

5. anfangen | am Montag | wir | können
6. mich | anrufen | ihr
7. abholen | du | uns | können
8. Florian | wann | anrufen | du

Pos. 1	Pos. 2		Satzende	Pos. 1	Pos. 2		Satzende
1. Nehmt	*ihr*	*uns*	*mit?*	*2. Wann*	*findet*	*das Training*	*statt?*

3 Individualsport oder Mannschaftssport?

a Lesen Sie den Zeitungstext und markieren Sie die Vorteile von Individualsport und die Vorteile von Mannschaftssport.

Sport lieber alleine oder in der Gruppe?

Sporttrainer Joachim Löwe

Viele Menschen wollen Sport treiben, und das Sportangebot ist sehr groß. Manche Leute treiben lieber alleine Sport, andere machen das lieber in einer Gruppe. Der Sporttrainer Joachim Löwe spricht über die Vorteile und Nachteile von Individualsport und Mannschaftssport: „Mit Individualsport ist man flexibel. Man kann zu Hause, im Park oder im Wald sportlich aktiv sein. Man muss kein Geld für ein Fitnessstudio oder einen Sportkurs bezahlen. Aber manche Menschen möchten gerne soziale Kontakte. Sie können beim Teamsport neue Leute kennenlernen und mehr Spaß haben. Ein Mannschaftssport ist auch gut für die Motivation und die Disziplin, denn man bekommt Unterstützung von den Teamkollegen und der Trainer gibt Orientierung. Jede Person braucht die richtige Sportart: Manche Menschen sitzen den ganzen Tag allein im Büro und haben wenig Kommunikation, für sie ist ein Teamsport gut, denn sie brauchen Kontakt mit anderen Personen. Aber andere Leute haben einen stressigen Job und müssen viel sprechen, für sie ist ein Individualsport gut, denn sie brauchen Ruhe."

b Schreiben Sie die Vorteile von Individualsport und Mannschaftssport in Ihr Heft.

Vorteile Individualsport: man ist flexibel, ...
Vorteile Mannschaftssport: man hat soziale Kontakte, ...

c Schreiben Sie: Machen Sie gern Sport? Welche Sportart ist die richtige für Sie?
Benutzen Sie die Argumente aus 3a.

Ich mag Sport, aber ich will flexibel sein. Ich laufe. Ich kann im Park laufen oder im Wald. Und ich muss ...

C Gut gelaufen

1 Der Leonardo-Campus-Run

 a Lesen Sie den Zeitungsartikel im Kursbuch C, Aufgabe 1a noch einmal. Sammeln Sie „Sportnomen" und ergänzen Sie die Artikel und die Pluralform.

der Sieg, die Siege
die Siegerin, die Siegerinnen; ...

🔊 29 **b** Hören Sie ein Radiointerview mit Beate Langer.
Wie ist die Stimmung von Frau Langer?

a. ⊔ Sie ist glücklich über ihren Sieg, aber sie will im nächsten Jahr mehr trainieren.
b. ⊔ Sie ist nicht zufrieden mit ihrer Zeit.

🔊 29 **c** Hören Sie das Interview in 1b noch einmal. Was ist richtig (r), was ist falsch (f)?

	r	f
1. Beate Langer ist 2010 das erste Mal beim LCR gestartet.	⊔	⊔
2. Sie war 2014 fünf Monate krank.	⊔	⊔
3. Das Wetter war optimal, denn es war nicht zu warm.	⊔	⊔
4. Beate Langer ist 2013 beim Iron-Man gestartet.	⊔	⊔
5. Beate will im nächsten Jahr wieder beim Iron-Man starten.	⊔	⊔
6. Judith und Beate trainieren oft zusammen.	⊔	⊔

d Perfektformen. Wie heißen die Infinitive?

1. hat trainiert → *trainieren*   3. hat motiviert → _____   5. hat gefeiert → _____
2. hat geschafft → _____   4. hat geklappt → _____   6. ist gestartet → _____

e Ein guter Tag für Beate Langer. Ergänzen Sie die Perfektformen aus 1d.

Am 24. Juni _____ Beate Langer beim Leonardo-Campus-Run _____ [1]. Sie
_____ dieses Jahr nicht intensiv _____ [2]. Aber sie _____ die Strecke
in 39:02 Minuten _____ [3]. Der Applaus vom Publikum _____ sie total _____ [4].
Alles _____ super _____ [5] und sie war sehr zufrieden. Ihre Fans _____ sie
begeistert _____ [6].

2 Start beim Campus-Run

Schreiben Sie Sätze im Perfekt.

1. starten – viele Leute – beim Campus-Run *Viele Leute sind beim Campus-Run gestartet.*
2. den Lauf – gut organisieren – die Organisatoren _____
3. ihr – bezahlen – beim Start – das Startgeld _____
4. schaffen – die Strecke in 33:01 Minuten – Axel Meyer _____
5. 2014 – siegen – wir _____
6. Spaß machen – der Leonardo-Campus-Run _____
7. sehr gut – funktionieren – alles _____
8. trainieren – intensiv für den Lauf – du _____
9. Tobias – stürzen – beim Campus-Run _____
10. Ruhe – brauchen – Tobias _____
11. suchen – Tobias und Annika – eine neue Sportart _____

A1: 112

3 Blöd gelaufen

a Tobias schreibt an seine Cousine Saskia. Ergänzen Sie in der Mail die Perfektformen und die Präteritumformen von „haben" und „sein".

stürzen (2x) | trainieren | ~~hören~~ | lachen | passieren | machen | haben | sein (2x) | starten | sagen

Hallo Saskia,
hast du schon _gehört_ [1], ich _____ beim Lesen vom Sofa _____ [2].
Nein, nein, ich _____ Sport _____ [3]! Ich _____ [4] sechs Monate
beim Hochschulsport und _____ viel _____ [5]. Am Mittwoch _____ [6]
der Leonardo-Campus-Run und ich _____ auch _____ [7]. Ich _____ [8]
ein Supergefühl, aber dann _____ es _____ [9]. Ich _____ _____ [10].
Tja, blöd gelaufen! Aber nach einer Stunde _____ ich wieder _____ [11]
Der Arzt _____ _____ [12], jetzt habe ich Sportverbot. Aber das ist kein
Problem, jetzt kann ich endlich wieder lesen und lange schlafen ;)
Liebe Grüße
Tobias (macht jetzt nur noch Lese-Marathons ;))

b Annika schreibt eine Postkarte an ihre Oma. Ordnen Sie die Sätze und schreiben Sie in Ihr Heft.

Nächstes Jahr will ich unbedingt mitmachen! | Gestern war ich mit Tobias und Jonas beim Campus-Run in Münster. | Insgesamt sind fast 800 Teilnehmer gestartet. | Du weißt ja, Jonas hat viel trainiert. | ~~Liebe Oma!~~ | Er hat die Strecke in einer Superzeit geschafft – persönliche Bestzeit! | Liebe Grüße und bis bald Annika | Der Arme! Sport ist jetzt tabu, aber nach einer Stunde hat er wieder gelacht. | Der Lauf war super und die Organisatoren haben alles gut geplant. | Nur Tobias hatte Pech – er ist gestürzt. Jetzt darf er nicht mehr laufen.

Liebe Oma!
Gestern ...

4 Schon mal gemacht?

a Was haben Sie schon (oder noch nicht) in Ihrem Leben gemacht? Machen Sie eine Liste und benutzen Sie die Zeitangaben: **schon oft, manchmal, einmal, noch nie**. Schreiben Sie in Ihr Heft.

Texte planen:
1. Wörter sammeln
2. Wörter organisieren
3. Text schreiben

~~eine Reise machen~~ | ein Praktikum machen | Fußball spielen | bei einem Campus-Run starten | für einen Lauf trainieren | eine Fremdsprache lernen | Essen kochen | ein Instrument spielen | Hausarbeit machen | wandern | in einem Team zusammen arbeiten | mit Freunden telefonieren | Urlaub am Meer machen | Musik hören | Geschirr spülen | ein Auto kaufen | Schach spielen | für eine Prüfung lernen | mit anderen in einer Mannschaft spielen | bei einem Wettbewerb siegen | ...

schon oft: eine Reise gemacht, ...
manchmal: ...
einmal: ...
noch nie: ...

b Schreiben Sie einen Text über sich: Was haben Sie schon gemacht?

Was habe ich schon oft im Leben gemacht? Ich habe schon oft eine Reise gemacht. ...

c Fragen Sie Ihren Partner: Welche Aktivitäten hat er/sie schon gemacht? Stellen Sie ihn im Kurs vor.

Luciano hat schon oft Fußball gespielt und ein Konzert besucht.
Aber er hat noch nie ein Praktikum gemacht. ...

DaF kompakt – mehr entdecken

1 Wortschatz erwerben und erweitern

Arbeit mit dem Wörterbuch. Schreiben Sie ein Wortnetz zum Thema „Freizeitaktivitäten". Benutzen Sie die Wörter aus dieser Lektion. Finden Sie mehr Wörter im Wörterbuch. Vergleichen Sie die Ergebnisse im Kurs.

Organisieren Sie Wortschatz in Feldern.

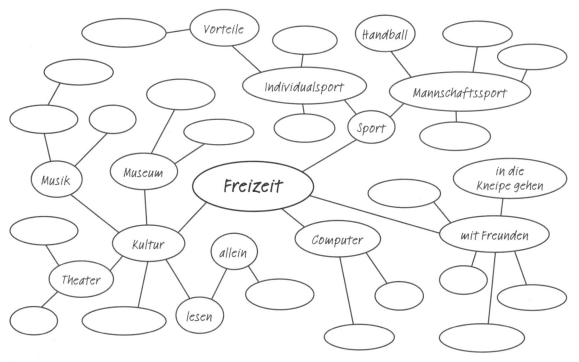

2 Über Sprache reflektieren

Ergänzen Sie die Tabelle. Wie sagt man das in Ihrer Sprache? Vergleichen Sie im Kurs.

Achtung:
Das Present Perfect im Englischen ist syntaktisch **anders** als das Perfekt im Deutschen!

Deutsch	Französisch	Italienisch	andere Sprache(n)
ich habe gemacht	j'ai fait	ho fatto	
ich bin gestartet	je suis parti(e)	sono partito / a	

Vergleichen Sie auch die Position der Verben im Satz.

3 Miniprojekt

Recherchieren Sie: Was gibt es aktuell im Sport- und Kulturangebot der Uni Münster?
Stellen Sie im Kurs interessante Angebote vor.

> Welche Sportarten sind im Angebot?
> Wann kann man die Sportarten machen?
> Welche Sportarten finden Sie besonders interessant?
> Warum finden Sie diese Sportarten interessant?
> https://www.uni-muenster.de/Hochschulsport/

> Welche Kulturveranstaltungen gibt es?
> Wann kann man die Kulturveranstaltungen besuchen?
> Welche Kulturveranstaltungen sind besonders interessant?
> Warum finden Sie diese Kulturveranstaltungen interessant?
> https://www.uni-muenster.de/leben/kultur.html

„e" oder „i"?

1 Wer? Wir?

a Hören Sie die Familiennamen. 🔊 30

– Ihle   – Hinz   – Miener   – Finster   – Siebe   – Flick

b Hören Sie die Familiennamen. 🔊 31

– Ehle   – Henz   – Mehner   – Fenster   – Seebe   – Fleck

c Hören Sie die Familiennamen noch einmal und sprechen Sie nach. 🔊 32

Ihle – Ehle   Miener – Mehner   Siebe – Seebe
Hinz – Henz   Finster – Fenster   Flick – Fleck

2 „i" oder „e"? „i" oder „e"?

a Hören Sie und markieren Sie den Akzentvokal. Ist der Akzentvokal lang _ oder kurz .? 🔊 33

–lesen   – sprechen   – sehen   – treffen

b Konjugieren Sie die Verben und ergänzen Sie die Tabelle. Hören Sie dann die Lösung und vergleichen Sie. 🔊 34

ich lese	er	ihr
ich spreche	er	ihr
ich sehe	er	ihr
ich treffe	er trifft	ihr

Der Vokal ändert sich, aber die Vokallänge bleibt gleich.

c Was hören Sie, **a** oder **b**? Kreuzen Sie an. 🔊 35

1. a. ⊔ er liest   2. a. ⊔ er spricht   3. a. ⊔ er sieht   4. a. ⊔ er trifft
   b. ⊔X⊔ ihr lest   b. ⊔ ihr sprecht   b. ⊔ ihr seht   b. ⊔ ihr trefft

d Sprechen Sie in Gruppen. Einer / Eine spricht, die anderen hören und raten.

ihr trefft
⌐⌐⌐

Ich höre a: er trifft

Nein, es ist b: ihr trefft

3 Wer hat welchen Familiennamen?

a Hören Sie die Familiennamen und markieren Sie den Akzentvokal. Ist er lang _ oder kurz .?
Sprechen Sie dann die Namen nach. 🔊 36

– Familie Winter   – Familie Wiemer   – Familie Wenter   – Familie Wehmer

b Hören Sie die Namen von den Kindern und markieren Sie den Akzentvokal. Ist er lang _oder kurz .? 🔊 37

– Dirk   – Lena   – Wieland   – Selma   – Emil   – Jens   – Ina   – Nicki

c In jeder Familie gibt es einen Jungen und ein Mädchen. Wer hat welchen Familiennamen?
Sprechen Sie in Gruppen.

Dirk ist der Sohn von der Familie Winter. Denn sein Name hat ein kurzes „i".

A Zimmer gesucht – und gefunden

1 Hilfe beim Formular

Ihr Kommilitone Steven Miller aus Irland möchte eine möblierte Wohneinheit mit Küchenzeile in einem Studierendenwohnheim beantragen. Er studiert Politik im 6. Semester.
In dem Formular fehlen fünf Informationen. Helfen Sie Ihrem Kommilitonen und schreiben Sie die fünf fehlenden Informationen in das Formular.

Hier bitte
ein Foto
aufkleben

Studentenwerk
Frankfurt am
MAIN S WERK

Name: *MILLER*   Vorname: *STEVEN*   männlich ☒ weiblich ☐

geboren am: *28.8.1993*   in: *DUBLIN*   Staatsangehörigkeit: _____ [1]

Heimatanschrift: *Talbot st, Dublin Irland* _____

E-Mail: *STEVEN.MILLER@STUD.UNI-FRANKFURT.DE*

Hochschule: *GOETHE-UNIVERSITÄT*   Studienfach: _____ [2] bisherige Semesterzahl: _____ [3]

Ich beantrage eine möblierte ☐   eine unmöblierte ☐   Wohneinheit [4]

Unterkunftsart:
Einzelzimmer bis 12 qm ☐   Wohneinheit mit Küchenzeile ☐   Einzelzimmer in Wohngruppen ☐ [5]

---

2 Rund ums Wohnen

a Verben und Nomen in Kombination: Welche passen?

beantragen | finden | bekommen | ausfüllen | aufkleben

1. ein Formular _____   3. Antwort _____
2. ein Zimmer _____   4. ein Foto _____

b Finden Sie die Gegenteile.

Lernen Sie Adjektive zusammen mit dem Gegenteil.

1. unkompliziert _____   2. möbliert _____   3. zusammen wohnen _____

🔊 38   **c** Ergänzen Sie die Sätze von Vera im Gespräch mit Leon. Hören Sie noch einmal zur Kontrolle.

Oh, ein unmöbliertes Zimmer. | Und, hast du schon ein Zimmer in Frankfurt gefunden? | Tschüss. |
Hallo | Toll! Wie schnell! Wohnst du allein? | O.k. Du kannst mir dann später schreiben!

○ _____ [1]
● Hallo Vera.
○ _____ [2]
● Ja, das war nicht kompliziert. Oliver hatte ein Formular für ein Zimmer im Studierendenwohnheim.
   Das habe ich letzte Woche ausgefüllt und nach Frankfurt geschickt. Und gestern ist schon die Antwort
   gekommen!
○ _____ [3]
● Ich habe ein Zimmer in der Wohngruppe beantragt. Nur leider hat das Zimmer keine Möbel.
○ _____ [4]
● Vera, es hat geklingelt. Das ist sicher Oliver. Er holt mich ab. Wir fahren gleich nach Frankfurt.
   Das Zimmer ansehen.
○ _____ [5]
● Ja, mach ich. Tschüss.
○ _____ [6]

3 Gesucht und gefunden

a Ergänzen Sie das Partizip.

1. _ge_ fahr _en_   4. _____ troff _____   7. _____ gess _____   10. _____ dach _____
2. _____ komm _____   5. _____ blieb _____   8. _____ red _____   11. _____ seh _____
3. _____ gang _____   6. _____ sess _____   9. _____ wuss _____   12. _____ fund _____

b Wer hat was gemacht? Ordnen Sie die Sätze und schreiben Sie die Infinitive der Verben.

1. geschrieben / SMS / Ich / eine / habe   _Ich habe eine SMS geschrieben._   → _schreiben_
2. zu spät / bist / gekommen / Du   _____ . → _____
3. gesprochen / Julius / mit dem Hausmeister / hat   _____ . → _____
4. wir / am Sonntag / geschlafen / haben / lange.   _____ . → _____
5. ihr / Rhabarberschorle / schon mal / Habt / getrunken?   _____ . → _____
6. Oliver und Vera / bei der Möbelsuche / geholfen / haben   _____ . → _____

c „Sein" oder „haben"? Schreiben Sie die Verben aus 3a und b in eine Tabelle in Ihr Heft.

Perfekt mit „haben"	Perfekt mit „sein"
finden → gefunden	fahren → gefahren
…	…

d Was haben Leon, Julius, Oliver und Vera gestern gemacht? Schreiben Sie einen Text in Ihr Heft und benutzen Sie die Verben aus 3c.

Leon ist gestern mit Oliver nach Frankfurt gefahren. Er hat seine Mitbewohner getroffen. …

4 Rubrik aus dem Unijournal: Früher und heute – ehemalige Studierende berichten

a Lesen Sie den Beitrag von Regina und ergänzen Sie die Verben im Perfekt.

finden | diskutieren | wohnen | ~~studieren~~ | gehen | lesen | fahren

Regina: „Ich komme aus Koblenz und habe in Freiburg _studiert_ [1]. Vor 40 Jahren war vieles anders. Ich habe zur Untermiete _____ [2]. Nur einmal im Semester bin ich nach Hause _____ [3]. Damals hatten wir noch keine Computer, wir haben viel _____ [4] und sind oft ins Kino _____ [5] und haben zusammen _____ [6]. Ich habe an der Uni schnell viele Freunde _____ [7]. Manche Kommilitonen von damals treffe ich noch heute."

b Lesen Sie den Beitrag von Malte und ergänzen Sie die Verben im Präsens, Perfekt und Präteritum.

~~kommen~~ (2x) | studieren | fahren | sein (2x) | treffen | gehen (2x) | essen | haben (3x) | wohnen | machen | kochen | sehen | arbeiten

Malte: „Ich _komme_ [1] aus Hamburg. Ich _____ hier acht Semester Architektur _____ [2]. Ich _____ zu Hause _____ [3] und _____ oft mit dem Fahrrad zur Uni _____ [4]. Meine Seminare _____ [5] fast immer am Vormittag. Mittags _____ ich meine Freunde _____ [6], wir _____ in die Mensa _____ [7] und _____ zusammen zu Mittag _____ [8]. Wir _____ immer viel Zeit und viel Spaß [9]. Jetzt _____ [10] wir alle, aber wir _____ [11] immer noch viel zusammen: Wir _____ [12] italienische Rezepte, wir _____ [13] ins Fußballstadion und wir _____ [14] Fernsehserien. Von Montag bis Freitag _____ [15] wir keine Zeit mehr. Ich _____ [16] den ganzen Tag im Büro und _____ [17] erst um acht Uhr abends nach Hause. Aber am Wochenende _____ [18] wir immer noch viel Spaß."

B Zimmer eingerichtet

1 Möbel und ihr Material

 a Ordnen Sie die Wörter nach Kategorien und ergänzen Sie die Artikel und die Pluralformen in Ihr Heft.

Regal | Holz | Hochschrank | Bett | Matratze | Metall | Stuhl | Kunststoff | Kleiderschrank | Glas | Schreibtisch | Küchentisch | Kommode | Sessel | Sofa

Möbel: das, Regal, -e; ...   *Material: das Holz, ¨er; ...*

b Lesen Sie die Anzeigen im Kursbuch B, Aufgabe 1 a, noch einmal und formulieren Sie mit den Adjektiven im Schüttelkasten Fragen und Antworten wie im Beispiel. Schreiben Sie diese in Ihr Heft.

groß | klein | hoch | niedrig | breit | schmal | teuer | alt | modern | nicht groß/klein genug

○ Wie findest du die Stühle?   ○ Und wie findest du das Bett?
● Die sind zu modern.   ● Das ist zu schmal.

2 Haben Sie den Schrank noch?

🔊 39 Ergänzen Sie das Telefongespräch. Hören Sie dann zur Kontrolle das Gespräch.

Ich habe Ihre Anzeige gelesen. Haben Sie den Schrank noch? | Ja, gerne. Und wie ist die Adresse? | ~~Guten Tag Herr Huber. Mein Name ist Leon Heise.~~ | O.k., danke. Dann bis morgen. | Das ist schade. Und ist das Regal noch da? | Super! Ich nehme das Regal. Kann ich es morgen Abend abholen?

○ Huber.
● *Guten Tag Herr Huber. Mein Name ist Leon Heise.*
○ Guten Tag Herr Heise.
● _____ [1]
○ Nein, der Schrank ist schon weg.
● _____ [2]
○ Ja, das ist noch da.
● _____ [3]
○ Ja, das geht. Können Sie um 17:30 Uhr kommen?
● _____ [4]
○ Kirchweg 90, 1. Stock.
● _____ [5]
○ Bis morgen.

3 Was war los?!

Was passt zusammen? Ordnen Sie zu.

1. Der Wohnheimtutor? 5. Der WG-Schlüssel?   ⌐⌐ im ganzen Haus gesucht   ⌐⌐ leider ausgefallen
2. Die Notiz?   6. Das Wochenende?   ⌐⌐ zu Hause vergessen   ⌐⌐ am Sonntag besucht
3. Deine Eltern?   7. Das Fenster?   ⌐2⌐ an der Tür hinterlassen ⌐⌐ mit Freunden verbracht
4. Die Heizung?   8. Der Hausmeister?   ⌐⌐ schon erreicht   ⌐⌐ schon aufgemacht

4 Trennbare oder untrennbare Vorsilbe?

Ordnen Sie die Verben und tragen Sie die Partizipien im Perfekt in Ihr Heft ein.

abholen | nachschauen | vergessen | mitkommen | anrufen | verbringen | bezahlen | wegfahren | erreichen | aufmachen | bekommen | besuchen | ausschneiden

trennbare Vorsilbe: abholen → abgeholt; ...   *untrennbare Vorsilbe: bezahlen → bezahlt; ...*

5 Ich muss das Foto aufkleben? – Ich habe es schon aufgeklebt!

Trennbare Verben: regelmäßig und unregelmäßig. Bilden Sie Sätze mit den folgenden Verben a im Präsens,
b mit dem Modalverb müssen und c im Perfekt wie im Beispiel und schreiben Sie die Sätze in Ihr Heft.

1. Möbelverkäufer – anrufen (Leon)
2. das Sofa – abholen (ich)
3. um drei Uhr – vorbeikommen (du)
4. die Tür – aufmachen (sie Plural)
5. heute – ausfallen (die Vorlesung)
6. zweimal – anklopfen (wir)
7. mich – zurückrufen (der Verkäufer)
8. das Formular – ausfüllen (du)
9. die Wohnung – aufräumen (ihr)
10. im Supermarkt – einkaufen (ich)
11. früh – aufstehen (wir)
12. das Fenster – zumachen (du)

Beispiel: ein Foto – aufkleben (Steven)

a. *Steven klebt ein Foto auf.*   b. *Steven muss ein Foto aufkleben.*   c. *Steven hat ein Foto aufgeklebt.*

6 Wie kann man es anders sagen?

Schreiben Sie die Sätze neu mit den Wörtern in Klammern.

1. Wir hatten am Wochenende keine Heizung. (verbringen)   *Wir haben das Wochenende ohne Heizung verbracht.*
2. Der Hausmeister war nicht da. (erreichen)
3. Ich habe oft telefoniert. (anrufen)
4. Er hat nicht geantwortet. (zurückrufen)
5. Unsere Heizung hat nicht funktioniert. (ausgehen)
6. Zum Glück war Julius da. (vorbeikommen)

7 Leben in der Wohngemeinschaft

a Lesen Sie die Überschrift. Welche Informationen gibt uns wohl der Text?

b Markieren Sie die Gründe: Warum leben viele junge Leute auch nach dem Studium in einer WG?

> Geld sparen und Spaß haben
> ### Viele junge Menschen in Deutschland bleiben nach dem Studium in einer Wohngemeinschaft
>
> Es gibt ein neues Phänomen in Deutschland: Viele junge Leute haben das Studium schon abgeschlossen und haben einen Job, aber sie wohnen weiter in einer WG. Hamburg ist Nummer 1 bei diesem neuen Trend. Aber auch in anderen Städten sind die Mieten zu hoch und viele junge Menschen können sie nicht bezahlen; sie teilen einfach mit anderen Personen eine Wohnung.
> Aber Geld sparen ist nicht der einzige Grund: „Ich arbeite viel zu Hause, und ich bin am Abend nicht alleine, das finde ich schön.",
>
> sagt Julia, 28 Jahre und Grafikdesignerin. Soziale Kontakte sind wichtig, junge Berufstätige wohnen lieber zusammen als allein. Manuel, 31 Jahre und Architekt, hat die gleiche Meinung: „Das Leben mit Freunden in einer WG ist praktisch: Wir können viele Freizeitaktivitäten zusammen machen." Aber es gibt nicht nur Spaß in der WG. Eine gute Organisation ist auch notwendig, denn jetzt gehen viele am Morgen zur Arbeit. Nachts eine lange Party und am nächsten Tag lange ausschlafen ist nur noch am Wochenende möglich.

c Schreiben Sie einem Freund / einer Freundin: Möchten Sie in einer Wohngemeinschaft wohnen?
Was finden Sie gut? Was finden Sie nicht gut? Sammeln Sie erst Argumente und schreiben Sie dann Ihren Text.

Mietkosten teilen | Spaß haben | zusammen Partys feiern | nach der Arbeit nicht alleine sein | soziale Kontakte pflegen | Freizeitaktivitäten zusammen machen | zu laut sein | zusammen kochen | abends | Probleme mit der WG-Organisation haben | Geld sparen | Putzplan einhalten müssen | praktisch sein | nur wenig Privatsphäre haben

Texte planen:
1. Wörter sammeln
2. Wörter organisieren
3. Text schreiben

> Liebe(r) …, ich möchte (nicht) gern in einer Wohngemeinschaft wohnen, denn …

C In der WG eingelebt

1 Aufgaben in der Wohngemeinschaft

 a Verben und Nomen in Kombination: Welche passen?

aufräumen | leeren | einkaufen | ausräumen | runterbringen

1. das Zimmer _____
2. im Supermarkt _____
3. den Müll _____

4. den Geschirrspüler _____
5. den Briefkasten _____

b Wie heißt das Gegenteil?

Lernen Sie Wörter zusammen mit dem Gegenteil.

1. den Staubsauger einschalten und _ausschalten_
2. das Fenster zumachen und _____
3. den Geschirrspüler ausräumen und _____
4. das Licht anmachen und _____

ausmachen | ~~ausschalten~~ | einräumen | aufmachen

2 Wo ist die WG-Katze?

Schauen Sie die Bilder an und ergänzen Sie die Präpositionen.

an | auf | in | hinter | neben | über | unter | vor | zwischen

1. _____ 2. _____

3. _____ 4. _____ 5. _____ 6. _____ 7. _____ 8. _____ 9. _____

3 Wo ist bloß ...?

a Ordnen Sie den Chat.

Super, du bist ein Schatz! Daaaanke und bis später! ☺ **f** ⌐

Hi Kristen! Mist, ich habe meinen Schlüssel vergessen. Kannst du für mich suchen? LG Leon **a** ⌐_1_

Nee, zwischen den Zeitschriften ist nichts. Aber vor dem Schrank liegen ein paar Sachen ... **d** ⌐

Gern. Wo denn? **j** ⌐

Hm ... und zwischen den Zeitschriften vielleicht? Ist er da? **i** ⌐

Vielleicht in meinem Zimmer? Liegt er unter meinem Schreibtisch? **k** ⌐

Ich such mal in der Küche. Da warst du doch gestern Abend lange mit Irina, oder ;)? **g** ⌐

Bingo!!! Ich hab ihn! **c** ⌐

Vor dem Schrank – das kann nicht sein. Vielleicht ist er gar nicht in meinem Zimmer ☹ Wo kann er bloß sein? **b** ⌐

Stimmt. ;) Vielleicht liegt er auf dem Kühlschrank? **h** ⌐

Nein, unter deinem Schreibtisch liegen nur Zeitschriften. Tut mir leid. **e** ⌐

b Wo findet Kristen am Ende den Schlüssel? _____

4 Der WG-Kühlschrank

Leon stellt Vera ein Rätsel. Welches WG-Mitglied hat welches Fach im Kühlschrank?
Ergänzen Sie die Tabelle.

1. Die Mitbewohnerin aus Russland hat Schokoladen-pudding in ihrem Fach.
2. Kristen hat ein Glas Senf.
3. Die Würstchen liegen neben dem Rindfleisch.
4. Der Blumenkohl liegt zwischen der Sojamilch und den Tomaten.
5. Irina hat Vanillejoghurt in ihrem Fach.
6. Der Senf steht vor den Würstchen.
7. Neben dem Schokoladenpudding sind Erdbeeren.
8. Die US-Amerikanerin liebt Frankfurter Würstchen.
9. Der Schokoladenpudding steht auf den Joghurtbechern.
10. Das Fach von Irina ist zwischen dem von André und dem von Kristen.
11. Der Mitbewohner aus Österreich isst keine tierischen Produkte.

Fach	Name	Nationalität	Inhalt	Vorlieben
1				ist Veganer.
2				mag es süß.
3				isst gern Fleisch.

5 Mein Zimmer

a Leon beschreibt sein Zimmer. Ergänzen Sie die fehlenden Artikel.

Hallo Mama!
Mein neues Zimmer ist toll. Es ist groß und ich habe für alle Sachen einen Platz gefunden.
Mein Bett steht in der Ecke rechts neben _____ [1] Tür. Über _____ [2] Bett ist eine Lampe.
Der Schreibtisch steht vor _____ [3] Fenster. Mein Laptop steht rechts auf _____ [4] Schreibtisch.
Vor _____ [5] Schreibtisch ist ein Stuhl. Unter _____ [6] Schreibtisch ist ein Papierkorb. Der Kalender
hängt an _____ [7] Wand über _____ [8] Sofa. Rechts neben _____ [9] Kalender hängt das Bild vom
letzten Urlaub. Links neben _____ [10] Kalender hängt das Foto von Borussia Dortmund. Zwischen
_____ [11] Tür und _____ [12] Sofa ist ein Bücherregal. Und? Gefällt dir das Zimmer?
Liebe Grüße Leon

b Schreiben Sie eine Mail an einen Freund / eine Freundin. Beschreiben Sie Ihr Zimmer. Wo ist was?
Organisieren Sie Ihren Text: Machen Sie zuerst eine Liste von Ihren Gegenständen und Möbeln,
schreiben Sie dann: Wo ist was? Zuletzt schreiben Sie die Mail. Vergessen Sie nicht Anrede und Gruß.

⚇ DaF kompakt – mehr entdecken

A1: 122

1 Wortschatz lernen und erweitern

Lernen Sie mit Assoziationen, z. B. einem Bild.

Beschreiben Sie das Bild. Verwenden Sie die Redemittel.

die Bücher | der Regenschirm | die Manuskripte | der Hut | der Mantel | der Mann | der Stock | die Matratze | die Flasche | die Schüssel | …

liegt / liegen | ist / sind | steht / stehen | hängt / hängen

vor dem Bett | über dem Bett | am Ofen | im Ofen | unter der Decke | im Bett | …

Im Zimmer ist ein Bett. Im Bett liegt ein Mann. Vor dem Bett …

2 Über Sprache reflektieren

Ergänzen Sie die Tabellen. Wie heißen die Wörter in Ihrer Sprache? Vergleichen Sie im Kurs.

Deutsch	Englisch	andere Sprache(n)
1. Der Tisch ist zu groß.	1. The table is too big.	
2. Er ist viel zu teuer.	2. It is much too expensive.	

3 Miniprojekt

Sie brauchen Möbel für Ihr Zimmer.

Bilden Sie Gruppen. Jede Gruppe hat 300 Euro.
– Suchen Sie gebrauchte Möbel im Internet. Sammeln Sie Angebote und notieren Sie die Internetadresse.
– Vergleichen Sie im Kurs: Welche Gruppe hat die meisten Möbel?
– Welche Gruppe hat neue Möbel-Wörter?

Verben mit trennbaren und untrennbaren Vorsilben

1 Ich hole dich ab

a Hören Sie die Verben und die Sätze.   ◁◁ 40

1. abholen – Ich hole dich ab.
2. mitspielen – Spielt ihr mit?
3. anrufen – Du rufst an.
4. anfangen – Wir fangen an.
5. anklopfen – Er klopft an.
6. aufräumen – Sie räumen auf.

b Hören Sie die Verben und Sätze in 1a noch einmal und klopfen Sie mit.

c Welche Silbe hat den Akzentvokal? Markieren Sie die Verben und Sätze in 1a.

d Sprechen Sie die Verben und Sätze aus 1a.

2 Wir vergessen dich nicht

a Hören Sie die Verben und die Sätze.   ◁◁ 41

1. besuchen – Besuchst du mich morgen?
2. beschreiben – Können Sie das beschreiben?
3. bezahlen – Ich möchte bitte bezahlen.
4. erzählen – Er erzählt im Kurs.
5. vergleichen – Vergleichen Sie das.

b Hören Sie die Verben und Sätze in 2a noch einmal und klopfen Sie mit.   ◁◁ 41

c Welche Silbe hat den Akzentvokal? Markieren Sie die Silben in den Verben in 2a.

d Sprechen Sie die Verben und Sätze aus 2a.

e Vergleichen Sie die Beispiele in 1a und 2a. Was fällt auf? Kreuzen Sie an.

1. Bei trennbaren Verben liegt der Akzent immer auf
   a. ⎣⎦ der Vorsilbe   b. ⎣⎦ dem Wortstamm.

2. Bei untrennbaren Verben liegt der Akzent immer auf
   a. ⎣⎦ der Vorsilbe   b. ⎣⎦ dem Wortstamm.

3 Armer Leon!

a Lesen Sie die Sätze und klopfen Sie mit. Markieren Sie die Silbe mit dem Akzentvokal.

1. Die Heizung ist ausgegangen.
2. Den Vermieter hat Leon angerufen.
3. Aber er hat ihn nicht erreicht.
4. Der Vermieter hat nicht zurückgerufen.
5. Der Vermieter hat ihn vergessen.

b Hören Sie die Sätze in 3a und vergleichen Sie.   ◁◁ 42

c Lesen Sie die Sätze in 3a noch einmal laut.

A „Café Waschsalon"

1 Eine komische Webseite

Sie öffnen die Homepage vom „Café Waschsalon". Jemand hat die Seite gehackt und Sie sehen nur komische Wörter. Wie heißen die Wörter richtig? Ergänzen Sie auch die Artikel und die Pluralformen.

~~Copysalon~~ | Caféweg | ~~Shop~~veranstaltung | Waschinternet | Ingebot | Anhaberin | Öffnungskultur | Zeitbeschreibung

1. _der Copyshop, –s_   3. _____   5. _____   7. _____
2. _____   4. _____   6. _____   8. _____

2 Unser Angebot – Hier können Sie . . .

a Ergänzen Sie die Verben.

Lernen Sie Nomen und Verben zusammen.

essen | entspannen | hören | kopieren | lesen | surfen | treffen | trinken | trocknen | ~~waschen~~

Stress auf Wiedersehen!

Hier können Sie Ihre Wäsche _waschen_ [1] und _____ [2]. Sie können Ihre Dokumente _____ [3]. Sie können im Internet _____ [4] und _____ [5]. Sie können einen Espresso oder Milchkaffee _____ [6] oder einen kleinen Snack _____ [7]. Man kann auch Freunde _____ [8] und Konzerte _____ [9]. Oder ganz einfach mit einem guten Buch _____ [10].

b Ordnen Sie die Wörter mit Artikel und Plural rechts den Kategorien zu. Ergänzen Sie auch eigene Wörter.

Espresso | Film | Konzert | surfen | Schinkentoast | Saft | Theater | Milchkaffee | mailen | Tee | Schokoladenkuchen | ~~Waschmaschine~~ | ...

Technik: _die Waschmaschine, –n_ _____
Kultur: _____
Speisen: _____
Getränke: _____
Internet: _____

3 Warum wäschst du im Waschsalon?

Markieren Sie die Argumente im Text: Warum besuchen die Kunden den Waschsalon?

Der Lieblingscocktail im Waschsalon

Viele Waschsalons haben Zusatzangebote für ihre Kunden. In Bonn kommen die Kunden auch sonntags; sie waschen, sehen fern und trinken Cocktails. In Jena stehen abends DJs neben den Waschmaschinen und legen auf. In Münster können Kunden Schinkentoast oder Spaghetti Bolognese essen – und ihre Wäsche waschen. In die Salons kommen Menschen aus allen Berufsgruppen. Der Doktorand Jan Eisenmann mag die Atmosphäre. „Ich wasche gern im Waschsalon, denn hier sitzen die Kunden manchmal bis in die Nacht zusammen, diskutieren über Politik, Philosophie, die Welt. Der Waschsalon ist mein Wohnzimmer", sagt er. „Und hier wasche ich nie allein." Der Frankfurter Soziologe Paul Maas sagt: „Waschsalons haben heute einen ‚Kult-Charakter'. Waschen und Unterhaltung, die Kunden lieben das."

A1: 124

4 Aufforderungen

a Was passt? Ordnen Sie zu.

a. ⌴ Wunsch / Vorschlag   b. ⌴ Anweisung   c. ⌴3⌴ Anleitung

1. Schauen Sie doch mal nach! Gehen wir doch in die Kantine!
2. Chef: Kopieren Sie den Brief bitte dreimal!
3. Maschinen / Computerprogramme: Drücken Sie „Stopp"! / „Stopp" drücken!

b Was ist ein Wunsch / Vorschlag (**WV**), eine Anweisung (**Aw**) oder eine Anleitung (**AI**)?

1. Versuchen wir das doch mal! _WV_
2. Gehen wir doch heute ins Kino! _____
3. Programm wählen! _____
4. Drücken Sie die grüne Taste! _____
5. Machen Sie mit Frau Schäfer einen Termin! _____
6. Kommen Sie! _____

c Lesen Sie die Sätze. Welcher Satz ist eine Anweisung (**A**), welcher ein Vorschlag (**V**)? Kreuzen Sie an.

	A	V			A	V
1. Rufen Sie Herrn Müller an.	⌴	⌴	4.	Geben Sie doch mal „Wäscherei" ein.	⌴	⌴
2. Versuchen Sie das doch mal.	⌴	⌴	5.	Schauen Sie doch mal im Internet nach.	⌴	⌴
3. Suchen Sie die Adresse.	⌴	⌴	6.	Schicken Sie das Formular ab.	⌴	⌴

d Lesen Sie die Sätze. Für wen ist der Vorschlag: für den Partner (**P**) oder für den Partner und Sie (**U**)?

	P	U			P	U
1. Versuchen wir das doch mal.	⌴	⌴	4.	Schauen Sie doch mal im Internet nach.	⌴	⌴
2. Geben Sie doch mal „Restaurant" ein.	⌴	⌴	5.	Gehen wir doch lieber ins Kino.	⌴	⌴
3. Suchen Sie doch mal die Adresse.	⌴	⌴	6.	Ach, gehen wir doch lieber in die Kantine.	⌴	⌴

e Formulieren Sie die Sätze wie im Beispiel.

1. unser Angebot – Sie – lesen   _Lesen Sie unser Angebot!_
2. wir – einen Milchkaffee – trinken – doch mal
3. Sie – bitte – einen Milchkaffee – machen
4. kommen – zum Konzert – doch – Sie
5. ins Theater – doch – gehen – wir

5 Aufforderungen verstehen

Spielen Sie im Kurs. Einer formuliert einen Satz mit „Sie", einer spielt.

Klavier spielen | ~~im Kurs schwimmen~~ | ein Lied singen |
das Fenster aufmachen | die Tür zumachen | ein Bild malen |
Fußball spielen | Gitarre spielen | …

6 Gehen wir doch in die Kantine! – Kommen Sie doch mit!

Formulieren Sie Wünsche oder Vorschläge mit „doch" oder „doch mal".

1. in die Kantine gehen
2. zu Hause waschen
3. Wäsche in den Waschsalon bringen
4. jetzt essen gehen
5. im Internet schauen
6. heute Nachmittag waschen

1. Gehen wir doch in die Kantine!

B Pass auf, der läuft ein!

1 Der erste Waschtag

🔊 43 Hören Sie das Gespräch zwischen Max und Lena im Kursbuch B, Aufgabe 1b, noch einmal.
Was ist richtig (r), was ist falsch (f)? Kreuzen Sie an.

	r	f		r	f
1. Max hat noch nie Wäsche gewaschen.	⊔	⊔	3. Max wohnt im Hotel Mama.	⊔	⊔
2. Max muss die Wäsche nicht sortieren.	⊔	⊔	4. Max findet Lena nett.	⊔	⊔

2 Nachfragen: Entschuldigung, ...

a Formulieren Sie die Redemittel.

1. Sie | helfen | mir | bitte | Sie | Entschuldigen | können |
   Entschuldigen Sie, können Sie mir bitte helfen?

2. mal | das | doch | bitte | noch | Sie   Wiederholen
   _____

3. wiederholen | noch | das | mal | Sie | Können
   _____

4. muss | mal | ich | noch | nachfragen | Entschuldigung,
   _____

5. nachfragen | mal | ich | noch | Darf
   _____

b Ergänzen Sie die passenden Antworten.

Natürlich. Was verstehen Sie denn nicht? | Gern. Am Samstag, um 19.30 Uhr. | In der Steinstraße. |
Ja, gern. Das bedeutet „etwas noch einmal sagen". | Das bedeutet: „Schauen Sie im Wörterbuch nach." |

1. ○ Entschuldigen Sie, was bedeutet „wiederholen"? Können Sie das bitte erklären?
   ● _____ .

2. ○ Entschuldigen Sie, ich habe das nicht verstanden.
   ● _____ .

   ○ Was bedeutet „Schlagen Sie im Wörterbuch nach"?
   ● _____ .

3. ○ Entschuldigen Sie, wo ist das Internetcafé?
   ● _____ .

4. ○ Entschuldigen Sie, können Sie das noch mal wiederholen? Wann ist das Konzert?
   ● _____ .

c Schreiben Sie Fragen und Antworten wie im Beispiel.

1. ~~spät / nicht früh~~   2. aufmachen / öffnen   3. zumachen / schließen   4. bestens / sehr gut

○ Entschuldigen Sie, können Sie mir das bitte erklären?   ○ Was bedeutet „spät"?
● Ja gern. Was verstehen Sie denn nicht?   ● „Spät" bedeutet „nicht früh".

3 Höflich bitten, fragen und antworten

a Formulieren Sie die Bitten höflich wie im Beispiel.

1. Erklären Sie das!
2. Ich will Sie etwas fragen.
3. Helfen Sie mir.
4. Ich will noch mal wiederkommen.

5. Sprechen Sie langsam!
6. Ich muss noch mal nachfragen.
7. Wiederholen Sie das!
8. Ich will noch mal anrufen.

1. Können Sie das bitte erklären?

b Was sagen Sie in folgenden Situationen?

1. Jemand spricht sehr schnell.
2. Sie möchten morgen jemanden anrufen.
3. Sie brauchen Hilfe.
4. Jemand hat etwas erklärt. Sie haben es nicht verstanden.
5. Sie möchten noch einmal kommen.
6. Sie finden das Internetcafé nicht.

1. Entschuldigung, können Sie bitte langsam sprechen?

4 „Ein Paar ..." oder „ein paar"?

Lena geht einkaufen. Lesen Sie die Erläuterung und ergänzen Sie!

Unterscheiden Sie: **ein paar / ein Paar**:

ein paar → ein paar Minuten (= wenige / einige Minuten)   ein Paar → ein Paar Socken (= zwei Socken)

Achtung: ein Ehepaar, ein Liebespaar, ein Zwillingspaar

Lena geht in die Stadt. Sie möchte einkaufen. Sie kauft ein ___Paar___ [1] Handschuhe für den Winterurlaub.
Ein _____ [2] schwarze Socken braucht sie auch. Sie probiert auch ein _____ [3] bunte
T-Shirts an und kauft auch gleich zwei. Sie sucht noch ein _____ [4] für Dirk und Petra. Sie sind
ein nettes _____ [5] Dann braucht sie eine Pause und geht in ein Restaurant. Dort trifft sie
ein _____ [6] Freunde. Ein _____ [7] Stunden später ist sie wieder zu Hause. Sie hatte
viel Spaß, aber sie hat nicht viel gekauft!

5 Noch mehr Farben: bunt gemischt

Wie mischen Sie folgende Farben? Notieren Sie.

1. ___rot___ + ___gelb___ = orange
2. _____ + _____ = grün
3. _____ + _____ = rosa
4. _____ + _____ = türkis
5. _____ + _____ = grau
6. _____ + _____ = lila

6 Schreib! Schreibt! Schreiben Sie!

Schreiben Sie die Imperativformen in die Tabelle in Ihr Heft.

du	Komm!
ihr	Kommt!
Sie	Kommen Sie!

~~kommen~~ | anrufen | aufpassen | raten | entschuldigen |
gehen | einladen | wegfahren | mitkommen | öffnen |
schließen | schreiben | trinken | umdrehen | wiederholen |
sein | zeichnen | bleiben | warten | anmachen

7 Bitte nicht kommandieren!

a Frau Wald kommandiert ihre Tochter. Formulieren Sie die Anweisungen wie im Beispiel.

1. Wäsche sortieren
2. die Waschmaschine aufmachen
3. die Wäsche einfüllen
4. das Waschprogramm wählen
5. Start drücken
6. bitte höflich sein

1. Sortier die Wäsche!

b Max bittet seine Freunde. Formulieren Sie höfliche Aufforderungen wie im Beispiel.

1. mich besuchen kommen (doch mal)
2. bitte eure Gitarren mitbringen (doch)
3. anrufen (doch mal)
4. nicht zu spät da sein (bitte)
5. schnell antworten (bitte)
6. Musik machen (doch mal)

1. Kommt mich doch mal besuchen!

C Neue Kleider – neue Freunde

1 Was ist los im Waschsalon?

Welches Verb passt? Ergänzen Sie den Infinitiv und bilden Sie den Imperativ.

~~mitfahren~~ | haben | lesen | nehmen | vergessen | sein | laufen

1. nach Wien _mitfahren_ → _Fahr nach Wien mit!_
2. Waschpulver _____ → _____
3. die Anleitung _____ → _____
4. keine Angst _____ → _____
5. nicht so langweilig _____ → _____
6. den Konzerttipp heute Abend _____ → _____
7. zur Josefstraße _____ → _____

2 Max hat die SMS von Lena nicht bekommen!

Max wiederholt seine Einladung in einer Mail. Schreiben Sie die Mail an Lena.
Verwenden Sie die Informationen aus der SMS im Kursbuch C, Aufgabe 1c.

Liebe Lena,
ich habe eine SMS geschickt. Ich glaube, du hast sie nicht bekommen. Ich habe eine Frage: …

3 Volles Programm

a Max kocht mit einem Freund. Formulieren Sie die Aufforderungen von Max.

1. helfen (doch bitte mal)   4. nicht so langsam sein (doch)   7. das Fenster öffnen (doch bitte mal)
2. Butter nehmen (doch)   5. mich nicht stoßen (doch)   8. nicht so viel essen (doch)
3. das Glas festhalten (doch mal)   6. das Salz nicht vergessen (bitte)

1. Hilf doch bitte mal.

b Lena und ihre Freundinnen gehen ins Kino. Formulieren Sie Lenas Aufforderungen.

1. das Programm lesen (mal)   4. die Schokolade nicht vergessen   7. auch Schokolade nehmen (doch)
2. nicht so laut sprechen (doch)   5. zur Kasse laufen (bitte)   8. keine Angst haben (doch)
3. die Tür aufmachen (mal bitte)   6. nicht so viel Eis essen (doch)   9. ruhig sein (doch mal)

1. Lest mal das Programm vor!

4 Denk positiv!

Was passt zusammen? Verbinden Sie und schreiben Sie dann die Imperative.

denken | sein | ~~haben~~ | bleiben | nehmen | machen

1. ein Ziel _haben_ → _Hab ein Ziel!_
2. eine Reise _____ → _____
3. das Leben leicht _____ → _____
4. gesund _____ → _____
5. positiv _____ → _____
6. neugierig _____ → _____

5 Soll ich? – Sollen wir? – Wollen wir?

a Schreiben Sie Minidialoge mit „sollen" wie im Beispiel unten.

Ja, gerne! | Wie du willst. | Nein, danke. | Mmh. Fangen wir an. | Nein, das geht schon.

1. Kaffee holen (ich)
2. jetzt die Wäsche sortieren (wir)
3. Jacke anprobieren (ich)
4. zum Konzert gehen (wir)
5. den neuen Tee probieren
6. nach Wien fahren (ich)

○ Soll ich Kaffee holen?   ● Ja, gerne!

b Machen Sie Minidialoge wie im Beispiel. Finden Sie auch eigene Beispiele.

1. anfangen
2. ins Kino gehen
3. Kaffee trinken
4. du sagen

○ Wollen wir anfangen?   ● Ja, fangen wir an!

Sollen / Wollen wir …?
Soll ich …?
Sollen / Wollen wir
einen Kaffee trinken?
= Ich schlage vor, wir
trinken einen Kaffee.
Soll ich helfen?
= Ich kann helfen.

6 Oh je, was ist das denn?

a Hören Sie Teil 3 vom Gespräch im Kursbuch C, Aufgabe 3c, noch einmal und ergänzen Sie die Lücken.   🔊 44

Das weiße _Hemd_ [1] ist jetzt ganz rosa. Max hat die dunkelrote _____ [2] mitgewaschen.
Der blaue _____ [3] ist auch ganz kurz. Die schwarze _____ [4] ist auch ein-
gelaufen. Lena hat mit _____ [5] gewaschen. Sie probiert das _____ [6],
den _____ [7] und die _____ [8] an. Sie sieht klasse aus.

b Hören Sie die Ausdrücke und sprechen Sie sie nach. Welche Ausdrücke sind positiv, welche negativ?
Sortieren Sie.

Super! | Das sieht ja schrecklich aus! | So ein Mist! | Das ist ja furchtbar! | Das ist ja toll! | Oh nein! |
Ich Idiot! | Schade! | Das sieht ja klasse aus!

Positiv (+)   _Super!_ _____

_____

Negativ (–)   _____

_____

In Ausrufesätzen
betont „ja" den Ausruf.

7 Friedl Hofbauer, Schriftstellerin

a Lesen Sie die Kurzbiografie und beantworten Sie die Fragen.

Friedl Hofbauer (*19. Januar 1924 in Wien, † 22. März 2014 in Wien) hat Germanistik und Sprachen studiert.
Sie hat als Schriftstellerin und Übersetzerin in Wien gearbeitet und Erzählungen, Hörspiele, Romane,
Theaterstücke und Lyrik für Kinder und Erwachsene geschrieben. Ihre Gedichte sind heute Klassiker im
Bereich Kinderlyrik; man findet sie in zahlreichen Anthologien. Sie hat viele Preise bekommen, z. B. den
Österreichischen Staatspreis für Kinderlyrik und den Deutschen Jugendbuchpreis.

1. Wann ist Frau Hofbauer geboren? _____
2. Was war ihr Beruf? _____
3. Wo hat sie gewohnt? _____
4. Was hat sie geschrieben? _____

b Welche Wörter aus dem Bereich „Literatur" finden Sie im Text?

Erzählung, …

DaF kompakt – mehr entdecken

1 Wortschatz lernen und erweitern: Kleider und ihre Materialien

a Schreiben Sie die Wörter in die Tabelle und ergänzen Sie die Artikel, für die Kleidungsstücke auch die Pluralformen.

~~Krawatte~~ | ~~Seide~~ | Unterhemd | T-Shirt | Baumwolle | Rock | Hose | Bluse | Kleid | Wolle | Anzug | Socken | Pullover

Kleidungsstücke: die Krawatte, –n, ...
Material: die Seide, ...

b Verbinden Sie Kleidungsstücke und Materialien.

Eine Krawatte aus Seide, ...

c Schlagen Sie die Bedeutung von den Wörtern im Wörterbuch nach. Ordnen Sie sie dann mit dem Artikel und der Pluralform in die Tabelle oben ein und verbinden Sie Kleidungsstücke und Materialien.

Badeanzug | Strümpfe | Strumpfhose | Gürtel | Tasche | Badehose | Mantel | Schal | Mütze | Handschuhe | Viskose | Leder | Schlafanzug | Nachthemd | Jogginganzug | Weste | Hut | Jeans | Sweatshirt | Polyester

d Spiel: Ich sehe was, was du nicht siehst ...

Spieler 1 wählt ein Kleidungsstück und sagt: „Ich sehe was, was du nicht siehst, und das ist ... grün / rot / etc." Die anderen Spieler raten. Der Spieler 1 antwortet immer nur mit „ja" oder „nein". Wer das Kleidungsstück zuerst rät, ist dran und sagt: „Ich sehe was, was du nicht siehst, und das ist ..."

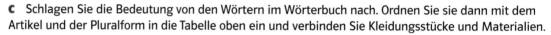

Ich sehe was, was du nicht siehst, und das ist schwarz.

Deine Socken?   Nein!

Der Mantel von Paolo?   Ja!

2 Über Sprache reflektieren

Ergänzen Sie die Tabelle und vergleichen Sie im Kurs.

Deutsch	Englisch	andere Sprache(n)
1. Drücken Sie Stopp!	1. Press stop!	
2. Trinken wir doch einen Tee.	2. Let's have a cup of tea.	
...		

3 Miniprojekt: Kleidung und andere Gegenstände aus ungewöhnlichen Materialien

Suchen Sie im Internet merkwürdige Beispiele und präsentieren Sie sie im Kurs. Welches Beispiel ist am merkwürdigsten?

eine Bluse aus ... | Schuhe aus ... | ein Kleid aus ... |
eine Skulptur aus ... | eine Brille aus ... | eine Tasche aus ... |
ein Haus aus ... | ein Auto aus ... | eine Lampe aus ... | ...

Das ist eine Skulptur aus Autoreifen.

Das ist ein Haus aus Schnee.

Kleider = Kleidungsstücke

Material + aus, z.B. aus Seide

Lernen Sie Gegenstände und Materialien zusammen, z.B. eine Brille aus Plastik, ein Tisch aus Holz, eine Hose aus Baumwolle.

Sie können auch „upcycling" googeln.

„w" oder „f"?

1 Wundervolle Familiennamen

a Hören die Familiennamen und sprechen Sie sie dann nach. 🔊 45

1. a.⊔ Wahrenberg   b.⊔ Fahrenberg   5. a.⊔ Wichte   b.⊔ Fichte
2. a.⊔ Wehler   b.⊔ Fehler   6. a.⊔ Wiemer   b.⊔ Fiemer
3. a.⊔ Wetter   b.⊔ Vetter   7. a.⊔ Wollmer   b.⊔ Follmer
4. a.⊔ Sommerwein   b.⊔ Sommerfein   8. a.⊔ Wuhlert   b.⊔ Fuhlert

b Sie hören jetzt immer nur einen Namen aus 1a. Was hören Sie: **a** oder **b**? Kreuzen Sie an. 🔊 46

c Sprechen Sie in Gruppen. Einer / eine fragt, die anderen hören und raten: Alle Familien mit „**f**" sind in Frankfurt. Alle Familien mit „**w**" sind in Wien. 👥

Wo ist Herr Wahrenberg?

Herr Wahrenberg ist in Wien.

Richtig!

Wo ist Frau Follmer?

Sie ist auch in Wien.

Nein, Frau Follmer ist in Frankfurt.

Bewegt sich das Blatt Papier?

f   w

2 Voll von Wolle

a Was hören Sie: **f** oder **w**? Was ist richtig: **a** oder **b**? Kreuzen Sie an. 🔊 47

1. vier   a.⊔ f b.⊔ w   4. Krawatte   a.⊔ f b.⊔ w   7. Wäsche   a.⊔ f b.⊔ w
2. Verb   a.⊔ f b.⊔ w   5. Phonetik   a.⊔ f b.⊔ w   8. Pullover   a.⊔ f b.⊔ w
3. Farbe   a.⊔ f b.⊔ w   6. vorsichtig   a.⊔ f b.⊔ w   9. intensiv   a.⊔ f b.⊔ w

b Schreiben Sie die Wörter aus 2a in eine Tabelle in Ihr Heft.

Hier sprechen wir „f":		Hier sprechen wir „w":	
f	füllen, höflich, freundlich, öffnen	w	das Wetter, weiß, die Anweisung
v	der Vorschlag, versuchen, viel	v	die Viskose, das Klavier, privat
ph	das Alphabet, die Atmosphäre		

Bei Fremdwörtern spricht man „v" wie „w", z. B. das Klavier, der November. Achtung: „-v" am Wortende + Endung = „w", z. B. eine intensive Farbe.

3 Wir Wiener Waschweiber

a Hören Sie den Satz. 🔊 48

Wir Wiener Waschweiber wollen weiße Wäsche waschen, weiße Wäsche wollen wir Wiener Waschweiber waschen.

b Sprechen Sie den Satz in 3a zuerst ganz langsam und dann so schnell wie möglich.

A Neu in Bern

1 Sehenswürdigkeiten in Bern

Aus einem Reiseführer. Lesen Sie die Texte zu den vier Sehenswürdigkeiten.
Was ist richtig (r), was ist falsch (f)? Kreuzen Sie an.

Das Münster
Das spätgotische Münster (1421 – 1893) ist sehr schön und sehr groß. Der Turm ist 100 m hoch. Von hier kann man die Altstadt und die Berner Alpen sehen.

Der Bärenpark
ist eine besondere Attraktion in Bern. Man kann den neuen Park seit Oktober 2009 wieder besuchen. Hier leben und spielen die „Mutzen", so nennen die Berner die Braunbären. Der Bär ist das Symbol von Bern.

Der Zeitglockenturm
– die Schweizer nennen ihn „Zytgloggeturm" – war ein Stadttor von Bern. Die astronomische Uhr und das Glockenspiel sind sehr berühmt. Das Glockenspiel beginnt immer ca. drei Minuten vor der vollen Stunde.

Das Bundeshaus
mit der großen Kuppel ist der Sitz vom Schweizer Parlament und von der Regierung. Die Materialien für das Bundeshaus kommen aus vielen Regionen in der Schweiz.

	r	f
1. Im Bärenpark leben heute noch Braunbären.	☐	☐
2. Das Schweizer Parlament sitzt in der großen Kuppel.	☐	☐
3. Das Berner Münster ist nicht sehr hoch.	☐	☐
4. Das Glockenspiel im Zeitglockenturm spielt einmal in der Stunde.	☐	☐
5. Das Schweizer Parlamentsgebäude heißt „Bundeshaus".	☐	☐
6. Die Berner können seit Sommer 2009 in den neuen Bärenpark gehen.	☐	☐

2 In der Touristeninformation

Ordnen Sie die Fragen den Antworten zu.

von dem → vom
zu dem → zum
zu der → zur
bei dem → beim

1. Wie komme ich zum Bärenpark?
2. Ist das weit von hier?
3. Muss ich umsteigen?
4. Wo kann ich einen Stadtplan bekommen?
5. Kann ich auch zu Fuß zum Münster gehen?
6. Kann ich beim Bundeshaus aussteigen?
7. Fährt das Tram direkt zum Bundeshaus?

a. ☐ Ja, der Bus hält beim Bundeshaus.
b. ☐ Nein, der Bus fährt direkt zum Bärenpark.
c. ☐ Nein, das ist nicht weit.
d. ☐ Ja, das Münster ist ganz in der Nähe.
e. ☐1 Sie können mit dem Bus oder dem Tram fahren.
f. ☐ Ja. Sie müssen nicht umsteigen.
g. ☐ Hier bei uns in der Touristeninformation.

3 Entschuldigung, wie komme ich zu . . . ?

a Schauen Sie die Zeichnungen an und notieren Sie die passende Bedeutung.

links abbiegen | rechts abbiegen | geradeaus | ~~bei~~ | über die Kreuzung | von ... (bis) zu / zum / zur |
hier | dort

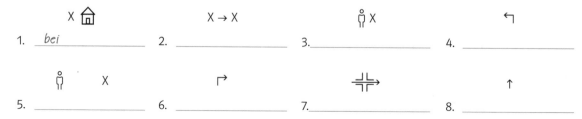

1. _bei_   2. _____   3. _____   4. _____

5. _____   6. _____   7. _____   8. _____

A1: 132

Museum
Pestalozzistrasse

Café | Kino | Supermarkt | Waschsalon | Restaurant

Friedrich-Dürrenmatt-Strasse

Peter-Bichsel-Strasse

Sportplatz | Hotel | Rousseaustrasse | Marktplatz | Hermann-Hesse-Strasse | Theater | Max-Frisch-Strasse | Bahnhof

Kathedrale

Paul-Klee-Strasse

Park | Café | Einkaufszentrum | Schule

Gottfried-Keller-Strasse

X

Sie stehen hier.

In der Schweiz: „ss",
nicht „ß", z. B. „Strasse".

b Schauen Sie den Plan an und lesen Sie dann die Wegbeschreibungen. Was ist das Ziel? Ergänzen Sie.

Kino | Sportplatz |
Bahnhof | ~~Waschsalon~~

1. Gehen Sie nach rechts in die Hermann-Hesse-Strasse. Gehen Sie dann über die Kreuzung. Gehen Sie weiter geradeaus und bei der nächsten Kreuzung biegen Sie dann rechts ab in die Peter-Bichsel-Strasse. Auf der linken Seite sehen Sie dann _den Waschsalon_ .

2. Gehen Sie nach links in die Rousseaustrasse, biegen Sie dann links ab in die Paul-Klee-Strasse und gehen Sie dann über die Kreuzung. Auf der rechten Seite ist dann _____ .

3. Gehen Sie nach links in die Rousseaustrasse. Biegen Sie nach links in die Paul-Klee-Strasse ab. Gehen Sie geradeaus und biegen Sie dann nach rechts in die Friedrich-Dürrenmatt-Strasse ab. Gehen Sie über die nächste Kreuzung und auf der rechten Seite sehen Sie dann

_____ .

4. Gehen Sie nach rechts in die Hermann-Hesse-Strasse. Biegen Sie an der Kreuzung nach rechts in die Paul-Klee-Strasse ab. Gehen Sie geradeaus und biegen Sie dann links in die Max-Frisch-Strasse ab. Auf der rechten Seite sehen Sie dann _____ .

c Ergänzen Sie die Präpositionen.

Wie komme ich _vom_ [1] Bahnhof _____ [2] Rathaus? Kann ich _____ [3] dem Rad fahren? Oder muss ich _____ [4] dem Tram oder _____ [5] dem Bus fahren? Hält der Bus _____ [6] Rathaus? Kann ich _____ [7] Münster _____ [8] Fuß _____ [9] Zytglogge gehen? Ja, ich weiß. Das sind viele Fragen.

~~vom~~ | mit | zur |
mit | beim | zu |
vom | zum | mit

4 Melanie am Fahrkartenautomaten

Ordnen Sie die Anweisungen den Fotos zu.

a. _Tippen Sie auf Zweifahrtenkarte_

b. _____

Tippen Sie Ihren Zielort ein |
Sie müssen 8,80 Franken bezahlen. |
~~Tippen Sie auf „Zweifahrtenkarte".~~ |
Tippen Sie auf „Zielort wählen".

c. _____

d. _____

B Es geht um die Wurst

1 Einladung zur Grillparty

Welche Formulierungen passen? Ergänzen Sie. Manchmal gibt es mehrere Lösungen.

Das ist doch nicht schlimm. | Oh, vielen Dank. | Nein, danke. | Das ist mir Wurst. |
Das macht doch nichts. | Sehr gerne, danke. | Das ist überhaupt kein Problem. | Danke. |
~~Nichts zu danken.~~

Achtung:

„Das ist mir Wurst"
(= „Das ist mir egal")
ist sehr umgangs-
sprachlich und nicht
besonders höflich.

1. ○ Vielen Dank für die Einladung.
   ● *Nichts zu danken.*
2. ○ Das tut mir echt leid.
   ● _____
3. ○ Die Flasche Wein ist für Sie.
   ● _____
4. ○ Möchtest du ein Steak?
   ● _____

5. ○ Guten Appetit!
   ● _____
6. ○ Oh, Entschuldigung.
   ● _____
7. ○ Möchtest du lieber Salat oder Gemüse?
   ● _____
8. ○ Möchtest du ein Glas Wein?
   ● _____

2 Wie peinlich!

a Melanie berichtet von der Grillparty. Lesen Sie die Satzteile und verbinden Sie sie mit „und", „oder",
„denn" und „aber".

1. Ich bin schon drei Wochen in Bern
2. Die Stadt ist nicht sehr groß,
3. Ich möchte gerne das Einsteinhaus
4. Das Paul-Klee-Museum möchte ich besuchen,
5. Meine Arbeit gefällt mir sehr gut
6. Auf einer Grillparty gestern war es peinlich,
7. Ich hatte nichts zum Grillen,
8. Komm doch auch mal nach Bern,

aber
denn
oder
und

natürlich habe ich doch eine Wurst bekommen.
das Paul-Klee-Museum besuchen.
mir gefallen die Bilder von Paul Klee gut.
es gibt viele Sehenswürdigkeiten.
die Stadt ist sehr schön!
die Stadt gefällt mir sehr gut.
meine Kollegen sind total nett.
ich hatte nichts zum Grillen dabei.

b Schreiben Sie die Sätze aus 2a.

1. *Ich bin schon drei Wochen in Bern und die Stadt gefällt mir sehr gut.*
2. _____
3. _____
4. _____
5. _____
6. _____
7. _____
8. _____

c Ergänzen Sie die Wörter „alle", „nichts", „etwas" oder „man".

1. In der Schweiz bringt ___*man*___ Fleisch oder Wurst zu einer Grillparty mit.
2. Hast du _____ zum Grillen mitgebracht?
3. Melanie hat _____ zum Grillen mitgebracht.
4. _____ haben gelacht.
5. _____ haben _____ zum Grillen mitgebracht.
6. In der Schweiz macht _____ das so.
7. Warum hast du _____ gesagt?
8. Das macht doch _____ !

A1: 134

3 Das Präsens und seine Verwendung

a Welche Verwendung hat das Präsens in den Sätzen 1–6? Kreuzen Sie an.

	allgemeine Gültigkeit	Gegenwart	Zukunft
1. Melanie arbeitet jetzt in Bern.	⊔	⊠	⊔
2. Bern hat viele Sehenswürdigkeiten.	⊔	⊔	⊔
3. Melanie fährt nächste Woche nach Genf.	⊔	⊔	⊔
4. Alex besucht Melanie im September.	⊔	⊔	⊔
5. Alex wohnt in Deutschland.	⊔	⊔	⊔
6. Melanie findet Paul Klee toll.	⊔	⊔	⊔

b Melanie möchte das Zentrum Paul Klee besuchen. Lesen Sie die Kurzinfo und markieren Sie:
Wo verwendet man das Präsens als Generalisierung (pink), wo als Ausdruck für die Zukunft (grau)?

Zentrum Paul Klee

Seit Juni 2005 gibt es das Zentrum Paul Klee in Bern. Das Museum besitzt über 4000 Werke von Paul Klee, aber man zeigt nur etwa 120 bis 150 Exponate in rotierenden Ausstellungen. Es ist auch ein Forschungszentrum und ein Kulturzentrum; hier finden Konzerte statt und es gibt ein Café. Im nächsten Herbst zeigt das Museum eine Sonderausstellung zum Thema „Bäume".

4 Berner Kartoffelsuppe

a Michaels Freund Urs hat eine Berner Kartoffelsuppe zur Grillparty mitgebracht. Lesen Sie die Zutatenliste von seinem Rezept. Was passt? Ordnen Sie zu.

Zutaten für 4 Personen

1.	800 g	a. ⊔ Lauch
2.	1 kleines Stück	b. ⊔ Muskat
3.	6 kleine	c. ⊔1⊔ Kartoffeln
4.	1 große	d. ⊔ Karotten
5.	1 EL	e. ⊔ Bouillon
6.	1 l	f. ⊔ Sahne
7.	1 Prise	g. ⊔ Zwiebel
8.	1/3 TL	h. ⊔ Salz
9.	1 Becher	i. ⊔ Butter, flüssig
10.	4 Scheiben	j. ⊔ Emmentaler Käse

Zubereitung

1. Kartoffeln und Karotten schälen.
2. Kartoffeln und Karotten klein schneiden.
3. Zwiebel und Lauch klein schneiden.
4. Zwiebel und Lauch in Öl anbraten.
5. Kartoffeln und Karotten zu den Zwiebeln geben und kurz anbraten.
6. Bouillon und Muskat zu den Kartoffeln geben.
7. Mit Salz und Pfeffer würzen.
8. 30 Minuten kochen.
9. Sahne zur Suppe geben.
10. Suppe pürieren. Eine Scheibe Emmentaler Käse in einen Suppenteller legen und die Suppe darüber gießen.

EL = Esslöffel
(großer Löffel)

TL = Teelöffel
(kleiner Löffel)

Prise =

b Lesen Sie die Zubereitung in 4a. Welcher Arbeitsschritt im Rezept in 4a passt zu welchem Bild? Ordnen Sie zu. Zu vier Arbeitsschritten gibt es kein Bild.

c Und was mögen Sie? Präsentieren Sie Ihr Lieblingsrezept oder eine Spezialität aus Ihrem Land im Kurs.
Sammeln Sie die Rezepte und machen Sie ein Kurskochbuch für ein internationales Buffet.

C Wie komme ich zum Museum?

1 Auf dem Weg zum Zentrum Paul Klee

a Lesen Sie die Beschreibungen und zeichnen Sie dann einen passenden Pfeil ein.

Melanie geht …

1. … um das Einkaufszentrum herum.   3. … um die Ecke.   5. … bis zum Einkaufszentrum.

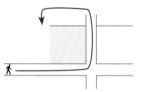  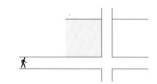

2. … durch das Einkaufszentrum.   4. … weiter geradeaus.   6. … in das Einkaufszentrum.

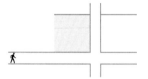 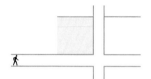 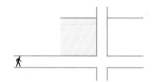

b Lesen Sie die Wegbeschreibung zum Museum und zeichnen Sie den Weg ein.

1. Sie müssen durch das Einkaufszentrum gehen.
2. Dann gehen Sie rechts um die Kathedrale herum.
   Da sehen Sie den Marktplatz.
3. Dann gehen Sie über den Marktplatz bis zum Supermarkt.
   Dann sind Sie in der Peter-Bichsel-Strasse.
4. Sie müssen nur noch links in die Hermann-Hesse-Strasse
   abbiegen und noch einmal links um die Ecke gehen, dann
   sehen Sie schon den Haupteingang von dem Museum.

2 Richtungsangaben „durch" – „um … (herum)"

a Ergänzen Sie die Präposition und den Artikel.

1. Gehen Sie *durch   die* Tür.
2. Du fährst hier _____ _____ Ecke.
3. Komm, wir gehen _____ _____ Park.
4. Gehen Sie _____ _____ Hotel _____.
5. Sie müssen _____ _____ Bahnhof _____ fahren.
6. Du musst _____ _____ Einkaufszentrum.

Manche Präpositionen
kann man mit
Akkusativ und Dativ
verwenden (Wechsel-
präpositionen), z.B. „in":

Wohin?
Sie geht in den Park
(Akkusativ).

Wo?
Sie ist im Park (Dativ).

Karte

Museum		
Pestalozzistrasse		
Supermarkt	Waschsalon	Restaurant
Peter-Bichsel-Strasse		
Marktplatz	Theater	Bahnhof
Kathedrale		
Paul-Klee-Strasse		
Einkaufszentrum	Schule	
X	Gottfried-Keller-Strasse	

Sie stehen hier.

b Eine Wegbeschreibung. Ergänzen Sie Präposition und Artikel.

zum (3x) | in die (2x) | mit dem (2x) | über die | ~~vom~~ (2x) | zur (2x)

Sie kommen *vom* [1] Bahnhof und möchten _____ [2] Bärenpark fahren? Sie können _____ [3]
Bus in Richtung Zentrum Paul Klee fahren, dann kommen Sie _____ [4] Bärenpark. Sie können aber
auch _____ [5] Fahrrad fahren. Dann müssen Sie _____ [6] Bahnhof _____ [7] Heiliggeist-
kirche fahren und dann links _____ [8] Spitalgasse abbiegen. Biegen Sie dann _____ [9] Markt-
gasse und fahren Sie bis _____ [10] Zytgloggenturm und dann weiter geradeaus bis _____ [11]
Nydeggasse. Dann fahren Sie _____ [12] Nydeggbrücke. Biegen Sie dann rechts ab und schon sind
Sie da!

A1: 136

3 Paul Klee – ein berühmter Berner

a Lesen Sie die Biografie von Paul Klee im Kursbuch C 3b noch einmal.
Welche Wörter haben eine ähnliche Bedeutung?
Ordnen Sie die Erklärungen den Verben zu.

zu Ende machen | ~~Unterricht geben~~ | anfangen |
Hochzeit feiern | ein Teil von einer Gruppe sein

1. unterrichten → *Unterricht geben*
2. beenden → _____
3. gehören zu → _____
4. heiraten → _____
5. beginnen → _____

Synonyme sind sinnverwandte Wörter, wie z. B. machen = tun.
Neue Wörter kann man sehr gut zusammen mit Synonymen lernen.

b Notieren Sie aus der Biographie in C 3 die wichtigsten Jahreszahlen, Wörter und Ausdrücke auf einem Blatt. Berichten Sie einem Partner mündlich darüber.

Paul Klee ...
1879 in Münchenbuchsee geboren
1898 Schule in Bern beendet

Notieren Sie aus Texten wichtige Daten und Fakten.
Benutzen Sie Ihre Notizen als Hilfe beim mündlichen Vortrag.

c Machen Sie sich Notizen und Stichpunkte zu einer berühmten Person oder einer Person, die alle in Ihrem Kurs kennen. Stellen Sie sie vor. Die anderen sollen den Namen von der Person erraten.

4 Im Zentrum Paul Klee

a Ordnen Sie die Farben den Jahreszeiten zu. Manchmal gibt es mehrere Lösungen. Vergleichen Sie Ihre Zuordnung mit einem Partner / einer Partnerin.

rot | grün | gelb | orange | blau | ~~weiß~~ | grau | braun | lila | schwarz | rosa | beige | bunt

Frühling: _____
Sommer: _____
Herbst: _____
Winter: *weiß*

b Wie gefällt Ihnen das Bild von Paul Klee? Was bedeuten die Aussagen unten? Sind sie positiv oder negativ? Kreuzen Sie an.

Ich finde es ...   ☺   ☹
1. interessant.   X   ☐
2. langweilig.   ☐   ☐
3. wunderschön.   ☐   ☐
4. zu bunt.   ☐   ☐
5. schrecklich.   ☐   ☐
6. zu abstrakt.   ☐   ☐
7. intensiv.   ☐   ☐

c Bringen Sie ein Foto von Ihrem Lieblingsbild mit und zeigen Sie es im Kurs.
Wie findet Ihr Partner / Ihre Partnerin das Bild?

⛶ DaF kompakt – mehr entdecken

1 Wortschatz lernen und erweitern

a Welche Ausdrücke und Wendungen haben die gleiche Bedeutung wie die Sätze 1–5? Ordnen Sie zu.

Man muss ihm immer eine Extrawurst braten. | Das ist ihm Wurst. | Es geht um die Wurst. | ~~Er spielt schon wieder die beleidigte Leberwurst.~~ | Alles hat ein Ende, nur die Wurst hat zwei.

1. Er ist wieder verärgert und spricht nicht mehr.   *Er spielt schon wieder die beleidigte Leberwurst.*
2. Er möchte immer etwas anders haben als die anderen.   _____
3. Es hört alles einmal auf.   _____
4. Das ist ihm egal.   _____
5. Das ist jetzt extrem wichtig.   _____

b Schlagen Sie diesen Ausdruck im Internet nach. Was bedeutet er?

herumwursteln

> „Alles hat ein Ende, nur die Wurst hat zwei" ist auch ein traditionelles Volkslied, das man gerne auf Volksfesten singt.

2 Über Sprache und Kultur reflektieren: Lebensmittel und Farben

a Gibt es bei Ihnen ähnliche Ausdrücke mit „Wurst" oder einem anderen Lebensmittel? Vergleichen Sie im Kurs.

Englisch   That's a piece of cake (d.h. etwas ist ganz einfach).
Portugiesisch   Viajar na maionesa (d.h. im Chaos verloren sein, keine Lösung finden).
Italienisch   Dire pane al pane, vino al vino (d.h. die Tatsachen benennen, deutlich die Wahrheit sagen).
…

b Farben und Symbole

Farben haben oft eine symbolische Bedeutung, z.B. bedeutet Grün in vielen Ländern Hoffnung, Rot ist Symbol für Liebe. In manchen Situationen trägt man Kleidung mit einer bestimmten Farbe. In den deutschsprachigen Ländern trägt die Braut Weiß bei der Hochzeit. Schwarze (dunkle) Kleidung zieht man bei einer Beerdigung an. Vergleichen Sie.

Grün bedeutet bei uns …   Rot ist das Symbol für …

3 Miniprojekt

Arbeiten Sie in Gruppen. Wählen Sie eine Stadt aus und planen Sie einen Rundgang zu den Sehenswürdigkeiten in der Stadt.

Was wollen Sie besichtigen? Welche Sehenswürdigkeiten gibt es?
Beschreiben Sie die Sehenswürdigkeiten und zeigen Sie Fotos.

Beschreiben Sie auch den Weg zu den Sehenswürdigkeiten und zeigen Sie einen Stadtplan.
Welche Verkehrsmittel können Sie nehmen?

Stellen Sie Ihren Rundgang im Kurs vor.

A1: 138

Phonetik

R-Laute

1 Die verschiedenen R-Laute

Hören Sie die Wörter und sprechen Sie sie dann nach.

🔊 49

[r] = das konsonantische „r"	[ɐ] = das vokalische „r"
braun	der Bär

2 Was denkt der Bär in Bern?

a Hören Sie die Sätze und lesen Sie mit. Achten Sie auf die R-Laute.

🔊 50

Ich bin der berühmte Bär von Bern.
Viele Touristen reisen nach Bern.
Und auch viele Besucher aus der Region.
Und alle kommen zu mir – dem braunen Bären von Bern.
Denn ich bin interessant, ich bin eine Attraktion!
Alle sind fröhlich und machen immer Fotos von mir.
Ein Maler malt ein abstraktes Bild von mir und verkauft den Besuchern das Original gleich hier.
Der Park von uns Bären ist wirklich das Zentrum von Bern!

b Hören Sie einzelne Wörter noch einmal und achten Sie auf die R-Laute. Wann sprechen wir das „r" konsonantisch [r], wann vokalisch [ɐ]? Kreuzen Sie an.

🔊 51

Wo ist das R?	Beispiele	[r]	[ɐ]
am Anfang von einem Wort oder von einer Silbe	Region, Touristen	⊔	⊔
nach kurzen Vokalen	Bern, Park	⊔	⊔
nach langen Vokalen am Ende von einer Silbe	Bär, mir	⊔	⊔
nach Konsonanten	braun, Attraktion	⊔	⊔
in den unbetonten Vorsilben er-, ver-, zer-	verkaufen	⊔	⊔
bei -er am Wortende (auch: -ert, -erst, -ern, -ernd)	Besucher, Besuchern	⊔	⊔

c Hören Sie die Wörter in 2b noch einmal. Was fällt auf? Kreuzen Sie an.

Das konsonantische „r" hört man   a. ⊔ deutlich.   b. ⊔ undeutlich, klingt fast wie ein „a".
Das vokalische „r" hört man   a. ⊔ deutlich.   b. ⊔ undeutlich, klingt fast wie ein „a".

❗

d Hören Sie das Wortpaar. Was fällt auf? Kreuzen Sie an.

🔊 52

❗

„Bär" →   a. ⊔ konsonantisches „r",   b. ⊔ vokalisches „r",
denn nach langem Vokal am Ende von einer Silbe.
„Bären" →   a. ⊔ konsonantisches „r",   b. ⊔ vokalisches „r",
denn am Anfang von einer Silbe.

So lernen Sie das
konsonantische „r":
Gurgeln Sie!

e Schreiben Sie die anderen Wörter mit „r" im Text in 2a in eine Tabelle in Ihr Heft wie in 2b.

f Sprechen Sie die Wörter in der Tabelle in 2b und dann die Sätze in 2a.

A Das müssen wir feiern!

1 Glückwünsche

Was sagen Sie? Ordnen Sie zu.

Alles Gute zur Hochzeit. | Alles Gute für den Ruhestand. | ~~Herzlichen Glückwunsch zum Geburtstag.~~ |
Herzlichen Glückwunsch zum Examen. | Herzlich willkommen im Haus. | Viel Glück für die Prüfung.

1. Jemand wird 30 Jahre alt: _Herzlichen Glückwunsch zum Geburtstag._

2. Jemand hat geheiratet: _____

3. Jemand muss eine Prüfung ablegen: _____

4. Jemand hat seinen Master geschafft: _____

5. Sie haben einen neuen Nachbarn: _____

6. Ein Kollege geht in Rente: _____

2 Verben mit Dativ – Verben mit Akkusativ

Feste Wendung:
Wie geht es dir? /
Wie geht's?
Mir geht es gut.

a Welche Antworten passen? Ordnen Sie zu.

1. Wie geht es deiner Schwester?
2. Wie geht's deinen Freunden?
3. Wie gefällt euch die Radiosendung „Hörergrüße"?
4. Wie gefällt deinem Mann das neue Kleid?
5. Gehört das rote Auto deinem Bruder?
6. Hat Ihnen das Essen geschmeckt?
7. Ich gratuliere Ihnen zum Examen.
8. Hast du deiner Mutter zum Geburtstag gratuliert?
9. Soll ich Ihnen helfen?
10. Ich danke dir für das Buch.
11. Ist dem Kind etwas passiert?
12. Warum antwortest du mir nicht?

a. ☐ Na klar, ich habe sie heute Morgen angerufen.
b. ☐ Nein. Es gehört mir. Ich habe es gestern gekauft.
c. ☐ Vielen Dank. Das ist nett von Ihnen.
d. ☐ Nein. Alles ist ok. Es geht ihm gut.
e. ☐ Es gefällt ihm gut. Er liebt rot.
f. ☐ Vielen Dank. Es hat uns sehr gut geschmeckt.
g. ☐ Danke für die Glückwünsche. Das ist nett von Ihnen.
h. ☐ Ich habe dich nicht gehört. Tut mir leid.
i. ☐1 Es geht ihr gut. Sie hat ihren Bachelor gemacht.
j. ☐ Es geht ihnen gut. Sie machen gerade Urlaub in Italien.
k. ☐ Mir gefällt sie, aber Marco mag sie nicht.
l. ☐ Ich hoffe, es gefällt dir.

b Markieren Sie die Verben in den Sätzen 1–12 und ergänzen Sie die Regel.

! Die Verben _es geht_, _gefallen_, _____, _____, _____, _____,
_____, _____ und _____ haben eine Ergänzung im Dativ.

c Markieren Sie die Artikel im Dativ in den Sätzen 1–12 und ergänzen Sie die Tabelle.

	Maskulinum (M)	Neutrum (N)	Femininum (F)	Plural (M, N, F)
Nom.	der / ein / dein Bruder	das / ein / dein Kind	die / eine / deine Mutter	die / ø / meine Freunde
Akk.	den / einen / deinen Bruder	das / ein / dein Kind	die / eine / deine Mutter	die / ø / meine Freunde
Dat.	dem / einem / _____ Bruder	_____ / einem / deinem Kind	der / einer / _____ Mutter	den / ø / _____ Freunden

A2: 94

d Welche Antworten passen? Ordnen Sie zu.

1. Warum hast du mich nicht angerufen?
2. Hast du auch deine Nachbarn eingeladen?
3. Wann ist dein Examen?
4. Hast du den Hausmeister gesehen?
5. Hast du Hanna auch eingeladen?
6. Brauchen Sie mich noch?
7. Kannst du uns bitte morgen anrufen?

a. ⌴ Ich habe sie eingeladen, aber sie haben keine Zeit.
b. ⌴ Ich habe es schon letzte Woche abgelegt und geschafft.
c. ⌴ Nein. Denn ich habe sie schon lange nicht mehr gesehen.
d. ⌴ Das mache ich. Wann kann ich euch denn erreichen?
e. ⌴ Danke für Ihre Hilfe. Wir sind jetzt fertig.
f. ⌴1 Ich habe dich angerufen, aber du hast nicht geantwortet.
g. ⌴ Nein. Ich kann ihn auch telefonisch nicht erreichen.

e Markieren Sie die Personalpronomen im Dativ (Ü 2a) und im Akkusativ (Ü 2d) und ergänzen Sie die Tabelle.

Nom.	ich	du	er / es / sie	wir	ihr	sie / Sie
Akk.						/ Sie
Dat.						

f Schreiben Sie die SMS neu. Ersetzen Sie die unterstrichenen Satzteile durch Personalpronomen.

Liebe Tina, du kennst doch Sophia und Nils, oder? Sophia und Nils haben ihren Master geschafft und wollen am Samstag eine große Party machen. Kommst du mit? LG Ali

Lieber Ali, Sophia und ich waren mal im Seminar von Professor Eck. Später habe ich Sophia bei einer Hausarbeit geholfen. Nils kenne ich auch – Nils und ich sind beide beim Uni-Sport. Ich treffe Nils dort manchmal. Seit ein paar Wochen habe ich Nils aber nicht gesehen. Nils hat also auch den Master geschafft. Das ist schön. Ich muss Nils unbedingt anrufen. Ich komme gerne mit zur Party. Wann beginnt denn die Party? VG Tina

Hi, die zwei haben viele Leute eingeladen. Ich bin schon um 16 Uhr da, denn ich möchte Sophia und Nils beim Kochen helfen. Komm doch auch früh. Dann kannst du Sophia, Nils und mir helfen. Bis bald, Ali

Liebe Tina, du kennst doch Sophia und Nils, oder? Sie haben ...

3 Einladung zur Examensfeier

a Wie lädt man ein? Wie sagt man „Ich komme" (Zusage)? Wie sagt man „Ich komme nicht" (Absage)? Ordnen Sie die Redemittel in eine Liste in Ihr Heft.

Am ... habe ich leider keine Zeit. Da muss ich ... | Danke für die Einladung. Leider kann ich nicht kommen. Am ... bin ich schon bei ... eingeladen. | ~~Am ... um ... Uhr mache ich eine Party. Kommst du auch?~~ | Die Party findet am ... um ... statt. | Ich hoffe, du kannst kommen. | Ich komme gern, aber ein bisschen später, denn ... | Ich komme gern. | Ich möchte dich zu meiner Party einladen. | Natürlich komme ich. | Soll ich etwas mitbringen? | Tut mir leid. Da kann ich nicht. | Wir feiern bei mir zu Hause / bei meinen Eltern im Garten.

eine Einladung schreiben: Am ... um ... Uhr mache ich eine Party. Kommst du auch?

zusagen (= ich komme):
absagen (= ich komme nicht):

b Sprechen Sie im Kurs: Laden Sie die anderen Kursteilnehmer / Kursteilnehmerinnen zu einer Party ein. Wer sagt zu? Wer sagt ab? Machen Sie eine Liste.

Party am ...   *zugesagt:*   *abgesagt:*

Ich mache am Freitagabend um 20 Uhr eine Party. Kommst du auch?

Am Freitagabend habe ich keine Zeit. Da bin ich bei Paul eingeladen.

Danke für die Einladung. Ich komme gerne.

B Den Studienabschluss feiern

1 Wie feiert man das?

a Was macht man auf den Feiern? Ordnen Sie den Kategorien zu und schreiben Sie in Ihr Heft. Es gibt oft mehrere Möglichkeiten. Schlagen Sie neue Wörter im Wörterbuch nach.

halten:
er / es / sie hält
ausblasen:
er / es / sie bläst aus
einladen:
er / es / sie lädt ein
tragen:
er / es / sie trägt

eine Rede halten | mit Sekt anstoßen | Kerzen ausblasen | tanzen | zur Kirche gehen | Geschenke bekommen | Freunde und Verwandte einladen | bis spät in die Nacht feiern | eine Torte anschnei-den | festliche Kleidung tragen | ein schwarzes Barett tragen | ein Gruppenfoto machen | Adressen austauschen | ein Menü mit vielen Gängen essen | Fingerfood / Häppchen essen | ein Lied singen

Geburtstagsfeier: mit Sekt anstoßen, ...

Hochzeitsfeier:

Abschlussfeier an der Universität:

Begrüßungs- oder Abschiedsfeier in der Firma:

b Und wie ist das bei Ihnen? Vergleichen Sie Ihre Liste mit einem Partner / einer Partnerin.

2 Gespräche auf der Abschlussfeier

Ergänzen Sie die Adjektive in den drei Gesprächen.

alten | bequeme | interessant | interessante | karierte | schick | schicken | weite

1. Sophia: Professor Otto hat eine _____ [1] Rede gehalten.
   Nils: Das finde ich auch. Aber auch seine Vorlesungen waren immer sehr _____ [2].
   Hanna: Habt ihr seine Klamotten gesehen? Er hat sogar einen _____ [3] Anzug ange-
   zogen. In der Uni trägt er meistens nur _____ [4] Hemden, _____ [5] Jeans
   und _____ [6] Sandalen. Er ist heute wirklich _____ [7].
   Sophia: Das stimmt. Und im Labor haben wir ihn immer nur in einem _____ [8] weißen
   Laborkittel gesehen.

großen | französischen | deutschen | französische | lustig | neue

2. Hanna: Hast du schon gehört? Bei Professor Becker gibt es zwei _____ [9] Assistenten-
   stellen.
   Jonas: Ich weiß, aber ich gehe nach Frankreich und arbeite dort in einem _____ [10]
   Labor bei Paris.
   Hanna: Das ist ja super. Sprichst du denn gut Französisch?
   Jonas: In den letzten Monaten habe ich mit meinem _____ [11] Nachbarn immer nur
   Französisch gesprochen. Er findet, ich spreche schon ziemlich gut. Aber ich habe einen sehr starken
   _____ [12] Akzent. Das findet er _____ [13].
   Hanna: Dann musst du schnell eine _____ [14] Freundin finden. So lernt man eine Sprache
   besonders schnell.

dunklen | elegant | langen | roten | schwarzer | teuer | teures

dunkel / teuer:
Nils trägt einen **teur**en, **dunkl**en Anzug. Seine Schuhe waren auch teuer.

3. Sophia: In _____ [15] Anzügen und _____ [16] Kleidern sehen wir alle ganz
   anders aus.
   Nils: Das stimmt. Du siehst richtig _____ [17] aus in deinem _____ [18]
   Kleid.
   Sophia: Rot ist meine Lieblingsfarbe. Dein _____ [19] Anzug gefällt mir aber auch.
   Nils: Der Anzug war ziemlich _____ [20]: Ich habe über 300 Euro dafür bezahlt. So ein
   _____ [21] Kleidungsstück habe ich noch nie getragen.

A2: 96

3 Wer trägt heute grüne Socken?

a Schreiben Sie auf einen kleinen Zettel: Was tragen Sie heute? Beginnen Sie mit Ihren Schuhen.
Sammeln Sie die Zettel ein und lesen Sie im Kurs vor. Die anderen müssen raten, wer das ist.

*Ich trage heute weiße Turnschuhe, eine blaue Hose, ein weißes Hemd und einen blauen Schal.
Wer bin ich?*

Wer trägt heute braune Schuhe, graue Socken,
eine schwarze Hose und ein rotes T-Shirt?

Das ist Joe.

b Komplimente machen: Gehen Sie durch den Kursraum und fragen Sie die anderen
Kursteilnehmer / Innen.

Wie gefällt dir mein blau**er** Pullover?

Er gefällt mir gut. Aber deinen roten
Pullover finde ich besser.

gut ☺
besser ☺☺
am besten ☺☺☺

4 Möchtest du etwas Warmes essen?

Schreiben Sie die passenden Antworten. Es gibt oft mehrere Möglichkeiten.

nichts / etwas Warmes | ~~Kaltes~~ | Vegetarisches | Süßes | Alkoholisches | mit Fisch | mit Käse |
mit Schweinefleisch | ohne Fleisch | ohne Alkohol | …

1. Möchtest du heute Abend Suppe essen? – Nein, danke. *Ich möchte etwas Kaltes essen.* _____
2. Möchtest du ein Bier? – Nein, danke. _____
3. Möchtest du eine Thunfischpizza? – Nein, danke. _____
4. Möchtest du einen Kaffee? – Nein, danke. _____
5. Möchtest du ein Käsebaguette? – Nein, danke. _____
6. Möchtest du einen Veggieburger? – Nein, danke. _____
7. Möchtest du ein Würstchen? – Nein, danke. _____
8. Möchtest du Eis oder Kuchen? – Nein, danke. _____

Nomen aus Adjektiven
Ich möchte nichts
*Warm***es** essen.
Ich esse gern (etwas)
*Süß***es**.

5 Alles für die Party

a Haben Sie genug Geschirr für eine Party mit 20 Gästen? Machen Sie eine Liste und berichten Sie.

Besteck | Salatschüsseln | Weingläser | Biergläser | Suppentopf | Teller | Servietten | …

Ich habe genug Geschirr für 20 Gäste:
Ich habe 24 große Teller und 24 Biergläser.

Für 20 Gäste habe ich nicht genug Geschirr:
Ich habe nur 12 kleine Teller und 12 Gläser.

b Sie wollen eine Party machen, aber Sie haben nicht genug
Geschirr. Fragen Sie im Kurs.

Ich habe nicht genug Teller.
Kannst du **mir** 8 Teller leihen?

Tut **mir** leid. Ich kann **dir** nur 5 Teller leihen.

Ich habe keinen großen Topf.
Kannst du **mir** einen Topf leihen?

Ja, natürlich leihe ich **dir** einen Topf.

Verben mit Dativ- und
Akkusativergänzung

Kannst du mir einen
Topf leihen?

Person: im Dativ (mir)
Sache: im Akkusativ
(einen Topf)

auch: zeigen, erklären,
geben, schenken, mit-
bringen …

C Feste hier und dort

1 Feste und Bräuche

Lesen Sie den Text im Kursbuch C, Aufgabe 1, noch einmal. Was ist richtig (**r**), was ist falsch (**f**)?
Kreuzen Sie an.

		r	f
1.	Ostern ist immer am Sonntag nach dem letzten Vollmond im Jahr.	☐	☒
2.	„Ostern" bedeutet wahrscheinlich „Sommerfest".	☐	☐
3.	Das Erntedankfest feiert man nur in Deutschland.	☐	☐
4.	Am Erntedankfest möchten die Menschen Gott für die gute Ernte danken.	☐	☐
5.	Die Menschen dekorieren Kirchen und Wagen mit Eiern.	☐	☐
6.	Das Weihnachtsfest beginnt am Abend des 24. Dezember.	☐	☐
7.	Man kann den Schmuck für den Weihnachtsbaum kaufen oder selbst basteln.	☐	☐
8.	Alle Familien essen am Heiligen Abend Gänsebraten.	☐	☐
9.	Der Weihnachtsmann oder das Christkind bringen die Geschenke.	☐	☐

2 Was schenken die Menschen? – Dativergänzung und Akkusativergänzung

a Lesen Sie die Sätze und markieren Sie die Dativergänzung pink und die Akkusativergänzung grau.

1. Die junge Frau schenkt ihrem Freund einen Rucksack.
2. Kristin schenkt ihrer Schwester einen Gutschein.
3. Das Mädchen schenkt seinen Eltern ein Bild.
4. Der junge Mann schenkt seiner Nichte einen Teddybären.
5. Der junge Mann schenkt seinem Neffen eine DVD.
6. Die Eltern schenken ihrem Sohn ein Fahrrad.

b Ersetzen Sie die Dativergänzung in den Sätzen aus 2a durch ein Pronomen. Schreiben Sie in Ihr Heft.

1. Die junge Frau schenkt ihm einen Rucksack.

c Ersetzen Sie die Akkusativergänzung in den Sätzen aus 2a durch ein Pronomen.
Schreiben Sie in Ihr Heft.

1. Die junge Frau schenkt ihn ihrem Freund.

d Ersetzen Sie jetzt die Dativ- und Akkusativergänzung in den Sätzen aus 2a durch ein Pronomen.
Schreiben Sie in Ihr Heft.

1. Die junge Frau schenkt ihn ihm.

e Bringen Sie die Satzteile in die richtige Reihenfolge. Schreiben Sie in Ihr Heft.

1. ~~Nils | zu Weihnachten | seinen Eltern | Theaterkarten | schenken~~
2. ihrem Sohn | Nils' Eltern | zum Geburtstag | schenken | einen neuen Laptop
3. die Großeltern | ihrem Enkel | dieses Jahr | schenken | eine neue Uhr
4. den Studenten | der Kursleiter | die Aufgabe | erklären
5. dem Kursleiter | die Studenten | schicken | eine E-Mail
6. der IT-Spezialist | den Studenten | erklären | das neue Programm
7. die Studenten | dem IT-Spezialisten | stellen | viele Fragen

1. Nils schenkt seinen Eltern zu Weihnachten Theaterkarten. / Zu Weihnachten schenkt Nils seinen Eltern Theaterkarten. / Seinen Eltern schenkt Nils zu Weihnachten Theaterkarten.

Die Dativergänzung
kann auch an Position 1
stehen. Das Verb steht
dann an Position 2.

3 Dativ- und Akkusativergänzung im Überblick

Markieren Sie die Verben und ergänzen Sie die Liste in Ihr Heft.

1. Ich schenke den Kindern Spielsachen.
2. Kannst du mir dein Handy geben?
3. Schmeckt dir der Kuchen?
4. Wir möchten das Essen bestellen.
5. Soll ich euch die Fotos zeigen?
6. Können Sie mir das hier erklären?
7. Das stimmt. Ich stimme dir zu.
8. Ich gratuliere dir zum Geburtstag.
9. Dein neuer Pullover gefällt mir gut.
10. Ich wünsche dir viel Glück.
11. Können Sie mir helfen?
12. Ich muss die Wohnung aufräumen.
13. Ich finde deine Idee nicht schlecht.
14. Sollen wir einen Kuchen backen?
15. Möchtest du einen Kaffee trinken?
16. Jeden Morgen lese ich die Zeitung.
17. Kannst du mir 10 Euro leihen?
18. Warum antwortest du mir nicht?

Verben mit Dativergänzung: schmecken, ...
Verben mit Akkusativergänzung: bestellen, ...
Verben mit Dativ- und Akkusativergänzung: schenken, ...

4 n-Deklination

n-Deklination oder nicht? Ergänzen Sie.

Zu meiner Party lade ich einen Kommilitone_____ [1], meine besten Freunde_____ [2], meinen Nachbar_____ [3], meinen Onkel_____ [4], meinen Neffe_____ [5], einen Junge_____ [6] aus der Nachbarschaft, meinen Deutsch-lehrer_____ [7] und einen Kollege_____ [8] von meinem Bruder ein. Mein Freund_____ [9] Timo bringt einen Praktikant_____ [10] aus seiner Firma mit. Ein anderer Kollege_____ [11] kann leider nicht mitkommen. Meinen Professor und seinen Assistent_____ [12] Paulo habe ich auch eingeladen. Aber der andere Assistent_____ [13], Michael, hat keine Zeit.

5 Feste und Bräuche

a Welche Verben passen zu den Nomen? Ordnen Sie zu.

anbieten | anschneiden | anstoßen | anzünden | begrüßen | einladen | halten | mitbringen | übernachten | wünschen

1. eine Kerze _____
2. Geschenke _____
3. Gäste zu einer Feier _____
4. mit Sekt _____
5. die Torte _____
6. beim Gastgeber _____
7. die Gäste an der Haustür _____
8. den Gästen etwas zu essen _____
9. eine Rede _____
10. „Frohes Fest" _____

b Lesen Sie die Stellungnahmen. Wer mag Weihnachten? Wer mag es nicht? Markieren Sie die Begründungen.

1 Meine Familie sehe ich nur zu Weihnachten, denn ich arbeite im Ausland. Am Heiligen Abend sind wir alle bei meinen Eltern und wir reden bis tief in die Nacht. Das finde ich sehr schön.
(Alex, 30)

2 Zu Weihnachten gibt es bei uns immer Stress: Meine klei-nen Geschwister streiten, mein Vater und mein Onkel streiten über Politik, meine Mutter ar-beitet den ganzen Tag in der Küche und ist unzufrieden.
(Saskia, 16)

3 Zu Weihnachten besuche ich meine Eltern, es gibt ein leckeres Essen, ich bekomme Geschenke und wir singen Weihnachtslieder – wie früher, als ich klein war.
(Nadine, 33)

c Wie gefällt Ihnen ein Fest in Ihrem Land? Schreiben Sie eine kurze Stellungnahme.

Bei uns feiert man ... | Wir ... | Das Fest gefällt mir (nicht), denn ... | ...

DaF kompakt – mehr entdecken

1 Lesestile – Hörstile

 a Welcher Lesestil passt zu welcher Leseabsicht? Ordnen Sie zu.

A das detaillierte Lesen | **B** das globale Lesen | **C** das selektive Lesen

1. Sie wollen nur das Thema und die Hauptaussage von einem Text verstehen. Sie müssen nicht auf jedes einzelne Wort achten. ⌴	2. Sie wollen nur bestimmte Informationen verstehen. Achten Sie auf Schlüsselwörter. Den Rest müssen Sie nicht genau verstehen. ⌴	3. Sie wollen alle Informationen in einem Text verstehen. Sie müssen den Text genau lesen. ⌴

b Lesen Sie die Arbeitsanweisungen. Welchen Lesestil verlangen die Aufgaben?

1. Überfliegen Sie den Text und ordnen Sie die Fotos zu. (Kursbuch C, Aufgabe 1a):
   Lesestil: _____

2. Lesen Sie die Fragen und dann noch einmal den Text. Markieren Sie die Antworten im Text.
   (Kursbuch C, Aufgabe 1b) Lesestil: _____

3. Lesen Sie den Text noch einmal. Was ist richtig **(r)**? Was ist falsch **(f)**? Kreuzen Sie an.
   (Übungsbuch C, Aufgabe 1) Lesestil: _____

c Auch beim Hören unterscheidet man drei Hörstile: das detaillierte Hören, das globale Hören oder das selektive Hören. Welchen Hörstil verwenden Sie in folgenden Situationen? Ordnen Sie zu.

1. Sie hören den Wetterbericht für die Weihnachtsfeiertage. Sie wollen wissen: Wie ist das Wetter am Heiligen Abend? Hörstil: _____

2. Sie hören eine Filmkritik. Sie wollen wissen: Ist der Film gut oder schlecht?
   Hörstil: _____

3. Sie hören ein Kochrezept. Sie wollen das Gericht auch kochen und wollen wissen: Welche Zutaten braucht man? Wie kocht man das Gericht? Hörstil: _____

2 Über Sprache reflektieren

Dativ- und Akkusativergänzung im Satz. Ergänzen Sie die Tabelle und vergleichen Sie im Kurs.

Deutsch	Englisch	andere Sprache(n)
Er gibt seiner Schwester das Buch.	He gives the book to his sister.	
Er gibt es ihr.	He gives it to her.	
Er gibt ihr das Buch. / Er gibt es seiner Schwester.	He gives her the book. / He gives it to his sister.	

3 Miniprojekt: Feste und Bräuche in anderen Ländern

Welche Feste feiert man bei Ihnen? Wann feiert man es? Warum? Welche Bräuche gibt es?
Präsentieren Sie im Kurs.

In … feiert man … das …-fest. | Es findet am … statt. | Wir feiern das Fest, denn … | Am Festtag … |
Vor dem Fest … | Zu essen gibt es bei mir zu Hause … | In anderen Familien isst man … |
Wir schenken … | Ich mag das Fest (nicht), denn …

Ach ich!

1 Ich- und Ach-Laut

a Hören Sie zuerst die beiden Laute und sprechen Sie sie dann nach. 🔊 53

1. [ç] – ich   2. [x] – ach

b Hören Sie zuerst die Wörter und sprechen Sie sie dann nach. 🔊 54

– machen   – besuchen   – noch   – auch

c Hören Sie zuerst die Wörter und sprechen Sie sie dann nach. 🔊 55

– nicht   – sprechen   – vielleicht   – euch   – Küche   – lächeln   – möchte

d Hören Sie zuerst die Wörter und sprechen Sie sie dann nach. 🔊 56

– manchmal   – Kirche   – traurig   – zwanzig

Bei Fremdwörtern meistens: vor „e" und „i" → [ç], z.B. Chemie, China Sonderfall: Orchester [k]. Bei Fremdwörtern aus dem Griechischen vor „a", „o", „u" und Konsonanten → [k], z.B. Chor, Charakter, christlich

e Wann spricht man [ç], wann [x]? Kreuzen Sie an.

Wo?	Beispiele	[ç]	[x]
1. nach „a", „o", „u", „au"	machen	⊔	⊔
2. nach „i", „e", „ei", „eu", „ö", „ü", „ä"	euch	⊔	⊔
3. nach Konsonanten	manchmal	⊔	⊔
4. die Silbe „-ig"	traurig	⊔	⊔

f Was hören Sie: [ç] oder [x], [ç] oder [ig]? Kreuzen Sie an. Sprechen Sie dann nach. 🔊 57

	[ç]	[x]
1. Buch	⊔	⊔
2. Bücher	⊔	⊔
3. Nächte	⊔	⊔
4. Nacht	⊔	⊔

	[ç]	[ig]
5. langweilig	⊔	⊔
6. ein langweiliger Film	⊔	⊔
7. das salzige Essen	⊔	⊔
8. salzig	⊔	⊔

2 Weihnachten

a Hören Sie die Sätze. Was hören Sie: [ç] oder [x]? Kreuzen Sie an. 🔊 58

	[ç]	[x]
1. Frohe Weihnachten!	⊔	⊔
2. Wir besuchen unsere Eltern.	⊔	⊔
3. Die Nachbarn kommen zum Essen.	⊔	⊔
4. Wir haben uns lange nicht gesehen.	⊔	⊔
5. Der Abend ist sehr lustig.	⊔	⊔

	[ç]	[x]
6. Später gehen wir in die Kirche.	⊔	⊔
7. Vielleicht treffen wir dort alte Freunde.	⊔	⊔
8. Meine Mutter schenkt mir zwei Bücher.	⊔	⊔
9. Manchmal singen wir zur Gitarre.	⊔	⊔
10. Alle sind glücklich.	⊔	⊔

b Sprechen Sie die Sätze in 2a nach.

c Hören Sie den Satz. Sprechen Sie ihn dann so schnell wie möglich nach. 🔊 59

Echte Weihnachtsmänner lachen nachts über fröhliche Sachen,
über fröhliche Sachen lachen nachts echte Weihnachtsmänner.

d Sprechen Sie den Satz in 2c zuerst ganz langsam und dann so schnell wie möglich.
Wer kann es am besten?

A Wohnen in einer neuen Stadt

1 Sammeln Sie Fragen – was passt?

1. Wo liegt denn die Wohnung?
2. Wie weit ist es bis zur Schule?
3. Kann ich in der Nähe einkaufen?
4. Gibt es in der Nähe ein Kino?
5. Wie viel kostet die Wohnung?
6. Wie hoch sind die Nebenkosten?
7. Wie viele Zimmer hat die Wohnung?
8. Wann ist die Wohnung frei?

a. ⎵ Die Nebenkosten sind günstig, nur 200 CHF.
b. ⎵ Sie kostet 2130 CHF plus Nebenkosten.
c. ⎵ Ab Oktober.
d. ⎵ 3 Zimmer, Küche und Bad.
e. ⎵ Ja, es gibt einen Supermarkt um die Ecke.
f. ⎵ Nicht sehr weit, nur 10 Minuten mit dem Bus.
g. ⎵ Nein, aber es gibt ein Theater.
h. ⎿1⏌ Die liegt sehr zentral.

2 Wo liegt denn die Wohnung?

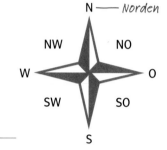

a Ordnen Sie die Wörter den Abkürzungen von der Windrose zu.

~~Norden~~ | Südosten | Westen | Südwesten | Nordosten | Osten | Nordwesten | Süden

b Schreiben Sie die Adjektive wie in den Beispielen.

1. Norden → *nördlich*
2. Nordosten → *nordöstlich*
3. Osten → _____
4. Westen → _____
5. Nordwesten → _____
6. Süden → _____
7. Südosten → _____
8. Südwesten → _____

c Wo liegen die Länder und Städte? Schauen Sie auf die Karte vorne im Buch.

1. Zürich liegt *nordöstlich* von Bern.
2. Genf (Geneva) liegt _____ von Sion.
3. München liegt _____ von Salzburg.
4. Salzburg liegt _____ von Wien.
5. Bonn liegt _____ von Köln.
6. Potsdam liegt _____ von Berlin.
7. Hamburg liegt _____ von Bremen.
8. Lausanne liegt _____ von Genf.

Die Schweiz liegt _____ [9] von Österreich. Österreich liegt _____ [10] von Deutschland. Liechtenstein liegt _____ [11] von der Schweiz und _____ [12] von Österreich.

13. München liegt nicht südlich von Innsbruck, sondern (es liegt) _____ von Innsbruck.
14. Frankfurt liegt nicht westlich von Mainz, sondern (es liegt) _____ von Mainz.
15. Basel liegt nicht südlich von Genf, sondern (es liegt) _____ von Genf.

3 Nicht so, sondern so

a Markieren Sie in 2c, Sätze 13–15, die Wörter „nicht" und „sondern". Ergänzen Sie die Regel.

Nach einer Negation kann man mit „sondern" eine Alternative anschließen. Es steht wie „aber", „denn", „und", „oder" auf Position ___. Merkwort: „aduso"-Konnektoren.

b Schreiben Sie Sätze mit „aduso"-Konnektoren in Ihr Heft.

1. Andrea und Lara | in Zürich | suchen | kein Haus | sondern | eine Wohnung
2. sie | in Zürich | eine Wohnung | suchen | arbeiten | dort | sie | ab September | denn
3. nicht außerhalb | sie | wohnen | möchten | lieber | zentral | sondern
4. sie | zentral wohnen | wollen | bezahlen | nicht so viel | können | aber | sie

1. Andrea und Lara suchen in Zürich kein Haus, sondern eine Wohnung.

A2: 102

c Bilden Sie Sätze mit „kein ..., sondern" wie im Beispiel. Schreiben Sie in Ihr Heft. Besser immer das erste Wort durchstreichen, denn das gibt es nicht.

1. ~~Altbau~~ → Neubau
2. ~~Tiefgarage~~ → Parkplatz
3. ~~Reihenhaus~~ → Einfamilienhaus
4. ~~Balkon~~ → Terrasse
5. ~~Parkett~~ → Laminatboden
6. ~~Keller~~ → Abstellraum

1. Das Haus ist kein Altbau, sondern ein Neubau.
2. Das Haus hat keine Tiefgarage, sondern einen Parkplatz.

Vor „sondern" steht immer ein Komma.

d Was passt wo? Ergänzen Sie „kein" oder „nicht".

Lara macht _____ [1] Praktikum, sondern hat einen festen Job. Zusammen mit Andrea sucht sie _____ [2] Haus, sondern eine Wohnung. Ihre Traumwohnung soll _____ [3] außerhalb liegen, sondern sehr zentral. Die Wohnung soll auch _____ [4] teuer, sondern preiswert sein. Sie können die Wohnung _____ [5] heute, sondern erst morgen besichtigen.

4 Vergleiche: Komparativ und Superlativ

a Ergänzen Sie die Formen.

Positiv	Komparativ	Superlativ
klein	kleiner	am kleinsten
schön	_____	am schönsten
billig	billiger	am _____
groß	größer	am größten
hoch	höher	am höchsten
teuer	teurer	am teuersten
interessant	interessanter	am interessantesten
beliebt	_____	_____
gut	_____	am besten
viel	mehr	am meisten

b Achten Sie besonders auf die Formen mit Vokalwechsel. Ergänzen Sie.

1. warm – *wärmer*
2. kalt – _____
3. alt – _____
4. jung – _____
5. groß – _____
6. lang – _____
7. kurz – _____

c Ergänzen Sie **als** oder **wie**.

New York ist nicht so groß _____ [1] Hongkong. New York hat aber mehr Einwohner (Leute) _____ [2] Hongkong.
Die Winter sind in Mitteleuropa kälter und länger _____ [3] in Asien.

d Vergleichen Sie die Angebote im Kursbuch A 2a. Schreiben Sie Sätze wie im Beispiel.

Die Wohnung auf dem Lindenhof ist kleiner als die Wohnung in Zürich-Schwamendingen ...

e Beantworten Sie die Fragen für sich und vergleichen Sie mit Ihrem Partner / Ihrer Partnerin.

Welche Stadt finden Sie am interessantesten? _____

Welches Land finden Sie am schönsten? _____

Welche Sprache finden Sie am schwierigsten? _____

5 Meine Wohnung

Beschreiben Sie den Ort, wo Sie wohnen. Die Redemittel helfen.

Ich wohne nicht in einem Haus, sondern in einer Wohnung. | Denn ich habe ... | Meine Wohnung hat eine / einen ..., aber sie / er ist ... | Meine Küche ist nicht nur praktisch, sondern auch ..., aber ich habe keinen ... | Jetzt ist meine Wohnung kleiner als das Haus von meinen Eltern, aber ... | Mein neues Zimmer ist größer / schöner / kleiner / ... als / so schön wie ...

B Ist die Wohnung noch frei?

1 Rund ums Mieten

a Welche Wörter finden Sie? Schreiben Sie in Ihr Heft und ergänzen Sie auch Artikel und Plural.

KAUTIONMIETELAGEBESICHTIGUNGABLÖSEVERMIETERNEBENKOSTENZIMMERVERTRAGSTOCKWASCHKÜCHE

1. die Kaution, –en

b Schauen Sie sich das Bild an. Welches Wort passt wo?
Schreiben Sie die Zahlen in das Bild.

1. spitzes Dach (n)
2. flaches Dach (n)
3. dreistöckig
4. vierstöckig
5. Eingang (m)
6. Baum (m)

7. Altbau (m)
8. Mehrfamilienhaus (n)
9. Geschäftshaus (n)
10. Dachgeschoss (n)
11. Erdgeschoss (n)

c Lesen Sie die Stichwörter und formulieren Sie die Fragen.

1. *Besichtigungstermin – wann?*
2. *Adresse?*
3. *Stockwerk?*
4. *Größe Wohnzimmer?*
5. *Waschmaschine?*
6. *Abstellraum?*
7. *Parkplatz?*
8. *Höhe Ablöse?*
9. *Höhe Nettomiete?*
10. *Höhe Kaution?*
11. *Straßenbahn?*
12. *Name Vermieter?*

1. Wann ist der Besichtigungstermin?

d Schreiben Sie nun die Antworten vom Vermieter zu den Fragen aus 1c in Ihr Heft.
Die Stichwörter helfen.

1. *Besichtigungstermin: Samstag ab 10:00 Uhr*
2. *Adresse: Mainstr. 25*
3. *2. Etage, dreimal klingeln*
4. *Wohnzimmer: 20 m²*
5. *Waschmaschinen in Waschküche / Keller*
6. *kein Abstellraum – großer Keller*
7. *Parkplatz in Tiefgarage*
8. *Möbel geschenkt*
9. *Nettomiete: CHF 1.940*
10. *Kaution: zwei Monatsmieten*
11. *Linie 25, Haltestelle Mainstraße*
12. *Herr Widmer = Vermieter*

1. Sie können die Wohnung am Samstag ab 10 Uhr anschauen.

2 Die Hausordnung

🔊 60 Hören Sie das Gespräch mit Frau Wyss im Lehrbuch B, Aufgabe 2b noch einmal.
Beantworten Sie die Fragen und schreiben Sie in Ihr Heft.

1. Was ist Teil vom Mietvertrag?
2. Wie lange darf man täglich ein Instrument üben?
3. Was muss Andrea beachten?

4. Wann dürfen Andrea und Lara waschen?
5. Warum wollen die beiden am Sonntag waschen?
6. Was machen die drei Frauen am Ende?

1. Die Hausordnung ist Teil vom Mietvertrag.

A2: 104

3 Der Mietvertrag

Schreiben Sie die fehlenden Informationen in den Vertrag oder kreuzen Sie an.

Andrea Mahler / Lara Jung | Kaution | 3-Zimmer-Wohnung | 01.09.2016 | Bederstrasse 250 | im Keller | 3.

Schweiz: Zivilstand
Deutschland: Familienstand
Schweiz: Basismiete
Deutschland: Grundmiete / Kaltmiete
Schweiz: Mietzins
Deutschland: Miete

Mietvertrag für Wohnungen

1. Vertragsparteien
Vermieter / in: Carola Wyss, Bahnhofstrasse 392a, 8001 Zürich
Mieter / in: _____ [1], Rue de Berne 176, 1200 Genf
Zivilstand: ⊔ ledig ⊔ verheiratet ⊔ verwitwet ⊔ geschieden [2]

2. Mietobjekt:
Adresse: _____ [3], 8002 Zürich
_____ [4], _____ [5] Stock

außerdem: Waschmaschine _____ [6]
3. Mietbeginn / Mietende: _____ / unbefristet [7]
4. Mietzins / Nebenkosten / _____ [8]: Miete netto (Basismiete): CHF 1'700
Nebenkosten: CHF 240
Total Mietzins brutto: CHF 1'940
Kaution: CHF 1'700

Zürich, 02.08.2016
Vermieter   Mieter

_____   _____

---

4 Possessivpronomen: Wem gehört der Schlüssel?

a Lesen Sie die Gespräche und ergänzen Sie die Lücken.

1. ○ Wem gehört der Schlüssel? Hendrik, ist es dein_____ [1]?
   ● Nein, mein_____ [2] ist das nicht. Aber vielleicht gehört er Lars?
   ○ Nein, sein_____ [3] ist es auch nicht. Vielleicht gehört er Ira?
   ● Nein, ihr_____ [4] ist es auch nicht.

2. ○ Wem gehört das Buch? Hendrik, ist das dein_____ [5]?
   ● Nein, es ist nicht mein_____ [6].

3. ○ Wem gehört die Tasche? Hendrik, ist das dein_____ [7]?
   ● Ja, das ist mein_____ [8].

4. ○ Wem gehören die Taschentücher? Hendrik, sind das dein_____ [9]?
   ● Nein, das sind nicht mein_____ [10].

b Schreiben Sie Gespräch 1 mit „Computer", „Smartphone", „Brille" und „Stifte".

5 Unsere Wohnung ist am besten!

Andrea und Lara schreiben eine E-Mail an einen Freund. Ergänzen Sie die Possessivpronomen.

Letztes Wochenende haben wir zwei Arbeitskollegen zu Hause besucht. Sie haben eine schöne Wohnung, aber _unsere_ [1] ist schöner. Unsere Wohnung hat drei Zimmer, aber _____ [2] hat nur zwei. Ihre Küche ist modern, aber _____ [3] ist moderner. Unser Wohnzimmer hat 20 qm, aber _____ [4] hat nur 15 qm. Ihr Vermieter ist nett, aber _____ [5] ist netter. Und das Beste ist: Sie haben ihre Möbel günstig gekauft, aber _____ [6] waren ein Geschenk!

C Unsere neue Wohnung

1 Wortschatz Möbel

Ergänzen Sie die Wörter mit den Artikeln und Pluralformen.

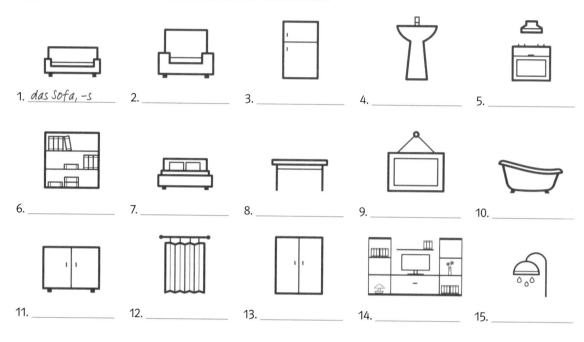

1. _das Sofa, -s_   2. _____   3. _____   4. _____   5. _____

6. _____   7. _____   8. _____   9. _____   10. _____

11. _____   12. _____   13. _____   14. _____   15. _____

2 Wo oder wohin?

a Markieren Sie. Das Verb hilft.

	Wo?	Wohin?
1. Die Katze liegt auf dem Tisch.	X	
2. Lara sitzt am Schreibtisch.		
3. Die Jacke hängt am Regal.		
4. Ich habe das im Radio gehört.		
5. Sie legt die Brille auf den Tisch.		
6. Er setzt sich aufs Sofa.		

	Wo?	Wohin?
7. Ich stelle den Saft in den Kühlschrank.		
8. Ich surfe jeden Tag im Internet.		
9. Ich war gestern auf dem Sportplatz.		
10. Ich gehe gern ins Kino, aber noch viel lieber ins Internet.		
11. Mein Vater arbeitet viel am Computer.		
12. Wir sind im Park spazieren gegangen.		

b Was passt zusammen? Schreiben Sie.

~~im Bett~~ | ~~ins Bett~~ | im Internet | ins Internet | im Park | in den Park | im Supermarkt | ins Kino

Ich war _im Bett, ..._
Ich gehe _ins Bett, ..._

c Schreiben Sie zu den Bildern Sätze mit „liegen – legen", „stehen – stellen" und „hängen".

1a. _Er legt den Terminkalender auf den Tisch._   1b. _Der Terminkalender liegt auf dem Tisch._

A2: 106

d Wo? Positionsverben im Perfekt. Ergänzen Sie.

1. liegen – *gelegen*
2. stehen – _____
3. hängen – _____
4. sitzen – _____

Diese Verben sind unregelmäßig!

e Wohin? Aktionsverben im Perfekt. Ergänzen Sie.

1. legen – *gelegt*
2. stellen – _____
3. hängen – _____
4. setzen – _____

Diese Verben sind regelmäßig!

f Was passt zusammen? Suchen Sie immer Partnerwörter.

surfen | spazieren gehen | gehen | liegen | gehen | liegen

1. ins Internet _____
2. im Internet _____
3. im Park _____
4. in der Küche _____
5. in die Küche _____
6. im Bett _____

3 Laras Zimmer

a Lesen Sie die Mail im Kursbuch C 4b noch einmal. Schreiben Sie: Was hat Lara gemacht?

1. Das Regal hat an der Wand gestanden. Jetzt steht das Regal zwischen den Fenstern.
   Lara hat das Regal _____
2. Die Matratze liegt jetzt an der Wand. Auf der Matratze liegen jetzt neue Kissen.
   Lara hat _____
3. Der Kleiderschrank steht jetzt in der Ecke.
   Lara hat _____
4. Neben dem Fenster hängt jetzt ein kleines Regal.
   Lara hat das kleine Regal an die Wand _____

b Wohin stellen wir das? Ergänzen Sie die Verben stehen – stellen – liegen – legen – hängen in der richtigen Form.

Sven: Okay, Mädels, fangen wir an. Den Schrank *stellen* [1] wir links an die Wand.
Lara: Ja, an der Wand _____ [2] er gut. Und neben den Schrank _____ [3] wir den Spiegel.
Andrea: Sven, kannst du die Matratze in mein Zimmer bringen?
Sven: Ja klar. Wo _____ [4] sie denn?
Andrea: Sie _____ [5] im Wohnzimmer.
Sven: Gut, und wohin soll ich sie _____ [6]?
Andrea: Bitte _____ [7] sie vor das Fenster. Sag mal, Lara, wohin _____ [8] du dein Bett?
Lara: Ich _____ [9] es neben den Schrank. Und vor das Bett _____ [10] ich den Teppich.
Andrea: Das ist eine gute Idee. Schau mal, Sven!
Lara: Wo ist Sven?
Andrea: Er ist hier, in meinem Zimmer, er _____ [11] auf der Matratze. Ich glaube, er braucht eine Pause.

4 Wo ist bloß ...?

Bilden Sie Fragen wie in den Beispielen.

Wo sind bloß meine Schlüssel? Ich habe sie doch gerade auf den Tisch gelegt, oder?
Wo ist die Milch? Ich habe sie doch gerade in den Kühlschrank gestellt, oder?

1. Jacke – Schrank
2. Kuli – Tisch
3. Wörterbuch – Regal
4. Smartphone – Kommode
5. Tasche – Sofa
6. Notizblock – Tasche
7. Joghurt – Kühlschrank
8. Suppentopf – Herd

DaF kompakt – mehr entdecken

1 Lesestile: Globales Lesen

Überfliegen Sie die Mail von Lara an ihren Bruder Sven. Warum schreibt sie die Mail? Wo steht der Grund? Markieren Sie den Satz.

Globales Lesen

Was ist die Haupt-information?

Lesen Sie den ganzen Text zuerst sehr schnell. Sie müssen nicht jedes Wort verstehen.

> Lieber Sven,
> leider nur ganz kurz: Ich habe gleich eine Besprechung. Jetzt haben wir die schöne Wohnung in Enge gemietet, aber Andrea und ich haben ein Problem: Der Vormieter hat ganz viele Möbel in der Wohnung gelassen – wir haben keinen Platz! Wir müssen alles umräumen. Jetzt habe ich eine große Bitte: Kannst du vielleicht nicht erst nächstes, sondern schon dieses Wochenende nach Zürich kommen? Wir brauchen unbedingt Hilfe und du hast immer so gute Ideen. Hättest du Zeit? Ich be-zahle natürlich die Fahrkarte.
> Liebe Grüße Lara

2 Über Sprache reflektieren

a Ergänzen Sie die Tabelle.

Deutsch	Englisch	andere Sprache(n)
Das ist mein Stift. Das ist meiner.	That's my pen. That's mine.	
Das ist mein Auto. Das ist meins.	That's my car. That's mine.	
Das ist meine Kamera. Das ist meine.	That's my camera. That's mine.	
Das sind meine Bücher. Das sind meine.	These are my books. These are mine.	

b 9 Wechselpräpositionen

Warum heißen diese 9 Präpositionen Wechselpräpositionen?

Lernen Sie sie mit Gesten. Versuchen Sie so schnell wie möglich nicht mehr zu überset-zen, sondern visuell zu lernen.

3 Miniprojekte

a Arbeiten Sie im Team: Denken Sie sich 10 Quizfragen aus. Tauschen Sie Ihre Fragen mit einem anderen Team und spielen Sie das Quiz der anderen. Welches Team kann die meisten Fragen richtig beantworten?

1. Welche Stadt ist älter: Kairo oder Neapel?
2. Welche Stadt hat mehr Einwohner? _____ oder _____?
3. Welche Stadt liegt höher? _____ oder _____?
4. _____ ist größer? _____ oder _____?
5. _____ liegt nördlicher? _____ oder _____?
6. _____ liegt näher am Äquator? _____ oder _____?
7. _____ hat mehr _____?
8. Welcher Berg ist höher? _____ oder _____?
9. Wo ist der Lebensstandard höher? In _____ oder in _____?
10. _____? _____ oder _____?

b Machen Sie Fotos, z. B. auf dem Spielplatz oder im Raum und beschreiben Sie die Positionen von den Gegenständen auf den Fotos.

Das zischt!

1 S-Laute

a Hören Sie zuerst die Laute und die Wörter und sprechen Sie nach! 🔊 61

| [s] | Haus | günstig | Schlüssel | Straße | Dieser Laut ist stimmlos. Man hört nur ein Geräusch. Das „s" zischt. |
| [z] | sehen | lesen | sauber | | Dieser Laut ist stimmhaft. Das „s" summt. |

b Hören Sie die Wörter und schreiben Sie sie in die Tabelle. 🔊 62

See | Einkaufsmöglichkeit | außerhalb | Süden | Kreis | besichtigen | Erdgeschoss | scheußlich | Sofa | Monatsmiete | Terrasse | leise | Bus

[s]	[z]
	See,

c Sprechen Sie die Wörter in 1b nach.

d Wann spricht man [s] und wann [z]? Kreuzen Sie an.

	Beispiele	[s]	[z]
1. „s" steht am Wortanfang	sauber	⊔	⊔
2. „s" steht am Silbenanfang	lesen	⊔	⊔
3. „s" steht am Wortende	Haus	⊔	⊔
4. „s" steht zwischen Konsonanten	günstig	⊔	⊔
5. wir schreiben „ss"	Schlüssel	⊔	⊔
6. wir schreiben „ß"	Straße	⊔	⊔

e Welche Wörter kennen Sie noch? Schreiben Sie sie in Tabelle in 1b.

2 Und im Plural?

Hören Sie die Wörter. Sind die s-Laute gleich **(g)** oder ungleich **(u)**? Kreuzen Sie an! 🔊 63

	g	u
1. das Haus – die Häuser	⊔	⊔
2. das Erdgeschoss – die Erdgeschosse	⊔	⊔
3. die Straße – die Straßen	⊔	⊔
4. die Hose – die Hosen	⊔	⊔
5. der Fuß – die Füße	⊔	⊔
6. der Kreis – die Kreise	⊔	⊔
7. die Terrasse – die Terrassen	⊔	⊔
8. die Reise – die Reisen	⊔	⊔

Es gelten die gleichen Regeln wie in 1d.

3 Zungenbrecher

Hören Sie und sprechen Sie dann den Satz erst langsam, dann immer schneller. Wer kann es am besten? 🔊 64

Sieben summende Hummeln müssen abends nach Hause.
Nach Hause müssen abends sieben summende Hummeln.

A Auf nach Köln!

1 Stadtansichten

Was passt nicht: **a**, **b**, **c** oder **d**? Kreuzen Sie an.

1. Stadt: a. ⌴ Münster   b. ⌴ Einkaufszentrum   c. ⌴ Straßenbahn   d. ⌴X̲ Natur
2. Karneval: a. ⌴ Rosenmontag   b. ⌴ Aschermittwoch   c. ⌴ Karfreitag   d. ⌴ 5. Jahreszeit
3. Universität: a. ⌴ Studium   b. ⌴ Kurs   c. ⌴ Professor   d. ⌴ Biografie
4. Kirche: a. ⌴ Restaurant   b. ⌴ Kathedrale   c. ⌴ Turm   d. ⌴ Dom

2 Nebensätze mit „weil" und „dass"

a Was ist richtig: „**weil**" oder „**dass**"? Kreuzen Sie an.

1. Bernhard möchte in Köln studieren,   a. ⌴X̲ weil   b. ⌴ dass   die Universität einen guten Ruf hat.
2. Er weiß,   a. ⌴ weil   b. ⌴ dass   er in Köln Studiengebühren zahlen muss.
3. Er will nach Köln,   a. ⌴ weil   b. ⌴ dass   die Stadt weit weg von Linz ist.
4. Er kennt die Rheinstadt schon,   a. ⌴ weil   b. ⌴ dass   er als Tourist schon einmal hier war.
5. Er hofft,   a. ⌴ weil   b. ⌴ dass   er in Deutschland keine Probleme mit der Sprache hat.
6. Eva sagt ihm,   a. ⌴ weil   b. ⌴ dass   er eine E-Mail schreiben soll.

b Unterstreichen Sie den Nebensatz und markieren Sie dort das konjugierte Verb. Schreiben Sie anschließend die Sätze in die passende Tabelle in Ihr Heft.

1. Bernhard sagt, dass er Wirtschaftsmathematik interessant findet.
2. Weil Bernhard von zu Hause weg will, will er in Köln studieren.
3. Eva meint, dass das Studium anstrengend ist.
4. Dass er Wirtschaftsmathematik interessant findet, sagt Bernhard immer wieder.
5. Weil Bernhard ein WG-Zimmer sucht, telefoniert er mit Eva.
6. Bernhard schreibt der WG eine Mail, weil er das Zimmer haben möchte.
7. Dass Köln eine interessante Stadt ist, weiß Bernhard schon.

Hauptsatz	Nebensatz		
1. Bernhard sagt,	dass	er Wirtschaftsmathematik interessant	findet

Nebensatz			Hauptsatz	
2. Weil	Bernhard von zu Hause weg	will,	will	er in Köln studieren.

❗ Nebensätze mit „dass" stehen manchmal am Anfang. Man will sie dann meistens betonen.
In der gesprochenen Sprache benutzt man „dass" oft nicht, sondern man formuliert einen 2. Hauptsatz, z. B. Eva sagt, Köln ist toll.
Schriftsprache: Eva sagt, dass Köln interessant ist.

c Formulieren Sie Sätze aus folgenden Elementen.

1. Bernhard kennt Eva, … er | weil | einen Sprachkurs | mit ihr | gemacht | haben
2. Bernhard hofft, … er | dass | können | finden | in einer WG | ein Zimmer
3. Eva findet es schön, … Bernhard | angerufen | sie | haben | dass
4. Bernhard kommt nach Köln, … wollen | er | weil | dort | studieren
5. Bernhard möchte in Köln studieren , … weg | weil | er | von zu Hause | wollen | sein
6. Eva glaubt, … Bernhards Studium | dass | anstrengend | sein

1. Bernhard kennt Eva, weil er mit ihr einen Sprachkurs gemacht hat.

Achtung!
1. Satz: Subjekt, 2. Satz: Personalpronomen, z. B.
Bernhard studiert in Köln, weil er die Stadt kennt.
Weil Bernhard die Stadt kennt, studiert er in Köln.

A2: 110

d Beginnen Sie die Sätze mit dem Nebensatz.

1. Im Februar kommen viele Besucher in die Stadt, weil sie den Karneval sehen möchten.
2. Viele junge Leute studieren in Köln, weil sie die Stadt interessant finden.
3. Köln ist eine interessante Stadt, weil es viele Sehenswürdigkeiten hat.
4. Den Studenten gefällt die Universität, weil sie einen guten Ruf hat.
5. Bernhard ist glücklich, weil er schon einen Studienplatz hat.

1. Weil viele Besucher den Karneval sehen möchten, kommen sie im Februar in die Stadt.

e Ergänzen Sie „denn" oder „weil".

Bernhard möchte Wirtschaftsmathematik studieren, *weil* [1] er das Fach interessant findet. Eva lebt in Köln, _____ [2] sie studiert dort. Bernhards Schwester möchte nach Köln kommen, _____ [3] sie will Eva und Bernhard besuchen. _____ [4] der Karneval sehr bekannt ist, kommen jedes Jahr viele Besucher nach Köln.

Gründe ausdrücken – Vergleichen Sie:

Hauptsatz mit „denn":

Bernhard ist in Köln, denn er studiert dort.

Nebensatz mit „weil":

Bernhard ist in Köln, weil er dort studiert.

f Kennen Sie Köln? Welcher Konnektor passt?

und | und | und | aber | oder | nicht … sondern | denn | ~~weil~~ | weil | dass | dass | keinen … sondern

Köln ist sehr alt, *weil* [1] die Römer die Stadt vor über 2000 Jahren gegründet haben. Noch heute gibt es in der Altstadt viele alte Häuser _____ [2] Kirchen. _____ [3] es dort viele Kneipen und Restaurants gibt, ist die Altstadt ein beliebtes Ziel für Kölner und Touristen. Der Kölner Dom gehört zu den großen _____ [4] bedeutenden Kathedralen weltweit. Haben Sie gewusst, _____ [5] der Bau über 600 Jahre gedauert hat? Die Kölner Universität ist auch sehr alt, _____ [6] die Bürger haben sie schon 1388 gegründet. Man sagt, _____ [7] die Uni derzeit ca. 44.000 Studenten hat. 11% der Studenten kommen _____ [8a] aus Deutschland, _____ [8b] aus dem Ausland. Köln ist auch berühmt für den Karneval. Er beginnt am 11.11. um 11.11 Uhr _____ [9] dauert bis zum Aschermittwoch. Dann gibt es in Köln _____ [10a] Alltag mehr, _____ [10b] nur viele Partys. Fast eine Million Menschen besuchen den Rosenmontagszug, _____ [11] es gibt auch viele Menschen, die den Karneval überhaupt nicht mögen. Sie bleiben zu Hause _____ [12] fahren in Urlaub.

3 Auswärts studieren

Beschreiben Sie die Grafik.

Deutsche Studierende im Ausland im Jahr 2013

Österreich: 26.536

NL: 23.123

GB: 15.700

Schweiz: 14.851

USA: 10.160

© Statistisches Bundesamt 2015

Die Grafik zeigt, dass … | In der Grafik kann man sehen, dass … | Die Grafik macht deutlich, dass … | Man kann auch sagen, dass … | Viele Deutsche gehen zum Studium ins Ausland. | Viele deutsche Studierende wollen lieber in Europa studieren. | Die meisten Deutschen absolvieren ein Studium an einer Universität in … | Nur ca. 10.000 Deutsche sind 2013 zum Studium in die USA gegangen.

1. Die Grafik zeigt, dass viele Deutsche zum Studium ins Ausland gehen.

B Kunst- und Medienstadt Köln

1 Eindrücke aus Köln

Ergänzen Sie ein passendes Wort.

~~Stadt~~ | Besucher | Messe | Fluss | Kanal | Museen | Ausstellungen | Schiffstouren | Fernsehsender

Köln ist eine sehr interessante *Stadt* , [1] die an einem großen _____, [2] dem Rhein, liegt. Auf dem Rhein kann man _____ [3] machen. In der Stadt gibt es viele _____ [4]. Das Museum Ludwig zeigt in verschiedenen _____ [5] die Kunst des 20. und 21. Jahrhunderts. Die Stadt ist auch ein Medienzentrum: Es gibt viele _____ [6] hier. Auch für die YouTuber-Szene ist Köln bekannt: Junge Leute, die auf YouTube einen eigenen _____ [7] haben. Für viele Computerfans ist auch die Gamescom, eine _____ [8] für Computerspiele und interaktive Videospiele wichtig. Im letzten Jahr gab es dort 340 000 _____ [9].

2 Reflexive Verben

a Welches Verb passt? Manchmal gibt es mehrere Möglichkeiten. Ergänzen Sie.

~~sich verlieben~~ | sich erholen | sich interessieren für | sich befinden | sich freuen auf | sich ansehen | sich wohlfühlen | sich vorstellen

1. in eine Frau | in einen Mann | in eine Stadt | in eine Musik: *sich verlieben* _____
2. im Park | am Fluss | im Urlaub | zu Hause: _____
3. für Kunst | für Sport | für Tanz | für Fotografie: _____
4. ein Haus | einen Film | einen Park | ein Museum: _____
5. auf den Urlaub | auf ein Treffen | auf morgen | auf die Hochzeit: _____
6. in einer Stadt | im Team | im Restaurant | in Deutschland: _____
7. sein Leben in 5 Jahren | ein Treffen mit einem Rockstar | seinen Traumjob | seine Traumfrau: _____
8. ein Museum | eine Ausstellung | Fotos | ein Buch: _____

b Ergänzen Sie das Reflexivpronomen im Akkusativ und Dativ.

Akkusativ:
1. Bernhard hat *sich* in Köln verliebt.
2. Interessierst du _____ für Fotografie?
3. Ja, ich interessiere _____ für Schwarz-Weiß-Fotografie.
4. Wir erholen _____ am Wochenende im Park.
5. Wo befindet _____ das YouTube-Haus?
6. Freut ihr _____ auf die Messe?
7. Fühlen sie _____ in Köln wohl?
8. Verlieb _____ nicht so schnell!

Dativ:
9. Wie stellst du _____ dein Leben vor?
10. Siehst du _____ das Museum Ludwig an?

c Vergleichen Sie die Sätze und suchen Sie Beispiele für die Regeln.

Reflexivpronomen im Dativ	Reflexivpronomen im Akkusativ
1. Ich stelle mir mein Leben in Köln vor.	3. Sieh dich mal an!
2. Sieh dir mal diese Fotos an.	4. Ich fühle mich sehr wohl.

1. In Sätzen mit einer Akkusativergänzung steht das Reflexivpronomen im Dativ. Sätze: *1,* _____
2. In Sätzen ohne Akkusativergänzung steht das Reflexivpronomen meist im Akkusativ. Sätze: _____

d Schreiben Sie Sätze. Überlegen Sie, ob das Reflexivpronomen im Dativ oder im Akkusativ steht.

1. ich | sich vorstellen | mein Studium | interessant. *1. Ich stelle mir (D) mein Studium interessant vor.*
2. du | sich kaufen | ein Buch über Fotografie?
3. ich | sich waschen | die Hände.
4. er | sich interessieren | für modernen Tanz.
5. ich | sich erholen | am Freitag | zu Hause.
6. du | sich wohlfühlen | in deiner Stadt?
7. wir | sich freuen auf | die Ausstellung.
8. ich | sich treffen | mit Anja | morgen.
9. du | sich ansehen | die Van-Gogh-Ausstellung?
10. ich | sich freuen über | das schöne Wetter.

e Lesen Sie die SMS und markieren Sie die Verben. Ergänzen Sie dann die Regel.

Hallo Clara,
wie geht es dir? Mir geht's gut, ich hab mich hier schnell wohlgefühlt.
Hast du dir schon meine Fotos angeschaut?
Ich habe sie per Mail geschickt.
Und hast du dich von den Prüfungen erholt???
LG Dein Bernhard

1. Das Perfekt der reflexiven Verben wird mit dem Hilfsverb   a. ⊔ sein   b. ⊔ haben gebildet.

sich freuen auf =
auf etwas, das noch
passiert

sich freuen über =
über etwas, das schon
da ist

f Schreiben Sie Fragen im Perfekt. Ergänzen Sie passende Informationen.

1. sich verlieben in …?   4. sich wohlfühlen in …?   7. sich kaufen …?
2. sich ansehen …?   5. sich freuen auf …?   8. sich interessieren für …?
3. sich erholen …?   6. sich freuen über …?

1. Hast du dich in Max verliebt?

g Vergleichen Sie die Stellung von „sich" in den Sätzen. Was fällt auf? Ergänzen Sie die Regel.

Position 1	Position 2	Satzmitte	Satzende
Paul	freut	sich sehr über Evas Anruf.	
Über Evas Anruf	freut	sich Paul sehr.	
Über Evas Anruf	hat	Paul sich sehr	gefreut.
Über Evas Anruf	hat	er sich sehr	gefreut.

Das Reflexivpronomen steht meist ganz links in der _____ Aber: Ein Personalpronomen als Subjekt
steht immer _____ dem Reflexivpronomen.

3 Ausgehen in Köln

Welches Wort passt nicht? Streichen Sie durch.

1. Party – Eintritt – ~~verkaufen~~ – stattfinden
2. Ausstellung – Porträts – tanzen – Fotografin
3. Karneval – Eintritt – Spaß – Kostüm
4. Theater – Karten – Komödie – lesen
5. Wetter – Altstadt – Temperaturen – Grad

C „Et es wie et es"

1 Dialekte und Hochdeutsch

Was ist das? Ordnen Sie den Erklärungen die Wörter zu.

1. Da kann man etwas lernen, z. B. Kölsch.
2. Das ist eine bestimmte Aussprache von deutschen Wörtern.
3. Das sprechen viele Leute in der Familie, im Alltag.
4. Das hört man im Radio, im Fernsehen, in der Schule.
5. Das findet man in Museen, Galerien.

a. ⊔ Dialekt
b. ⊔ Hochdeutsch
c. ⊔_1_ Akademie
d. ⊔ Sammlung
e. ⊔ Färbung

2 Adjektivdeklination

a Adjektive nach unbestimmtem Artikel: Markieren Sie gleiche Adjektivendungen mit gleicher Farbe. Was fällt auf? Schreiben Sie dann in die Tabelle unten.

	Maskulinum (M)	Neutrum (N)	Femininum (F)	Plural (M, N, F)	
Nom.	ein / kein / mein neuer Kurs	ein / kein / mein gutes Buch	eine / keine / meine tolle Stadt	nette Leute	keine / meine netten Leute
Akk.	einen / keinen / meinen neuen Kurs	ein / kein / mein gutes Buch	eine / keine / meine tolle Stadt	nette Leute	keine / meine netten Leute
Dat.	einem / keinem / meinem neuen Kurs	einem / keinem / meinem guten Buch	einer / keiner / meiner tollen Stadt	netten Leuten	keinen / meinen netten Leuten

1. Endung „-er"	2. Endung „-en"	3. Endung „-e"	4. Endung „-es"
nur Nominativ (M)			

b Adjektive nach bestimmtem Artikel: Welche Adjektivendungen sind gleich? Markieren Sie gleiche Endungen mit gleicher Farbe. Was fällt auf? Schreiben Sie in die Tabelle unten.

	Maskulinum (M)	Neutrum (N)	Femininum (F)	Plural (M, N, F)
Nom.	der neue Kurs	das gute Buch	die tolle Stadt	die netten Leute
Akk.	den neuen Kurs	das gute Buch	die tolle Stadt	die netten Leute
Dat.	dem neuen Kurs	dem guten Buch	der tollen Stadt	den netten Leuten

1. Endung „-e"	2. Endung „-__"
Nominativ (Maskulinum, …)	

c Ergänzen Sie die Adjektivendungen nach dem unbestimmten und dann nach dem bestimmten Artikel. Was fällt auf?

	unbestimmter Artikel	bestimmter Artikel
M	1. Ich fange mit einem neu_en_ Kurs an.	5. Ich fange heute mit dem neu_en_ Kurs an.
N	2. Ich war in einem interessant___ Museum.	6. Ich war in dem interessant___ Museum Ludwig.
F	3. In einer schön___ Altstadt gibt es viele Touristen	7. In der schön___ Altstadt gibt es viele Touristen.
Pl.	4. Ich habe mit nett___ Leuten gesprochen.	8. Ich habe mit den nett___ Kölnern gesprochen.

d Kurse an der Akademie für Kölsch: Ergänzen Sie die Adjektivendungen.

> **Sie verstehen nur Bahnhof? Die Lösung: Lernen Sie Kölsch!**
>
> Lernen Sie einen lebendig*en* [1] Dialekt kennen und sprechen. Bei uns hören Sie etwas über Kölsch und seine lang____ [2] Tradition. Sie üben das Sprechen und probieren die neu____ [3] Sprachkenntnisse im Kurs aus.
> Der nächst____ [4] Kurs für Kölsch beginnt am übernächst____ [5] Freitag, 29. April, um 19.00 Uhr. Im nächst____ [6] Semester gibt es neu____ [7] Kurse. Informationen bekommen Sie auch mit dem aktuell____ [8] Kölschbrief per E-Mail. Senden Sie uns eine kurz____ [9] E-Mail an info@akadköln.xpu.de.
>
> Wir freuen uns auf Sie!
> Ihre Akademie für Kölsch

3 Fremdsprache Kölsch: Das Kölsch-Quiz

Was glauben Sie? Was gehört zusammen?

Kölsch	Hochdeutsch
1. Fastelovend	a. ⊔ dunkles Brötchen mit Käse und Senf (klingt wie: ein halber Hahn)
2. een halver Hahn	b. ⊔ *1* Fastnacht
3. Et kütt wie et kütt.	c. ⊔ Was ist das denn?
4. janz jut	d. ⊔ Es kommt, wie es kommt.
5. Wat is dat denn?	e. ⊔ ganz gut

4 Mein Dialekt

a Überfliegen Sie den Text: Was ist das Thema? Kreuzen Sie an.

1. ⊔ Es geht um einen Dialekt.
2. ⊔ Ein Mann spricht über deutsche Dialekte.
3. ⊔ Er spricht über seine Heimat.

Ein Sachse in Köln

Mein Dialekt ist das Sächsische, genauer gesagt, das Sächsisch, das man in Chemnitz spricht. Allein von dem sächsischen Dialekt gibt es viele Varianten, ein Dresdner spricht anders als ein Leipziger und dieser wieder anders als ein Chemnitzer. Im Sächsischen spricht man die harten Konsonanten „p", „t", „k"
5 weich aus, also als „b", „d", „g". „Au" spricht man als langes „o". Für viele klingt das sehr lustig. Ich lebe nun schon sehr lange in Köln. Aber immer, wenn ich einen Sachsen treffe und Sächsisch höre, fühle ich mich wohl. Dieser Dialekt ist meine Heimat, finde ich. Dann denke ich an meine Familie. Ich selbst versuche in Köln Hochdeutsch zu sprechen, aber man hört noch ein bisschen
10 den Dialekt.

Marco Bauer aus Chemnitz lebt seit 5 Jahren in Köln

b Lesen Sie den Text noch einmal. Was ist richtig (r) oder falsch (f)?

	r	f
1. Herrn Bauers Heimatdialekt ist der sächsische Dialekt von Chemnitz	X	⊔
2. Der sächsische Dialekt ist in Dresden, Leipzig und Chemnitz gleich.	⊔	⊔
3. Die Konsonanten spricht man anders als im Hochdeutschen.	⊔	⊔
4. Viele Leute finden das lustig.	⊔	⊔
5. Marco hört den Dialekt und denkt an seine Heimat.	⊔	⊔
6. Er spricht in Köln Hochdeutsch.	⊔	⊔

DaF kompakt – mehr entdecken

1 Adjektivendungen automatisieren – Ich packe meinen Koffer ...

Spielen Sie das Spiel „Ich packe meinen Koffer".

Das Spiel geht so: Person 1 sagt den Satz: Ich packe meinen Koffer. In meinem Koffer ist ein neuer Kugelschreiber. Person 2 sagt diesen Satz und ergänzt ein weiteres Nomen mit Adjektiv. Person 3 wiederholt den Satz von Person 2 und ergänzt wieder ein Nomen mit Adjektiv usw. Wer einen Fehler macht, verliert. Gewinner ist, wer alle Wörter und Endungen richtig hat.
Durch die Wiederholungen lernen Sie die Adjektivendungen.

Das Spiel im Nominativ:

> Ich packe meinen Koffer. In meinem Koffer sind:
> ein neuer Kugelschreiber, eine blaue Tasse, ein kleines Radio und neue Schuhe ...

Das Spiel im Akkusativ:

> Ich packe meinen Koffer und nehme mit:
> einen neuen Kugelschreiber, eine blaue Tasse, ein kleines Radio und neue Schuhe ...

Das Spiel im Dativ:

> Ich packe meinen Koffer voll mit einem neuen Kugelschreiber,
> mit einer blauen Tasse, mit einem kleinen Radio und mit neuen Schuhen ...

2 Über Sprache reflektieren

Sprachen in der Welt: Reflexive Verben. Ergänzen Sie die Tabelle und vergleichen Sie im Kurs.

Deutsch	Englisch	andere Sprache(n)
Ich fühle mich wohl.	I feel good.	
Ich erinnere mich.	I remember.	

3 Miniprojekt: Gedichte zum Thema „Fremdsein"

Schreiben Sie Gedichte (Elfchen) mit dem Wort „fremd". Machen Sie dann eine Ausstellung in der Klasse oder ein Buch mit Ihren Gedichten.

Elfchen sind Gedichte aus nur elf Wörtern. Schreiben Sie nach dem Plan:

1. Zeile: Adjektiv
2. Zeile: Artikel   Nomen
3. Zeile: Wort   Wort   Wort
4. Zeile: Wort   Wort   Wort   Wort
5. Zeile: Wort

fremd

die Sprache

die Leute auch

Wo bin ich hier?

Köln!

fremd

das Land

und die Leute

Ich habe keine Angst

neugierig

Das ö ist in Köln

1 Wie findet man den richtigen Laut?

a Hören Sie die Bildung des Lautes „ö" und sprechen Sie dann nach. 🔊 65

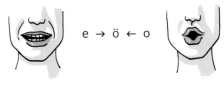

Das „ö" ist in der Mitte zwischen „e" und „o". Denken Sie ein „e", wenn Sie „ö" sprechen. Die Zunge ist wie beim „e", die Lippen sind wie beim „o".

b Hören Sie die Familiennamen und sprechen Sie sie dann nach. 🔊 66

1. a. ⌐ Heller   b. ⌐ Höller   c. ⌐ Holler
2. a. ⌐ Ehrsen   b. ⌐ Öhrsen   c. ⌐ Ohrsen
3. a. ⌐ Meller   b. ⌐ Möller   c. ⌐ Moller
4. a. ⌐ Lehrmann   b. ⌐ Löhrmann   c. ⌐ Lohrmann
5. a. ⌐ Meckel   b. ⌐ Möckel   c. ⌐ Mockel
6. a. ⌐ Kehler   b. ⌐ Köhler   c. ⌐ Kohler

c Sie hören jetzt immer nur einen von den drei Namen in 1b. Was hören Sie: **a**, **b** oder **c**? Kreuzen Sie an. 🔊 67

d Hören Sie die Namen mit „ö" in 1b noch einmal. Markieren Sie den Akzentvokal: _ = lang oder • = kurz? 🔊 68

e Frau Köhler und Frau Möckel kaufen ein. Sie kaufen nur Dinge mit dem gleichen Akzentvokal wie ihr Nachname. Wer kauft was? Sprechen Sie in Gruppen.

Möbel | Brötchen | Töpfe | Knödel | zwölf Löffel | ein Wörterbuch | Söckchen | Öl | ein Hörbuch

Wer kauft die Töpfe?   Die kauft Frau Möckel.

Im Wörterbuch ist der Akzentvokal immer markiert: _ = langer Akzentvokal, • = kurzer Akzentvokal.

2 Plurale

a Ergänzen Sie die Pluralformen.

1. der Sohn   → *die Söhne*_____   5. der Rock   → _____
2. die Tochter → _____   6. das Wort   → _____
3. der Ton   → _____   7. der Korb   → _____
4. der Boden   → _____   8. der Kloß   → _____

b Hören Sie die Pluralformen. Ist in 2a alles richtig? Sprechen Sie dann die Wortpaare aus 2a. 🔊 69

3 Die Möbel singen fröhlich

Sprechen Sie in Gruppen und bilden Sie aus den Nomen und Adjektiven verrückte Sätze. 👥

Brötchen | Knödel | Löffel | Lösung | Möbel | Röcke | Söhne | Töchter | Wörter |
blöd | böse | fröhlich | höflich | köstlich | möbliert | östlich | persönlich | schön

Die Möbel singen fröhlich.

A Ich möchte ein Konto eröffnen

1 Über Geld spricht man (nicht)

Wie ist das bei Ihnen? Was antworten Sie? Kreuzen Sie an. Sie können auch nichts ankreuzen.

1. Haben Sie ein Konto?
   a. ⊔ Ich habe ein Girokonto.
   b. ⊔ Ich habe ein Sparkonto.
   c. ⊔ Ich habe kein Konto.
3. Machen Sie Online-Banking?
   a. ⊔ Ich mache nur Online-Banking.
   b. ⊔ Ich mache manchmal Online-Banking.
   c. ⊔ Ich mache nie Online-Banking.
5. Sparen Sie Geld?
   a. ⊔ Ich spare jeden Monat ein bisschen Geld und lege es auf einem Sparbuch an.
   b. ⊔ Meine Eltern sparen für mich.
   c. ⊔ Ich spare nichts.

2. Wie bezahlen Sie Ihre Einkäufe am liebsten?
   a. ⊔ Ich bezahle fast alles mit EC-Karte / Kreditkarte.
   b. ⊔ Ich bezahle fast alles bar.
   c. ⊔ Ich bezahle mit Karte, wenn ich etwas Teures kaufe.
4. Wie überweisen Sie Geld?
   a. ⊔ Ich fülle ein Formular aus und gebe es am Schalter ab.
   b. ⊔ Ich mache die Überweisung am Online-Terminal.
   c. ⊔ Ich mache Online-Banking von zu Hause.
6. Haben Sie schon einmal einen Kredit aufgenommen?
   a. ⊔ Ich habe noch nie einen Kredit aufgenommen.
   b. ⊔ Ich habe schon einmal einen Kredit aufgenommen.
   c. ⊔ Ich nehme oft Kredite auf.

2 Konditionale Nebensätze mit „wenn"

a Rund ums Konto – Verbinden Sie die Sätze.

1. Wenn ich ein Konto eröffnen will,
2. Wenn ich einen Online-Zugang habe,
3. Wenn ich nur Online-Banking mache,
4. Wenn ich eine Überweisung am Schalter abgebe,
5. Wenn ich Geld auf einem Festgeldkonto anlege,
6. Wenn ich einen Kredit aufnehme,
7. Wenn ich auf Reisen bin,
8. Wenn ich meine EC-Karte verloren habe,

a. ⊔ bekomme ich Zinsen.
b. ⊔ ist die EC-Karte kostenlos.
c. ⊔ kann die Bank sie sperren.
d. ⊔ kann ich an 25.000 Geldautomaten Geld abheben.
e. ⊔ kann ich Online-Banking machen.
f. ⊔ muss ich Gebühren bezahlen.
g. ⊔ _1_ muss ich meinen Personalausweis zeigen.
h. ⊔ muss ich Zinsen bezahlen.

b In welchem Satz steht die Bedingung: a oder b? Kreuzen Sie an.

a. ⊔ Im Hauptsatz.   b. ⊔ Im Nebensatz mit „wenn".

c Schreiben Sie die Sätze um. Beginnen Sie mit dem Hauptsatz.

1. Ich muss meinen Personalausweis zeigen, wenn ich ein Konto eröffnen will.

d Am Online-Terminal. Markieren Sie die Bedingung. Verbinden Sie dann die Sätze mit „wenn".

1. Man will Gebühren sparen. – Online-Banking ist günstig.
2. Ich muss zuerst die EC-Karte einführen und die PIN eingeben – Ich möchte das Online-Terminal benutzen.
3. Ich möchte eine Rechnung am Online-Terminal bezahlen. – Ich wähle „Überweisung".
4. Ich möchte den Kontostand wissen. – Ich muss im Hauptmenü „Kontostand" wählen.
5. Ich drücke „Beenden". – Ich bin fertig.
6. Ich habe meine EC-Karte verloren. – Die Bank kann die EC-Karte sperren.

1. Wenn man Gebühren sparen will, ist Online-Banking günstig.

e Ergänzen Sie die Sätze.

1. Wenn ich Geld brauche, _____
2. Wenn ich Online-Banking mache, _____
3. Wenn ich einen Kredit aufnehme, _____
4. Wenn ich eine Rechnung bezahlen muss, _____
5. Wenn ich Geld auf einem Sparkonto anlege, _____

3 Was machst du, wenn ...?

Formulieren Sie Fragen mit „wenn". Stellen Sie den anderen Kursteilnehmer/innen Ihre Fragen.

Was machst du, wenn es am Wochenende regnet?

Wenn es am Wochenende regnet, bleibe ich zu Hause.

Was machst du, wenn das Internet nicht funktioniert und du nicht online sein kannst?

4 Eine Überweisung machen

a Wie füllt man ein Überweisungsformular aus? Ordnen Sie zu.

a. ⌐ Hier müssen Sie unterschreiben.
b. ⌐ Hier schreiben Sie das Datum.
c. ⌐ Hier schreiben Sie den BIC für das Konto vom Empfänger (wenn die IBAN nicht mit DE beginnt).
d. ⌐_1_ Hier schreiben Sie den Empfänger (Wer bekommt das Geld?).
e. ⌐ Hier schreiben Sie die IBAN für das Konto vom Empfänger.
f. ⌐ Hier schreiben Sie Ihre eigene IBAN.
g. ⌐ Hier schreiben Sie Ihren Namen.
h. ⌐ Hier schreiben Sie, warum Sie Geld überweisen (z. B. Rechnungsnummer, Kundennummer, Matrikelnummer).
i. ⌐ Hier schreiben Sie, wie viel Geld Sie überweisen.

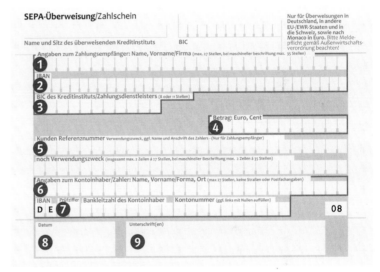

b Vor der Immatrikulation an der Universität müssen Sie den Semesterbeitrag (104 €) bezahlen.
Auf der Homepage der Universität finden Sie wichtige Hinweise. Lesen Sie die Hinweise und füllen Sie das Überweisungsformular in 5a aus.

Zahlung per Banküberweisung ✕

Sie können den Semesterbeitrag für die Immatrikulation per Banküberweisung einzahlen. Für eine Überweisung benutzen Sie bitte die nachstehende Bankverbindung.

Empfänger: Universität Würzburg
IBAN :   DE72 9889 0000 4301 1903 15
BIC :   BYLADMEN
Kreditinstitut: Bayerische Landesbank München

Hinweise zum Verwendungszweck:
Verwendungszweck 1: A / SS 20.. / WS 20..
Verwendungszweck 2: Name, Vorname

Erläuterungen zum Verwendungszweck:
„A" – Gibt an, dass es sich nachfolgend um eine Ersteinschreibung handelt.
SS: Sommersemester;
WS: Wintersemester

B Wie konnte das passieren?

1 „Was ich als Kind alles machen musste!"

a Was mussten die Personen als Kind alles machen? Schreiben Sie Sätze in Ihr Heft.

1. im Haushalt helfen (Benjamin)
2. Geschirr spülen (meine Schwester)
3. das Essen kochen (du)
4. den Geschwistern bei den Hausaufgaben helfen (ich)
5. das Zimmer allein putzen / aufräumen (Lea)
6. das Auto waschen (mein Vater)
7. Einkäufe machen (mein Bruder)
8. früh ins Bett gehen (ihr)
9. nachmittags in die Schule gehen (Alex)
10. in den Ferien für die Schule lernen (Moritz)

1. Benjamin musste als Kind im Haushalt helfen.

b Und was mussten Sie als Kind machen? Was konnten Sie als Kind gut? Schreiben Sie in Ihr Heft.

Als Kind musste ich einmal pro Woche mein Zimmer aufräumen. Ich konnte als Kind gut Klavier spielen.

2 Hier stimmt etwas nicht!

a Lesen Sie den Blogbeitrag von Ruis Frau Nadine über das verlorene Portemonnaie. Vergleichen Sie mit Ruis Bericht im Kursbuch B 3a und korrigieren Sie die sechs falschen Angaben.

> Was für ein Wochenende! Gestern waren Rui und ich ~~den ganzen Tag~~ in der Stadt. 0. von 16.30 – 19 Uhr
> Zuerst gingen wir zu Kaufhof, dann in ein Spielzeuggeschäft und danach kauften
> wir in einer Parfümerie ein. Zum Schluss wollte Rui noch ein Buch kaufen. Weil er
> das Buch nicht sofort fand, fragte er an der Information nach und musste dort
> 5 einen Moment warten. Plötzlich betrat der bekannte Kinderbuchautor Weier die
> Buchhandlung, weil dort eine Lesung aus seinem neuen Buch stattfand. Es gab
> natürlich ein großes Gedränge, weil alle ihn sehen wollten. Rui stand immer noch
> an der Information, als ihn ein ca. 50jähriger Mann anrempelte. Der Mann ent-
> schuldigte sich und verließ das Geschäft. Als Rui das Buch bezahlen wollte, sah er,
> 10 dass sein Portemonnaie weg war. Im Portemonnaie waren seine EC- und Kredit-
> karte und sein Ausweis. Er suchte in der ganzen Buchhandlung, aber er fand es
> nicht. Wir liefen zum Spielzeuggeschäft zurück, aber das Portemonnaie blieb ver-
> schwunden. Niemand wusste, wo es war. Um 20 Uhr, als die Geschäfte schlossen,
> beendeten wir die Suche, denn Rui musste die EC- und die Kreditkarte sperren
> 15 und rief bei der Bank an. Heute Morgen war Rui auf der Polizeiwache, weil die
> Versicherung nicht zahlt, wenn er keine Anzeige erstattet. Vielleicht hat es je-
> mand gefunden … Rui glaubt das nicht, aber ich bin optimistisch …

b Markieren Sie alle Verben im Präteritum. Schreiben Sie eine Tabelle in Ihr Heft und ergänzen Sie die Verben.

Biographische Texte (z. B. im Lexikon) stehen meistens im Präteritum.

regelmäßige Verben: kaufen – ich kaufte …
gemischte Verben / Modalverben: müssen – ich musste …

unregelmäßige Verben: sein – ich war …

3 Zwei kluge Köpfe

a Was wissen Sie über das Leben von Albert Einstein **(AE)** und Sigmund Freud **(SF)**? Ordnen Sie zu.

AE kam am 14. März 1879 in Ulm zur Welt.
SF wurde am 6. Mai 1856 in Freiberg geboren.
___ begann 1896 ein Studium in Zürich.
___ zog 1860 mit seinen Eltern nach Wien.
___ lebte und arbeitete von 1914 bis 1933 in Berlin.

___ veröffentlichte 1916 die Relativitätstheorie.
___ unterrichtete an der Wiener Universität und eröffnete 1886 seine eigene Praxis.
___ schrieb Bücher und hielt Vorträge über Psychoanalyse.

A2: 120

____ schrieb sich 1873 an der Wiener Universität für das Fach Medizin ein.

____ wurde 1909 Dozent für theoretische Physik an der Universität Zürich.

____ verließ 1938 Wien und emigrierte nach London.

____ erhielt 1922 den Nobelpreis für Physik.

____ ging 1933 nach Princeton und starb dort 1955.

____ starb am 23. September 1939 in London.

b Schreiben Sie eine Kurzbiographie über eine berühmte Person aus Ihrem Land. Lesen Sie die Biographie im Kurs vor. Die anderen Kursteilnehmer raten den Namen der Person.

4 Temporale Nebensätze mit „als"

a Was passierte, als ...? Ordnen Sie die Sätze zu.

1. Als der Krimiautor Weier in der Buchhandlung eintraf,
2. Als Rui an der Information wartete,
3. Als er an der Kasse bezahlen wollte,
4. Als er das Portemonnaie nicht fand,
5. Als er aus der Parfümerie zurückkam,
6. Als er auf der Polizeiwache eintraf,
7. Als Rui seine persönlichen Daten angab,

a. ⊔ rempelte ihn ein Mann an.
b. ⊔ rief er die Bank an.
c. ⊔ war sein Portemonnaie weg.
d. ⊔ wurde er nervös.
e. ⊔ begrüßte ihn ein freundlicher Polizist.
f. ⊔ bemerkte der Polizist sein perfektes Deutsch.
g. ⊔1 gab es ein großes Gedränge.

b Ein schrecklicher Morgen. Ergänzen Sie die Sätze im Präteritum.

das Handy klingeln | der Strom ausfallen (fiel ... aus) | kein Kaffeepulver mehr da sein | ~~kein warmes Wasser geben~~ | mir aus der Hand fallen und zerbrechen | zurückgehen und den Regenschirm holen | regnen

1. Als ich heute Morgen duschen wollte, *gab es kein warmes Wasser.*___
2. Als ich Kaffee kochen wollte, _____ .
3. Als ich den Toaster anmachen wollte, _____ .
4. Als ich die Haustür öffnete, _____ .
5. Als ich den Regen sah, _____ .
6. Als ich zur Bushaltestelle ging, _____ .
7. Als ich das Handy aus der Tasche nahm, _____ .

5 Wie alt warst du, als du ...?

Fragen Sie die anderen Kursteilnehmer / Kursteilnehmerinnen und machen Sie Notizen. Berichten Sie anschließend im Kurs.

Wie alt warst du, als ...	Name:	Name:	Name:
du in die Schule gekommen bist?			
du schwimmen gelernt hast?			
du mit Deutsch angefangen hast?			
...			

Als ich 6 war, bin ich in die Schule gekommen.

Igor war 5, als er in die Schule gekommen ist.
Als er 6 Jahre alt war, hat er schwimmen gelernt.

Letztes Jahr flog Miriam nach Kanada. Mit 5 Jahren fuhr Tom allein zu seinen Großeltern.

In Nebensätzen mit „als" benutzt man beim Sprechen meistens das Perfekt.

6 Unregelmäßige Verben

Markieren Sie die unregelmäßigen Verben in den Aufgaben 2 bis 5. Übertragen Sie die Tabelle in Ihr Heft und ergänzen Sie die Verbformen. Markieren Sie die Stammvokale.

Infinitiv / Präsens	Präteritum	Perfekt
kommen / er kommt	kam	ist gekommen
...	...	...

Lesen Sie die unregelmäßigen Verben laut und lernen Sie sie mit Rhythmus: kommen, kam, gekommen.

C Wie im Märchen

1 Ich möchte mich bei Ihnen bedanken

a Lesen Sie die E-Mail von Rui. Beantworten Sie die W-Fragen: Wer? Was? Warum? Wann?

Nach „glauben", „vertrauen" und „danken" steht eine Ergänzung im Dativ.

> Sehr geehrte Frau Reimann,
> es ist wie im Märchen: Sie haben mein Portemonnaie gefunden und es (mit dem ganzen Inhalt!!!) im Fundbüro abgegeben. Ich konnte dem Angestellten kaum glauben, als er sagte: „Es ist hier." Zum Glück durfte er Ihre E-Mail-Adresse weitergeben. Ich möchte Ihnen ganz herzlich danken: Vielen, vielen Dank für Ihre Ehrlichkeit! Ich bin so froh! Und das besonders, weil auch alte Fotos von meinen Eltern im Portemonnaie waren. (Und die haben schon immer gesagt: „Man muss den Menschen vertrauen!" ☺) Ich möchte mich auch sehr gern persönlich bei Ihnen bedanken und Ihnen auch einen Finderlohn geben. Darf ich Sie besuchen oder sollen wir uns in der Stadt treffen?
> Mit freundlichen Grüßen
> Rui Andrade

b Wie sagt man „Danke"? Markieren Sie die Redemittel im Text.

c Schreiben Sie eine Antwortmail für Frau Reimann. Schreiben Sie etwas zu den Punkten unten.

Formelle Briefe schreiben:

Wenn Sie einen Adressaten nicht persönlich kennen, reden Sie ihn mit „*Sehr geehrte Frau … / Sehr geehrter Herr …*" an.

Am Ende schreiben Sie: „*Mit freundlichen Grüßen*"

Bedanken Sie sich für die E-Mail und sagen Sie, dass Sie Rui treffen wollen.
– Nennen Sie einen Ort und eine Uhrzeit für das Treffen.
– Wollen Sie einen Finderlohn? Warum (nicht)?
Vergessen Sie nicht die Anrede und die Grußformel.

2 Von einem Ereignis berichten

a Sie haben etwas erlebt und Sie möchten darüber schriftlich berichten (z. B. in einer E-Mail oder einem Blog). Was müssen Sie beim Schreiben beachten? Kreuzen Sie an.

	ja	nein
1. Man benutzt Verben in der Vergangenheit (Perfekt oder Präteritum).	☐	☐
2. Man gibt an, wann und wo etwas passiert ist.	☐	☐
3. Man gibt viele Details über die Personen an.	☐	☐
4. Man beginnt die Sätze immer mit dem Subjekt.	☐	☐
5. Man strukturiert den Text mit Bindewörtern wie „zuerst", „dann", …	☐	☐
6. Man begründet mit „denn" oder „weil".	☐	☐
7. Man verbindet Sätze mit „aber".	☐	☐
8. Man verwendet Nebensätze mit „als".	☐	☐
9. Man schreibt sehr viel.	☐	☐

b Lesen Sie noch einmal Ruis Bericht im Kursbuch B 3a. Wie verbindet er die Sätze? Wie variiert er die Satzanfänge? Markieren Sie.

c Schreiben Sie eine kurze Zusammenfassung über Rui und das verlorene Portemonnaie. Strukturieren Sie Ihren Text mit Hilfe der Wörter links. Sie können folgende Informationen verwenden:

Einen Text strukturieren:

am … – einen / zwei Tag(e) später … – zuerst – dann – danach – schließlich – weil / denn – als – aber – leider – zum Glück – plötzlich.

in der Stadt sein | ~~Weihnachtsgeschenke kaufen~~ | in einer Buchhandlung ein Buch kaufen | viel Gedränge geben | bezahlen | das Portemonnaie weg | Geld, EC-Karte und Fotos | überall suchen, nichts finden | die Suche beenden | die Bank anrufen | zur Polizeiwache gehen | Anzeige erstatten | zum Fundbüro gehen | das Portemonnaie wiederfinden

Beginnen Sie so:

Am letzten Wochenende wollten Rui und seine Frau Weihnachtsgeschenke kaufen.

d Betrachten Sie das Bild. Wie konnte das passieren? Beschreiben Sie den Vorfall. Die Redemittel helfen.

Am … | im Restaurant Zweistein | auf der Terrasse sitzen | eine Nachricht bekommen | mit Freundinnen chatten | auf das Smartphone sehen | Rechnung bestellen | Portemonnaie nicht in der Tasche sein | viel Geld | die anderen Gäste fragen | nichts wissen …

Vor ein paar Tagen saß Frau Schneider im Café „Zweistein" auf der Terrasse und …

e Haben Sie schon einmal etwas verloren? Hat man Ihnen schon einmal etwas gestohlen? Haben Sie schon einmal etwas gefunden? Schreiben Sie einen kurzen Bericht.

3 Niemand wusste etwas

a Sie haben Ihr Tablet verloren und sprechen mit einem Freund / einer Freundin über den Vorfall. Lesen Sie die Fragen und die Antworten. Markieren Sie die Indefinitpronomen und die Negationswörter und ergänzen Sie die Tabelle.

1. Hat jemand das Tablet gefunden? –
   Nein. Niemand hat es gefunden.
2. Vielleicht hast du das Tablet irgendwo vergessen. –
   Nein. Das habe ich nirgendwo vergessen. Das hat jemand gestohlen.
3. Hast du denn jemanden gesehen? –
   Nein. Ich habe niemanden gesehen.
4. Hast du jemandem von dem Vorfall erzählt? –
   Nein. Das habe ich niemandem erzählt. Nur dir.
5. Hast du schon etwas von der Versicherung gehört? –
   Von der Versicherung? Nein. Von der Versicherung habe ich nichts gehört.

	+	–
Sache	etwas	
		niemand
Person		
	jemand**em**	
Ort		/
		nirgends

b Jemand hat Ihnen im Café die Tasche gestohlen und Sie erstatten Anzeige bei der Polizei. Beantworten Sie die Fragen.

1. Haben Sie jemanden gesehen?
   Ja. Ich habe eine junge Frau gesehen. / Nein. Ich habe niemanden gesehen.
2. Ist jemand an Ihrem Tisch vorbeigegangen?

3. Hatten Sie etwas Wertvolles in der Tasche?

4. Hat jemand Sie angesprochen?

5. Haben Sie mit jemandem gesprochen?

6. Haben Sie die Tasche vielleicht irgendwo vergessen?

7. Hat jemand neben Ihnen gesessen?

⚇ DaF kompakt – mehr entdecken

1 Märchenstunde – Wir schreiben ein Märchen

a Sammeln Sie Wörter: Welche Personen kommen im Märchen vor? Wie ist ihr Charakter? Was tun sie im Märchen? Machen Sie Wortnetze.

b Arbeiten Sie zu zweit. Schreiben Sie mit Ihren Ideen aus den Wortnetzen ein Märchen.

Beginnen Sie Ihr Märchen mit: „**Es war einmal ein / eine . . .**
Schreiben Sie den Text im Präteritum.
Wenn die Personen etwas sagen (oder denken), verwenden Sie: **. . . sagte / meinte / fragte / (dachte): „. . .“**
Am Ende steht: „**Und sie lebten glücklich und zufrieden bis an ihr Ende.**“

c Präsentieren Sie Ihr Märchen im Kurs. Sie können es vorlesen, ein Märchenbuch erstellen und eine Ausstellung machen.

2 Über Sprache und Kultur reflektieren: Redewendungen

a Was bedeuten die Redewendungen? Ordnen Sie die richtige Bedeutung zu.

1. im Geld schwimmen / Geld haben wie Heu
2. das Geld aus dem Fenster werfen
3. etwas für einen Apfel und ein Ei bekommen
4. knapp bei Kasse sein
5. Kohle machen
6. Geld auf die hohe Kante legen

a.⌑ etwas für wenig Geld kaufen
b.⌑ Geld sparen / anlegen
c.⌑ viel Geld haben
d.⌑ viel Geld verdienen
e.⌑ viel Geld ausgeben
f.⌑ wenig Geld haben

b Was sagt man in Ihrer Sprache? Vergleichen Sie.

Redewendung	Französisch	andere Sprache(n)
Mein Chef schwimmt im Geld.	Mon patron roule sur l'or.	

3 Miniprojekt: Banken in unserer Stadt – Wer bietet den besten Service?

a Informieren Sie sich im Internet oder sprechen Sie mit einem Kundenberater / einer Kundenberaterin von einer Bank.

Fragen Sie zum Beispiel:
Wie viele Filialen und Geldautomaten gibt es in Ihrer Stadt?   Wie viel kostet eine Überweisung?
Wie hoch sind die Kontogebühren pro Jahr?   Wie viel kostet die EC-Karte jährlich?
Gibt es besondere Konditionen für Studierende?   Was bietet die Bank außerdem?

b Berichten Sie im Kurs.

Die Bank … hat … Filialen und … Geldautomaten.   Aber … ist kostenlos.
Die Kontogebühren betragen …   Für Schüler und Studierende …
Eine EC-Karte kostet …   Es gibt auch …
Außerdem gibt es Gebühren für …   Wir können diese Bank (nicht) empfehlen, denn …

ng/nk-Laut

1 ng/nk

Hören Sie die Laute und die Wörter und sprechen Sie sie nach.

🔊 70

[ŋ]   – lang   – singen   – Junge   – Engel

[ŋk]   – Bank   – sinken   – danken   – Enkel

„ŋ" und „ŋk" spricht man nasal, durch die Nase – wie bei „Schnupfen".

2 Wer ist da bitte?

a Hören Sie die Familiennamen und sprechen Sie nach.

🔊 71

1. a. ⌣ Tann   b. ⌣ Tang   c. ⌣ Tank
2. a. ⌣ Renner   b. ⌣ Renger   c. ⌣ Renker
3. a. ⌣ Sinnbach   b. ⌣ Singbach   c. ⌣ Sinkbach
4. a. ⌣ Bronn   b. ⌣ Brong   c. ⌣ Bronk

b Sie hören jetzt immer nur einen von den drei Namen in 2a. Was hören Sie: **a**, **b** oder **c**? Kreuzen Sie an.

🔊 72

c Sprechen Sie mit einem Partner/einer Partnerin. Einer/Eine nennt einen Namen aus 2a, der/die andere buchstabiert den Namen.

3 [ŋ] im Plural

Hören Sie die Wörter und sprechen Sie sie nach. Achten Sie auf die Aussprache von „ng".

🔊 73

die Buchhandlung – die Buchhandlungen   die Wohnung – die Wohnungen
die Lesung – die Lesungen   die Zeitung – die Zeitungen

4 Schwierige Bankangelegenheiten

a Hören Sie die Sätze und unterstreichen Sie ng- und nk-Verbindungen.

🔊 74

1. Frank geht heute zur Bank. Er braucht eine Beratung und will Überweisungen machen.
2. Als er in der Bank ankommt, ist dort ein großes Gedränge, viele Leute warten am Bankschalter.
3. Der Automat funktioniert heute nicht. Denn man kann die PIN nicht eingeben.
4. Er fragt eine Angestellte: „Wie lange muss ich warten?" Sie antwortet: „Das ist unklar."
5. Er sagt: „Entschuldigung, ich komme morgen wieder."

b In welchen Wörtern mit ng/nk hören Sie das g oder das k und in welchen nicht?

1. ng: ich höre [ŋ]: *Beratung, ...* _____   3. nk: ich höre [ŋk]: _____
2. ng: ich höre [ng]: *eingeben, ...* _____   4. nk: ich höre [nk]: _____

c Was fällt bei den Beispielen in 4b auf? Ergänzen Sie die Regeln.

1. Wenn eine Vorsilbe mit „n" endet und ein „g" oder „k" folgt, z.B. unklar, sprechen wir _____ .
2. In den anderen Fällen (z.B. Überweisungen, Bank) sprechen wir _____ .

5 Singen oder sinken?

Wer oder was singt, wer oder was sinkt? Schauen Sie im Wörterbuch nach und sprechen Sie in Gruppen.

das Flugzeug | das Kind | der Wasserkessel | das Schiff | der Popmusiker | die Sonne | der Sänger |
die Temperatur

A Ich fühle mich gar nicht wohl

1 Wo tut es weh?

a Ordnen Sie die Schmerzen den Körperteilen zu.
Tragen Sie die Nummern in die Zeichnung ein.

1. Rückenschmerzen
2. Ohrenschmerzen
3. Halsschmerzen
4. Magenschmerzen
5. Schmerzen in der Schulter
6. Kopfschmerzen

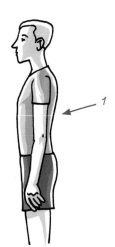

b Pantomime: Wo haben Sie Schmerzen?
Ihr Partner / Ihre Partnerin zeigt die Schmerzen an seinem /
ihrem Körper und Sie raten. Tauschen Sie auch die Rollen.

2 Das kommt davon, wenn man dauernd am Computer sitzt

Ergänzen Sie die Sätze.

Kopfschmerzen haben | Magenschmerzen haben | Ohrenschmerzen haben | erkältet sein |
Rückenschmerzen haben | Schlafstörungen haben | ~~Schmerzen im Nacken haben~~

1. *Ich habe Schmerzen im Nacken*_____, denn ich sitze dauernd am Computer.
2. _____, denn ich bin gestern ohne Jacke rausgegangen.
3. _____, denn ich habe etwas Schweres getragen.
4. _____, denn ich war gestern Abend in einer Diskothek.
5. _____, denn ich habe zu viel Eis gegessen.
6. _____, denn ich muss immer an die Prüfung denken.
7. _____, denn ich habe gestern auf der Party zu viel getrunken.

3 „seitdem" oder „bis"?

a Verbinden Sie die Sätze mit „seitdem". Schreiben Sie sie in eine Tabelle in Ihr Heft und markieren Sie
die Verben.

1. Beate studiert in Gießen. Sie wohnt nicht mehr bei ihren Eltern.
2. Sie lebt in ihrer eigenen Wohnung. Sie lädt oft ihre Freunde ein.
3. Sie ist im Masterstudiengang. Das Studium macht ihr mehr Spaß.
4. Sie schreibt an ihrer Masterarbeit. Sie schläft sehr schlecht.
5. Sie hat Schlafstörungen. Sie ist oft den ganzen Tag müde.
6. Es geht ihr nicht gut. Sie macht sich Sorgen um ihre Gesundheit.

Nebensatz	Hauptsatz	Hauptsatz	Nebensatz
Seitdem Beate in Gießen studiert,	wohnt sie nicht mehr bei ihren Eltern	Beate wohnt nicht mehr bei ihren Eltern,	seitdem sie in Gießen studiert.

b Verbinden Sie die Sätze mit „bis". Schreiben Sie sie in eine Tabelle in Ihr Heft und markieren Sie die
Verben.

1. Beate hat bei ihren Eltern gewohnt. Sie hat das Abitur gemacht.
2. Sie hat lange nach einer Wohnung gesucht. Sie hat eine in der Altstadt gefunden.
3. Sie hat Tag und Nacht für den Bachelor gelernt. Sie hat die Prüfung mit „sehr gut" bestanden.
4. Sie muss noch ein paar Wochen arbeiten. Sie ist mit der Masterarbeit fertig.
5. Sie hat so lange gearbeitet. Sie ist krank geworden.
6. Es hat lange gedauert. Sie hat einen Arzt gefunden.

Nebensatz	Hauptsatz	Hauptsatz	Nebensatz
Beate hat bei ihren Eltern gewohnt,	bis sie das Abitur gemacht hat.	Bis Beate das Abitur gemacht hat,	hat sie bei ihren Eltern gewohnt.

c Und Sie? Seit wann? Bis wann? Fragen Sie im Kurs.

Was machen Sie, seitdem Sie Deutsch lernen?

Seitdem ich Deutsch lerne, habe ich viele neue Freunde.

Seitdem ich Deutsch lerne, sehe ich immer deutsches Fernsehen.

Bis wann wollen Sie Deutsch lernen?

Ich lerne Deutsch, bis ich Romane auf Deutsch lesen kann.

4 Welcher Arzt hilft?

Mit welchen Beschwerden gehen Sie zu welchem Arzt? Ordnen Sie die Beschwerden dem passenden Arzt zu.

1. Sie haben Kopfschmerzen in Stresssituationen: _c, a_
2. Sie haben sehr oft starke Magenschmerzen: _____
3. Sie sind erkältet und haben Fieber: _____
4. Sie brauchen eine Operation: _____
5. Sie haben starke Rückenschmerzen: _____
6. Sie hören sehr schlecht: _____

a. Allgemeinmediziner
b. Orthopäde
c. Hals-Nasen-Ohrenarzt
d. Internist
e. Arzt für chinesische Medizin
f. Chirurg

5 Drei Ärzte

Schauen Sie sich die Schilder im Kursbuch A, Aufgabe 3a an und lesen Sie die Nachrichten in Aufgabe 3c noch einmal. Was erfährt Beate über die Ärzte im Ärztehaus?

Praxis	Arzt für ...	+ (gut)	– (schlecht)
1. Dr. Rosmann	Allgemeinmedizin	alle Kassen	...
2. Dr. Freund			
3. Dr. Hofer			

6 Wie geht es ...?

a Schreiben Sie wie im Beispiel.

1. ~~schlecht | starke Rückenschmerzen | Orthopäde | Mach' ich.~~
2. gar nicht gut | Ohrenschmerzen | Hals-Nasen-Ohrenarzt | O.k.
3. nicht so gut | Magenschmerzen | Internist | Ja, das muss ich.
4. ziemlich schlecht | immer Kopfschmerzen | Arzt für Chinesische Medizin | Gute Idee!
5. nicht besonders | schreckliche Rückenschmerzen | Physiotherapeut | Auf jeden Fall!

1. ○ Wie geht's dir / Wie geht es Ihnen?
   ● Schlecht. Ich habe so starke Rückenschmerzen!
   ○ Geh doch / Gehen Sie doch zum Orthopäden.
   ● Mach' ich.

b Spielen Sie die Dialoge zu zweit. Tauschen Sie auch die Rollen.

B Was fehlt Ihnen denn?

1 Termine beim Arzt machen

🔊 75 **a** Hören Sie das Telefongespräch in B, Aufgabe 1a noch einmal. Was sagt die Arzthelferin (A), was der Patient / die Patientin (P)? Kreuzen Sie an.

Fieber:

Man sagt auch oft: „Ich habe ,neundreißig fünf" (ohne Komma).

	A	P
a. ⊔ Guten Morgen. Mein Name ist Beate Scheidt, ich hätte gern einen Termin bei Dr. Hofer.	⊔	X
b. 1 Hier Praxis Dr. Hofer, Ulrike Meinhardt. Was kann ich für Sie tun?	⊔	⊔
c. ⊔ Seien Sie bitte bis 10 Uhr da und vergessen Sie Ihre Versichertenkarte nicht.	⊔	⊔
d. ⊔ Bei welcher Krankenkasse sind Sie versichert?	⊔	⊔
e. ⊔ Gestern Abend hatte ich auch hohes Fieber, 39,5. Und heute Morgen habe ich auch die Temperatur gemessen, da hatte ich noch 38,4. Außerdem habe ich schon die ganze Zeit starke Magenschmerzen. Kann ich vielleicht noch heute vorbeikommen?	⊔	⊔
f. ⊔ Aber dann müssen Sie ohne Termin kommen und warten.	⊔	⊔
g. ⊔ Geht es nicht früher? Ich fühle mich sehr schlecht. Sie hören vielleicht, ich habe eine starke Erkältung.	⊔	⊔
h. ⊔ Ich bin bei der Allgemeinen Ortskrankenkasse.	⊔	⊔
i. ⊔ O. k., bei der AOK. Wie wäre es heute in 14 Tagen? Das ist Donnerstag, der 12. März, um 11.30 Uhr.	⊔	⊔
j. ⊔ Nein, die bringe ich bestimmt mit. Vielen Dank. Ich fahre jetzt gleich los.	⊔	⊔
k. ⊔ Ja, das hört man.	⊔	⊔
l. ⊔ Sind Sie schon Patientin bei uns?	⊔	⊔
m. ⊔ Nein, noch nicht.	⊔	⊔

b Bringen Sie das Telefongespräch in die richtige Reihenfolge.

2 Vermutungen

Schreiben Sie die Sätze wie im Beispiel.

1. Sie sind überzeugt, dass Beate bald wieder gesund ist. → Sicher *ist Beate bald wieder gesund.*
2. Es kann sein, dass Beate Urlaub machen muss. → Vielleicht _____
3. Sie vermuten, dass Beate viel Ruhe braucht. → Eventuell _____
4. Es kann sein, dass Beate eine Weile nicht arbeiten kann. → Möglicherweise _____
5. Sie glauben, dass Beate keine Diät machen muss. → Wahrscheinlich _____

3 Die Modalverben und ihre Bedeutung

a Welche Bedeutung haben die Sätze mit den Modalverben? Kreuzen Sie an.

1. Beate kann ganz normal essen.
   a. X Es ist möglich, dass sie normal isst.　　　b. ⊔ Das ist die Anweisung von Dr. Hofer.
2. Beate kann gut und gesund kochen.
   a. ⊔ Sie möchte gut und gesund kochen.　　　b. ⊔ Sie kocht gut und gesund. Sie hat das gelernt.
3. Beate muss keine Diät machen.
   a. ⊔ Es ist nicht nötig, dass sie eine Diät macht.　　　b. ⊔ Dr. Hofer hat erlaubt, dass sie keine Diät macht.
4. Beate muss viel schlafen.
   a. ⊔ Dr. Hofer erlaubt, dass sie viel schläft.　　　b. ⊔ Es ist nötig, dass sie viel schläft.
5. Beate darf walken gehen.
   a. ⊔ Es ist nötig, dass sie walken geht.　　　b. ⊔ Dr. Hofer hat erlaubt, dass sie walken geht.
6. Beate soll ein Medikament nehmen.
   a. ⊔ Dr. Hofer erlaubt, dass sie die Medikamente nimmt.　　　b. ⊔ Das ist die Anweisung von Dr. Hofer.

A2: 128

b Nötig, möglich, erlaubt, gelernt oder Anweisung? Schreiben Sie die Sätze mit Modalverben wie im Beispiel.

1. Es ist nötig, dass sich Beate ausruht.
2. Dr. Hofer erlaubt nicht, dass Beate zur Arbeit geht.
3. Dr. Hofers Anweisung war: Essen Sie regelmäßig.
4. Seine Anweisung war: Gehen Sie viel spazieren!
5. Beate hat reiten gelernt.
6. Es ist nötig, dass sie Medikamente nimmt.
7. Es ist möglich, dass Beate noch zwei Wochen verreist.

1. Beate muss sich ausruhen.

c Was müssen Sie machen? Was brauchen Sie nicht zu machen? Ergänzen Sie die Sätze.

~~das Geschirr spülen~~ | Diät machen | die Hausarbeit alleine machen | mit öffentlichen Verkehrsmitteln fahren | zum Arzt gehen

1. Wenn man keine Spülmaschine hat, *muss man das Geschirr selbst spülen.*
   Wenn man eine Spülmaschine hat, *braucht man nicht das Geschirr zu spülen.*
2. Wenn man kein Auto hat, _____
   Wenn man ein Auto hat, _____
3. Wenn man zu dick ist, _____
   Wenn man schlank ist, _____
4. Wenn man alleine wohnt, _____
   Wenn man in einer WG wohnt, _____
5. Wenn man krank ist, _____
   Wenn man gesund ist, _____

4 Mir geht's gar nicht gut!

Lesen Sie die Beschwerden und ordnen Sie passende Ratschläge zu. Manchmal passen auch mehrere Ratschläge.

1. erkältet sein: *c, f, i, m*
2. ständig Kopfschmerzen haben: _____
3. zu dick sein: _____
4. Fieber haben: _____
5. nicht schlafen können: _____
6. eine Magen-Darm-Grippe haben: _____
7. zu hohen Blutdruck haben: _____
8. nicht gut schlafen: _____
9. nicht gut sehen können: _____
10. nicht mehr gut hören: _____
11. sich beim Sport am Fuß verletzt haben: _____
12. Halsschmerzen haben: _____
13. Rückenschmerzen haben: _____

a. nicht so viel Kaffee trinken
b. ein Hörgerät tragen
c. im Bett bleiben
d. eine Brille tragen
e. zu Hause bleiben und den Fuß hochlegen
f. mit Salz gurgeln
g. abends nicht so lange vor dem PC sitzen
h. Salzstangen essen und Cola trinken
i. Hustensaft nehmen
j. nichts Fettes essen und im Bett bleiben
k. Diät machen
l. salzarm essen
m. nicht so viel Bier trinken

5 Wie soll ich das nehmen?

Lesen Sie den Beipackzettel im Kursbuch Teil B Aufgabe 4b noch einmal. Steht das im Text: **ja** oder **nein**? Schreiben Sie gegebenenfalls auch die Zeile.

	ja	nein	Zeile
1. Gasteron Plus hilft gegen Magenschmerzen.	⌐⌐	⌐⌐	_____
2. Wenn Sie schwanger sind, können Sie das Medikament immer nehmen.	⌐⌐	⌐⌐	_____
3. Kinder unter einem Jahr dürfen Gasteron nicht nehmen.	⌐⌐	⌐⌐	_____
4. Wenn Sie Gasteron nehmen, können Sie schnell müde werden.	⌐⌐	⌐⌐	_____
5. Gasteron kann krank machen.	⌐⌐	⌐⌐	_____
6. Kinder unter 5 Jahren nehmen 10 Tropfen.	⌐⌐	⌐⌐	_____

Detailliertes Lesen:
Wenn ein Text viele wichtige Informationen enthält, muss man ihn sehr genau lesen. Wenn man schon etwas über das Thema weiß (Sie wissen, dass es ein Beipackzettel ist), kann man den Text leichter verstehen.

C Alles für die Gesundheit

1 Ein Museum mit „X"

Lesen Sie die folgenden Sätze. Wie sind sie im Text *Ein Museum mit „X"* in Kursbuch C, Aufgabe 1b formuliert? Schreiben Sie in Ihr Heft.

1. Vor dem Röntgenmuseum befindet sich ein sehr großes „X".
2. Sie machen einen Fehler, wenn Sie glauben, dass man hier etwas über Mathematik … erfährt.
3. Der Physiker Wilhelm Conrad Röntgen hat dem Museum seinen Namen gegeben.
4. In der Mathematik bedeutet das „X" eine unbekannte Größe.
5. 1901 verlieh man Röntgen für seine Entdeckung den Nobelpreis für Physik.
6. Die Röntgenstrahlung ist heute nicht nur in der Medizin wichtig.
7. Wenn man auf einen Knopf drückt, geht ein Licht an.
8. Robert Koch wanderte mit Röntgen zusammen.
9. Röntgen hat nicht viel von sich erzählt.

1. Vor dem Röntgenmuseum steht ein überdimensionales „X".

2 Viele Gründe

a Lesen Sie die Sätze und markieren Sie: In welchem Satz steht der Grund?

1. Beate ist gestresst. Sie schreibt ihre Masterarbeit.
2. Sie hat Rückenschmerzen. Sie sitzt den ganzen Tag.
3. Sie denkt immer an die Masterarbeit. Sie schläft nicht gut.
4. Sie hat einen Termin bei Dr. Rosmann vereinbart. Sie hat starke Magenschmerzen.
5. Sie soll nicht zu Dr. Rosmann gehen. Die Praxis ist immer voll.
6. Dr. Hofer nimmt sich viel Zeit für seine Patienten. Sie soll zu ihm gehen.
7. Die Patienten vertrauen Dr. Hofer. Er ist ein sehr erfahrener Arzt.

b Verbinden Sie die Sätze erst mit „deshalb", „darum", „deswegen" oder „daher".

1. Beate schreibt ihre Masterarbeit. Deshalb ist sie gestresst.

c Verbinden Sie die Sätze mit „weil".

1. Beate ist gestresst, weil sie ihre Masterarbeit schreibt.

d Verbinden Sie die Sätze.

1. W.C. Röntgen hat die X-Strahlung entdeckt. Sie heißt auf Deutsch auch Röntgenstrahlung. (deshalb)
W. C. Röntgen hat die Röntgenstrahlung entdeckt. Deshalb heißt sie auf Deutsch auch Röntgenstrahlung.
2. Die Röntgenstrahlung ist für die Medizin sehr wichtig. Man kann ins Innere vom menschlichen Körper schauen. (weil)
3. Röntgen hat den ersten Nobelpreis für Physik bekommen. Seine Entdeckung war revolutionär. (deswegen)
4. Das Röntgenmuseum ist sehr modern und interaktiv. Es ist auch für Kinder interessant. (darum)
5. W.C. Röntgen wurde in Remscheid-Lennep geboren. Man hat das Museum dort 1932 gegründet. (weil)
6. Die gläserne Frau ist eine Attraktion. Man kann das Skelett und die Organe sehen. (weil)
7. Man kann sogar die Nerven und Adern erkennen. Viele Besucher sind begeistert. (daher)

A2: 130

3 Ein Ausflug ins Bergische Land

Beate schreibt ihrer Freundin Larissa. Schreiben Sie eine Antwortmail. Beachten Sie dabei die Punkte unten.

> ✕
>
> Liebe Larissa,
> eine kurze Nachricht und eine Frage: Mir geht es viel, viel besser. Dein Rat war super! Dr. Hofer ist wirklich sehr nett und kompetent und hat mir sehr geholfen. Er hat gesagt, ich soll Sport machen. Deswegen gehe ich jetzt jeden zweiten Tag walken. Ich soll auch etwas ausspannen. Darum möchte ich am Wochenende einen Ausflug machen. Willst du mit mir am Wochenende ins Bergische Land fahren? Wir können bei meiner Freundin Marisa in Remscheid übernachten. Wir können einen „Mädels-Abend" machen ;–). Dort ist auch das Röntgenmuseum – ein Besuch lohnt sich. Ich war als Kind schon mal da. Was meinst du? Hast du Lust? Gib mir bitte kurz Bescheid. Marisa freut sich auch, wenn wir kommen!
> Liebe Grüße, Beate

- Danken Sie für die Einladung.
- Sie sind krank und sagen ab.
- Was sagt der Arzt? Was sollen Sie tun?
- Machen Sie einen Vorschlag für einen anderen Ausflug oder ein anderes Treffen.

4 Die „gläserne Frau": Schau mal! Man kann alles total gut sehen.

a Im Röntgenmuseum steht die „gläserne Frau". Sehen Sie das Foto an und notieren Sie die Wörter auf der passenden Linie.

die Ader | der Arm | das Auge |
der Bauch | das Bein | die Brust |
der Darm | der Finger | der Fuß |
der Hals | die Hand | das Herz |
das Knie | der Knochen | der Kopf |
das Ohr | die Lunge | der Magen |
der Mund | der Po | der Muskel |
die Nase | der Oberschenkel |
der Rücken | die Schulter |
der Unterschenkel | der Zeh

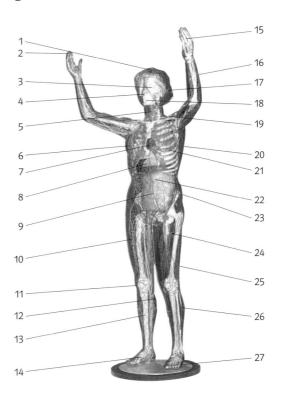

b Zeigen Sie auf einen Körperteil, aber nennen Sie einen anderen Körperteil. Ihr Partner / Ihre Partnerin korrigiert Sie.

Mein Fuß tut weh.

Das ist doch nicht dein Fuß! Das ist dein Knie.

c Warum geht es dir heute nicht so gut? Sprechen Sie im Kurs.

Meine Zehen tun weh, weil ich gestern unbequeme Schuhe getragen habe.

Ich war schwimmen. Deshalb bin ich heute erkältet.

DaF kompakt – mehr entdecken

1 Wortfelder Krankheit / Gesundheit: Sprichwörter international

a Lesen Sie die Sprichwörter. Welche Bedeutung passt?

1. Die Gesundheit ist wie das Salz, man bemerkt es erst, wenn es fehlt.
2. Lachen ist die beste Medizin.
3. Die Zeit ist der beste Arzt.
4. Der Gesunde hat viele Wünsche, der Kranke nur einen.

a. ⌑ Wenn man krank ist, wünscht man sich nur, dass man gesund ist. Alles andere ist unwichtig.
b. ⌑ Ruhe und Zeit heilen viele Krankheiten.
c. ⌑ Wenn man viel lacht, bleibt man gesund.
d. ⌑ Wie wichtig die eigene Gesundheit ist, bemerkt man erst, wenn man krank ist.

b Gibt es in Ihrer Sprache auch Sprichwörter zum Thema Gesundheit / Krankheit? Wenn ja, welche? Wo gibt es Gemeinsamkeiten? Wo gibt es Unterschiede? Arbeiten Sie in Gruppen und stellen Sie Ihre Ergebnisse dann im Kurs vor.

2 Über Sprache reflektieren

Ergänzen Sie die Tabelle und vergleichen Sie im Kurs. Was fällt auf?

Deutsch	Englisch	andere Sprache(n)
Beate ist gestresst, weil sie ihre Masterarbeit schreibt. Beate schreibt ihre Meisterarbeit. Deshalb ist sie gestresst.	Beate is stressed because she is writing her thesis. Beate is writing her thesis. Therefore she is stressed.	

3 Miniprojekt: Wissenschaftler aus DACH

a Wählen Sie eine Persönlichkeit aus der Liste unten und recherchieren Sie zu den folgenden Punkten:
– Leben
– Entdeckung und ihre Bedeutung

Präsentieren Sie dann „Ihre" Persönlichkeit im Kurs.

Albert Einstein
Richard E. Ernst
Gustav Hertz
Robert Koch
Konrad Lorenz
Christiane Nüsslein-Volhard
Max Planck
Erwin Schrödinger

b Recherchieren Sie über eine Persönlichkeit Ihrer Wahl und präsentieren Sie sie dann im Kurs.

Das ü ist im Rücken

1 So findet man das „ü"

a Hören Sie die Bildung des Lautes „ü" und sprechen Sie nach. 🔊 76

 i → ü ← u

Das „ü" liegt in der Mitte zwischen „i" und „u". Denken Sie ein „i", wenn Sie „ü" sprechen. Die Zunge ist wie beim „i", die Lippen sind wie beim „u".

b Hören Sie die Familiennamen und sprechen Sie sie nach. 🔊 77

1. a.⎿ Kiehn   b.⎿ Kühn   c.⎿ Kuhn   3. a.⎿ Kinnemann   b.⎿ Künnemann   c.⎿ Kunnemann
2. a.⎿ Griener b.⎿ Grüner c.⎿ Gruner   4. a.⎿ Hirtner   b.⎿ Hürtner   c.⎿ Hurtner

c Sie hören jetzt immer nur zwei Namen von den drei Familiennamen in 1b. Was hören Sie nicht: 🔊 78
a, **b** oder **c**? Kreuzen Sie an.

d Hören Sie die Namen mit „ü" aus 1b noch einmal. Welche Akzentvokale sind lang (= _), 🔊 79
welche kurz (= .)? Markieren Sie.

e Hören Sie die Wortpaare. Sprechen Sie sie dann nach. 🔊 80

Bucher – Bücher   Frucht – Früchte   Gruß – Grüße   Brust – Brüste
Mund – Münder   Wunsch – Wünsche   Fuß – Füße   Tuch – Tücher

2 Ein Tag in der Arztpraxis

a Hören Sie die Wortgruppen und sprechen Sie sie nach. 🔊 81

– sich nicht gut fühlen   – sehr müde sein   – tagsüber kein Fieber haben
– Rückenschmerzen haben   – die Überweisung mitbringen   – viel Flüssigkeit brauchen
– zum Arzt müssen   – fünf Medikamente einnehmen

b Wer macht was? Hören Sie die Sätze und schreiben Sie die Namen in die Lücken. Sprechen Sie dann 🔊 82
die Sätze.

1. Frau _____ fühlt sich heute nicht gut.
2. Herr _____ hat Rückenschmerzen.
3. Die Kinder von Frau _____ sind krank und müssen zum Arzt.
4. Herr _____ ist seit Wochen sehr müde.
5. Frau _____ muss noch eine Überweisung mitbringen.
6. Herr _____ möchte nicht fünf Medikamente einnehmen.
7. Frau _____ hat tagsüber kein Fieber mehr.
8. Die Ärztin sagt, dass Herr _____ viel Flüssigkeit braucht.

3 Wörter mit „ü" raten

Arbeiten Sie in zwei Gruppen. Der Kursleiter / Die Kursleiterin fragt. Welche Gruppe zuerst ein passendes 👥
Wort mit „ü" nennt, bekommt einen Punkt.

Eine Farbe?   Ein Körperteil?   Gegenteil von teuer?
Eine Mahlzeit?   Etwas zum Essen?   Eine Jahreszeit?

A Auszeit in München

1 Es gibt kein schlechtes Wetter ...

a Finden Sie Synonyme. Schreiben Sie in Ihr Heft.

1. Es ist sonnig.
2. Es ist neblig.
3. Es ist windig.
4. Es regnet.
5. Es ist heiter.
6. Es gewittert.
7. Es ist bedeckt.
8. Es schneit.
9. Es stürmt.
10. Es hagelt.

~~Die Sonne scheint.~~ | Es ist bewölkt. | Es ist regnerisch. | Es gibt ein Gewitter. | Es fällt Hagel. | Es blitzt und donnert. | Es ist freundlich. | Wir haben Nebel. | Es fällt Schnee. | Der Wind ist stark. | Es ist stürmisch.

1. Es ist sonnig. = Die Sonne scheint.

b Wann regnet es? Schreiben Sie in Ihr Heft.

~~den ganzen Tag über~~ | gegen Abend | gegen Nachmittag | die ganze Nacht über | am Nachmittag

1. 7.00 – 18.00 Uhr   2. Um ca. 14.00 Uhr   3. 13.00 – 16.00 Uhr   4. Um ca. 19.00 Uhr   5. 23.00 – 4.00 Uhr

1. Es regnet den ganzen Tag über.

c Teils sonnig, teils wolkig. Schreiben Sie Sätze wie im Beispiel in Ihr Heft.

1. windig – stürmisch   2. schneien – regnen   3. nebelig – sonnig   4. heiter – bedeckt

1. Es ist teils windig, teils stürmisch.   *2. Teils schneit es, teils ...*

d Wie ist das Wetter im Moment an ihrem Kursort? Wie war es gestern? Wie ist es morgen? Sprechen Sie im Kurs.

> Heute ist es ... Gestern war es ...

2 Über Geschmack lässt sich (nicht) streiten

a Finden Sie das Gegenteil.

unpraktisch | modern | ~~schick~~ | zu klein | bequem | hässlich | bunt | zu weit

1. langweilig ≠ *schick*
2. unbequem ≠ _____
3. zu groß ≠ _____
4. altmodisch ≠ _____
5. zu eng ≠ _____
6. praktisch ≠ _____
7. einfarbig ≠ _____
8. hübsch ≠ _____

b Heute im Unimagazin: Studentenoutfits oder „Kleider machen Studenten". Was denken Sie: Tragen Studenten eine bestimmte Kleidung – je nach Fachrichtung? Sammeln Sie im Kurs.

> Ich denke, Philosophen tragen Jeans und T-Shirts.

> Juristen tragen teure Polohemden.

c Lesen Sie den Text aus dem Unimagazin oben rechts. Ordnen Sie die Abschnitte den Studierenden-gruppen zu.

◻ Juristen   ◻ Theologiestudenten   ◻ Sportstudenten
◻ Wirtschaftsstudenten   ◻ Ethnologiestudenten

Welche Outfitbeschreibung passt zu welchen Studenten?
Hier eine Zusammenfassung der Kleiderklischees.

Hier finden Sie Wörter der Alltagssprache / Jugendsprache:
Klamotten = Kleidung
Mädels = Mädchen
angesagt = modisch

A Sie tragen schon morgens ihren Anzug und ein Poloshirt (der Kragen ist hochgestellt), natürlich ein Markenpoloshirt. Die Haare bekommen viel Gel. Die Studentinnen finden langärmlige Blusen und elegante Blazer mit Rock und Rollkragenpullover ganz toll oder auch eine Anzughose: gut für die Uni – gut fürs Business. Natürlich darf das obligatorische Markenhandtäschchen nicht fehlen. Das gesamte Kleidungskonzept ist deswegen sehr konservativ.

B Das Klischee sagt, dass keine Studentin dieses Faches eine Styling-Queen ist. Sie tragen lieber ausgewaschene Cordhosen, XXL-Pullis und karierte Hemden. Farblich orientieren sie sich an Erdfarben (also hellbraun, dunkelgelb usw.). Neben einer Umhängetasche braucht der typische Student dieses Fachbereichs nur noch die Hornbrille und bei den Mädels einen schnell zusammengesteckten Haarknoten.

C Man sagt, dass sie in Vorlesung und Seminar immer einen Anzug mit schicken Halbschuhen tragen. In der Freizeit gern auch mal etwas „legerer": gebügeltes weißes Hemd, Pullis mit V-Ausschnitt, dunkle Jeans und Stiefel. Typische Accessoires: Smartphone, Aktenkoffer und iPad. Die Studentinnen tragen Kostüm, das farblich zur Handtasche passt. Schuhe: hohe Stöckelschuhe. Der Schmuck ist eher dezent; Perlen (natürlich echte!) sind sehr beliebt.

D Bunt – bunter – am buntesten – Ethnos. Farbenfrohe Klamotten mit diversen Mustern, weite Hosen und Röcke und Ökosandalen sind die Lieblingskleidungsstücke. An Accessoires brauchen die Studenten lediglich einen hübschen Jutebeutel. Individualität markieren sie mit bunten Tüchern, langen Ketten, Ohrringen und Armreifen. Ach ja, natürlich gehören auch 1 – 5 Piercings dazu.

E Weite Jogginghosen, Muskelshirt, die neuesten aerodynamischen Turnschuhe, Kapuzenjacke plus Labelrucksack oder Sporttasche – mehr findet man nicht im Kleiderschrank. Der Look eignet sich nicht nur für den Praxisteil des Studiums (klar, umziehen dauert ja auch viel zu lange), sondern passt auch zu Seminaren und Vorlesungen, Literaturrecherche in der Bibliothek oder für das Nachtleben. Dazu gehören bei den Männern ganz kurze Haare und bei den Studentinnen kurze oder zum Pferdeschwanz zusammengebundene Haare. Das angesagte Accessoire ist und bleibt: das Schweißband.

d Welche Kleidungsstücke sind typisch für die Studenten dieser Studienfächer? Markieren Sie.

e Ordnen Sie die Kleidungsstücke / Accessoires zu und notieren Sie auch die Artikel und Pluralformen in einer Tabelle in Ihrem Heft.

eher für Frauen (Studentinnen): –e langärmlige Bluse – die langärmligen Blusen, …
eher für Männer (Studenten): –r Anzug – die Anzüge, …
eher für beide:

f Meinen Sie, die Aussagen stimmen? Diskutieren Sie mit Ihrem Partner.

3 Der Diminutiv = Verkleinerungsform

Was finden Sie in der Kinderkleiderabteilung? Schreiben Sie die Verkleinerungsform mit Artikel und Pluralform in Ihr Heft.

1. Jacke
2. Socke
3. Rock
4. Kleid
5. Mantel
6. Mütze
7. Hemd
8. Schuh
9. Tasche
10. Bluse

1. Die Jacke – die Jacken, das Jäckchen – die Jäckchen

Die Endungen „-chen" und „-lein" machen Personen / Dinge klein. Das Nomen bekommt einen Umlaut: die Jacke – das Jäckchen. „e" fällt weg. Singular und Plural sind gleich: das Jäckchen – die Jäckchen / das Hemdlein – die Hemdlein. Die Endung -lein kommt oft in Liedern und Märchen vor.

B „Mein Kleiderbügel"

1 Umschauen und anprobieren

Der Verkäufer / die Verkäuferin fragt: „Kann ich Ihnen helfen?" – Welche Antworten passen?
Kreuzen Sie an.

1. ⊔ Ja, gerne. Wo finden wir …?
2. ⊔ Ja, gerne. Wir suchen …
3. ⊔ Ja, ich möchte gerne den Pulli aus
   dem Schaufenster anprobieren.

4. ⊔ Danke, das ist mir Wurst.
5. ⊔ Wir möchten uns nur umschauen. Danke.
6. ⊔ Auf keinen Fall, bitte.

2 Welcher? Dieser hier oder der da?

a Lesen Sie die Fragen im Schüttelkasten und die Antworten 1–8. Markieren Sie Frageartikel und
-pronomen sowie Demonstrativartikel und -pronomen. Schreiben Sie dann die passenden Fragen zu den
Antworten.

Welchen Pulli kaufst du? | Zu welchem Kleid passt der Schal? | Wie gefällt dir denn der Rock? |
Zu welcher Hose passt die Bluse? | Wie gefällt dir denn das Hemd? | Welche Mäntel gefallen dir? |
Welche Jacken gefallen dir? | Welches Kleid findest du am besten?

1. *Welchen Pulli kaufst du?*	Diesen hier, den dunkelblauen da.
2. _____	Zu dieser, der Jeans.
3. _____	Diese hier, die da aus Baumwolle.
4. _____	Welcher, dieser hier?
5. _____	Zu diesem hier.
6. _____	Dieses hier in Pink.
7. _____	Die da. Die hellen Daunenmäntel.
8. _____	Welches? Das da oder dieses hier?

b Wie findest du das? Schreiben Sie Minidialoge wie im Beispiel.

○ Wie findest du diesen Mantel?
● Welchen denn? Den hier?
○ Nein, den da.

1. Wie findest du diese Hose?
2. Wie findest du diese Jacken?

3. Wie findest du dieses Blüschen?
4. Wie findest du diesen Anzug?

c Hilfe, sie kann sich nicht entscheiden! Lesen Sie die Texte und ergänzen Sie die Endungen.

1. Im Café:
   ○ Ach, welch_____ [1] Brötchen soll ich nehmen? D_____ [2] mit Wurst oder d_____ [3] mit Schinken?
   ● Und wie wäre es mit dies_____ [4] hier, mit Käse und Tomaten?
   ○ Oh, d_____ [5] sieht ja auch lecker aus!

2. Im Kino:
   ○ In welch_____ [6] Film soll ich gehen? In d_____ [7] amerikanischen oder d_____ [8] französischen?
   ● Und wie wäre es mit dies_____ [9] hier? Er ist von einem englischen Regisseur.
   ○ Oh, d_____ [10] klingt ja auch interessant.

3. Vor dem Urlaub:
   ○ Welch_____ [11] Hotelzimmer soll ich buchen? D_____ [12] mit dem Balkon oder d_____ [13] mit der Terrasse?
   ● Und wie wäre es mit dies_____ [14] hier?
   ○ Oh, d_____ [15] liegt ja auch gut.

d Spielen Sie die Dialoge in 2b und c zu zweit. Spielen Sie auch mit Emotionen (interessiert, gelangweilt,
neugierig, …).

3 Umtausch nur mit Kassenbon

a Lesen Sie die Aussagen von der Verkäuferin / dem Verkäufer und ergänzen Sie die Fragen und Antworten von der Kundin.

Leider nein. Sie ist zu eng. | Ich habe Größe 38. | ~~Ja, bitte. Ich suche eine Bluse.~~ | Danke schön. |
Wie viel kostet sie denn? | Ja, wo ist denn die Umkleidekabine? | Kann ich die Bluse auch umtauschen? |
Ja, sie passt genau. Ich nehme sie. | Kann ich auch mit Karte bezahlen? | Gut, das mache ich. |
Eine rote Bluse mit kurzen Ärmeln.

1. Kann ich Ihnen helfen? — *Ja, bitte. Ich suche eine Bluse.*
2. Und welches Modell suchen Sie? ___
3. Welche Größe haben Sie? ___
4. Möchten Sie diese Bluse hier anprobieren? ___
5. Da vorne rechts. Passt die Bluse? ___
6. Dann probieren Sie sie doch einmal in Größe 40. ___
7. Passt sie in 40? ___
8. ___ — Ja, das geht aber nur mit Kassenbon.
9. ___ — 29,90 Euro.
10. ___ — Ja, mit EC-Karte oder Kreditkarte.
   Da vorne ist die Kasse.
11. ___

b Spielen Sie die Einkaufsgespräche mit den Redemitteln in 3a. Tauschen Sie auch die Rollen.

Produkt	Material	Besonderheit	Größe	Preis
Pullover	Wolle	V-Ausschnitt	Gr. 40	39,90 Euro
Regenjacke	Polyester	wasserfest	Gr. 42	115,00 Euro

c Sie möchten Ihren Einkauf umtauschen. Was sagt der Verkäufer / die Verkäuferin (V), was sagt der Kunde / die Kundin (K)?

	V	K
1. Kann ich Ihnen helfen?	☐	☐
2. Ich habe gestern dieses T-Shirt gekauft. Es ist schon kaputt. Ich möchte es umtauschen.	☐	☐
3. Haben Sie den Kassenbon dabei?	☐	☐
4. Das Etikett ist noch an dem T-Shirt. Hier ist der Kassenbon.	☐	☐
5. Möchten Sie das Geld zurück oder möchten Sie sich ein anderes T-Shirt aussuchen?	☐	☐
6. Ich nehme das Geld zurück.	☐	☐
7. 29,90 Euro für Sie. Sie müssen hier noch unterschreiben.	☐	☐
8. O. k. Danke. Wiedersehen.	☐	☐

d Spielen Sie Minidialoge wie in 3c. Verwenden Sie folgende Elemente.

Produkt	Material	Preis	Problem
Pullover	Wolle	39,90 Euro	Loch
Jeans	Baumwolle	49,90 Euro	Knöpfe fehlen
Regenjacke	Stoff	59,90 Euro	zu weit
Portemonnaie	Leder	29,90 Euro	Reißverschluss kaputt

Kann ich Ihnen helfen?

Ja, bitte. Ich habe gestern diesen Pullover gekauft …

C Zwei Münchner Originale

1 Heute im Stadtmagazin: München feiert das Oktoberfest

a Lesen Sie den Artikel im Kursbuch C, Aufgabe 1b noch einmal. Was ist richtig (r), was ist falsch (f)?

		r	f
1.	Kronprinz Ludwig und Prinzessin Therese feierten ihre Hochzeit mit Münchner Bürgern.	☐	☐
2.	Die Theresienwiese liegt heute außerhalb der Stadt.	☐	☐
3.	Das Pferderennen ist auch heute noch eine Tradition auf dem Oktoberfest	☐	☐
4.	Millionen Menschen aus dem In- und Ausland besuchen jährlich das Fest.	☐	☐
5.	Das Oktoberfest ist wirschaftlich wichtig für ganz Deutschland.	☐	☐

b Unterstreichen Sie in dem Artikel im Kursbuch C, Aufgabe 1b, alle Informationen, die sich auf Zahlen und Daten beziehen. Notieren Sie.

1. 12.10.1810: *Hochzeit*
2. 17.10.1810: _____
3. Sa., nach 15.09.: _____

4. 1. Sonntag im Oktober: _____
5. 6 Millionen: _____
6. 250: _____

7. 100: _____
8. 12.000: _____
9. 800 Mio.: _____

c Schreiben Sie einen Satz zu jeder Zahl in Ihr Heft.

Am 12. Oktober 1810 feierten Kronprinz Ludwig und Prinzessin Therese ihre Hochzeit.

2 Blogeintrag: Mein Tag auf der Wiesn

Lesen Sie den Artikel im Kursbuch C, 1b und den Blogeintrag in 2a noch einmal und beantworten Sie die Fragen in Stichwörtern.

	Artikel	Blogeintrag
Oktoberfest – seit wann?		
Geschichte?		
Heute wann?		
Angebot heute?		
Besucher?		
Wirtschaftliche Bedeutung?		

3 Link: Der Kocherlball

a Unterstreichen Sie im Infolink im Kursbuch C, Aufgabe 3b alle Informationen, die sich auf Zahlen und Daten beziehen. Notieren Sie.

1. 1880: _____
4. 1989: _____

2. 5000: _____
5. 5 und 8: _____

3. 1904: _____
6. 3: _____

b Welche Wörter passen nicht? Unterstreichen Sie.

Kocherlball: Hausangestellte – früh – Winter – Ballhaus – Park
Oktoberfest: Karussell – Riesenrad – Brathendl – Einkaufsmöglichkeiten – Sommer

A2: 138

c Komposita: Welche Wörter passen zusammen? Wie heißt der Artikel?

Haus- (2x) | ~~Kinder-~~ | Küchen- | Dienstboten- | Leder- | Kocherl- | Jahr-

1. _Kinder_mädchen, _das_   3. _____hose, ____   5. _____hundert, ____   7. _____ball, ____
2. _____personal, ____   4. _____angestellte, ____   6. _____diener, ____   8. _____uniform, ____

4 Indefinitartikel und -pronomen

a Lesen Sie die Regel und ergänzen Sie dann die Indefinitartikel und -pronomen „kein-", „ein-".

Die Indefinitpronomen „ein-" / „kein-" haben nur im Maskulinum und Neutrum andere Endungen als
der Indefinitartikel:
Nom. Mask.: (k)einer, Nom. Neutr.: (k)eins, Akk. Neutr.: (k)eins.

1. Ich trinke ein Bier. Magst du auch eins? – Nein, danke. Ich mag keins.
2. Ich habe k_____ Stift. Hast du _____? – Ja, ich habe _____. Hier bitte.
3. Gibst du mit bitte auch _____ Heft? Ich habe leider _____.
4. Hast du _____ Frage? – Ich habe _____. Aber Vroni hat _____.
5. Ist hier _____ Arzt? – Nein, hier ist _____. Aber gegenüber gibt es eine Arztpraxis.
6. Gibt es hier _____ Restaurant? – Nein, hier gibt es _____.

b Unterstreichen Sie die Indefinitartikel und Indefinitpronomen mit verschiedenen Farben und
ergänzen Sie dann die Regel.

Indefinit_____ stehen vor einem Nomen. Indefinit_____ brauchen kein Nomen.
Sie stehen für das Nomen.

c Schreiben Sie die Indefinitartikel und Indefinitpronomen in die Sätze.

~~alle~~ | keins | jeder | viele (2x) | jedem | eins | jeden | jedes

1. Wie fanden deine Freunde das Oktoberfest? – _Alle_ fanden es toll.
2. Wie viele Leute können an einem Tisch sitzen? – An _____ Tisch können 20 Personen sitzen.
3. Was habt ihr getrunken? – _____ hat ein Bier getrunken.
4. Hattest du ein Dirndl an? – Nein, ich hatte _____ an. Aber Vroni hatte _____ an.
5. Besuchen nur Touristen das Oktoberfest? – Nein. Es gab auch _____ Münchner auf dem Fest.
6. Der Kocherball ist nicht für _____. Man muss sehr früh aufstehen.
7. Kommen _____ Besucher auf den Kocherball? Ja, ca. 15.000 Personen.
8. Findet der Kocherball _____ Jahr statt? – Ja, und immer am dritten Sonntag im Juli.

d Isabellas Deutschlehrerin in Italien kommentiert den Blogeintrag von Isabella. Ergänzen Sie die
Endungen.

@Isabella, danke für deinen interessanten Eintrag. Schön, dass dir München gefällt! Das ging
viel___ [1] von meinen Studenten auch so. Nur wenig___ [2] fanden München nicht so gut, weil die
Mieten dort sehr hoch sind. Aber das Oktoberfest hat all___ [3] gut gefallen. Stell dir vor, vor vielen
Jahren war ich auch mit Freunden auf dem Kocherlball. All___ [4] hatten großen Spaß. Jed___ [5] von
uns hat die besondere Atmosphäre am frühen Morgen genossen und kein___ [6] wollte nach
Hause. Bald fahre ich mit meinen Studenten nach München, denn jed___ [7] Deutschstudent und
jed___ [8] Deutschstudentin „muss" ☺ München kennenlernen. Und du? Welch___ [9] neuen Erfah-
rungen hast du an der deutschen Universität gemacht? Die Staatsbibliothek (viel___ [10] sagen
„Stabi") ist übrigens gleich neben dem Englischen Garten und hat fast all___ [11] Bücher der Welt!
Freue mich auf einen neuen Blogeintrag! Viel___ [12] Grüße, Barbara.

5 Volksfeste

Schreiben Sie einen kleinen Text (ca. 5 Sätze) über den Kocherlball in Ihr Heft.

zum ersten Mal | seit | heute | inzwischen | Den Kocherlball gibt es … | Er fand … statt. | …

DaF kompakt – mehr entdecken

1 Strategietraining: Wortschatz für die „Sprechstunde" an der Universität

a Isabella studiert „Interkulturelle Kommunikation" in Hildesheim. Sie muss eine Seminararbeit schreiben im Seminar „Interkulturelle Kommunikation in Institutionen". Sie hat eine Idee und geht in die Sprechstunde von Professorin Geistreich. Markieren Sie das „Universitätsvokabular".

> **Isabella:** Guten Tag Frau Geistreich, ich wollte mit Ihnen über meine Seminararbeit sprechen.
> **Frau Geistreich:** Gerne. Nehmen Sie Platz. An welches Thema haben Sie gedacht?
> **Isabella:** Ich habe im Unimagazin einen Artikel gelesen über Kleidungsstile von Studenten in Deutschland.
> **Frau Geistreich:** Dieses Thema ist interessant. Hier haben wir eine Form von nonverbaler Kommunikation an der Hochschule.
> **Isabella:** Gibt es dazu denn wissenschaftliche Literatur? Welche Autoren können Sie mir empfehlen?
> **Frau Geistreich:** Das Buch von Müller (2012) und den Artikel von Peters (2013). Meinen Sie, in Italien haben die Studierenden unterschiedliche Kleidungsstile?
> **Isabella:** Ich glaube ja. Deswegen möchte ich auch Interviews machen und die Studenten dazu befragen.
> **Frau Geistreich:** Da können Sie auch einen interkulturellen Vergleich machen. Die Methode „Interview" hilft Ihnen, eventuell Gründe und Meinungen zum Thema herauszufinden.
> **Isabella:** Dann werde ich also gleich mal in der Bibliothek die Literaturrecherche beginnen … Ach und bis wann muss ich die Arbeit abgeben?
> **Frau Geistreich:** Am Ende der vorlesungsfreien Zeit, bitte.
> **Isabella:** Ah gut. Vielen Dank. Auf Wiedersehen.
> **Frau Geistreich:** Auf Wiedersehen.

Seminar- oder Hausarbeit: Schriftliche Arbeit an der Uni (20–30 Seiten) über ein wissenschaftliches Thema.

b Gehen Sie auf die Suchmaske der Staatsbibliothek München. Suchen Sie Literatur zum Thema „Interkulturelle Kommunikation". Was haben Sie gefunden? Vergleichen Sie mit Ihrem Partner.

www.bsb-muenchen.de

2 Über Sprache und Kultur reflektieren

a Sprichwörter mit Kleidung und Wetter. Welche Sprichwörter passen zusammen? Ordnen Sie zu. Was ist Ihre Bedeutung?

1. Das ist Jacke
2. Kleider machen
3. Für jemanden das
4. Es gibt kein schlechtes Wetter,
5. Über Geschmack
6. Wie vom Blitz

a. ⌙ nur schlechte Kleidung.
b. ⌙ lässt sich streiten.
c. ⌙ letzte Hemd geben.
d. ⌙ wie Hose.
e. ⌞6⌟ getroffen sein.
f. ⌙ Leute.

Das ist egal [1].
Jeder hat einen anderen Geschmack [2].
Bereit sein, für jemanden alles zu geben [3].
Jemand ist sehr überrascht [4].
Für jedes Wetter gibt es Kleidung [5].
Kleidung kann auf den sozialen Status hinweisen [6].

b Gibt es in Ihrer Sprache Sprichwörter mit Kleidung oder Wetter?

c Gibt es in Ihrer Sprache auch einen Diminutiv? Ergänzen Sie die Tabelle und vergleichen Sie im Kurs.

Deutsch	Englisch	Ihre Sprache
Das Kind – das Kindchen	The child – the little child	

3 Miniprojekt

Arbeiten Sie in Gruppen. Sammeln Sie Informationen über München und Hildesheim. Suchen Sie in Zeitungen, Büchern oder im Internet zu folgenden Themen: Stadtgeschichte, Sehenswürdigkeiten, Attraktionen, Essen und Trinken, aber auch Universitäten und ihr Studienangebot. Machen Sie einen Ministadtführer.

A2: 140

Das Schwa ist schwach

1 Was ist ein Schwa?

a Hören Sie die Wörter und sprechen Sie sie dann nach. Achten Sie besonders auf das „e" in der Endung. 🔊 83

Mütze	Mützen
Das „e" am Wortende ist ein Schwa. Das heißt, man hört es nur ganz schwach. Das phonetische Zeichen ist: [ə]	In der Endung „-en" spricht man das schwache „e", also das Schwa, oft nicht. Die phonetischen Zeichen sind: [ən]

Auch in den Vorsilben „be-" und „ge-" sowie in der Endung „-el" haben wir ein Schwa.

b In welchen Wörtern ist das „e" ein Schwa? Markieren Sie.

- Jacke   - gelb   - Hose   - Tasche
- Hemd   - Bluse   - fest   - echt

c Hören Sie die Wörter mit dem Schwa-Laut in 1b. Ist alles richtig? 🔊 84

d Hören Sie Wortpaare und sprechen Sie sie nach. 🔊 85

lang – eine lange Bluse   hübsch – eine hübsche Hose   kurz – eine kurze Jacke
blau – eine blaue Socke   schick – eine schicke Weste   rein – reine Wolle

2 Das Schwa in „-en", „-el" und in den Vorsilben „be-" und „ge-"

a Hören Sie die Wortpaare und achten Sie auf das Schwa in der Endung „-en". 🔊 86

Gruppe 1	– shoppen	– arbeiten	– zeigen	– sprechen
Gruppe 2	– bauen	– sehen		
Gruppe 3	– spielen	– fahren		
Gruppe 4	– nehmen	– gewinnen	– singen	

b Was fällt auf? Kreuzen Sie in der Regel an. Sprechen Sie anschließend die Wörter in 2a nach.

Gruppe 1: nach Plosiven (p, b, k, g, t, d) und Frikativen
(z. B. f, s, z, ch, sch):   Man hört das Schwa   a. ⊔ gut.   b. ⊔ kaum.
Gruppe 2: nach Diphthong (z. B. ei, eu, au) und „h":   Man hört das Schwa   a. ⊔ gut.   b. ⊔ kaum.
Gruppe 3: nach „l" und „r":   Man hört das Schwa   a. ⊔ gut.   b. ⊔ kaum.
Gruppe 4: nach „m", „n" und „ng":   Man hört das Schwa   a. ⊔ gut.   b. ⊔ kaum.

c Hören Sie die Wörter und markieren Sie, wo Sie das Schwa hören. Sprechen Sie anschließend nach. 🔊 87

- Nebel   - Mantel   - geblümt   - bewölkt
- Hagel   - Gürtel   - gestreift   - beginnen
- Artikel   - Ärmel   - gemacht   - Bekleidung

3 Gedichte mit Schwa

Schreiben Sie in Gruppen kleine Texte oder Gedichte mit vielen Schwa-Lauten und lesen Sie sie im Kurs vor.

Rote Socken
blaue Hosen
schöne Gürtel
gestreifte und geblümte Hemden
schwarze Mäntel
kaufe alles
trage alles
bin modern!

A Unterwegs zur Viennale

1 Wo übernachten?

🔊 88 Hören Sie das Gespräch zwischen Jörg und einer Freundin im Kursbuch A, Aufgabe 1c, noch einmal und beantworten Sie die Fragen.

1. Wohin fährt Jörg?
   Er fährt nach Wien.

2. Wo will Jörg übernachten?

3. Wie lange will er bleiben?

4. Was kostet die Übernachtung?

5. Wie hat er Kontakt mit seinem Gastgeber aufgenommen?

2 Ein Fall für die Couch

a Lesen Sie den Text im Kursbuch A, Aufgabe 1d, noch einmal. Was passt: **a** oder **b**? Kreuzen Sie an.

1. „Couch surfen" ist
   a. ⊔ eine Sportart.
   b. ⊠ eine Übernachtungs- möglichkeit.

2. Eric reist durch
   a. ⊔ Deutschland und Polen.
   b. ⊔ Deutschland und andere Länder.

3. Er übernachtet lieber
   a. ⊔ in privaten Wohnungen.
   b. ⊔ in Hotels.

4. Er kennt seine Gastgeber
   a. ⊔ persönlich.
   b. ⊔ über das Internet.

5. Die Gastgeber bieten online
   a. ⊔ eine Schlafgelegenheit an.
   b. ⊔ ihre Wohnung an.

6. Die „Couch-Surfer"
   a. ⊔ müssen den Haushalt machen.
   b. ⊔ können ein Geschenk mitbringen.

b Wie heißen die Wörter? Ergänzen Sie bei Nomen den Artikel.

ber | camping | ~~gast~~ | gast | ge | ge | ~~geber~~ | gend | her | ho | ju | lus | nach | platz | rei | schenk | se | tig | tel | ten | ter | über | un | wegs

1. Er hat / bekommt Gäste. → *der Gastgeber*
2. Da kann man in einem Zelt schlafen. →
3. über Nacht bleiben →
4. Da können Jugendliche und Familien für wenig Geld schlafen. →
5. Jemand, der gern reist, ist … →
6. nicht zu Hause sein → _____ sein
7. Das bringen Gäste mit. →
8. Da kann man ein Zimmer reservieren. →

c Lesen Sie den Text im Kursbuch A 1d noch einmal. In Zeile 15 steht die Partikel „ja". Sie kann viele Bedeutungen haben. Welche Bedeutung hat sie hier? Kreuzen Sie an.

a. ⊔ Man benutzt „ja" zum Ausdruck von verschiedenen Gefühlen, wie z. B. Überraschung oder Ärger.

b. ⊔ Man verwendet es auch, wenn etwas dem Gesprächspartner schon bekannt ist: „Ich war ja krank."
   = Wir wissen beide, dass ich krank war.

„Ja" ist in diesen Sätzen immer unbetont.

A2: 142

d Texte korrigieren: Markieren Sie die Fehler in den folgenden Sätzen und ordnen Sie zu: Welche Fehler sind das?

1. „Couch surfen" gefällt mir, weil man andere menschen kennenlernen kann.
2. Ich finde, dass „Couch surfen" ist eine gute Idee.
3. Ich möchte „Couch surfen" nicht ausprobieren, weil ich nicht bei fremden Leuten schlafen wollen.

a. ⊔ Position der Verben
b. ⊔ Konjugation der Verben
c. ⊔ Groß- und Kleinschreibung

e Korrigieren Sie die Fehler in Ihren Texten mithilfe der Checkliste in 2d. Ergänzen Sie die Checkliste, wenn Sie noch andere Fehlertypen finden.

3 Filme ansehen

Sie lesen in einer Zeitung folgenden Text. Was ist richtig: **a**, **b** oder **c**? Kreuzen Sie an.

Der treue Viennale-Fan Werner Schmidt

„Von Filmen kann ich nicht genug bekommen"

Werner Schmidt fährt jeden Herbst nach Wien, schon seit 15 Jahren. Was fasziniert ihn so an Wien im Oktober? „Es ist die Viennale, die mich anzieht", sagt der in Detmold (Nordrhein-Westfalen) lebende 45-Jährige. In seiner Heimatstadt organisiert er Filmabende in seinem Firmenbüro, wo er Kinofilme in privatem
5 Kreis zeigt. Dem begeisterten Filmfan geht es aber nicht um den kommerziellen „Mainstream", also was man normalerweise im Kino sehen kann. Er will lieber das Besondere zeigen, eher unbekannte Filme. Das mögen auch seine Freunde und sie kommen deshalb gern zu seinen Vorführungen mit gemütlichem Abend. „Ein guter Film ist immer auch eine Anregung für ein spannendes Gespräch da-
10 nach", meint Schmidt.

Viennale-Fan Werner Schmidt aus Detmold

Bei der Viennale findet Schmidt Anregungen für seine Filmabende. Zusätzlich zur Viennale reist er auch regelmäßig zu anderen europäischen Filmfestivals. Während eines Festivals sieht er oft mehrere Filme an einem Tag. Außerdem nimmt er auch am Rahmenprogramm teil, z. B. an Diskussionsveranstaltungen. Mit Wien verbindet Schmidt aber mehr als nur die Liebe zum Film: Bei der Viennale vor 12 Jahren lernte er seine Frau kennen. Seit
15 10 Jahren lebt die Wienerin nun schon in Deutschland. Sie freut sich auf die jährliche Wien-Reise zur Viennale. Und natürlich versucht Schmidt für die Filmabende immer wieder Filme zu finden, die in Wien spielen.

1. Werner Schmidt …
   a. ⊔ liebt den Herbst.
   b. ⊔ fährt gern nach Detmold.
   c. ⊠ fährt jedes Jahr zur Viennale.

2. Er zeigt Filme …
   a. ⊔ von seinen Wien-Reisen.
   b. ⊔ bei sich im Büro.
   c. ⊔ in seinem eigenen Kino.

3. Der Filmfan mag außerdem …
   a. ⊔ die Gespräche nach den Filmen.
   b. ⊔ Vorführungen bei Freunden.
   c. ⊔ Filme, die in Kinos laufen.

4. Werner Schmidt …
   a. ⊔ nimmt nur an der Viennale teil.
   b. ⊔ möchte andere Filmfestivals kennen lernen.
   c. ⊔ bekommt in Wien Ideen für Filmabende.

5. Schmidt mag Wien besonders, weil …
   a. ⊔ es in vielen Film vorkommt.
   b. ⊔ es die Heimat seiner Frau ist.
   c. ⊔ er viele Anregungen findet.

6. Dieser Text informiert über …
   a. ⊔ bekannte Filmfestivals.
   b. ⊔ Filme für großes Publikum.
   c. ⊔ das Leben eines Filmfans.

B Spaziergang in der Innenstadt

1 Das müssen Sie sehen!

Lesen Sie die Texte im Kursbuch B, Aufgabe 1a, noch einmal. Ordnen Sie zu.

1. Naschmarkt
2. Wien-Museum
3. Kahlenberg
4. Sacher
5. Musikverein
6. Staatsoper

a. ⊔ Im 19. Jahrhundert war es das erste Gebäude in der Ringstraße.
b. ⊔ Für Leute, die gern Torte essen oder im Luxushotel wohnen.
c. ⊔ *1* Bekannt für das Angebot an internationalen Waren.
d. ⊔ Ein bekanntes Orchester spielt hier jedes Jahr zum Jahreswechsel.
e. ⊔ Hier erfahren Besucher viel über Wiener Kunst und Geschichte.
f. ⊔ Man hat eine tolle Aussicht über die ganze Stadt.

2 Was in Plänen steht

a „der", „die" oder „das" – welcher bestimmte Artikel (im Nominativ) passt? Ergänzen Sie auch den Plural.

~~Dom~~ | Gasse | Kirche | Museum | Oper | Park | Platz | Straße | Autobahn | Gebäude | Ort

der Dom, die Dome ...

b Ordnen Sie die Verben den Bildern zu.

umkehren | ~~abbiegen~~ | überqueren | vorbeigehen

1. *abbiegen*
2. _____
3. _____
4. _____

3 Ortsangaben

a Präposition mit Dativ, mit Akkusativ oder Wechselpräposition? Schreiben Sie die Präpositionen in die Tabelle.

~~bei~~ | an | zu | (rechts / links / gegenüber) von | auf | … entlang | in | aus | durch

1. Dativ   *bei, ...* _____
2. Akkusativ _____
3. Wechselpräposition _____

b Ergänzen Sie den Artikel im Dativ.

in + dem = im	
von + dem = vom	
zu + dem = zum	
zu + der = zur	
bei + dem = beim	
an + dem = am	

1. *beim* Museum sein
2. gegenüber vo_____ Museum sein
3. bis zu_____ Museum gehen
4. a_____ Musikverein vorbeigehen
5. auf _____ rechten Seite sehen
6. rechts von _____ Tür stehen
7. bis zu_____ Dumbastraße gehen
8. schräg gegenüber vo_____ Musikverein sein
9. aus _____ Museum rauskommen
10. auf _____ Karlsplatz stehen

c Ergänzen Sie den Artikel im Akkusativ.

in + das = ins

1. _____ Straße entlang gehen
2. in_____ Museum reingehen
3. rechts in _____ Kärntner Straße einbiegen
4. durch _____ Park laufen
5. _____ Ring entlang gehen
6. in _____ Philharmonikerstraße einbiegen

d „hin-", „her-", „rein" und „raus". Vergleichen Sie die Sätze: Welche sagen das gleiche? Verbinden Sie.

1. Geh hinein!   a. ⌴ Komm raus!
2. Komm heraus!   b. ⌴ Komm runter!
3. Geh hinauf!   c. ⌴*1* Geh rein!
4. Komm herunter! d. ⌴ Geh rauf!

Umgangssprachlich:
rauf, raus, rein

Standardsprachlich:
hinauf / herauf;
hinaus / heraus;
hinein / herein

e „hin" oder „her"? Ordnen Sie die Sätze aus 3d den Bildern zu (X = Position vom Sprecher).

1. *Geh hinauf! Geh rauf!*   2. _____   3. _____   4. _____

f Schauen Sie sich die Bilder noch einmal an. Sie stehen dort, wo das Kreuz ist.
Ergänzen Sie dann die Regeln.

1. „hin-" bedeutet: a. ⌴ weg vom Sprecher zu einem Ort   b. ⌴ von einem Ort zum Sprecher
2. „her-" bedeutet: a. ⌴ weg vom Sprecher zu einem Ort   b. ⌴ von einem Ort zum Sprecher

g Da war ich schon! Ergänzen Sie die Präpositionen und Artikel.

Hallo Ruth,
gestern war ich *im* [1] Wien-Museum, danach habe ich Michael _____ [2] Café Sacher getroffen und natürlich habe ich ein Stück Sachertorte gegessen. Da musste ich an dich denken ☺ Lecker! Und der Kaffee schmeckt so gut hier. _____ [3] Burgtheater war ich immer noch nicht, da bekommt man nur sehr schwer Karten. Leider waren wir auch nicht _____ [4] Kahlenberg, das Wetter war zu schlecht! _____ [5] Stephansdom war ich natürlich auch schon, aber ich bin nicht _____ [6] Turm gestiegen. Und morgen will ich noch einmal _____ [7] Kino gehen, da läuft wieder eine Doku. Also, ich habe wirklich viel gesehen und ich kann dir Wien sehr empfehlen. Ein paar neue Fotos kannst du auf meinem Blog sehen.
Liebe Grüße, Jörg

4 Da war ich überall

a Jörg hat Texte und Fotos auf seinen Blog gestellt. Lesen Sie die Texte von Jörg und markieren Sie: Wie beschreibt Jörg die Sehenswürdigkeiten?

A Das ist der Stephansdom. Er ist das Wahrzeichen von Wien und weltberühmt. Die mehr als 300 Stufen auf den Südturm („Steffl") waren mir zu viel.

B Das ist das Wien Museum. Da habe ich alte Stadtmodelle der Wiener Innenstadt gesehen. Kunst und Geschichte von der Jungsteinzeit bis ins 20. Jahrhundert.

C Hier im Stadtkino im Künstlerhaus laufen auch Viennale-Filme. Bisher habe ich 5 Filme geschafft!!!

b Schreiben Sie einen kurzen Blogeintrag zu den folgenden Sehenswürdigkeiten (vgl. Kursbuch B, Aufgabe 1a). Die Redemittel unten helfen.

1. Kahlenberg   2. Naschmarkt   3. Café Sacher

das berühmteste Café in Wien | eine Superaussicht bis in die Slowakei | viele exotische Lebensmittel | hierhin fährt man, wenn man einen guten Blick auf Wien haben will | ein Hügel vor Wien | ein Markt | hier riecht und schmeckt es super | ich bringe eine ganze Sachertorte mit

C Was wollen wir unternehmen?

1 Ja gern!

a Jemand schlägt etwas vor: Wie können Sie reagieren? Schreiben Sie in Ihr Heft.

~~Ja, gern!~~ | Das mache ich nicht so gern. | Das muss ich mir noch überlegen. | Das klingt gut. | Das ist eine gute Idee. | Ich weiß noch nicht genau. | Das ist nichts für mich. | Ja, klar. Sehr gern. | Das gefällt mir bestimmt. | Mal sehen, ich denk' noch mal nach. | Da mache ich lieber etwas anderes.

Ja: Ja, gern! ...   *Nein: ...*   *Vielleicht: ...*

b Was passt? Ordnen Sie zu und bilden Sie Sätze wie im Beispiel.

1. einen Ausflug
2. auf den Dom
3. ins Kino
4. ein Theaterstück
5. „Mensch ärgere dich nicht"
6. den Dom

a.⌐⌐ sehen
b.⌐*1*⌐ machen
c.⌐⌐ spielen
d.⌐⌐ besichtigen
e.⌐⌐ gehen
f. ⌐⌐ steigen

1. Wir machen einen Ausflug.

2 Notizen aus Wien

Lesen Sie den Blogeintrag von Jörg im Kursbuch C 3 noch einmal und beantworten Sie die Fragen.

1. Wie findet Jörg die Wohnung von Michael?
2. Was haben die beiden am Vormittag gemacht?
3. Was sagt Jörg über alte Kinos?
4. Wie findet Jörg den Theaterbesuch?

3 Orts- und Zeitangaben im Satz

a Schreiben Sie die Sätze in die Tabelle wie im Beispiel. Markieren Sie die Orts- und Zeitangaben mit verschiedenen Farben.

1. Jörg | aus Wien | Mails | vorgestern | an Freunde | hat | geschickt
2. Er | gestern | ins Museum | gegangen | ist
3. Michael | hat | einen Spiele-Nachmittag | am Samstag | zu Hause
4. Jörg und Michael | am Mittag | in einem Lokal | wollen | essen
5. Jörg | bestellt | im Internet | hat | gestern Abend | eine Theaterkarte
6. Jörg | gerade | ist | nach Hause | gekommen | aus dem Burgtheater

	Pos. 1	Pos. 2	Mittelfeld	Satzende
1.	Jörg	hat	vorgestern aus Wien Mails an Freunde	geschickt.
2.				
3.				
4.				
5.				
6.				

b Formulieren Sie die Sätze. Beginnen Sie immer mit dem Subjekt.

1. bin | ins Museum | gestern | gegangen | ich
   1. Ich bin gestern ins Museum gegangen.

2. bin | letzte Woche | gewesen | oft | im Kino | ich

3. im Zentrum | spazieren gegangen | nach dem Kino | bin | ich

4. Michael und ich | in einem Wiener Beisl | heute Abend | essen

5. wollen | danach | in eine Disko | tanzen gehen | wir

6. eine Woche | gewesen | bin | in Wien | ich

7. nach Hause | morgen | ich | zurückfahren | muss

c Formulieren Sie die Sätze aus 3b um. Beginnen Sie mit folgenden Angaben.

1. Zeit   2. Ort   3. Zeit   4. Zeit   5. Zeit   6. Ort   7. Zeit

1. Gestern bin ich ins Museum gegangen.

4 In der Touristeninformation – Indirekte Fragesätze

a Was sind direkte (d), was sind indirekte (i) Fragen? Kreuzen Sie an.

	d	i
1. Haben Sie einen Augenblick Zeit?	X	☐
2. Können Sie mir sagen, wann der Film beginnt?	☐	☐
3. Wie komme ich zum Stephansdom?	☐	☐
4. Gibt es heute eine Vorstellung im Burgtheater?	☐	☐
5. Wissen Sie, wann das Theaterstück beginnt?	☐	☐
6. Ich möchte nachfragen, ob es noch Theaterkarten gibt.	☐	☐
7. Ich möchte wissen, wie viel eine Karte kostet.	☐	☐
8. Wann fahren Sie zurück nach Deutschland?	☐	☐

Nach indirekten Fragen steht ein Punkt (.), wenn der Einleitungssatz keine Frage ist, z. B. *Ich möchte wissen, wann du kommst.*

Nach indirekten Fragen steht ein Fragezeichen (?), wenn der Einleitungssatz eine Frage ist, z. B. *Weißt du, wann du kommst?*

b Formen Sie die W-Fragen in indirekte Fragen um.

1. Was kostet die Führung? → Können Sie mir sagen, *was die Führung kostet?*
2. Wann beginnt der Film? → Wissen Sie,
3. Wo kann man Karten kaufen? → Ich möchte gern wissen,
4. Wie lange dauert der Film? → Weißt du,

c Formen Sie die Ja / Nein-Fragen in indirekte Fragen um.

1. Gibt es noch andere Führungen? → Kannst du mir sagen, *ob es noch andere Führungen gibt.*
2. Findet die Führung auch am Samstag statt? → Wissen Sie,
3. Darf man im Museum fotografieren? → Können Sie mir sagen,
4. Gibt es auch Tagestickets? → Wissen Sie,

d Hören Sie, was der Sprecher sagt und beantworten Sie die Frage: Was macht Jörg? 🔊 89

e Hörstile: Was passt: **a** oder **b**? Kreuzen Sie an. ⚙

Wenn Sie die Frage in 4d beantworten wollen, dann müssen Sie
a. ☐ alles verstehen.   b. ☐ nur die zentralen Informationen verstehen.

Hörstil Globales Hören: Sie interessieren sich nur für eine oder mehrere zentrale Informationen.

DaF kompakt – mehr entdecken

1 Sprachliche Elemente in Texten erkennen und selbst verwenden – Paralleltexte schreiben

a Lesen Sie den Bericht über den Film „Der Dritte Mann" auf der linken Seite. Markieren Sie im Text die Informationen über den Film.

„Der Dritte Mann"	*(Filmtitel)*
Der schwarz-weiß gedrehte Thriller heißt im Original „The Third Man". Regisseur ist der Brite Carol Reed, Graham Greene hat das Drehbuch geschrieben. Der Film spielt in der Nachkriegszeit in Wien; 5 man drehte ihn an Originalschauplätzen in der Wiener Innenstadt, am Riesenrad im Prater, in der Kanalisation usw.	*(Filmgenre)* heißt im Original „...". Regisseur ist *(Name)*, *(Name)* hat das Drehbuch geschrieben. Der Film spielt *(Zeit und/oder Ort)*; man drehte *(Ort)*.
Die Hauptfigur, der amerikanische Autor Holly Martins, spielt Joseph Cotton, seinen Jugendfreund 10 Harry Lime stellt Orson Welles dar. Die weibliche Hauptrolle spielt Alida Valli als Anna Schmidt. Berühmt ist auch die Filmmusik (besonders das „Harry-Lime"-Theme) von Anton Karas. Sie führte 1950 mehrere Wochen die US-Hitparade an.	Die Hauptfigur *(Name Filmfigur)* spielt *(Name Schauspieler/in)*, *(Name Filmfigur)* stellt *(Name Schauspieler/in)* dar. Die weibliche Hauptrolle spielt *(Name Schauspielerin)* als *(Name Filmfigur)*. Berühmt ist ...
15 Der Film kam im August 1949 in Großbritannien in die Kinos. Er gewann im gleichen Jahr den Grand Prix (großen Preis) beim Filmfestival Cannes.	Der Film kam *(Zeit)* in die Kinos. Er gewann ...

 b Vergleichen Sie Ihre Markierungen mit dem Textgerüst auf der rechten Seite. Sprechen Sie im Kurs über die Methode „Paralleltext". Was sind die Vorteile, was die Nachteile?

2 Über Sprache reflektieren

Reihenfolge von Zeit- und Ortsangaben: Lesen Sie das Beispiel. Wie wird das in anderen Sprachen ausgedrückt? Ergänzen Sie und vergleichen Sie im Kurs.

Deutsch	Englisch	andere Sprache(n)
Ich bin gestern Abend ins Kino gegangen.	I went to the cinema yesterday evening.	

3 Miniprojekt: Über einen Film berichten

Schreiben Sie mithilfe des Textgerüsts aus 1a einen kurzen Text über einen Film Ihrer Wahl. Vergleichen Sie Ihre Zusammenfassung mit einem Partner / einer Partnerin.

Träume in Wien

1 Diphthonge

a Bitte hören Sie die Laute und die Wörter und sprechen Sie sie nach.   🔊 90

Laut	Schrift	Beispiele
[aɛ̯]	ei, ai, ey, ay	sein, Mai, Norderney, Mayer
[ɔœ̯]	eu, äu	heute, Häuser
[aʊ̯]	au	Haus

Diphthonge sind Vokalkombinationen. Sie werden wie ein Laut gesprochen. Im Deutschen gibt es drei Diphthonge: [aɛ̯] [ɔœ̯] [aʊ̯].

b Hören Sie die Wortpaare und sprechen Sie sie nach.   🔊 91

1. a. ⌴ Feuer   b. ⌴ Feier   6. a. ⌴ euer   b. ⌴ Eier
2. a. ⌴ Baum   b. ⌴ Bäume   7. a. ⌴ Eis   b. ⌴ aus
3. a. ⌴ heiß   b. ⌴ Haus   8. a. ⌴ Frauen   b. ⌴ freuen
4. a. ⌴ Leute   b. ⌴ Laute   9. a. ⌴ Raum   b. ⌴ Räume
5. a. ⌴ Mais   b. ⌴ Maus   10. a. ⌴ Reis   b. ⌴ raus

c Sie hören jetzt immer nur eins von den Wörtern in 1b. Was hören Sie: **a** oder **b**? Kreuzen Sie an.   🔊 92

2 Eine Umfrage unter Wienern. Was sind Ihre Träume?

a Hören Sie die Wortgruppen. Achten Sie besonders auf die Diphthonge. Sprechen Sie dann die Wortgruppen nach.   🔊 93

– Europa bereisen
– im August nach Norderney fahren
– im Mai Zeit haben
– neue Freunde finden
– eine Reise nach Bayern machen
– ein Feuer machen und feiern

– häufig ausgehen
– einmal Kaiser sein
– ein blaues Haus bauen
– ohne Maut auf der Autobahn fahren
– kleine Steine suchen
– eine Ausstellung über Malerei ansehen

b Was sind Ihre Träume? Sprechen Sie im Kurs. Benutzen Sie viele Wörter mit Diphthongen.

Ich möchte ein kleines Haus kaufen.   Ich will Urlaub in Neuseeland machen.

3 Diphtonge sammeln

a Sammeln Sie aus Lektion 13, 14 und 15 Wörter mit Diphthongen. Wer findet die meisten?

[aɛ̯]	[ɔœ̯]	[aʊ̯]
Überweisung, …	Gebäude, …	Auto, …

b Sammeln Sie in Gruppen Wörter mit „au". Eine Gruppe sagt das Wort im Singular, die andere sagt es im Plural. Ist der Plural richtig, bekommt sie einen Punkt.

Haus?   Häuser.   Ja, richtig.   Bau?   Bäuer.   Nein, falsch. Bauten.

A Nach der Grundschule

1 Das Bildungssystem in Deutschland

a Das Bildungssystem der Bundesrepublik ist sehr komplex, weil dieses Land föderalistisch ist. Lesen Sie den Text. Was ist richtig (**r**), was ist falsch (**f**)? Kreuzen Sie an.

> Für die Bildungspolitik sind in Deutschland in erster Linie die Bundesländer verantwortlich. Ihre Landesregierungen können selbständig entscheiden, wie sie ihr allgemeines Schulwesen gestalten. Dadurch gibt es Unterschiede zwischen den einzelnen Ländern, z.B. dauert die Grundschulzeit in Berlin sechs Jahre, während sie in den anderen Ländern nur 4 Jahre dauert. Auch die Bezeichnung
> 5 bestimmter Schulformen kann unterschiedlich sein. Trotzdem gibt es eine gemeinsame Grundstruktur des Bildungssystems. Die Schulpflicht beginnt mit sechs und endet mit 18 Jahren. Es existiert eine sog. Vollzeitschulpflicht, die neun bzw. zehn Jahre an einer allgemeinbildenden Schule umfasst. Das Bildungssystem besteht aus fünf großen Bildungsbereichen: Elementarbereich, Primarbereich, Sekundarbereich I, Sekundarbereich II und Tertiärbereich.
> 10 Der Elementarbereich betrifft das Alter von 3–5 Jahren. Dazu gehören u.a. die Kinderkrippe, der Kindergarten und die Kindertagesstätte. Der Besuch ist in Deutschland nicht obligatorisch. Trotzdem gehen über 90% der Kinder in eine dieser Institutionen. Mit sechs Jahren treten die Kinder in die Grundschule ein. Diese umfasst i.d.R. die Klassenstufen 1 bis 4. Es ist die einzige Schule, die alle Schülerinnen und Schüler gemeinsam besuchen. Am Ende der Grundschulzeit entscheiden
> 15 Lehrer und Eltern zusammen, meist auf der Basis von Schulnoten, Beobachtungen und Gesprächen, welche weiterführende Schule für die Kinder am besten ist.

	r	f
1. Die Bundesregierung entscheidet die Bildungspolitik.	☐	☐
2. Der Besuch des Kindergartens ist obligatorisch.	☐	☐
3. Die Grundschule dauert i.d.R. vier Jahre.	☐	☐
4. Alle Kinder müssen bis 18 Jahre zur Schule gehen.	☐	☐
5. Nach der 4. Klasse gehen alle Schüler auf die gleiche Schule.	☐	☐

b Lesen Sie den Text im Kursbuch Teil A Aufgabe 1b und den Text in Aufgabe 1a oben noch einmal. Ergänzen Sie mit den Informationen aus beiden Texten das Schema.

A2: 150

2 Arbeit mit dem Wörterbuch: Berufe und Ausbildung

Was passt? Schreiben Sie die Wörter aus dem Schüttelkasten in die passenden Lücken. Arbeiten Sie auch mit einem einsprachigen Wörterbuch.

~~ein Studium~~ | das Abitur | ein Handwerker | ein Bankkaufmann | die „duale Ausbildung" | eine Lehre | ein Abschlusszeugnis | ein Praktikum | das Gymnasium | „Lehrling"

1. *Ein Studium* _____ macht man an einer Universität.
2. _____ arbeitet bei einer Bank. Seine Aufgaben sind Kundenberatung und Verkauf.
3. _____ besuchen Schüler, wenn sie das Abitur machen möchten.
4. _____ arbeitet mit der Hand und meist auf Bestellung.
5. _____ braucht man, wenn man studieren will.
6. _____ bekommt man am Ende der Schulzeit.
7. _____ ist die gleichzeitige Ausbildung in Betrieb und Berufsschule.
8. _____ ist eine andere Bezeichnung für „Auszubildende(r)".
9. _____ macht man, weil man Berufserfahrung sammeln will.
10. _____ kann man ohne Abitur machen.

3 Ausbildung oder Studium

a Hören Sie das Gespräch zwischen Emma, Tim, Rainer und Sofia im Kursbuch Teil A Aufgabe 2c noch einmal. Wer hat welche Meinung? Ordnen Sie die Namen zu. Lesen Sie zuerst die Sätze und konzentrieren Sie sich dann beim Hören auf die gesuchten Informationen (Selektives Hören). 🔊 94–95

1. *Emma* _____ findet, dass es nur nach einem Studium interessante Jobs gibt.
2. _____ findet eine Ausbildung besser, weil man dann sofort Geld verdient.
3. _____ findet, dass man auch nach einer Berufsausbildung noch studieren kann.
4. _____ findet am Gymnasium alles zu theoretisch.
5. _____ findet, dass man Praktika machen kann, wenn man Berufserfahrung sammeln will.

b Haben Sie das gehört: ja (j) oder nein (n)? Kreuzen Sie an.

	j	n
1. Eine Ausbildung dauert genauso lange wie ein Studium.	☐	☐
2. Während einer Ausbildung verdient man schon Geld.	☐	☐
3. Jeder Handwerker hat eine eigene Firma.	☐	☐
4. Nach dem Abitur kann man keine Ausbildung machen.	☐	☐
5. Einen Mittleren Abschluss hat man mit dem Abschlusszeugnis der 10. Klasse.	☐	☐
6. Man braucht kein Abitur, wenn man Physiotherapeutin werden will.	☐	☐
7. Wenn man studiert, kann man keine Berufserfahrung sammeln.	☐	☐
8. Man muss in den Semesterferien Praktika machen.	☐	☐

4 Und bei Ihnen?

Vergleichen Sie. Sprechen Sie in Gruppen. Präsentieren Sie Ihr Ergebnis dann im Kurs.

Welche Ausbildung / Welches Studium ist in deinem / Ihrem Land beliebt?
Verdient man schon in der Ausbildung Geld?
Wo macht man eine handwerkliche Ausbildung: nur in einer Schule, in einem Betrieb, …?
Kostet das Studium in deinem / Ihrem Land etwas?
Wann hat man bessere Chancen auf eine Arbeitsstelle: nach einer Ausbildung oder nach einem Studium?
Was finden Sie besser?

Der Ausdruck *Es ist besser / schwieriger / einfacher / …* braucht „zu + Infinitiv".

> Bei uns studieren viele Jugendliche, weil …

B Ich bin Azubi

1 Konjunktiv II – höfliche Fragen, Empfehlungen, Wünsche und Träume

a Ergänzen Sie die Tabelle.

haben	Präteritum	Konjunktiv II	haben	Präteritum	Konjunktiv II
ich	hatte	hätte	wir		hätten
du	hattest		ihr	hattet	
er / sie / es			sie / Sie		hätten

b Lesen Sie die Fragen und Bitten. Schreiben Sie sie höflicher und benutzen Sie den Konjunktiv II.

1. Dürfen wir euch eine Frage stellen? *Dürften wir euch eine Frage stellen?*
2. Kannst du mir helfen? _____
3. Habt ihr kurz Zeit? _____
4. Willst du eine Tasse Tee? _____
5. Hast du Lust, mit mir ins Kino zu gehen? _____
6. Schickst du mir eine SMS? _____
7. Können Sie mir sagen, wie spät es ist? _____
8. Geben Sie mir bitte Ihre E-Mail-Adresse? _____
9. Ist es möglich, einen Test zu machen? _____

c Was passt besser: „würde(n)", „hätte(n)", „könnte(n)", „dürfte(n)"? Bitte korrigieren Sie die Verben im Konjunktiv II. Manchmal gibt es zwei Lösungen.

1. ~~Dürften~~ Sie ein bisschen Zeit für mich?
2. Wir hätten gern mit Ihnen sprechen.
3. Ich könnte eine große Bitte.
4. Ich würde gern Ihre Telefonnummer.
5. Dürftest du mich beraten?
6. Würde ich mal telefonieren?
7. Dürftet ihr mir bitte helfen?
8. Hätten Sie mir bitte eine Information geben?
9. Würde ich bitte bei Ihnen vorbeikommen?
10. Ich dürfte Ihnen gern ein paar Fragen stellen.
11. Welchen Beruf hätten Sie empfehlen?
12. Wann würde ich Sie anrufen?

1. Hätten Sie ein bisschen Zeit für mich?

d Welche Wünsche und Träume haben Sie? Schreiben Sie verschiedene Sätze in Ihr Heft. Tauschen Sie sich danach mit Ihrem Partner aus.

Ausdrücke wie „Ich hätte Lust, …" und „Ich könnte mir vorstellen, …" bilden Nebensätze mit „zu + Infinitiv".

1. Ich möchte gern _____ .
2. Ich würde gern / lieber _____ .
3. Ich hätte Lust, _____ zu _____ .
4. Ich könnte mir vorstellen, _____ zu _____ .
5. Ich würde lieber / am liebsten _____ .
6. Ich hätte eine Bitte. Könnten Sie _____ .
7. Es wäre für mich besser / am besten, wenn ich _____ .

2 Geben Sie Ratschläge!

Schreiben Sie ein Problem auf einen Zettel. Gehen Sie durch den Raum und tauschen Sie die Zettel, bis der Kursleiter / die Kursleiterin „Stopp" ruft. Lesen Sie dann „Ihr" Problem, sagen Sie es mindestens vier verschiedenen Teilnehmern / Teilnehmerinnen und notieren Sie die Ratschläge. Nennen Sie am Ende im Kurs das Problem und die zwei besten Ratschläge.

3 Arbeit mit dem Wörterbuch: Auf der Suche nach der richtigen Endung

a Welche Endung haben die Wörter im Genitiv? Schreiben Sie die Wörter in eine Tabelle in Ihr Heft.

Abschluss | Arbeit | Ausbildung | Beruf | Firma | Gruß | Haus | Kollege | Kunde | Lehre |
Lehrer | Markt | Nachbar | Patient | Praktikant | Praxis | Stress | Rezept | Satz | Studium |
Vergleich | Vorschlag | Zentrum | Zettel

nur -s	nur -es	-s oder -es	-n / -en	–
		des Abschlusses		

b Lesen Sie die Regel. Bei welchen Wörtern kann man das „e" in der Genitivendung weglassen?

Die Endung „-es" <u>muss</u> bei maskulinen und neutralen Nomen verwendet werden, wenn das Nomen mit „s, ß, x, z" endet. Die Endung „-es" <u>kann</u> bei maskulinen und neutralen Nomen verwendet werden, wenn das Nomen
– einsilbig ist: der Tag – des Tag(e)s
– mehrere Konsonanten am Ende hat: das Geschenk – des Geschenk(e)s.
Bei Nomen mit der Genitivendung „-(e)s" benutzt man „-es" nur im gehobenen Sprachstil, z. B. „der Empfänger des Briefes" oder in festen Ausdrücken, z. B. „eines Tages" oder „guten Mutes sein".

~~Gespräch~~ | Platz | Dienst | Tag | Geld | Sitz | Test | Tanz | Ziel | Rezept | Schluss | Anruf | Ort |
Brief | Fuß | Rad | Flug | Bereich

Gespräch → des Gesprächs

c Was kann bei der Berufswahl helfen? Formulieren Sie wie im Beispiel.

1. Rat / **mein** Vater
2. Ideen / die Freunde
3. Ratschläge / **mein** Lehrer
4. Informationen / ein Berufsberater
5. Vortrag / ein Experte
6. Besuch / ein Betrieb

1. der Rat meines Vaters

d Lesen Sie die Regel und formulieren Sie die Ausdrücke um.

Vorangestellte Eigennamen stehen im Genitiv. In der gesprochenen Sprache wird bei Eigennamen oft auch „von" + Namen verwendet, z. B. Pauls Fahrrad = das Fahrrad von Paul; Ines' CD = die CD von Ines. In der Schriftsprache sollten Sie das nicht verwenden.

1. „die Pläne von Tim"
2. „die Freundin von Sofia"
3. „der Berufswunsch von Rainer"
4. „die Vorschläge von Herrn Schmitz"
5. „das Studium von Emma"
6. „die Schule von Agnes"

1. Tims Pläne

e Lesen Sie die Stichwörter und verbinden Sie sie mit „von" + Dativ.

1. Beratung – Anleger
2. Abschluss – Verträge
3. Überwachung – Termine
4. Gestaltung – Verkaufsräume

f Lesen Sie die Tabelle und ergänzen Sie die Adjektivendungen im Genitiv. Was fällt auf?

	best. Artikel	unbest. Artikel	Possessivartikel	ohne Artikel
M	des großen Erfolgs	eines groß___ Erfolgs	meines groß___ Erfolgs	großen Erfolgs
N	des groß___ Lebens	eines großen Lebens	meines groß___ Lebens	groß___ Lebens
F	der kurz___ Karriere	einer kurz___ Karriere	deiner kurz___ Karriere	kurzer Karriere
Pl.	der gestresst___ Manager	gestresster Manager	unserer gestresst___ Manager	gestresst___ Manager

C Das duale Studium

1 Rainer und Sofia bei der Berufsberatung

🔊 96–98 Markieren Sie die Verben in den Sätzen. Ergänzen Sie die Präpositionen zu den Verben. Hören Sie anschließend nochmals das Beratungsgespräch im Kursbuch Teil C Aufgabe 1c an und kontrollieren Sie.

1. In der Schule haben wir _über_ mögliche Berufe gesprochen.
2. Haben Sie irgendeine Vorstellung _____ einem konkreten Beruf?
3. Haben Sie auch schon mal _____ ein duales Studium gedacht?
4. Ich habe schon da_____ gehört.
5. Wenn Sie sich _____ ein duales Studium an einer Hochschule entscheiden, …
6. Natürlich geht es hier _____ andere Berufe als beim dualen Ausbildungssystem.
7. Das hängt _____ Bundesland und _____ der jeweiligen Stadt ab.
8. Das kommt jetzt konkret _____ das Unternehmen an.

2 Eine E-Mail an Emma

a Lesen Sie die Mail im Kursbuch (C 2) nochmals und schreiben Sie die Vorteile und Nachteile des dualen Studiums in eine Tabelle. Nutzen Sie evtl. auch die Informationen aus dem Beratungsgespräch (C 1c).

b Spielen Sie ein Gespräch, in dem Sie sich in die Rolle von Rainer denken und für das duale Studium plädieren. Ihre Partnerin ist Emma. Sie versucht, Sie davon zu überzeugen, dass dies keine gute Idee ist und zählt die negativen Seiten auf. Benutzen Sie dabei den Konjunktiv II, da es sich um eine irreale Situation handelt.

Ich würde gerne das duale Studium machen, weil ich Geld verdienen würde.

Du hättest aber …

3 Grammatik kompakt: Relativsätze

Was schreibt Rainer in seiner Mail im Kursbuch C 2? Ordnen Sie zu.

Er schreibt über

1. Frau Scholz,
2. Herrn Schmitz,
3. den Berufsberater,
4. das duale Studium,
5. Studiengänge,
6. die Schulabschlüsse,
7. einen Freund,
8. die Vorteile,

a. ⊔ von dem er und Sofia noch nicht viel gehört hatten.
b. ⊔ die für ihn wichtig sind.
c. ⊔ die Voraussetzung sind.
d. ⊔ mit dem er gesprochen hat.
e. ⊔ die vor Jahren Sofias Klassenlehrerin war.
f. ⊔ der Rainer und Sofia beraten hat.
g. ⊔ bei denen man sogar soziale Berufe erlernen kann.
h. ⊔ der sehr kompetent war.

4 Berufswünsche

Ergänzen Sie die passenden Relativpronomen.

A Ich hätte gern einen Beruf, _der_ [1] gut zu mir passt, mit _____ [2] ich viel Geld verdiene, für _____ [3] ich ein Studium brauche, mit _____ [4] ich zufrieden sein kann, _____ [5] auch meine Familie gut findet, _____ [6] auch in Zukunft wichtig ist, bei _____ [7] ich viel unterwegs bin, durch _____ [8] ich viele Leute kennenlerne, _____ [9] mich glücklich macht, von _____ [10] ich immer begeistert bin.

B Ich suche eine Arbeit, _____ [1] mir Spaß macht, _____ [2] leicht ist; bei _____ [3] ich nicht früh aufstehen muss, _____ [4] nicht müde oder krank macht, bei _____ [5] ich nicht viel denken muss, für _____ [6] ich keine Ausbildung brauche, _____ [7] ich im Büro machen kann, bei _____ [8] ich nicht viel Kontakt mit Leuten habe, von _____ [9] ich gut leben kann, _____ [10] mir und meinen Freunden gefällt.

A2: 154

5 Berufe raten: Was bin ich von Beruf?

Verbinden Sie die Sätze mit einem Relativpronomen wie im Beispiel.

1. Ich habe einen Beruf. Er macht mir viel Spaß.
2. An meinem Arbeitsplatz arbeiten Kollegen. Mit ihnen kann ich gut zusammenarbeiten.
3. Auf meinem Schreibtisch steht ein Computer. Ich arbeite viele Stunden an dem Computer.
4. Ich suche im Internet Informationen. Ich brauche die Informationen für meine Artikel.
5. Ich treffe wichtige Leute aus Politik und Gesellschaft. Ich mache Interviews mit ihnen.
6. Ich bin _____ von Beruf.

1. Ich habe einen Beruf, der mir viel Spaß macht.

6 Stefanias Weg zum dualen Studium in Deutschland

a Stefania aus Italien stellt ihren Weg zum dualen Studium in Deutschland vor. Sie hält einen Vortrag, der in vier Punkte gegliedert ist. Vermuten Sie, was könnte sie zu den einzelnen Punkten sagen?

1. Was habe ich vor dem dualen Studium gemacht und wie habe ich davon erfahren?
2. Welchen Studiengang habe ich gewählt?
3. Wie funktioniert mein duales Studium?
4. Wie gefällt mir das duale Studium?

Ich glaube, Stefania war bei einer Berufsberatung.

Sie hat abwechselnd Vorlesungen und Seminare an der Universität und arbeitet bei einer Firma.

Vielleicht findet sie das duale Studium stressig.

b Hören Sie Stefanias Präsentation. Vergleichen Sie mit Ihren Vermutungen in 6a. 🔊 99–103

c Hören Sie noch einmal und notieren Sie sich wichtige Stichpunkte zu den folgenden Fragen ins Heft. 🔊 99–103

1. Woher kommt Stefania und was hat sie vor dem dualen Studium gemacht?
2. Wie hat sie vom dualen Studium erfahren?
3. Welche Überlegungen haben zu ihrer konkreten Wahl geführt?
4. Welche Kompetenzen sind für ihre Aufgaben wichtig?
5. Wie gefällt Stefania das duale Studium?

d Bereiten Sie die Folien der Präsentation vor, wie Stefania sie wahrscheinlich aufgebaut hat. Hören Sie sich die Präsentation nochmals an und prüfen Sie dabei, ob die Folien auf diese Weise funktionieren.

e Folgende Redemittel verwendet Stefania zur Gliederung ihrer Präsentation. Schreiben Sie die Redemittel in eine Tabelle in Ihr Heft.

~~Hallo und guten Morgen!~~ | Im Rahmen von unserem Thema „…" möchte ich … vorstellen, … | ~~Meine Präsentation gliedert sich in … Punkte: Erstens …, zweitens …, drittens …~~ | Zu Punkt 1: … | ~~Ihr wisst, dass …~~ | Ich wollte… | Zuerst … Dann … Schließlich … | Das führt mich zu Punkt 2: … | Mein Ziel war es, … | Und damit komme ich zu Punkt 3, den ich in … Unterpunkte gegliedert habe: … | Zunächst zu Punkt 3.1: … | Nun zu Punkt 3.2: … | Meine Aufgaben sind folgende: … | Und zum letzten Unterpunkt: … | Damit komme ich schon zu meinem letzten Punkt: … | Ich muss zugeben … Aber … | So, das war ein kurzer Überblick über … | Danke fürs Zuhören. | Wenn ihr Fragen habt, gerne.

Gliederung: Meine Präsentation gliedert sich in … Punkte: Erstens …, zweitens …, drittens …
Überleitungssätze: Ihr wisst, dass…
Begrüßung / Einleitung / Schluss: Hallo und guten Morgen!

⚇ DaF kompakt – mehr entdecken

1 Wortfeld Berufe

a Schauen Sie sich auf der Internetseite www.planet-beruf.de unter „Berufe von A bis Z" verschiedene Ausbildungsberufe in den Bereichen Handwerk, Industrie, Handel und Technik an. Sammeln Sie die Bezeichnungen. Was fällt auf?

b Versuchen Sie, die neuen Begriffe aus dem Internet ohne Wörterbuch zu analysieren, z. B. „*Orthopädie-technik-Mechaniker: Orthopädie – Technik – Mechaniker*" und stellen Sie eine Hypothese auf, was dieser Mechaniker macht, z. B. *Ein Orthopädietechnik-Mechaniker ist eine Person, die orthopädische Geräte herstellt.* Schauen Sie sich danach die Steckbriefe und weiteren Informationen zum Beruf an, um Ihre Hypothese zu überprüfen. Notieren Sie sich einige Stichpunkte zum Beruf in eine Tabelle in Ihrem Heft. (Es geht nicht um das komplette und detaillierte Verständnis der Darstellung im Internet!)

Berufsbezeichnung	Aufgaben und Tätigkeiten	Nötige Kompetenzen	Was gefällt am Beruf?
Orthopädietechnik-Mechaniker	Prothesen herstellen und bauen, individuell	Handwerkliches Geschick	Lebensqualität anderer Menschen verbessern, Kontakt zu Menschen

c Überlegen Sie sich, welche Berufe es in Ihrem Land in den Bereichen Handwerk, Technik / Informatik, Service, etc. gibt und vergleichen Sie.

2 Über Sprache reflektieren

Ergänzen Sie die Tabelle. Vergleichen Sie im Kurs.

Deutsch	Englisch	andere Sprache(n)
Der Anfang eines großen Erfolges.	The start of a great success.	

3 Miniprojekt: eine Präsentation vorbereiten

a Was sollte man bei einer guten Präsentation beachten? Sammeln Sie im Kurs.

b Korrigieren Sie die Tipps für eine Präsentation. Schreiben Sie sie in der richtigen Reihenfolge auf ein Plakat.

1. Überlegen Sie sich einen langweiligen Einleitungssatz.
2. Sagen Sie den Zuhörern nicht, wie Sie Ihre Präsentation gegliedert haben.
3. Benutzen Sie keine Graphiken und Bilder auf den Folien.
4. Schreiben Sie viel Text auf die Folien.
5. Lesen Sie von der Folie ab und sprechen Sie nicht frei.
6. Schauen Sie immer nur auf den Text oder auf eine bestimmte Person.
7. Sprechen Sie so schnell wie möglich. Und sprechen Sie leise!
8. Formulieren Sie keinen Schlusssatz.
9. Geben Sie den Zuhörern keine Zeit für Fragen.

c Erstellen Sie in verschiedenen Gruppen Powerpoint-Präsentationen (ca. 6 – 8 Folien) und tragen Sie diese in der Klasse vor. Wählen Sie dazu ein konkretes Thema, z. B. die deutschen Bildungsbereiche, ein bestimmter Schultyp oder Vor- und Nachteile einer dualen Ausbildung oder des dualen Studiums.

Achten Sie auf die Tipps oben und verwenden Sie die auf S. 155 genannten Redemittel.

Traumberufe

1 Unbetonte Endungen und Akzentvokal

a Hören Sie die folgenden Wörter und achten Sie vor allem auf die Aussprache der unbetonten 🔊 104
Endungen „-er" und „-erin" und den Akzentvokal.

(ich) be-ra-te	Be-ra-ter	Bera-te-rin
[ə]	[ɐ]	[ə]
Die Endung „-e" spricht man als Schwa-Laut. Die Endung ist unbetont.	Die Endung „-er" spricht man fast wie ein „a". Die Endung ist unbetont.	In der Endung „-erin" spricht man das „e" als Schwa-Laut. Die Endung ist unbetont.

b Hören Sie die Wörter noch einmal und sprechen Sie sie nach. Besonders wichtig ist der Akzentvokal 🔊 104
auf dem Wortstamm.

2 Berufe raten

a Wie heißen die Berufe zu den Verben? Schreiben Sie und markieren Sie den Akzentvokal.

1. lehren   der Lehrer – die Lehrerin
2. fahren
3. übersetzen
4. pflegen
5. arbeiten
6. malen
7. verkaufen
8. backen

b Hören Sie die Lösungen von 2a. Sprechen Sie die Wortpaare dann nach und klopfen Sie bei der 🔊 105
Akzentsilbe auf den Tisch.

c Bilden Sie Berufe aus den Wörtern. Schreiben Sie und markieren Sie den Akzentvokal.

1. Sport	der Sportler	die Sportlerin
2. Medizin		
3. Handwerk		
4. Mechanik		
5. Training		
6. Musik		

d Hören Sie die Lösungen von 2c. Sprechen Sie die Wortpaare dann nach und klopfen Sie bei der Akzent- 🔊 106
silbe auf den Tisch.

e Spielen Sie. Eine Person wählt einen Beruf aus 2a oder c. Die anderen fragen.

Arbeitest du beim Radio?   Nein.   Arbeitest du im Auto?   Ja.   Bist du Fahrerin?   Ja, genau.

A Hoffentlich bekomme ich den Platz!

1 Der Lebenslauf

Verfassen Sie einen Lebenslauf für Lauras Zwillingsschwester Leni mit folgenden Inhalten. Ergänzen Sie die Lücken.

~~Leni Feld, *14.07.1995, Stuttgart~~ | Fortbildungskurs (Analysemethoden) bei Biotec, Mainz | Bachelor of Science (Biochemie) | Eberhard-Karls-Universität Tübingen | Albert-Einstein-Gymnasium Stuttgart, Abitur | Microsoft Office Programme | B2 | ~~Englisch~~ | C1 | Spanisch | Basketball, Gitarre spielen

Persönliche Daten	*Leni Feld*	
	geboren am 14.07.1995 in Stuttgart	
Schule und Studium		
voraussichtlich März 2018	_____	[1]
seit 2014	_____	[2]
2005 – 2014	_____	[3]
Weiterbildung		
10 / 2015 – 01 / 2016	_____	[4]
EDV-Kenntnisse	_____	[5]
Sprachkenntnisse	*Englisch,* _____	[6]
	_____	[7]
Persönliche Interessen	_____	[8]
Tübingen, 15.05.2016	Leni Feld	

2 Das Anschreiben

a Welche Präposition passt: **a** oder **b**? Kreuzen Sie an.

1. vertraut sein   a. ⊔ mit   b. ⊔ für
2. teilnehmen   a. ⊔ an   b. ⊔ zu
3. vielen Dank   a. ⊔ auf   b. ⊔ für
4. ein Studium   a. ⊔ in Chemie   b. ⊔ für Chemie
5. passen   a. ⊔ bei   b. ⊔ zu
6. verfügen   a. ⊔ auf   b. ⊔ über
7. sich freuen   a. ⊔ von   b. ⊔ über
8. Interesse   a. ⊔ an   b. ⊔ auf

b Ergänzen Sie zuerst die fehlenden Wörter in der richtigen Form. Bringen Sie dann die Abschnitte in die passende Reihenfolge.

~~o.g.~~ | sammeln | mein Profil | absolvieren | Bereich | geehrter | wecken | fasziniert | hinaus | beifügen | verfügen | teilnehmen | EDV-Kenntnisse | Fortbildungskurs | bestehen | persönliches Gespräch | dahinter

⊔ **A** Ihre _o.g._ [1] Anzeige passt genau zu _____ [2], denn schon in der Schule habe ich mehrfach an Chemie-AGs _____ [3] und im Abitur den Leistungskurs in Chemie mit der Note 1,5 _____ [4]. Ich _____ [5] zurzeit ein Bachelor-Studium in Chemie an der Universität Tübingen und bin im 4. Semester. Ich möchte nun in diesem _____ [6] praktische Erfahrung _____ [7].

⊔ **B** Habe ich Ihr Interesse _____ [8]? Dann freue ich mich sehr auf ein _____ [9].

1 C Sehr _____ [10] Herr Bayer,

Das erste Mal war ich mit 6 Jahren im Museum Ritter. Ich war _____ [11] von der Frage: Wie stellt man Schokolade her? Über die bloßen Rezepte _____ [12] haben mich die chemischen Prozesse _____ [13] interessiert.

D Wie Sie den _____ [14] Unterlagen entnehmen können, _____ [15] ich über Spezialkenntnisse in Analysemethoden. Außerdem habe ich neben dem Studium einen _____ [16] in Methoden der Projektarbeit absolviert und habe sehr gute _____ [17] (Office-Programme, HTML, SQL). Zudem würde ich sehr gern in einem Familienunternehmen arbeiten.

c Verfassen Sie nach dem Muster in Aufgabe 2b ein Anschreiben für eine eigene Bewerbung um Ihr Wunschpraktikum. Orientieren Sie sich an der Gliederung im Kursbuch A, Aufgabe 3a. Vergleichen Sie am Ende mit der folgenden Checkliste, ob Sie alle Punkte erfüllt haben.

Persönliche Angaben	Datum	Kenntnisse
Adresse	Anrede	Schlusssatz
Betreff	Bezug auf ein Vorgespräch*	Grußformel
Bezug auf eine Anzeige auf einer Homepage	Gründe für die Bewerbung	Unterschrift

* Diesen Punkt am besten in der begleitenden Mail behandeln.

d Bilden Sie eine Dreiergruppe und lesen Sie die zwei Anschreiben der anderen. Tauschen Sie sich über diese Anschreiben aus.

3 Briefe formell – informell

a Laura will ihrer Großmutter einen Brief über ihre Bewerbung schreiben. Was würden Sie der Großmutter mitteilen? Sprechen Sie darüber mit einem Partner.

b Lesen Sie nun den Brief von Laura an ihre Großmutter Carola im Krankenhaus und beantworten Sie anschließend die Fragen.

1. Was ist „die tolle Nachricht"?
2. Warum hat Laura ein gutes Gefühl?
3. Wie will Laura sich vorbereiten?

Liebe Carli,

ich hoffe, es geht dir schon besser. Heute gibt es eine tolle Nachricht: Ich hab eine Einladung zum Vorstellungsgespräch bei Ritter Sport. Und ich hab ein super gutes Gefühl! Denn ich hab mit dem Personalchef telefoniert, der war total nett und hat gesagt, dass ich mich unbedingt (!) bewerben soll. Ich konnte alle Unterlagen online einreichen, ganz einfach. Jetzt muss ich mich noch gut vorbereiten: Infos über die Firma suchen, überlegen, was ich zu meinem Lebenslauf erzählen kann. Ich bin ein bisschen aufgeregt, aber ich freu mich so!!!

Dir weiter gute Besserung und einen dicken Kuss
von deiner Laura

---

c Vergleichen Sie den Brief mit dem Brief in Kursbuch A 3a. Was ist anders? Ordnen Sie die Informationen im Schüttelkasten den Kategorien „formell" und „informell" zu. Schreiben Sie in Ihr Heft.

Anrede, Grußformel: feste Ausdrücke | Umgangssprache | Anrede, Grußformel: frei | Betonung von Sachlichkeit | übersichtliche Gliederung durch Absätze | Verwendung von Standardsprache | Verben ohne Konjugationsendung | Betonung von Gefühlen

formelles Schreiben: Anrede und Grußformel: ...
informelles Schreiben:

B Warum gerade bei uns?

1 Aktiv und Passiv

a Was bedeuten die Sätze? Was ist richtig: **a** oder **b**?

1. Jedes Jahr werden viele Bewerbungen an Ritter Sport geschickt.
   - a. ⊔ Ritter Sport schickt jedes Jahr viele Bewerbungen.
   - b. ⊠ Ritter Sport bekommt jedes Jahr viele Bewerbungen.
2. Die Bewerber werden zum Vorstellungsgespräch eingeladen.
   - a. ⊔ Man lädt die Bewerber zum Vorstellungsgespräch ein.
   - b. ⊔ Die Bewerber laden zum Vorstellungsgespräch ein.
3. Laura wurde von Herrn Bayer angerufen.
   - a. ⊔ Herr Bayer rief Laura an.
   - b. ⊔ Laura rief Herrn Bayer an.
4. Die Praktikanten werden vom Personalchef begrüßt.
   - a. ⊔ Der Personalchef begrüßt die Praktikanten.
   - b. ⊔ Die Praktikanten begrüßen den Personalchef.
5. Von Mitarbeitern werden die Praktikanten durch die Firma geführt.
   - a. ⊔ Die Praktikanten führen die Mitarbeiter durch die Firma.
   - b. ⊔ Die Mitarbeiter führen die Praktikanten durch die Firma.
6. Den Praktikanten wird für ihre Arbeit ein kleines Gehalt gezahlt.
   - a. ⊔ Die Praktikanten bezahlen für ihre Arbeit.
   - b. ⊔ Die Praktikanten bekommen ein kleines Gehalt.

b Lesen Sie noch einmal die Sätze im Passiv (1–6). Markieren Sie das Subjekt rot und das Verb im Passiv grau.

c Firmengeschichte. Bilden Sie Sätze aus den Elementen. Welcher Satz muss im Präsens stehen?

1. 1912 – die Hochzeit – feiern
2. im gleichen Jahr – die Schokoladenfabrik – gründen
3. 1919 – die „Alrika" – auf den Markt bringen
4. 1926 – der erste Firmenwagen – anschaffen
5. 1930 – die Firma – nach Waldenbuch – verlegen
6. in den 60er- und 70er-Jahren – viele neue Sorten – herstellen
7. Und es – mit dem Slogan „Quadratisch, praktisch, gut" – werben
8. im MUSEUM RITTER – Herstellung und Geschichte von Schokolade – präsentieren

1. 1912 wurde die Hochzeit gefeiert.

d In welchen Städten werden die Autos hergestellt? Ordnen Sie zu und schreiben Sie die Sätze.

1. Ingolstadt   a. ⊔ Ford
2. Köln   b. ⊔ Mercedes
3. München   c. ⊔ Opel
4. Rüsselsheim   d. ⊔ Porsche
5. Sindelfingen   e. ⊔ Volkswagen
6. Stuttgart   f. ⊠ Audi
7. Wolfsburg   g. ⊔ BMW

1. In Ingolstadt werden Audi-Modelle hergestellt.

2 Von wem wurde das gemacht?

a Lesen Sie die Sätze und markieren Sie das Agens. Schreiben Sie anschließend die Sätze neu und verwenden Sie das Aktiv.

1. Die Firma Ritter wurde von dem Ehepaar Ritter gegründet.
2. Von Clara Ritter wurde eine originelle Idee entwickelt.
3. Das Museum Ritter wurde vom Schweizer Architekten Max Dudler geplant.
4. Vom Museum werden viele Ausstellungen zum Thema „Quadrat in der Kunst" gezeigt.
5. Das Museum wird oft von Schulklassen besucht.
6. Von den Museumsführern werden die Besucher sehr gut betreut.
7. Die Gäste im Museumscafé werden von den Mitarbeitern sehr freundlich bedient.

1. Das Ehepaar Ritter gründete die Firma Ritter.

A2: 160

b Was wird von diesen Firmen hergestellt? Ordnen Sie zu und schreiben Sie die Sätze.

Firma	Produkt
1. Adidas / Herzogenaurach	a. ⌴ elektronische Geräte
2. Airbus / Hamburg	b. ⌴ Medikamente
3. Bayer / Leverkusen	c. ⌴1 Sportartikel
4. Bosch / München	d. ⌴ Fahrzeuge und Maschinen
5. Dr. Oetker / Bielefeld	e. ⌴ elektronische Geräte
6. MAN / München	f. ⌴ Nahrungsmittel
7. Siemens / München	g. ⌴ Flugzeuge

1. In Herzogenaurach werden von Adidas Sportartikel hergestellt.

c Was wird in Ihrer Stadt hergestellt? Berichten Sie im Kurs.

3 Lauras Schoko-Haselnuss-Creme

a Lesen Sie die Zutaten und die Hinweise zur Zubereitung für Lauras Schoko-Haselnuss-Creme und beschreiben Sie, wie Lauras Schoko-Haselnuss-Creme zubereitet wird.

Verwenden Sie Bindewörter:
zuerst – dann – danach – später – zum Schluss

Wir brauchen:
100 Gramm Butter
100 Gramm Honig
2 Teelöffel Kakaopulver
100 Gramm Haselnüsse
einen Kochtopf
einen Pürierstab
leere Marmeladengläser mit Deckel

Und so wird's gemacht:
1. die Butter in einem Topf erwärmen
2. den Honig hinzufügen
3. das Kakaopulver dazugeben
4. Haselnüsse mahlen und unterrühren
5. die Masse leicht erhitzen und mit dem Pürierstab pürieren
6. in die Marmeladengläser füllen
7. ein paar Stunden in den Kühlschrank stellen

Zuerst wird die Butter in einem Topf erwärmt. ...

b Kennen Sie auch ein Rezept mit Schokolade? Sammeln Sie Rezepte im Kurs.

4 Ausbildungsweg

Ergänzen Sie das passende Verb in der richtigen Verbform.

gehen | studieren | machen | ~~kommen~~ | sammeln | besuchen | arbeiten | teilnehmen | absolvieren | beschäftigen

Mit sechs Jahren bin ich in die Grundschule *gekommen* [1]. Die Grundschule habe ich 4 Jahre _____ [2]. Nach der Grundschule bin ich 8 Jahre aufs Gymnasium _____ [3] und habe mit 18 Jahren das Abitur _____ [4]. Während meiner Schulzeit habe ich mich intensiv mit visuellen Medien _____ [5] und an mehreren Kursen zu den Themen Kamera und Filmschnitt _____ [6]. Zurzeit _____ [7] ich an der Filmhochschule in Potsdam im fünften Semester. Nach dem ersten Studienjahr habe ich in einer TV- Produktionsfirma ein Praktikum _____ [8]. Dort konnte ich viele praktische Erfahrungen _____ [9]. Nach meinem Studium möchte ich als freier Kameramann _____ [10].

C Der erste Tag im Praktikum

1 Abteilungen und ihre Aufgaben

🔊 107 **a** Hören Sie das Gespräch im Kursbuch C, Aufgabe 1c, noch einmal. Notieren Sie, welche Aufgaben folgende Abteilungen haben. Denken Sie an Abkürzungen.

1. der Vertrieb: *bereitet vor, fördert Verk.* _____
2. die Marketingabteilung: _____
3. das Controlling / die Buchhaltung: _____
4. der Wareneingang: _____
5. die Produktion: _____

b Bilden Sie aus den folgenden Elementen Sätze im Passiv und ergänzen Sie die passende Abteilung aus dem Kursbuch C, Aufgabe 1b. Schreiben Sie in Ihr Heft.

1. Hier entwickelt man neue Produkte.
2. In dieser Abteilung macht man die Werbung.
3. Hier nimmt man die Rohstoffe an.
4. In dieser Abteilung bereitet man den Verkauf vor.
5. Hier kontrolliert man die Rechnungen und die Steuern.
6. Hier stellt man die verschiedenen Schokoladensorten her.
7. Hier analysiert man Rohstoffe und kontrolliert die fertigen Produkte.
8. Diese Abteilung betreut die Mitarbeiter / innen.

1. Hier werden neue Produkte entwickelt: Forschung und Entwicklung.

2 Wortschatz zur Arbeitswelt

a Welche Präposition passt?

1. gut / schlecht sein *in* Deutsch
2. arbeiten _____ der Personalabteilung
3. sich interessieren _____ Chemie
4. arbeiten _____ Ritter Sport

b Bilden Sie Sätze aus den Elementen wie im Beispiel. Achten Sie auf die Zeiten.

1. interessant | Buchhaltung | finden | nicht
2. Chemie | sich interessieren | schon immer | sehr
3. gefallen | Bürotätigkeit | nicht, | lieber | arbeiten | mit Menschen
4. noch nie | Chemie | in | gut sein, | darum | würde | nicht gern | arbeiten | in Analytik
5. würde | gern | Marketing | im | arbeiten, | denn | finden | Werbung | interessant

1. Buchhaltung finde ich nicht interessant.

c Verbinden Sie die Nomen „Zeit", „Schicht" oder „Stunde" mit folgenden Wörtern und bilden Sie zusammengesetzte Nomen.

~~Arbeits-~~ | Früh- | Gleit- | Nacht- | Spät- | Über-

1. *die Arbeitszeit* _____
2. _____
3. _____
4. _____
5. _____
6. _____

d Welches Verb passt zu welchem Nomen? Ordnen Sie zu. Manchmal passen mehrere.

arbeiten | kontrollieren | abbauen | machen

1. Arbeitszeit *abbauen / kontrollieren*
2. Schicht _____
3. Überstunden _____
4. Gleitzeit _____

e Hören Sie das Gespräch in Kursbuch C, Aufgabe 2b, noch einmal und beantworten Sie die Fragen. 🔊 108

1. Wie arbeitet die Abteilung „Analytik und Rohstoffsicherheit"?
Die Abteilung arbeitet in Schichten.
2. Wann kann Laura ihre Arbeitszeit selbst bestimmen?
_____
3. Was kann Laura mit den Überstunden machen?
_____
4. Was kann man mit dem Werksausweis machen?
_____
5. Was sagt Herr Bayer über das Kantinenessen?
_____
6. Was sagt Herr Bayer über die Fahrtkosten?
_____

3 Mein erster Tag als Praktikantin

a Lesen Sie die Mail und ergänzen Sie die Lücken mit den Wörtern im Schüttelkasten.

analysieren | Aufgaben | Einführung | ~~erfahren~~ | Kantine | Kollegen | Nachteil | Produkte |
Projekt | Rabatt | Zuschuss | Werk

Liebe Leni,
nun ist mein erster Tag bei Ritter Sport schon vorbei und ich habe so viel Neues *erfahren* [1]! Zuerst
gab es eine allgemeine _____ [2], danach einen Rundgang durch das _____ [3]
und danach war ich in der Analytik und Rohstoffsicherheit und habe dort die _____ [4] kennengelernt. Alle waren sehr freundlich. Dort haben wir gleich meine _____ [5] besprochen:
Rohstoffe _____ [6], Verpackungen kontrollieren und die fertigen _____ [7]
überprüfen. Das finde ich wirklich interessant. Stell dir vor, später bekomme ich ein eigenes
_____ [8]! Positiv ist auch: Ich kann in der _____ [9] essen und bekomme einen
_____ [10] zu den Fahrtkosten. Ich bekomme sogar 600,– € im Monat. Ist das nicht super?!
Einen _____ [11] gibt's schon: Ich muss natürlich den ganzen Tag arbeiten + 2 Stunden Bus-
fahrten. Aber Waldenbuch gefällt mir sehr und der _____ [12] im SchokoLaden ist echt ein
Vorteil!! Du kannst dich schon freuen, wenn ich das nächste Mal nach Hause komme!! Kannst du am
kommenden Wochenende, vielleicht am Samstagnachmittag? Bitte schreib mir, ob du Zeit hast. ☺
LG Laura

b Schreiben Sie eine Antwortmail an Laura zu folgenden Punkten. Ergänzen Sie auch eigene Ideen und
berichten Sie, was Sie gerade machen.

1. Drücken Sie zuerst Dank und Freude über die Mail aus.
2. Fragen Sie dann:
   – Wer – Einführung?
   – Wie viele Kollegen in Abteilung?
   – Mittagspause – wie lang?
   – Vielleicht in Mittagspause besuchen?
3. Machen Sie einen Vorschlag für einen Termin.

DaF kompakt – mehr entdecken

1 Notizen machen

a Lesen Sie die Tipps zum Notizenmachen. Welche dieser Tipps befolgen Sie? Welche können Sie ergänzen? Sammeln Sie im Kurs.

1. Notizen klar strukturieren
2. deutlich schreiben
3. freien Platz für spätere Ergänzungen
4. sich auf Schlüsselwörter konzentrieren
5. Symbole und Zeichen benutzen
6. Abkürzungen verwenden (immer die gleichen!)
7. …

b Schauen Sie sich die Notizen an, die jemand zur Aufgabe 3c im Kursbuch B gemacht hat. Verbessern Sie den Notizzettel und beachten Sie die Tipps oben.

> 1. Warum wollen Sie gerade bei uns ein Praktikum machen?
>   Ihre Anzeige passt zu meinem Profil, ich kann hier meine Kenntnisse anwenden und viel lernen,
>   ich kenne R. S. schon lange, ich war im Museum Ritter und im SchokoLaden.
> 2. Was wissen Sie über unsere Firma?
>   Ich kenne die Geschichte, Sie haben 1400 Mitarbeiter, Sie exportieren in über 100 Länder.
> 3. Was wollen Sie nach dem Praktikum machen?
>   Zuerst mein Bachelor-Studium abschließen, vielleicht den Master in Chemie machen.

◁》 109 **c** Hören Sie jetzt die Antworten zu den Fragen 4 und 5 im Kursbuch B, Aufgabe 3c, und machen Sie Notizen nach den Tipps in 1a. Vergleichen Sie dann Ihre Notizen in der Gruppe und verbessern Sie sie, wenn nötig.

2 Über Sprache reflektieren

Passivsätze ohne Agens. Lesen Sie das Beispiel. Wie wird das in anderen Sprachen ausgedrückt? Ergänzen Sie und vergleichen Sie im Kurs.

Deutsch	Englisch	andere Sprache(n)
Hier wird Deutsch gesprochen.	German spoken here.	
Das Museum wird um 18.00 Uhr geschlossen.	The museum is closed at 6 p.m.	
Der Kuchen wurde von meiner Schwester gemacht.	The cake was made by my sister.	

3 Miniprojekte: Rund ums Praktikum

Machen Sie eine Bewerbermesse.

In vielen Studiengängen gibt es Pflichtpraktika. Wo würden Sie gern Erfahrungen sammeln? Recherchieren Sie auf der Webseite von Unicum (http://karriere.unicum.de/praktikum/). Suchen Sie sich dort „Ihren" Praktikumsplatz. Was sind die Voraussetzungen für das Praktikum und was brauchen Sie für eine Bewerbung? Stellen Sie Ihre Bewerbungsunterlagen zusammen (das Anschreiben, den Lebenslauf und die Zeugnisse). Veranstalten Sie eine Bewerbermesse. Bei einer Bewerbermesse kommen Firmen mit potenziellen Praktikant/innen in Kontakt. Eine Gruppe präsentiert dort Praktikumsplätze. Die andere Gruppe geht mit ihren Bewerbungsunterlagen auf die Messe. Versuchen Sie, mit mindestens fünf Personen zu sprechen. Tauschen Sie anschließend die Rollen!
Nach der Bewerbermesse machen Sie sich Notizen: Was hat Ihnen Spaß gemacht? Wo benötigen Sie noch Hilfe beim Bewerben um einen Praktikumsplatz?

Konsonantenhäufung

1 Zusammengesetzte Nomen mit „Praktikum"

a Bilden Sie Zusammensetzungen mit dem Wort „Praktikums-"/„-praktikum".

Ausland(s) | Beruf(s) | Betrieb(s) | Bezahlung | Industrie | Messe | Pflicht | Platz | Schul- | Zeugnis

b Hören Sie die Lösung von 1a und sprechen Sie die Wörter nach.

◁))) 110

So geht es besser:
Sprechen Sie die
Wörter langsam und
klatschen Sie die Silben
dazu, z. B.
Be-**triebs**-prak-ti-kum.

2 Silbentrennung – wie macht man das?

a An welchen Stellen kann man Komposita trennen? Schauen Sie sich die Tabelle an und lesen Sie die Beispielwörter laut.

So geht man vor.	Beispiele
Welche Teilwörter kenne ich? → Man trennt immer an der Wortgrenze.	Frühschicht → Früh-schicht Bewerbungsbrief → Bewerbungs-brief
Gibt es Vorsilben? → Bei längeren Wörtern trennt man Vorsilben ab.	Beruf → **Be**-ruf Vertrieb → **Ver**-trieb

Gibt es Nachsilben?
→ Bei längeren Wörtern trennt man Nachsilben ab,
  – wenn sie mit einem Konsonanten anfangen.
  – wenn sie mit einem Vokal beginnen und der Wortteil davor auch mit einem Vokal endet.
→ Die Silben müssen gut sprechbar sein. Bei Nachsilben mit Vokal am Anfang spricht man diesen mit dem Konsonanten davor und trennt entsprechend.
	Tätigkeit → Tätig-**keit**
	Sicherheit → Sicher-**heit**
	
	Befreiung → Befrei-**ung**
	
	Mechaniker → Mechani-**ker**
	Leistung → Leis-**tung**

Wo kann man noch trennen? → zwischen zwei Konsonanten	Zwillingsschwester → Zwil-lings-schwes-ter kommen → kom-men
Was ist noch wichtig? → Jede Silbe braucht einen Vokal oder einen.	Herstellung → Her-stel-lung erfolgreich → er-folg-reich

b Trennen Sie folgende Komposita. Gehen Sie wie in 2a vor.

Lebenslauf | Firmengeschichte | Schokoladenfabrik | Wareneingang | Buchhaltung | Personalabteilung | Vertriebskenntnisse | Vorstellungsgespräch | Industriepraktikum

Im Duden finden Sie
zu jedem Wort die
Silbengrenze, z. B.
Wa|ren|ein|gang.

c Sprechen Sie die Wörter aus 2b langsam und klatschen Sie die Silben.

3 Wie bitte?

a Bilden Sie zwei Gruppen (A und B): Sammeln Sie sechs Wörter mit vielen Konsonantenhäufungen. Rufen Sie nun der anderen Gruppe die Wörter zu.

– Gruppe A und Gruppe B stellen sich im Abstand von 3 m gegenüber.
– Alle aus Gruppe A rufen gleichzeitig ihrem Partner/ihrer Partnerin aus Gruppe B ihre Wortliste zu.
– Der Partner/Die Partnerin aus Gruppe B notiert die Wörter.
– Wenn Sie ein Wort nicht verstehen, dürfen Sie noch einmal um Wiederholung bitten.
– Welche Gruppe die meisten Wörter richtig notiert hat, gewinnt.

Rohstoffkontrolle

Rohstoff …? Wie bitte.

Roh-stoff-kon-trol-le

A Wohin in den Ferien?

1 Urlaubsziele in Deutschland

a Lesen Sie die Texte in Aufgabe 2b noch einmal und ordnen Sie die Begriffe aus dem Schüttelkasten zu.

~~Badestrand~~ | Wanderparadies | Wassersport | alte Hansestädte | viele Parkanlagen | Ski fahren | tropische Pflanzen | klettern | interessante Museen | Dünenlandschaft | Fahrradtour | Schifffahrt | hübsche kleine Städte | moderne Architektur | herrliche Berge | wandern

	Ostsee	Alpen	Bodensee	Berlin
Natur			*Badestrand*	
Kultur				
Sport				

b Welches Adjektiv passt besser? Lesen Sie die Sätze und korrigieren Sie.

1. Viele Menschen mögen die Ostsee. Sie ist sehr ~~vielfältig.~~ *beliebt.* _____
2. Für Wassersport sind die Bedingungen an der Ostsee optimal. Sie sind herrlich. _____
3. In der Dünenlandschaft kann man schöne Spaziergänge machen. Die Landschaft ist einfach attraktiv. _____
4. Jeder kennt das Brandenburger Tor in Berlin. Es ist in der ganzen Welt beliebt. _____
5. In den Alpen gibt es viele verschiedene Sportmöglichkeiten. Das Freizeitangebot ist perfekt. _____
6. Kein See ist so groß und interessant wie der Bodensee. Er ist für Touristen sehr bekannt. _____

2 Deutschland: Ein Land der Superlative.

a Was passt? Ordnen Sie zu.

1. Welche Stadt ist am ältesten?
   a. ⊔ München.   b. ⊔ Köln.   c. ⊔ Berlin.
2. Welcher Fluss ist in Deutschland am längsten?
   a. ⊔ Die Spree.   b. ⊔ Der Rhein.   c. ⊔ Die Donau.
3. Welches Reiseziel in Deutschland ist am beliebtesten?
   a. ⊔ Berlin.   b. ⊔ München.   c. ⊔ Hamburg.
4. Wie heißt der höchste deutsche Berg?
   a. ⊔ Der Watzmann.   b. ⊔ Der Feldberg.   c. ⊔ Die Zugspitze.
5. Die längste Grenze hat Deutschland mit
   a. ⊔ Österreich.   b. ⊔ Polen.   c. ⊔ Frankreich.
6. Das größte Bundesland ist
   a. ⊔ Baden-Württemberg.   b. ⊔ Niedersachen.   c. ⊔ Bayern.

b Lesen Sie den Werbetext und ergänzen Sie Komparativ und Superlativ.

Sie brauchen Urlaub? Und Sie fragen sich, welcher Urlaubsort *am attraktivsten* (attraktiv) [1] ist? Dann kommen Sie zu uns. Kein Strand ist _____ (breit) [2], keine Landschaft _____ (idyllisch) [3] und keine Luft ist _____ (gesund) [4]. Wir bieten _____ (viel) [5] Kultur als Sie glauben. Unsere Museen und Kirchen sind _____ (interessant) [6] als in jeder anderen Stadt. Unsere Hotels sind _____ (groß) [7] und viel _____ (gut) [8] als die anderen. Unsere Restaurants sind wirklich nicht _____ (teuer) [9] als andere, aber das Essen hier schmeckt am _____ (gut) [10]! Natürlich sind auch die Kellner _____ (nett) [11] als anderswo! In unserer Altstadt sind die Geschäfte etwas _____ (klein) [12], aber viel _____ (hübsch) [13] als in anderen Städten. Auch die Preise sind hier nicht _____ (hoch) [14] als bei Ihnen zu Hause. Nirgends können Sie also _____ (schön) [15] Urlaub machen!!!

A2: 166

3 Reiseforum: Was sagen Touristen über Deutschland?

Was ist richtig: *als* oder *wie*? Kreuzen Sie an.

1. **Mary:** Ich finde es interessant, dass man auf deutschen Autobahnen viel schneller fahren darf	☒ als	☐ wie	bei uns in den USA.
2. **Rafael:** Ich war überrascht: Die Deutschen sind genauso freundlich und offen	☐ als	☐ wie	wir Spanier!
3. **Peter:** Hamburg ist eine tolle Stadt! Viel schöner	☐ als	☐ wie	die meisten Städte in Bulgarien.
4. **Pierre:** Ich dachte, deutsches Essen, naja … Aber ich habe in Berlin so gut gegessen	☐ als	☐ wie	in Frankreich!
5. **Luisa:** Ich wusste nicht, dass Deutschland fast viermal so groß ist	☐ als	☐ wie	Portugal.
6. **Arif:** Das Wetter in Deutschland ist viel kühler	☐ als	☐ wie	in Indonesien.
7. **Danilo:** Frankfurt ist viel kleiner	☐ als	☐ wie	São Paulo, aber der Flughafen dort ist viel größer.
8. **Hicham:** In Stuttgart gibt es ein Restaurant, dort isst man fast so gut	☐ als	☐ wie	in Casablanca.

4 Wie war der Urlaub?

Simon berichtet über seinen Fahrrad-Urlaub. Schreiben Sie Vergleichssätze mit *als* oder *wie*.
Achten Sie bei *als* auf den Komparativ.

1. Der Fahrrad-Urlaub in Norwegen war total spannend. Das hatte ich nicht erwartet.
   Der Fahrrad-Urlaub in Norwegen war spannender, als ich es erwartet hatte.
2. Mit einer Gruppe unterwegs zu sein, hat mir viel Spaß gemacht. Das hatte ich nicht gedacht.
   _____
3. Es regnete oft. Das hatte ich aber in einem Wetterbericht gelesen.
   so oft, _____
4. Wir sind viel und lang gefahren und haben lange geschlafen. Das hatte ich eigentlich nicht geplant.
   _____
5. Meine Freunde mögen solche Abenteuerurlaube nicht so gern, ich aber schon. (Kein Komma!)
   _____
6. In Norwegen wurde es erst spät dunkel. Bei und wird es früh dunkel. (Kein Komma!)
   _____
7. Die Landschaft war faszinierend und die Strecken attraktiv. Das hatte ich mir nicht so vorgestellt.
   _____
8. Ich finde Norwegen als Urlaubsziel großartig. Spanien finde ich auch großartig, obwohl es ganz anders ist.
   _____

5 Meine Urlaubspläne

Schreiben Sie eine E-Mail an eine Freundin / einen Freund und schlagen Sie einen gemeinsamen Urlaub vor. Schreiben Sie etwas zu den vier Punkten. Vergessen Sie nicht Anrede und Gruß.

1. Wohin wollen Sie fahren?
2. Wann möchten Sie fahren?
3. Wie lange wollen Sie dort bleiben?
4. Was wollen Sie dort am liebsten machen?

B Ab in die Ferien!

1 Anzeigen im Netz

a Lesen Sie die Stichwörter. Was passt nicht: **a**, **b**, **c** oder **d**? Kreuzen Sie an.

1. Campingurlaub:
   a. ⊔ Wellness   b. ⊔ Wohnmobil   c. ⊔ Zelt   d. ⊔ günstig reisen
2. Fernreise:
   a. ⊔ fremde Länder   b. ⊔ andere Kulturen   c. ⊔ Heimat   d. ⊔ die große weite Welt
3. Aktivurlaub:
   a. ⊔ Sport   b. ⊔ Natur erleben   c. ⊔ viel Ruhe   d. ⊔ interessante Ausflüge
4. Wellness:
   a. ⊔ Körper und Geist   b. ⊔ Gesundheit   c. ⊔ Sportaktivitäten   d. ⊔ Entspannung
5. Städtereise:
   a. ⊔ Neues kennenlernen   b. ⊔ Natur erleben   c. ⊔ Sehenswürdigkeiten   d. ⊔ Atmosphäre genießen

b Was fällt Ihnen zu den fünf Reiseoptionen in 1a noch ein? Notieren Sie weitere Stichwörter und vergleichen Sie im Kurs.

c Vermutungen. Ergänzen Sie die Sätze.

in Spanien studieren | nicht in die Berge fahren | besser ans Mittelmeer fahren | einen Ferienjob haben | uns in Berlin besuchen | ~~eine Hochzeitsreise machen~~

1. Daniel und Lena möchten im Mai heiraten. *Sie machen danach bestimmt auch eine Hochzeitsreise.*
2. Erika mag das Wandern nicht. *Sicher ...*
3. Was macht Martin denn im Sommer? *Wahrscheinlich ...*
4. Berge oder Mittelmeer? Beides klingt gut. *Vielleicht ...*
5. Lukas lernt jetzt intensiv Spanisch. *Ich vermute, dass ...*
6. Anne und Tom sind auf Europareise. *Es kann sein, dass ...*

2 Cool oder uncool? Niclas und Pia sprechen über den Urlaub

a Formulieren Sie die Aussagen negativ.

> Manche Adjektive kann man durch die Vorsilbe „un-" negieren. Sie hat die gleiche Bedeutung wie „nicht":
>
> klar ≠ unklar (nicht klar).

1. a. ⊠ Niclas möchte gern in die Alpen fahren.   b. ⊔ *Niclas möchte ungern in die Alpen fahren.*
2. a. ⊔ Niclas hat viel Zeit, er ist flexibel.   b. ⊔ _____
3. a. ⊔ Pia findet Niclas' Vorschlag cool.   b. ⊔ _____
4. a. ⊔ Für Pia ist Wandern interessant.   b. ⊔ _____
5. a. ⊔ Pia ist sportlich.   b. ⊔ _____
6. a. ⊔ In Niclas' Heimat ist das Wandern populär.   b. ⊔ _____

🔊 111 **b** Hören Sie das Gespräch im Kursbuch B Aufgabe 2 noch einmal. Was ist richtig: **a** oder **b**? Kreuzen Sie in 2a an.

3 Unterkunft-Anzeigen

a Lesen Sie die Erklärungen und ergänzen Sie die passenden Begriffe.

Doppelzimmer | Vollpension | Einzelzimmer | ~~Halbpension~~ | Ferienwohnung | Personenkraftwagen

1. Frühstück und Mittagessen → *Halbpension*
2. ein Zimmer mit einem Einzelbett → _____
3. Frühstück, Mittagessen und Abendessen sind inklusiv → _____
4. Auto → _____
5. eine Unterkunft mit eigener Küche → _____
6. ein Zimmer mit einem Doppelbett oder zwei Einzelbetten → _____

A2: 168

b Was bedeuten die Abkürzungen? Ordnen Sie die Wörter aus 3a zu.

1. Fewo = _____
2. DZ = _____
3. EZ = _____
4. HP = _____
5. VP = _____
6. PKW = _____

4 Eine Unterkunft buchen

a Lesen Sie die E-Mail von Pia an den Campingplatz *Bergblick*. Zu welchen Punkten schreibt sie etwas? Kreuzen Sie an und unterstreichen Sie die passenden Formulierungen im Text.

a. ⊔ Termin   b. ⊔ Preis   c. ⊔ Essen / Frühstück   d. ⊔ Ausstattung   e. ⊔ Lage
f. ⊔ Freizeitmöglichkeiten   g. ⊔ Haustiere   h. ⊔ Sonstiges (z. B. Autostellplatz)

> ✕
>
> Sehr geehrte Damen und Herren,
> wir möchten Anfang September etwa 14 Tage auf Ihrem Campingplatz verbringen und hätte ein paar
> Fragen: Wie viel kostet ein Zeltplatz und ab wie vielen Tagen Aufenthalt gibt es Rabatt? Könnten Sie
> uns bitte Details zu der Lage schicken? Wir haben die Information, dass es bei Ihnen ein Café gibt –
> ist es möglich, dort zu frühstücken? Außerdem möchten wir gern wissen, welche Freizeitmöglich-
> keiten die Region bietet und welche Wanderrouten direkt am Campingplatz starten.
> Vielen Dank und mit freundlichen Grüßen
> Pia Gruber

b Sie wollen auch in die Alpen fahren und möchten eine Unterkunft buchen. Wählen Sie eine Unterkunft aus Aufgabe 3a im Kursbuch und schreiben Sie eine E-Mail. Die Punkte in Übung 4a und die Redemittel helfen Ihnen.

Sehr geehrte Damen und Herren, | wir möchten vom … bis zum kommen. | Ist in der Zeit … frei? |
Wie viel …? | Kann man … bekommen? | Außerdem möchten wir wissen, ob … und ob … |
Vielen Dank im Voraus. | Mit freundlichen Grüßen

5 Ist noch etwas frei?

a Marcus und seine Freundin möchten den Urlaub am Bodensee verbringen. Marcus möchte ein Zimmer buchen und telefoniert mit einem Hotel.
Lesen Sie zuerst den Tipp rechts und ergänzen Sie dann die Pronomen im Telefongespräch.

Ich hätte noch einige Fragen:
1. Haben Sie Doppelzimmer? – *Ja, wir haben welche.*
2. Haben Sie Zimmer mit Balkon und Seeblick? – *Nein, wir haben keine.*
3. Haben Sie Getränke auf den Zimmern? – Ja, _____.
4. Kann man bei Ihnen Fahrräder ausleihen? – Nein, _____.
5. Gibt es Liegestühle auf der Terrasse? – Ja, _____.
6. Haben Sie Autostellplätze vor dem Haus? – Nein, _____.

> Indefinitpronomen –
> Plural bei Nomen ohne
> Artikel:
> „Haben Sie Doppel-
> zimmer?"
> – „Nein, wir haben keine."
> – „Ja, wir haben welche."

b Marcus möchte genauer nachfragen. Lesen Sie die Informationen vom Hotel. Stellen Sie Fragen.

1. Wir haben noch Zimmer frei.
2. Es gibt noch ein Doppelzimmer Deluxe.
3. Es gibt einen Wellnessraum.
4. Es gibt ein Schwimmbad.
5. Natürlich haben wir ein Restaurant.
6. Es gibt eine Terrasse.

1. Was für Zimmer sind das? / Was für welche sind das?

c Welche Antwort passt zu Ihren Fragen in 5b? Ordnen Sie zu.

a. ⊔ Eine sehr große Sonnenterrasse.
b. ⊔ Eins mit Komfortbetten und Seeblick.
c. ⊔ Eins mit Liegewiese und Massagepool.
d. ⊔1 Leider nur noch welche ohne Balkon.
e. ⊔ Einen mit Solarium und Sauna.
f. ⊔ Eins mit Frühstücksraum und Bar.

> Frage nach etwas Un-
> bestimmtem oder Un-
> bekanntem: „Was für" +
> unbest. Artikel oder
> „was für" + Indefinit-
> pronomen; Beispiel:
> ○ Wir haben noch ein
> Zimmer.
> ● Was für ein Zimmer
> ist das? / Was für eins
> ist das?
> ○ Ein schönes mit See-
> blick.

C Urlaubsspaß in den Alpen

1 Zelten ist zu anstrengend

a Lesen Sie den Kommentar zum Reiseblogbeitrag von Pia im Kursbuch C1.
Wie finden Sie die Meinung von Ben? Tauschen Sie sich aus und sammeln Sie Argumente.

> Ben   03.10. / 20:40
> ben.gruber@yahoo.de
>
> Hallo Leute, ich finde euren Urlaubsbericht sehr interessant. Aber für mich wäre das
> nichts. Zelten mit Kindern – das finde ich zu anstrengend. Ich will im Urlaub meine
> Ruhe haben. Natur ja, aber nicht zu viel! Wenn man jung ist, kann es spannend sein, viel
> Sport zu machen, aber einen Tandemflug finde ich einfach zu gefährlich.

b Schreiben Sie selbst einen Kommentar zu dem Beitrag: Wie finden Sie den Urlaubsort?
Wie gefallen Ihnen die Aktivitäten? Würden Sie auch gern im Zelt übernachten?

2 Ein Sonnenzelt abbauen – wie ist die Reihenfolge?

a Lesen Sie die Anleitung und ergänzen Sie die Wörter an der
passenden Stelle.
Manchmal sind zwei Lösungen möglich.

~~Zuerst~~ | dann | danach | schließlich | dann

Nehmen Sie _zuerst_ [1] die beiden ovalen Enden des Zeltes in beide Hände. Nehmen Sie _____ [2]
den Rahmen vom Zelt in beide Hände und drücken Sie das Zelt in der Mitte zusammen. Drücken Sie
_____ [3] den Rahmen zusammen, bis er einrastet. Legen Sie _____ [4] einen Rahmen über
den anderen und falten Sie das Zelt so zusammen. _____ [5] können Sie Ihr Sonnenzelt nach Hause
tragen.

b Arbeiten Sie zu zweit. Nehmen Sie einen Gegenstand, den man leicht aufbauen oder zusammenbauen
kann. Benutzen Sie die Wörter aus 2a und schreiben Sie eine Anleitung. Ihr Lernpartner / Ihre Lernpartne-
rin soll den Gegenstand nach Ihrer Anleitung aufbauen. Tauschen Sie dann die Rollen.

3 Nebensätze mit „wenn" und „als"

a Pia telefoniert mit ihrer Freundin Gabi. Lesen Sie die Sätze und tragen Sie
den passenden Buchstaben ein.

a = etwas ist nur einmal in der Vergangenheit passiert;
b = etwas ist mehrmals in der Vergangenheit passiert;
c = etwas passiert einmal oder mehrmals in der Gegenwart oder Zukunft.

1. ⌐a⌐ Als wir losfahren wollten, rief meine Mutter an.
2. ⌐_⌐ Das Wetter war sehr schlecht, als wir endlich ankamen.
3. ⌐_⌐ Jedes Mal wenn wir Hunger hatten, gingen wir in ein Restaurant.
4. ⌐_⌐ Immer wenn wir das Haus der Berge in Berchtesgaden besuchen wollten, war es geschlossen.
5. ⌐_⌐ Als das Wetter wieder besser wurde, machten wir viele Ausflüge.
6. ⌐_⌐ Jedes Mal wenn Niclas das Zelt aufstellen wollte, hat er etwas falsch gemacht.
7. ⌐_⌐ Wenn wir zu Hause sind, zeige ich dir Fotos von unseren Touren.
8. ⌐_⌐ Immer wenn ich die Fotos von Niclas und dem Zelt anschaue, muss ich lachen.
9. ⌐_⌐ Ich melde mich bei dir, wenn wir wieder aus dem Urlaub zurück sind.

b Niclas schreibt Linus eine Nachricht. Lesen Sie die Karte und ergänzen Sie „als" oder „**wenn**".

Hallo Linus,

hier in den Alpen ist es wirklich klasse! Natur pur mit sehr guten Sportangeboten, ein echter Aktivurlaub! Hier kann man sogar bei schlechtem Wetter viel unternehmen. _Als_ [1] es einmal regnete,
waren wir im Salzbergwerk. Das war wirklich interessant! Die Stadt Berchtesgaden ist natürlich auch
schön, aber immer _____ [2] wir in einer Stadt sind, möchte Pia alle Sehenswürdigkeiten sehen.
Naja, das ist mir dann doch ein wenig langweilig. Ich möchte am liebsten möglichst viel Sport
machen. Das Wandern macht richtig Spaß. _____ [3] ich das erste Mal auf einem Berggipfel
stand, war ich total stolz! Stell dir vor, ich habe für Pia und mich einen Tandemflug mit einem Para-
gleiter gebucht. _____ [4] ich ihr von dem Plan erzählt habe, war sie sehr neugierig. Aber jedes
Mal _____ [5] ich jetzt davon rede, ist sie etwas nervös. _____ [6] das Semester wieder
anfängt, müssen wir uns treffen und ich zeige dir mal die Fotos.
Schöne Urlaubsgrüße aus den Alpen
Niclas

---

c „Wenn" kann Bedingung oder Zeit ausdrücken. Welche Bedeutung hat „wenn" in den Sätzen?
Kreuzen Sie an.

	Bedingung	Zeit
1. Ich komme nur mit an die Ostsee, wenn ich faulenzen kann.	X	
2. Ich rufe gleich meine beste Freundin an, wenn ich wieder zu Hause bin.		
3. Immer wenn ich im Urlaub Zeit habe, schreibe ich meiner Freundin eine SMS.		
4. Wenn dir das Radfahren einen so großen Spaß macht, dann mache ich auch mit.		
5. Jedes Mal wenn ich eine Städtereise machen will, bist du genervt.		
6. Ich gehe nur dann wandern, wenn das Wetter gut ist.		

d Lesen Sie den Werbetext und ergänzen Sie die Wörter aus dem Schüttelkasten.

als | als | bis | dann | denn | deshalb | weil | weil | ~~wenn~~ | wie | wie | dann

Profi Rudi beim Fliegen

Fliegen wie die Vögel

Wenn [1] Sie fantastische Momente in den Bergen erleben wollen,
_____ [2] probieren Sie mit uns das Paragleiten! Sie brauchen
nur eine kurze Vorbereitung, _____ [3] Sie fliegen mit mir oder
einem anderen erfahrenen Profi-Lehrer im Tandem. Sie starten auf
einem Berg ca. in 2000 Metern und es geht einfacher, _____ [4]
Sie gedacht haben: _____ [5] ein Luftballon steigen Sie mit dem
Schirm in die Höhe, _____ [6] Ihr Tandem-Lehrer entscheidet,
dass es wieder nach unten geht. Wer zum ersten Mal mit einem Para-
gleiter fliegt, bekommt meistens Angst, _____ [7] man einfach nur „in der Luft" hängt. Aber
[8] _____ gleiten Sie über den Bergen und fühlen sich _____ [9] ein Vogel am Himmel! Sie verlieren das Gefühl für Zeit und Raum, _____ [10] alles so unwirklich ist. Dieses Erlebnis vergessen Sie bestimmt Ihr ganzes Leben nicht! _____ [11] ich das erste Mal geflogen bin, ging es mir auch so. Nun
ist Fliegen nicht nur mein Hobby, es ist mein Lebensstil. _____ [12] muss ich immer wieder in die Luft.

4 Das wird einfach super!

a Formulieren Sie Sätze.

1. bestimmt / Das / super! / wird
2. schlecht. / wird / mir / Hoffentlich / nicht
3. auf / gebracht. / Der Schirm / wird / den Berg
4. wurden / erklärt. / Vor / alle / Details / dem Flug / wichtigen
5. Supersportlerin! / wird / Sie / ja / noch / eine
6. Fotos / gemacht. / Vom / wurden / Tandem-Lehrer / in der Luft

1. Das wird bestimmt super!

b Welche Bedeutung hat „werden" in
den Sätzen? Schreiben Sie.

Entwicklung / Veränderung:
Sätze _1,_ _____
etwas wird gemacht:
Sätze _____

DaF kompakt – mehr entdecken

1 Doppelbedeutungen

a Welche beiden Bedeutungen haben die Wörter? Ordnen Sie die Bilder zu.

1. _der Hahn, ⸚e_   2. _____   3. _____   4. _____   5. _____

6. _____   7. _____   8. _____   9. _____   10. _____

der Hering X der Hering   die Schlange X die Schlange   der Hahn X der Hahn
der See X die See   das Schloss X das Schloss

b Verstehen Sie die Doppelbedeutungen dieser Wörter? Überlegen und recherchieren Sie.

1. Erde   _1. Planet_   _2. Blumenerde_   5. Decke   _____   _____
2. Note   _____   _____   6. Glas   _____   _____
3. Birne   _____   _____   7. Karte   _____   _____
4. Geschichte   _____   _____   8. Bank   _____   _____

c Spielen Sie „Teekesselchen". Nennen Sie zu einem Wortpaar zwei Definitionen. Die anderen raten das Wort.

Mein Teekesselchen macht ein Zelt fest. Mein Teekesselchen schwimmt im Meer.

Hering!

2 Über Sprache reflektieren

Temporale Nebensätze. Ergänzen Sie die Tabelle und vergleichen Sie im Kurs.

Sprache	Beispiel
Deutsch	1. Als ich in München lebte, bin ich viel gereist. 2. Wenn ich früher im Urlaub war, habe ich viele Fotos gemacht. 3. Wenn Michael im Urlaub ist, schickt er mir immer eine Postkarte.
Englisch	1. When I lived in Munich, I travelled a lot. 2. Every time when I went on holiday, I took a lot of pictures. 3. When Michael is on holiday, he always sends me a postcard.
andere Sprache(n)	

3 Miniprojekt: Ungewöhnliche Reiseziele

Suchen Sie interessante und ungewöhnliche Reiseziele in Deutschland. Vergleichen Sie im Kurs:
Wer findet das interessanteste Reiseziel?

Ich habe im Netz recherchiert und habe … | Mein Freund hat mir erzählt, dass … | So etwas habe ich noch nie gesehen … | Es ist eine ungewöhnliche Stadtführung in … | Der Reiseführer / die Reiseführerin erzählt aus der Perspektive von … | Diese Unterkunft ist unglaublich! Man übernachtet … | …

Perfekte Ferien

1 E-Laute

a Hören Sie die Laute und die Wörter und sprechen Sie sie nach.

🔊 112

[e:]	[ɛ]	[ɛ:]	[ə]
lesen	essen	Universität	Lampe
See	Äpfel	wählen	waschen
sehen			
lang, geschlossen	kurz, offen	lang, offen	unbetont

In Norddeutschland hört man statt dem langen „ä" [ɛ:] oft ein langes „e" [e:].

b Hören Sie die Familiennamen und sprechen Sie sie nach.

🔊 113

1.	a.⎵ Reetmann	b.⎵ Rettmann	c.⎵ Rähtmann
2.	a.⎵ Nehl	b.⎵ Nell	c.⎵ Nähl
3.	a.⎵ Dehling	b.⎵ Delling	c.⎵ Dähling
4.	a.⎵ Mehler	b.⎵ Mäller	c.⎵ Mähler
5.	a.⎵ Hebel	b.⎵ Hebbel	c.⎵ Häbel

c Sie hören jetzt immer nur zwei von den drei Namen in 1b. Was hören Sie: **a**, **b** oder **c**? Kreuzen Sie an.

🔊 114

d Schauen Sie sich die Namen in 1b noch einmal an und vergleichen Sie den Klang mit der Schrift. Was fällt auf? Kreuzen Sie in der Regel an.

1. „e"/„ä" + zwei oder mehr Konsonannten (außer „h"):
   in der gleichen Silbe: a. ☒ meistens kurz   b.⎵ meistens lang
2. „e"/„ä" + Doppelkonsonant: a.⎵ kurz   b.⎵ lang
3. „e"/„ä" + „h":   a.⎵ kurz   b.⎵ lang
4. Zwei „e", also „ee":   a.⎵ kurz   b.⎵ lang

❗

Diese Regeln gelten für alle Vokale, also auch für „a", „i", „o", „u", „ö" und „ü".

2 Urlaub im September

a Lesen Sie den Text und markieren Sie alle Wörter mit langem, geschlossenem „e" ([e:])

Letztes Jahr habe ich an der Ostsee Urlaub gemacht. Es war September und ich hatte mich auf sonniges Herbstwetter und angenehme Temperatur gefreut. Ich wollte täglich spazieren gehen, am Strand lesen, den Segelbooten zuschauen und mich entspannen. Das sind für mich perfekte Ferien.
Als ich ankam, war Regenwetter. Jeden Tag war es etwas kälter als am Tag vorher. Jetzt sehe ich sehr viel fern und gehe täglich ins Café. Dort trinke ich Tee und lese meine Bücher. Die Menschen sind nett hier. Sie warten alle auf besseres Wetter. Der Wetterbericht sagt wärmeres Wetter erst für nächste Woche voraus. Dann sind meine Ferien schon zu Ende.

b Hören Sie die Lösung zu 2a und sprechen Sie die Wörter mit langem „e" [e:] nach.

🔊 115

c Notieren Sie vier Wörter mit verschiedenen E-Lauten auf einem Zettel. Tauschen Sie den Zettel mit einem Partner / einer Partnerin. Denken Sie sich mit den Wörtern von Ihrem Partner / Ihrer Partnerin eine Geschichte mit mindestens 6 Sätzen aus und erzählen Sie sie.

🙎🙎🙎

A Der Führerschein … (k)ein Problem?

1 Richtiges Verhalten im Straßenverkehr

Was bedeuten die Verkehrszeichen? Ordnen Sie zu.

1. Hier darf man nicht überholen.
2. Hier darf man nicht wenden.
3. Hier darf man nur in eine Richtung fahren.
4. Hier darf man nur mit Schrittgeschwindigkeit fahren.
5. Hier hat man Vorfahrt.
6. Hier muss man anhalten.
7. Hier muss man auf Fußgänger achten.
8. Hier muss man geradeaus fahren oder rechts abbiegen.
9. Hier dürfen nur Fußgänger gehen.
10. Hier müssen LKWs Abstand halten.

2 Aktiv und Passiv

Beachten Sie: Das Subjekt im Passivsatz ist im Aktivsatz direktes Objekt und steht deshalb im Akkusativ.

a Der Führerschein in Deutschland: Schreiben Sie die Sätze im Aktiv in Ihr Heft.

1. In Deutschland kann mit 18 Jahren der Führerschein gemacht werden.
2. Aber schon mit 17 Jahren darf Auto gefahren werden, wenn eine Person mit Führerschein mitfährt.
3. Für den Führerschein muss eine theoretische und eine praktische Prüfung abgelegt werden.
4. In einer Fahrschule müssen Fahrstunden genommen werden.
5. Die Verkehrsregeln können online gelernt werden.
6. Mit 16 Jahren kann der Führerschein für Mopeds und Motorräder bis 125 cm³ gemacht werden.
7. Mit der Führerscheinklasse A dürfen Motorräder gefahren werden.
8. Fahrzeuge über 3,5 t dürfen nur mit der Führerscheinklasse C gefahren werden.

1. In Deutschland kann man mit 18 Jahren den Führerschein machen.

b Verkehrsregeln: Schreiben Sie die Sätze im Passiv.

1. Man muss die Verkehrsregeln beachten.
2. Man darf die weiße Linie auf der Fahrbahnmitte nicht überqueren.
3. Man muss bei Dunkelheit das Abblendlicht einschalten.
4. Auch in einem Tunnel muss man das Licht anmachen.
5. Man sollte bei schlechter Sicht andere Fahrzeuge nicht überholen.
6. Man muss Fußgänger über die Straße lassen.
7. Man darf Kinder nur in speziellen Kindersitzen im Auto mitnehmen.
8. Man darf beim Autofahren kein Handy benutzen.
9. Man sollte bei langen Autofahrten genügend Pausen einlegen.

1. Die Verkehrsregeln müssen beachtet werden.

B1: 110

3 Wie gut kennen Sie Ihr Auto?

a Wie heißen die Autoteile? Ordnen Sie zu.

das Lenkrad | das Gaspedal | die Bremse | die Kupplung | die Gangschaltung | der Blinker |
die Hupe | der Lichtschalter

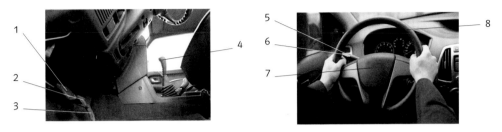

b Was machen Sie mit den Autoteilen aus 3a? Ordnen Sie die Verben zu.

a. ⌐_1_⌐ Gas geben / beschleunigen   d. ⌐__⌐ bremsen   g. ⌐__⌐ einen Gang / den Rückwärts-
b. ⌐__⌐ blinken   e. ⌐__⌐ lenken / steuern   gang einlegen
c. ⌐__⌐ hupen   f. ⌐__⌐ das Licht einschalten   h. ⌐__⌐ kuppeln

c Autofahren ohne Automatikgetriebe – nummerieren Sie die Tätigkeiten in der richtigen Reihenfolge.

a. ⌐__⌐ das Licht einschalten   f. ⌐__⌐ den Sicherheitsgurt anlegen
b. ⌐__⌐ den 1. Gang einlegen   g. ⌐__⌐ den Verkehr im Rückspiegel beobachten
c. ⌐__⌐ den Blinker setzen   h. ⌐__⌐ die Bremse und die Kupplung treten
d. ⌐_1_⌐ das Auto aufschließen   i. ⌐__⌐ langsam die Kupplung loslassen und vorsichtig das
e. ⌐__⌐ den Motor anmachen   Gaspedal treten

d Schreiben Sie Sätze in der richtigen Reihenfolge im Passiv in Ihr Heft.

1. Zuerst muss das Auto aufgeschlossen werden.

4 Diskussionsforum: Ist Autofahren out?

a Im Onlineforum der Zeitung, die den Artikel „Ist Autofahren bei jungen Deutschen out?" (vgl. Kursbuch
A 4a) veröffentlicht hat, lesen Sie die folgenden Leserkommentare. Wer teilt die Meinung des Verfassers?
Wer vertritt eine andere Meinung?

Tanja: Autofahren soll out sein? Da bin ich ganz anderer Meinung. In meinem Freundeskreis haben
fast alle ein Auto. Ich wüsste gar nicht, was ich ohne mein Auto machen würde. Ein Statussymbol ist
es für mich allerdings nicht. Ich brauche es einfach, weil wir auf dem Land wohnen und ohne Auto
zwei Stunden in öffentlichen Verkehrsmitteln zur Arbeit unterwegs wären. Es ist zwar richtig, dass
man in der Stadt nicht immer ein Auto braucht, aber auf dem Land sieht es anders aus.
Johannes: Ich bin inzwischen 22 und habe immer noch keinen Führerschein. Mit meinem Semesterti-
cket komme ich überall hin. Für längere Reisen nehme ich die Bahn oder den Flieger. Letztes Jahr bin
ich für 29 Euro mit einem Billigflieger nach Paris geflogen. Ich bin der Meinung, dass man heute kein
Auto mehr braucht. Für mich ist ein Führerschein nur Geldverschwendung.
Dominik: Meiner Meinung nach ist das Auto immer noch ein Statussymbol. Als ich vor zwei Jahren
als Lehrer an einem Gymnasium anfing, fuhr ich ein fast 30 Jahre altes Auto. Ich konnte mir als Be-
rufsanfänger keinen teuren Wagen leisten. Die Schüler in der Oberstufe, die manchmal mit tollen
Neuwagen zur Schule kommen, machten sich am Anfang über den „armen" Lehrer lustig. Inzwischen
habe ich mir ein neues Auto gekauft und habe meine Ruhe – das ist eigentlich schlimm. Ich persönlich finde es schade, dass Äußerlichkeiten wie das Auto eine große Rolle spielen.

b Wie kann man seine Meinung ausdrücken? Markieren Sie die Redemittel in 4a.

c Was ist Ihre Meinung? Schreiben Sie einen kurzen Kommentar und verwenden Sie die Redemittel aus
4a zur Meinungsäußerung.

Denken Sie an Konnek-
toren zur Gliederung
(z. B. zuerst / als Erstes,
dann, danach, später,
zum Schluss).

B Mobilität um jeden Preis?

1 Staumeldungen im Radio ... und was dahinter steckt

 a Lesen Sie die Zeitungsmeldungen und ordnen Sie die Unfallursache zu.

Müdigkeit am Steuer: Text ⬜   zu schnelles Fahren: Text ⬜   schlechtes Wetter: Text ⬜

> W-Fragen helfen, wenn man wichtige Informationen in einem Text finden und den Text zusammenfassen will.

1 Auf der A 42 in Richtung Dortmund ereignete sich gestern Morgen ein schwerer Auffahrunfall. Ein PKW näherte sich mit zu hoher Geschwindigkeit dem Ende eines Staus. Der 25-jährige Golffahrer konnte nicht mehr rechtzeitig bremsen und fuhr auf einen Bus auf. Die Insassen des Busses blieben unverletzt. Der PKW-Fahrer wurde schwer verletzt und ins Krankenhaus gebracht. Am PKW entstand Totalschaden. Nach dem Unfall musste ein
5 Fahrstreifen gesperrt werden und der Verkehr staute sich auf 5 km Länge.

2 Auf der A 43 zwischen Bochum und Herne steht den Autofahrern schon seit Wochen nur ein Fahrstreifen in jeder Richtung zur Verfügung. Gestern früh verursachte ein LKW-Fahrer dort einen Unfall. Der 53-jährige LKW-Fahrer, der vermutlich eingeschlafen war, stieß mit einem PKW auf der Gegenfahrbahn zusammen. Der PKW-Fahrer hatte Glück im Unglück und erlitt nur leichte Verletzungen. Der verunglückte LKW blockierte zwei Stunden die Fahrbahn, bis er
5 abgeschleppt werden konnte. Nach Angaben der Polizei beträgt der Sachschaden ca. 60.000 Euro.

3 Am Westhofener Kreuz auf der A1 geschah heute Morgen gegen 8 Uhr ein Unfall. Ein 35-jähriger Motorradfahrer musste auf der regennassen Fahrbahn bremsen und stürzte. Eine Mercedesfahrerin, die hinter ihm fuhr, wollte dem gestürzten Motorradfahrer ausweichen und fuhr gegen die Leitplanke am rechten Fahrbahnrand. Der Motorradfahrer wurde nur leicht verletzt. Die Autofahrerin erlitt einen Schock und musste vom Notarzt behandelt werden. Auf der A1 in Richtung Dortmund kam es im Berufsverkehr zu langen Staus. Die starken Regenfälle führten
5 im ganzen Land zu Verkehrsstörungen.

b Sammeln Sie die wichtigsten Fakten in den Berichten aus 1 a und schreiben Sie sie in die Tabelle.

	Meldung 1	Meldung 2	Meldung 3
Was?	Ein PKW fuhr auf einen Bus auf.		
Wo?			
Wer?			
Warum?	Der PKW fuhr zu schnell und konnte nicht mehr bremsen.		
Verletzte / Schäden?		Der PKW-Fahrer wurde leicht verletzt.	
Folgen?	Ein Fahrstreifen ist gesperrt worden; Stau		

2 Was ist hier passiert?

 a Ergänzen Sie die Verben in der richtigen Form.

> Lernen Sie die Nomen und Verben in Kombination.

sich ereignen | passieren | geschehen | führen | kommen | stattfinden

1. Auf den deutschen Autobahnen _____ es täglich zu langen Staus.
2. Auf Autobahnen und Landstraßen _____ hohe Geschwindigkeit oft zu Unfällen.
3. Aber auch im Stadtverkehr _____ / _____ / _____ Unfälle.
4. In Dortmund _____ heute Nachmittag ein Fußballspiel _____.
5. In einer Fabrik hat _____ gestern Abend eine Explosion _____.
6. Dem Autofahrer ist zum Glück nichts _____ / _____.
7. Kurz vor dem Unfall auf der A1 hat _____ ein schweres Unwetter _____.

b Welches Verb aus 2a verwenden Sie? Ergänzen Sie.

1. (Verkehrs-)Unfall: _____ / _____ / _____
2. Unfall / Naturkatastrophe: _____
3. Veranstaltung: _____
4. Ausdruck einer Folge / Konsequenz: _____ / _____

3 Passiv Perfekt

a Ein Auffahrunfall auf der Autobahn. Ergänzen Sie zu den Fragen 1–8 die passenden Antworten a–h.

a. Die Unfallstelle ist von der Feuerwehr geräumt worden.
b. ~~Ein Autofahrer ist schwer verletzt worden.~~
c. Er ist an der Unfallstelle zuerst vom Notarzt behandelt worden.
d. Ja, denn ein Fahrstreifen ist gesperrt worden.
e. Ja. Sie sind stark beschädigt worden.
f. Nein. Er ist abgeschleppt worden.
g. Sie sind von einem anderen Bus abgeholt worden.
h. Zwei Autofahrer. Sie sind von der Polizei als Zeugen befragt worden.

1. Hat es Verletzte gegeben?   *Ein Autofahrer ist schwer verletzt worden.*
2. Ist er sofort ins Krankenhaus gebracht worden? _____
3. Hat es einen Stau gegeben? _____
4. Hat jemand den Unfall gesehen? _____
5. Waren beide Fahrzeuge kaputt? _____
6. Konnte der Bus nach dem Unfall noch weiterfahren? _____
7. Und was ist mit den Insassen geschehen? _____
8. Was ist nach dem Unfall gemacht worden? _____

b Markieren Sie in den Antworten die Verben im Passiv Perfekt.

4 Das Ruhrgebiet – eine Region im Wandel

Das Ruhrgebiet ist eine wichtige Industrieregion: In Kohlebergwerken („Zechen") wurde seit dem 16. Jahrhundert Kohle abgebaut. Diese Kohle brauchte man in den Hüttenwerken zur Herstellung von Eisen und Stahl. Als in den 50er Jahren des 20. Jahrhunderts die „Kohlekrise" begann, wurden immer mehr Zechen und Hüttenwerke geschlossen und das Ruhrgebiet entwickelte sich zu einer Dienstleistungsregion und einem Standort für Kultur und Bildung.

a Was wissen Sie über das Ruhrgebiet? Beantworten Sie die Fragen und verwenden Sie das Passiv Perfekt. Die Angaben im Schüttelkasten helfen Ihnen. Vorsicht: Eine Angabe passt nicht.

125 Millionen | ~~1756~~ | 1996 | Bochum | die Ruhr | die Zeche Zollverein in Essen | von 1962 bis 2014 | der Landschaftspark Duisburg-Nord

1. Wann hat man das erste Hüttenwerk in Betrieb genommen?
2. Auf welchem Fluss hat man früher die Kohle transportiert?
3. Wie viele Tonnen Kohle hat man im Jahr 1958 abgebaut?
4. Wie lange hat man in den Opel-Werken in Bochum Autos produziert?
5. In welcher Stadt hat man 1962 die erste Universität des Ruhrgebiets gegründet?
6. Wann hat man in Oberhausen das Einkaufszentrum CentrO eröffnet?
7. Welche Industrieanlage hat man 2001 zum Weltkulturerbe der UNESCO erklärt?

1. 1756 ist das erste Hüttenwerk in Betrieb genommen worden.

b Was ist früher oder in der letzten Zeit in Ihrer Heimatstadt passiert? Schreiben Sie einen kleinen Text.

C Gemeinsam fahren

1 Ein Ausflug in den Landschaftspark Duisburg-Nord

Lesen Sie den Text im Kursbuch C1 noch einmal. Kreuzen Sie an: Was ist richtig (r), was ist falsch (f)?

	r	f
1. Svenja und Florian haben den Großvater auf ihren Ausflug mitgenommen.	⊔	⊔
2. Heute gibt es noch viele Hüttenwerke im Ruhrgebiet.	⊔	⊔
3. In den ehemaligen Werkshallen finden heute Kulturveranstaltungen statt.	⊔	⊔
4. Der Hochofen 5 ist nur bei Sonnenschein geöffnet.	⊔	⊔
5. Mittags haben Svenja und Florian ein Bier getrunken.	⊔	⊔
6. Sie konnten nicht auf dem Hochseilparcours klettern.	⊔	⊔

2 Ist das schon gemacht?

a Beantworten Sie Fragen mit Hilfe des Textes. Schreiben Sie Sätze mit dem Zustandspassiv in Ihr Heft.

1. Was ist mit den meisten Hüttenwerken im Ruhrgebiet passiert? *(stilllegen)*
2. Was hat man mit den Werkshallen im ehemaligen Hüttenwerk gemacht? *(umbauen)*
3. Wann kann man auf den Hochofen 5 steigen? *(öffnen)*
4. Was hat man mit dem ehemaligen Gasometer gemacht? *(füllen)*
5. Was passiert mit den technischen Anlagen in der Nacht? *(beleuchten)*

b Markieren Sie das Partizip Perfekt in den Sätzen. Was fällt auf? Ergänzen Sie die Regel.

Der Landschaftspark ist gut gemacht.   Der „Landi" ist ein gut gemachter Freizeitpark.

1. Wenn das Partizip Perfekt mit sein (Zustandspassiv) verwendet wird, hat das Partizip
   ⊔ eine   ⊔ keine Endung.
2. Wenn das Partizip Perfekt als Adjektiv vor einem Nomen verwendet wird, hat es
   ⊔ eine   ⊔ keine Endung.

c Ergänzen Sie die passenden Partizipien. Achten Sie auf die passenden Endungen.

beleuchtet | bestanden | gemietet | genutzt | geöffnet | geschult | renoviert | stillgelegt |
umgebaut | gefüllt

1. Nach der _____ Führerscheinprüfung fahren Svenja und Florian nach Duisburg.
2. Der Landschaftspark Duisburg ist um ein _____ Hüttenwerk entstanden.
3. Man kann den Landschaftspark zu Fuß oder mit _____ Fahrrädern erkunden.
4. In den _____ Werkshallen finden heute Kulturveranstaltungen statt.
5. Der _____ Hochofen V ist rund um die Uhr für Besucher _____.
6. Im mit Wasser _____ Gasometer kann man tauchen.
7. Das auch von Polizei und Feuerwehr _____ Trainingszentrum ist bei Hobbytauchern sehr beliebt.
8. Auf dem Hochseilparcours wird man von _____ Mitarbeitern begleitet.
9. Die in der Nacht _____ Industrieanlagen sind faszinierend.

3 Mein Ausflug am . . .

a Berichten Sie in Form eines Blogbeitrags über einen Ausflug, den Sie gemacht haben. Machen Sie sich zuerst Stichworte zu folgenden Aspekten:

Wann? letztes Wochenende / an einem Feiertag ...   Wetter? Sonnenschein / ...
Mit wem? mit Freunden / Kommilitonen ...   Verpflegung? ein Picknick machen / ...
Wohin? in einen Freizeitpark / an einen See ...   Was gemacht? ... besichtigen / auf ... steigen / ...
Verkehrsmittel? mit dem Auto / ...   Fazit? begeistert sein von ... / sich ärgern über ...

b Veröffentlichen Sie Ihre Blogbeiträge auf Ihrer Lernplattform, in Ihrer Gruppe in einem sozialen Netzwerk oder hängen Sie sie im Klassenraum aus. Lesen Sie die anderen Beiträge und kommentieren Sie sie.

Eine Schifffahrt auf dem Rhein möchte ich auch gerne einmal machen.

Ich bin begeisterte Radfahrerin. Deshalb würde ich gerne eine Radtour machen, wie Natascha sie gemacht hat.

Radtouren sind nicht mein Ding.
Aber ein schönes Picknick im Wald, das wäre etwas für mich.

Sie können Ihre Kommentare auch unter die Beiträge schreiben und diese weiter kommentieren, in Form eines „stummen Dialogs."

4 Auto und Umwelt

a Ordnen Sie die passenden Verben zu.

bezahlen | bilden | leisten | nehmen | produzieren | schonen / schützen | senken / reduzieren | tanken | tun | warten

1. die Umwelt _____
2. etwas für die Umwelt _____
3. Abgase _____
4. einen Beitrag zum Klimaschutz _____
5. eine Fahrgemeinschaft _____

6. Rücksicht auf andere _____
7. Ausgaben _____
8. Kraftstoff (Benzin oder Diesel) _____
9. ein Auto regelmäßig _____
10. Versicherung und Kfz-Steuer _____

b Lesen Sie noch einmal den Text im Kursbuch C 3b. Markieren Sie die Vorteile von Fahrgemeinschaften und notieren Sie sie stichwortartig.

> Wenn man Fahrgemeinschaften bildet, kann man ...
> – seine Ausgaben reduzieren
> – ...

5 Und was ist Ihre Meinung?

a Sind die Personen für Fahrgemeinschaften (A), gegen Fahrgemeinschaften (B) oder geteilter Meinung (C)?

1. Ich finde Fahrgemeinschaften sinnvoll, weil weniger Abgase produziert werden. *A*
2. Ich persönlich teile nicht gerne mit anderen mein Auto. ☐
3. Ich weiß nicht, was ich von Fahrgemeinschaften halten soll. ☐
4. Ich finde, Fahrgemeinschaften sind eine tolle Sache, denn man spart viel Geld. ☐
5. Ich kann mir nicht vorstellen, mit anderen zu fahren. ☐
6. Ich bin der Meinung, wir sollten alle etwas für den Umweltschutz tun.
   Das geht nur, wenn weniger Autos fahren. ☐
7. Fahrgemeinschaften sind meiner Ansicht nach ein wichtiger Beitrag zum Umweltschutz. ☐
8. Fahrgemeinschaften haben Vor- und Nachteile. ☐
9. Positiv ist, dass man nicht alleine unterwegs ist. ☐
10. Ein Nachteil ist, dass man manchmal auf Mitfahrer warten muss. ☐
11. Man kann zwar Geld sparen, aber man muss immer Rücksicht auf andere nehmen. ☐

b Markieren Sie die Redemittel und ergänzen Sie die Tabelle.

für etwas sein: Ich finde ... sinnvoll, weil ...   *gegen etwas sein: Ich persönlich ... nicht gerne ...*
geteilter Meinung sein: ...

c Markieren Sie die Aussage(n), die Ihrer persönlichen Meinung entspricht / entsprechen, und schreiben Sie diese in Ihr Heft.

Nutzen Sie eigene Erfahrungen zum Lernen.

DaF kompakt – mehr entdecken

1 Statistik: Die Deutschen und das Fahrrad

a Lesen Sie den Text und markieren Sie alle Zahlenangaben.

Man hört immer wieder, dass das Auto das liebste Kind der Deutschen ist. Beliebt ist aber auch das Fahrrad. Das hat jetzt eine Studie herausgefunden: Gut zwei Drittel (67 Prozent) aller Erwachsenen in Deutschland fahren regelmäßig Rad. Doch wie sieht die Fahrradnutzung im Detail aus?
Fast ein Viertel der Radfahrer in Deutschland (23 Prozent) ist das ganze Jahr auf dem Fahrrad unterwegs. Knapp drei Viertel (72 Prozent) geben an, dass ihnen das Radfahren vor allem Spaß macht. 67 Prozent wollen sich durchs Radfahren fit halten und 66 Prozent tun es, weil sie Zeit an der frischen Luft verbringen wollen. Das Fahrrad wird vor allem in der Freizeit viel genutzt: 78 Prozent machen mit ihren Rädern Ausflüge. Auf Platz 2 stehen Erledigungen und Einkäufe (42 Prozent) und 38 Prozent setzen sich aufs Rad, um Sport zu treiben.
Allerdings ist das Unfallrisiko hoch: Fast jeder Dritte (29 Prozent) hatte schon einmal einen Fahrradunfall, bei dem er verletzt wurde. Das Risiko ist bekannt, doch mehr als die Hälfte (54 Prozent) der Befragten trägt selten oder nie einen Fahrradhelm. Dieser kann vor schweren Kopfverletzungen schützen.
Am meisten ärgern sich Radfahrer über unvorsichtige und rücksichtslose Autofahrer sowie fehlende Radwege.
39 Prozent aller Radbesitzer haben beim Kauf ihres Rads mindestens 500 Euro ausgegeben. Die Fahrräder haben also einen hohen Wert und so überrascht es nicht, dass über einem Viertel der Radfahrer in Deutschland (27 Prozent) das Fahrrad schon einmal gestohlen worden ist.

(© Umfrage des Meinungsforschungsinstituts forsa im Auftrag der CosmosDirekt-Versicherungen, 2015)

b Ordnen Sie den Prozentzahlen die Zahlenangaben zu.

die Hälfte | drei Viertel | ein Drittel / jeder Dritte | ~~ein Viertel~~ | fast ein Viertel | gut zwei Drittel |
knapp drei Viertel | mehr als die Hälfte | über ein Viertel | zwei Drittel

25% *ein Viertel*	75% ____	54% ____
33% ____	23% ____	67% ____
50% ____	72% ____	
66% ____	27% ____	

c Mit welchen Verkehrsmitteln fahren die Menschen in Ihrem Heimatland? Recherchieren Sie im Internet und schreiben Sie einen kurzen Text.

2 Über Sprache reflektieren

Ergänzen Sie die Tabelle und vergleichen Sie im Kurs.

	Deutsch	Englisch	andere Sprache(n)
Passiv	Der Krankenwagen wird gerufen.	The ambulance is called.	
Passiv + Modalverb	Das Auto muss repariert werden.	The car must be repaired.	
Zustandspassiv	Das Auto ist schon repariert.	The car is already repaired.	

3 Miniprojekt: Mobile Alternativen

Mobil sein ohne eigenes Auto? Neben den öffentlichen Verkehrsmitteln gibt es viele alternative Fahrmöglichkeiten. Dazu zählen zum Beispiel der Mietradservice „Call a bike" von der Deutschen Bahn (www.callabike.de), CarSharing-Initiativen (www.carsharing.de) und Mitfahrgelegenheiten (www.blablacar.de).
Wählen Sie einen Service aus und recherchieren Sie im Internet zu folgenden Punkten: Wo gibt es den Service? Wer bietet ihn an? Wie funktioniert er? Wie viel kostet er? Was sind die Vorteile / Nachteile?
Berichten Sie im Kurs.

Satzmelodie

1 Ein Polizist erzählt

a Hören Sie die Sätze und lesen Sie mit. Achten Sie auf die Melodiebewegung.　🔊 116

1. Gestern hatte ich in meiner Dienstzeit → schon am frühen Morgen → einen Einsatz. ↘
2. Gegen 7.30 Uhr → wurden mein Kollege und ich → zu einem Einsatz gerufen →, denn an der Kreuzung vor der Universität → hat sich ein Unfall ereignet. ↘
3. Ein Auto → ist beim Abbiegen → mit einem Radfahrer, → der geradeaus fahren wollte →, zusammengestoßen. ↘
4. Der Autofahrer, → der rechts abbiegen wollte, → hat den Radfahrer wohl nicht gesehen. ↘
5. Im letzten Moment → hatte der Autofahrer noch gebremst, → aber es war zu spät. ↘
6. Der Radfahrer ist zwar gestürzt, → aber er trug einen Helm, → deshalb ist er nur leicht am Bein verletzt worden. ↘
7. Wir haben am Unfallort auch Passanten befragt: → „Können Sie eine Zeugenaussage machen? ↗ Was haben Sie gesehen?" ↘

b Lesen Sie den Hinweis und markieren Sie in jedem Sinnschritt in den Sätzen in 1a das Wort mit dem Hauptakzent. Sprechen Sie dann die Sätze. Hören Sie noch einmal zum Vergleich.　🔊 116

In der gesprochenen Sprache werden längere Sätze durch Pausen in sinnvolle Abschnitte gegliedert. Wenn das Sprechtempo langsamer ist, sind mehr Pausen notwendig.
So einen Abschnitt nennt man auch Sinnschritt. Jeder Sinnschritt hat einen Hauptakzent. Die Melodie ist innerhalb des Satzes schwebend →, am Ende des Satzes fallend ↘ oder steigend ↗.

2 Bei der Visite im Krankenhaus

a Die Melodie am Ende eines Satzes entscheidet über seine Bedeutung.
Hören Sie die Sätze und achten Sie auf die Endmelodie.　🔊 117

1. Robert hatte einen Unfall.
2. Robert hatte einen Unfall?

b Hören Sie die Sätze und markieren Sie die Endmelodie: fallend ↘ oder steigend ↗.
Ergänzen Sie dann die Satzzeichen.　🔊 118

1. Der Patient ist ungeduldig
2. Die Wunde heilt gut
3. Er muss aber Geduld haben
4. Das Bein darf noch nicht bewegt werden
5. Er bekommt Medikamente
6. Wir können ihn noch nicht entlassen

c Die Melodie und die Pausen in einem Satz entscheiden über die Bedeutung.
Hören Sie die Sätze und achten Sie auf Pausen und die Melodie.　🔊 119

1. Robert versteht die Ärztin nicht.
2. Robert versteht, die Ärztin nicht.
3. Robert versteht die Ärztin nicht?
4. Robert versteht. Die Ärztin nicht?

Aussagesätze kann man auch wie eine Frage sprechen.

Aussagesätze und W-Fragen: Endmelodie fallend.

Ja / Nein-Fragen, Rückfragen und Aussagesätze als Frage: Endmelodie steigend.

d Sprechen Sie die Sätze in 3a und achten Sie auf Pausen und die Melodie.

e Finden Sie – ähnlich wie in 2c – unterschiedliche Bedeutungen und ergänzen Sie die Satzzeichen (, / . / ?). Wer findet die meisten Möglichkeiten? Sprechen Sie die Sätze und achten Sie auf Pausen und die Melodie.

1.	Fabian	fragt	Marius	nicht	5.	Fabian	fragt	Marius	nicht
2.	Fabian	fragt	Marius	nicht	6.	Fabian	fragt	Marius	nicht
3.	Fabian	fragt	Marius	nicht	7.	Fabian	fragt	Marius	nicht
4.	Fabian	fragt	Marius	nicht	8.	Fabian	fragt	Marius	nicht

A Wo liegt eigentlich Liechtenstein?

1 Der Rhein

👥 **a** Informationen aus dem Internet. Ordnen Sie die Texte in eine Reihenfolge. (Es gibt nicht nur eine Möglichkeit!) Diskutieren Sie danach im Kurs.

A ⊔ Sein Name geht möglicherweise auf eine indogermanische Wortwurzel für „fließen" zurück. Die Römer nannten den Fluss „Rhenus". Wegen seiner Bedeutung in Sagen und Liedern wird er auch als „Vater Rhein" bezeichnet. Im 19. Jh. entstand die berühmte Rheinromantik, zu der die Sage der Loreley, das Nibelungenlied und die Geschichte von den Heinzelmännchen in Köln gehören. Zu den bekanntesten Rheinliedern zählt „Ich weiß nicht, was soll es bedeuten" von Heinrich Heine.

B ⊔ Verschiedene kleine Flüsse, vor allem im Schweizer Kanton Graubünden, bilden den Ursprung des Flusses. Die beiden großen Zusammenflüsse nennt man Vorderrhein und Hinterrhein. Erst kurz vor Liechtenstein erhält der Fluss den Namen „Rhein".
Der Rhein wird im Allgemeinen in folgende Abschnitte gegliedert: Alpenrhein, Hochrhein (mit Bodensee), Oberrhein, Mittelrhein und Niederrhein. Dort, wo er in die Nordsee fließt, nennt man ihn auch Deltarhein.

C ⊔ Der Rhein ist ein Strom in Mitteleuropa und hat eine Gesamtlänge von 1238,8 km. Davon können 883 km für die Schifffahrt genutzt werden. Er ist der siebtgrößte Fluss Europas. Neun Staaten haben Anteil am Rhein. Den größten Flächenanteil hat Deutschland, den zweitgrößten die Schweiz. In Deutschland münden der Main und die Mosel in den Rhein, bevor er bei der Stadt Emmerich am Rhein in die Niederlande fließt.

D ⊔ Zwischen vielen Staaten bildet der Rhein eine natürliche Grenze, nicht nur zwischen Liechtenstein und der Schweiz, sondern auch zum großen Teil zwischen Österreich und der Schweiz und später zwischen Deutschland und der Schweiz bzw. Frankreich. In der Nähe von Bregenz mündet er in den Bodensee. Im südlichen Arm des Bodensees (Untersee) fließt er weiter, und wird ab der Stadt Stein am Rhein wieder so eng, dass man ihn „Rhein" nennt.

b Lesen Sie die Text noch einmal. Was ist richtig (r), was ist falsch (f)? Kreuzen Sie an.

	r	f
1. Der Rhein ist der größte Fluss in Europa.	⊔	⊔
2 Vor allem Vorder- und Hinterrhein bilden den Rhein.	⊔	⊔
3. Er fließt durch Deutschland.	⊔	⊔
4. Der Bodensee besteht eigentlich aus dem Rhein.	⊔	⊔
5. Die Römer nannten ihn „Vater Rhein".	⊔	⊔
6. Es gibt zahlreiche Sagen, in denen der Rhein eine Rolle spielt.	⊔	⊔
7. Er bildet oft die natürliche Grenze zwischen Staaten.	⊔	⊔
8. Der Rhein fließt in die Ostsee.	⊔	⊔

👥 **c** Gibt es einen wichtigen Fluss in Ihrem Land? Machen Sie sich Stichpunkte und sprechen Sie mit Ihrem Partner / Ihrer Partnerin. Benutzen Sie die folgenden Redemittel:

Er ist der X-größte Fluss in … | … hat eine Gesamtlänge von … | X Staaten haben Anteil an (+D) … | … fließt durch … | X und X fließen / münden in … | … bildet die Grenze zwischen … | … wird in X Abschnitte geteilt: … | Sein Name geht auf … zurück. | … nannten ihn … | … wird auch bezeichnet als … | …

2 Fürstentum Liechtenstein

a Lesen Sie den Text im Kursbuch A 2b noch einmal. Was ist richtig (r), was ist falsch (f)? Kreuzen Sie an.

		r	f
1.	Liechtenstein liegt zwischen Österreich und der Schweiz.	⊔	⊔
2.	Liechtensteins Landschaft teilt sich in Gebirge und Rheintal.	⊔	⊔
3.	Der Rhein ist die natürliche Grenze zu Österreich.	⊔	⊔
4.	Die Adelsfamilie hat die alleinige Herrschaft über das Land.	⊔	⊔
5.	Die meisten Einwohner Liechtensteins kommen aus Deutschland.	⊔	⊔
6.	Die meisten Arbeitskräfte kommen aus deutschsprachigen Ländern.	⊔	⊔
7.	Die offizielle Währung ist der Schweizer Franken, da L. ein Kanton der Schweiz ist.	⊔	⊔
8.	Liechtensteins Wirtschaft basiert v. a. auf der Industrie und dem Dienstleistungssektor.	⊔	⊔
9.	Liechtenstein ist ein beliebter Urlaubsort, v. a. im Winter.	⊔	⊔
10.	Liechtenstein bietet viele kulturelle Veranstaltungen an.	⊔	⊔

b Ordnen Sie die Redemittel den Kategorien zu.

~~… ist der …kleinste / …größte Staat der Welt.~~ | Im Sommer werden … Aktivitäten angeboten. | … setzte ein starkes Wirtschaftswachstum ein. | Das Land ist seit … Mitglied der Vereinten Nationen. | Die größte Bevölkerungsgruppe bilden die … | … hat eine Fläche von ca. … km². | Der größte See ist … | … hat … Einwohner, die Amtssprache ist … | Aufgrund seiner geografischen Lage ist … ein ideales Urlaubsland. | … grenzt im Westen / Süden / Norden / Osten an … | … wurden viele Industriebetriebe gegründet. | … % der Bevölkerung sind im tertiären Wirtschaftssektor tätig. | Der höchste Berg ist … | Staatsoberhaupt ist … | … ist ca. 25 km lang und seine breiteste Stelle beträgt … | … ist (wirtschaftlich) eng mit … verbunden. | Die Hälfte / Ein Viertel / … % des Landes besteht aus Bergen / Seen / … | … wurde … unabhängig (von …) | Im Winter gibt es … | Alle … Jahre wird das Parlament gewählt. | … zählt zu den ältesten … | … ist eine parlamentarische Demokratie / konstitutionelle Monarchie / … | …

Größe: … ist der … kleinste / … größte Staat der Welt
Geschichte:
Politik:
Bevölkerung:
geografische Lage:
Sprache:
Wirtschaft:
Kultur:

3 Superlativ mit Ordinalzahlen

a Ergänzen Sie.

1. Hamburg ist die _zweitgrößte_ (2. + groß) Stadt Deutschlands, München die _____ (3. + groß).
2. Bayern München ist der _____ (3. + gut) Fußballclub der Welt.
3. Scarlett Johansson ist die _____ (2. + schön) Frau der Welt.
4. Die ETH in Zürich ist die _____ (8. + beliebt) Universität der Welt.
5. Paris ist die _____ (5. + teuer) Stadt der Welt.
6. Das Matterhorn ist der _____ (5. + hoch) Berg der Schweiz.

b Recherchieren Sie im Internet die Liste der größten / schönsten / besten / erfolgreichsten … (z. B. Liste der größten Städte der Welt: 1. Tokio, 2. Jakarta, 3. Delhi, 4. Seoul, 5. Manila usw.). Stellen Sie die Rangliste Ihrem Partner vor.

Tokio ist die größte Stadt der Welt, Jakarta die zweitgrößte, Delhi die drittgrößte, …

B Hochschulort Liechtenstein

1 Warum denn bloß nach Liechtenstein?

a Suchen Sie zusammengesetzte Substantive mit „Studien-".
Nutzen Sie auch ein einsprachiges (Online-)Wörterbuch.

Studienplatz, Studiendauer, Studienbeginn, ...

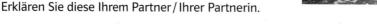

b Suchen Sie im Text B 1a im Kursbuch 5 – 7 zusammengesetzte Substantive.
Erklären Sie diese Ihrem Partner / Ihrer Partnerin.

„Mindeststudiendauer" bedeutet, dass man mindestens x Semester studieren muss.

c Wie wirbt die Universität Liechtenstein? Markieren Sie im Kursbuch B, Aufgabe 1a alle Adjektivattribute + Substantiv. Schreiben Sie diese in eine Tabelle und fügen Sie hinzu, was rechts davon steht.

Adjektivattribut + Substantiv	Position rechts
hohe Praxisorientierung	*durch Dozenten ...*
hervorragendes Netzwerk	*zu*
...	

2 Mein Name ist Lena Kaiser und ich studiere hier in Liechtenstein

🔊 120 **a** Schauen Sie sich das Video von Lena nochmals an oder hören Sie das Audio. Was ist **richtig**, was ist **falsch**? Kreuzen Sie an.

	r	f
1. Lena hat Betriebswirtschaft im Bachelorstudium studiert.	☐	☐
2. Sie wollte einen spezifischen Master machen.	☐	☐
3. Dieser Masterstudiengang ermöglicht es zu lernen, wie Firmen ihre Prozesse anpassen müssen.	☐	☐
4. An der Universität Liechtenstein gibt es ein gutes Betreuungsverhältnis.	☐	☐
5. Es gibt Klassen von 10 Personen.	☐	☐
6. Lena wollte auf Englisch studieren.	☐	☐
7. Auf einer Mastermesse hat sie von dem Studiengang erfahren.	☐	☐
8. Nur die Studierenden duzen sich untereinander.	☐	☐

b Schauen Sie sich das Interview nochmals an und füllen Sie die Lücken aus. Was fällt auf?

Area | ~~Bachelor~~ | Big Data | cool | Interview | Omni Channel | online | performen

[...] Mein *Bachelor* [1] war sehr generalistisch und ich wollte jetzt für den Master in 'ne spezifische _____ [2] eintauchen. Und heutzutage spricht jeder über Digitalisierung, _____ [3], _____ [4] und dieser Studiengang ermöglicht es zu lernen, wie Unternehmen ihre Prozesse anpassen müssen, damit sie im digitalen Zeitalter _____ [5] können.
Und der 1. Grund war: Ich wollte 'n gutes Betreuungsverhältnis – was hier auf jeden Fall gegeben ist.
Wir haben Klassen von 35 Personen und haben zudem 16 verschiedene Nationalitäten – was halt wirklich richtig _____ [6] ist.
[...]. Danach habe ich mich _____ [7] beworben, mit 'nem Lebenslauf und 'nem Motivationsschreiben.
Danach hatte ich 'n _____ [8] und kurz danach kam dann auch schon die Zusage. Also das war alles perfekt.

c Durch den Einfluss aus dem Englischen gibt es viele neue Verben in der deutschen Sprache, wie „performen". Füllen Sie die Tabelle aus. Welche kennen Sie noch? Wie werden diese Verben im Deutschen gebildet? Sprechen Sie im Kurs.

englisches Substantiv	Verb im Deutschen	englisches Substantiv	Verb im Deutschen
Babysitter	*babysitten*	Klick	
Bike	*biken*	Mail	
Brunch		Post	
Chat		Shop	
Google		Skype	

die Post ≠ der Post

d Lena hat sich online beworben. Was kann man noch alles online machen? Schreiben Sie Beispielsätze in Ihr Heft. Achten Sie auf das Reflexivpronomen.

(sich) online   bewerben
bezahlen
...

e Schauen Sie sich im Internet weitere Videos zu „Studieren in Liechtenstein" an, z. B. „Master in Entrepreneurship in Liechtenstein", „Master of Finance an der Universität Liechtenstein", „Master in Architektur an der Universität Liechtenstein". Notieren Sie sich zuerst die Fragen. Beim zweiten Mal notieren Sie sich Stichpunkte zu den Fragen. Berichten Sie anschließend im Kurs.

www. https://
m.youtube.com/watch?
feature=youtu.be&v=
8Xq7ro0PHfw&app=
desktop

3 Grammatik auf einen Blick: Relativsätze mit „was"

Ordnen Sie zu.

1. An der Uni Liechtenstein gibt es ein gutes Betreuungsverhältnis,
2. Die Fürstenfamilie lädt jedes Jahr zum Apéro ein,
3. Sie rief plötzlich an,
4. Sie haben gesagt, dass es morgen regnen wird,
5. Es gibt so viele verschiedene Nationalitäten in Liechtenstein,
6. Der Rhein fließt von der Schweiz bis zur Nordsee,

a. ⌴ was ich nach so langer Zeit überhaupt nicht erwartet hatte.
b. ⌴ was ich aber für unwahrscheinlich halte, denn heute schien die Sonne.
c. ⌴ was die ganze Liechtensteiner Bevölkerung freut.
d. ⌴ *1* was Lena wirklich sehr gut gefällt, da man intensiver arbeitet.
e. ⌴ was Lena richtig cool findet.
f. ⌴ was man im Geographie-Unterricht oft nicht lernt.

4 Lena pendelt zur Uni

Ergänzen Sie die Lücken mit den Adjektiven im Komparativ oder Superlativ. Achten Sie auf die Deklination. Beachten Sie, dass es sich in 5. und 6. um Adverbien handelt.

1. Lena wohnt in Österreich, weil die Miete dort _____ (niedrig) als in Liechtenstein ist.
2. Sie hat eine Wohnung in Feldkirch, da dies _____ (nah) als Dornbirn ist.
3. Sie tankt oft in Liechtenstein, weil das Benzin _____ (günstig) als in Österreich ist.
4. Liechtenstein ist eins der _____ (reich) Länder der Welt.
5. Lena fährt _____ (häufig, Superlativ) mit dem Bus.
6. Der öffentliche Verkehr ist _____ (gut, Superlativ) ausgebaut.
7. In Österreich sind die Mieten _____ (hoch) als in Deutschland.
8. Der _____ (nah) See in der Schweiz ist der Walensee.

C Liechtenstein im Vierländereck

1 Die Universität Liechtenstein und ihr attraktives Freizeitumfeld

a Lesen Sie die Texte A – F im Kursbuch C 1a nochmals. Wählen Sie bei den Sätzen 1–5 die richtige Lösung **a**, **b** oder **c**.

1. Der Bodensee-Radweg
   a. ⊔ ist sehr vielfältig und bietet für alle etwas Interessantes.
   b. ⊔ ist ziemlich anstrengend und man hat keine Zeit etwas zu besichtigen.
   c. ⊔ bietet unterwegs keinerlei Sehenswürdigkeiten an.

2. St. Gallen ist
   a. ⊔ besonders bekannt durch den Berg Säntis und die Schaukäserei.
   b. ⊔ besonders interessant für Wanderer und kulinarisch Interessierte.
   c. ⊔ besonders interessant für Liebhaber von Städtereisen.

3. Im Heididorf Maienfeld
   a. ⊔ wohnte die Schweizer Schriftstellerin Johanna Spyri.
   b. ⊔ kann man sich die alten und neuen Filme von Heidi anschauen.
   c. ⊔ kann man die literarischen Orte der Heidi-Geschichte besuchen.

4. Am Walensee
   a. ⊔ bietet der berühmte Aquarellmaler Eckard Funck Malkurse an.
   b. ⊔ kann man mit dem Schiff fahren oder malen.
   c. ⊔ gibt es viele Handelsorte.

5. Bregenz
   a. ⊔ bietet Natur, Kunst und Kultur.
   b. ⊔ liegt auf einem Berg von 600 m Höhe.
   c. ⊔ ist vor allem bekannt durch sein Kunsthaus.

b Zusammengesetzte Wörter. Markieren Sie im Text C 1a im Kursbuch alle zusammengesetzten Wörter und schreiben Sie 10 davon auf kleine Kärtchen. Definieren oder beschreiben Sie das Wort, ohne das Wort selbst oder seine einzelnen Teile zu nennen. Der Partner / die Partnerin soll das Wort erraten. Wechseln Sie ab.

2 Die Ferienregion Heidiland im Winter

a Aus einem Werbeprospekt der Region Heidiland. Welcher Titel passt zu welchem Text?

1. Langlaufen	3. Skifahren & Snowboarden
2. Rodeln & Airboarden	4. Winterwandern & Schneeschuhlaufen

D: Schlitten fahren
A / CH: rodeln
CH: schlitteln
D: Spaß
CH: Spa**ss**

a. ⊔ Schneesicher, nahe und gut erschlossen: Die Ski- und Snowboardgebiete Pizol und Flumserberg bieten auf über 105 km perfekt präparierte Pisten, Freeride-Slopes und Snowparks – Winterspass für jedermann. Moderne Liftanlagen bringen einen bis auf über 2.200 m. Lassen Sie sich von der Aus- und Weitsicht verzaubern und begeistern.

b. ⊔ In der Ferienregion Heidiland werden über 40 km Winterwanderwege präpariert und ausgeschildert. Dank der Bergbahnen lassen sich zahlreiche Wanderungen bequem abkürzen. Etwas anstrengender, aber dafür umso erlebnisintensiver, ist eine Wanderung mit Schneeschuhen durch die tiefverschneite Landschaft.

c. ⊔ Ob gemütlich oder sportlich – klassisch oder Skating: In der Ferienregion Heidiland erwartet Sie ein attraktives Angebot an Langlaufloipen. Am Flumserberg werden insgesamt 18 km Loipen gespurt und die Höhenloipe am Pizol auf über 2.200 m ist 4 km lang. Weitere Loipen gibt es in Vättis und am St. Margarethenberg.

d. ⊔ Ob rasant auf einem Rennrodel oder gemütlich auf einem Holzschlitten – „schlitteln" ist ein Spass für die ganze Familie. Insgesamt stehen in der Ferienregion Heidiland über 12 km präparierte und teils beleuchtete Schlittelwege zur Verfügung. Wer den besonderen Adrenalinkick sucht, findet diesen auf der 3,2 km langen Airboard-Strecke am Pizol.

b Wie wirbt die Ferienregion Heidiland? Ordnen Sie zu.

1.	Schneesichere und gut erschlossene	a. ⊔	Schlittenfahrten
2.	Winter-Spass	b. ⊔	an Langlaufloipen
3.	Ein Spass	c. ⊔	Ski- und Snowboardgebiete
4.	Perfekt präparierte	d. ⊔	für die ganze Familie
5.	Gut ausgeschilderte	e. _1_	Wanderwege
6.	Erlebnisintensive	f. ⊔	Wanderungen
7.	Ein attraktives Angebot	g. ⊔	Landschaft
8.	Rasante oder gemütliche	h. ⊔	verzaubern und begeistern lassen
9.	Von der Aussicht	i. ⊔	Pisten
10.	Durch die tiefverschneite	j. ⊔	für jedermann

c Suchen Sie aus den Texten im Kursbuch C 1a und dem Text in 2a alle Verben von Aktivitäten heraus und sortieren Sie diese nach Winter- und Sommeraktivitäten. Suchen Sie weitere. Was fällt Ihnen dabei auf?

Winteraktivitäten: *langlaufen, ...*   **Sommeraktivitäten:** *radeln, ...*

d Sprechen Sie mit Ihrem Partner / Ihrer Partnerin über die verschiedenen Sommer- und Winteraktivitäten. Was gefällt Ihnen? Was würden Sie gerne machen / unternehmen, wenn Sie in Liechtenstein in Urlaub wären?

3 Radio Liechtenstein

Sie hören die vier kurzen Ansagen von Radio Liechtenstein im Kursbuch C 3, Aufgabe 2 noch einmal. Sie hören jeden Text zweimal. Zu jedem Text lösen Sie zwei Aufgaben. Wählen Sie bei jeder Aufgabe die richtige Lösung.

Ⓟ
◁) 121–124

1. Das Weinfest von Liechtenstein gab es 2 Jahre lang nicht.   r ⊔   f ⊔
   Auf dem Liechtensteiner Weinfest gibt es
   a. ⊔ keine Besucher aus dem Ausland.
   b. ⊔ Wein nur aus der Schweiz.
   c. ⊔ Wein und Köstlichkeiten aus der Region.

2. Das große Volksfest findet im Städtle Vaduz statt.   r ⊔   f ⊔
   Das Fest beginnt offiziell mit
   a. ⊔ der Ansprache des Fürsten und des Landtagspräsidenten.
   b. ⊔ dem Apéro.
   c. ⊔ dem großen Volksfest im Städtle.

3. Das Theaterstück enthält reale Geschichten aus dem Alltag.   r ⊔   f ⊔
   Im Modellhaus sind
   a. ⊔ nur Menschen.
   b. ⊔ Menschen und Dinge.
   c. ⊔ Menschen, Dinge und Tiere.

4. Auf dem Festival im Vaduzer Städtle präsentieren sich Künstler   r ⊔   f ⊔
   aus Liechtenstein und der Umgebung.
   Das Festival findet
   a. ⊔ draußen statt.
   b. ⊔ im Kleintheater Schlösslekeller statt.
   c. ⊔ auf einer Bühne im Theater statt.

⚇ DaF kompakt – mehr entdecken

1 Lange Wörter analysieren

Zusammengesetzte Wörter stehen oft nicht im Wörterbuch, auch weil sie in der deutschen Sprache ad hoc gebildet werden können. Die Deutschsprecher gehen sehr kreativ mit der Wortbildung um. Umso wichtiger ist es, zu wissen, wie man sie analysieren kann, denn nur so kann man die Bedeutung ableiten. Dies funktioniert allerdings oft nur bei Wörtern, die eine konkrete Bedeutung haben. Analysieren Sie folgende Wörter:

Erbmonarchie, Staatsoberhaupt, Wahlmodule, Betreuungsverhältnis, Naturliebhaber, Technikaffine, Schaukäserei, Bergrestaurant, Wanderwegnetz, Kuhglocke, Aussicht, Weitsicht, bevölkerungsreich, arbeitstätig, erlebnisreich, kristallklar, schneesicher.

1. Teilen Sie dabei die Wörter in ihre Einzelteile.
2. Identifizieren Sie evtl. Fugenelemente: -s-, -n-.
3. Beginnen Sie mit der Erklärung der Bedeutung von rechts nach links.
4. Versuchen Sie, die Bedeutung des Wortes zu beschreiben (gut funktionieren Relativsätze für die Beschreibung).

Beispiel: *Mindeststudiendauer*
1.+2. Mindest-studie-n-dauer
3. Die Dauer eines Studiums + mindestens →
4. Die Zeit, die man mindestens studieren muss. Oder: Die Zeit, die man mindestens für ein Studium braucht.

2 Kulturelle Wörter

Jede Sprache enthält Kulturspezifika, die typische Dinge / Gegebenheiten in der jeweiligen Kultur bezeichnen und die man nur schwer in eine andere Sprache übersetzen kann. Im Deutschen haben wir Wörter wie *gemütlich* und *wandern* und es gibt viele zusammengesetzte Wörter, z.B.:

Wandergruppe	*aber auch:*
Wanderkarte	
Wanderkleidung	*Wanderausstellung*
Wanderrucksack	*Wanderdüne*
Wanderschuh	*Wanderpokal*
Wanderweg	

Welche kulturellen Wörter gibt es in Ihrer Sprache? Bereiten Sie eine kleine Präsentation mit wenigen Folien vor, auf denen Sie einige Kulturspezifika erklären, Beispiele aufschreiben, Fotos hinzufügen usw., um den anderen Kursteilnehmerinnen und Kursteilnehmern die Bedeutung zu beschreiben.

3 Miniprojekt: ein eigenes Video zum Studium drehen

Drehen Sie Ihr eigenes Video.

Schauen Sie sich dazu nochmals Lenas Video an und nutzen Sie die Fragen aus dem Kursbuch B 2a. Suchen Sie eventuell noch 2 – 3 weitere. Schreiben Sie die Fragen groß auf ein DIN A4-Blatt, das Sie später im Film benutzen können. Drehen Sie zu zweit das Video (z.B. mit einem Smartphone), eine / r interviewt und der / die andere antwortet auf die Fragen. Tauschen Sie die Rollen.

Ich heiße Eisler

1 heiß – Eis

a Hören Sie die Wortpaare. 🔊 125

hin – in   halt – alt   Hände – Ende   hoffen – offen   heiß – Eis

b Nehmen Sie ein Blatt Papier und sprechen Sie die Wortpaare in 1a nach. Sprechen Sie so:

Wörter oder Silben mit „h" am Anfang = gehauchter Vokaleinsatz

Wörter oder Silben mit einem Vokal am Anfang = fester Vokaleinsatz. Es klingt hart und knackt leise. Daher nennt man den festen Vokaleinsatz auch „Knacklaut".

2 Familiennamen

a Hören Sie die Namen und sprechen Sie sie nach. 🔊 126

1. a.⎵ Hast   b.⎵ Ast   4. a.⎵ Haubert   b.⎵ Aubert
2. a.⎵ Herzfeld   b.⎵ Erzfeld   5. a.⎵ Hopper   b.⎵ Opper
3. a.⎵ Heisler   b.⎵ Eisler   6. a.⎵ Humann   b.⎵ Uhmann

b Sie hören jetzt immer nur einen der Namen. Welchen? Kreuzen Sie an. 🔊 127

c Hören Sie die Sätze und ergänzen Sie die Namen. Sprechen Sie sie dann nach. 🔊 128

1. Herr _____ ist Hausmeister.   4. Frau _____ arbeitet an der Uni.
2. Frau _____ lebt in Hagen.   5. Herr _____ hat Hunde.
3. Herr _____ liebt die Alpen.   6. Frau _____ mag Hörbücher.

d Sprechen Sie die Namen in 2a ganz leise. Ihr Partner / Ihre Partnerin sagt, welcher Name es war.

3 Tante Hertha hätte gern ...

a Hören Sie, was Tante Hertha hat und was sie gern hätte. Sprechen Sie nach. Achten Sie auf das [h]. 🔊 129

Tante Hertha hat
– braune Haare   – einen kleinen Hund
– ein hässliches Haus   – heute viel zu tun

Tante Hertha hätte gern
– schwarze Haare   – einen großen Hund
– ein hübsches Haus   – Hilfe im Haushalt

b Schreiben Sie eine Liste mit 4 Wortgruppen oder kurzen Sätzen, ähnlich wie in 3a. Verwenden Sie viele Wörter mit „h" am Wort- oder Silbenanfang.

c Bilden Sie zwei Gruppen und stellen Sie sich gegenüber auf. Eine Person aus einer Gruppe ruft einer Person aus der anderen Gruppe ihre Liste zu. Die anderen Teilnehmer / Teilnehmerinnen sind in der Zeit sehr laut. Welche Gruppe die meisten Wörter richtig notiert hat, gewinnt.

A Neu in Hamburg

1 Hamburgs viele Gesichter

a Lesen Sie die Texte über Hamburg im
Kursbuch A, Aufgabe 1a, noch einmal.
Was ist richtig (r), was ist falsch (f)?
Kreuzen Sie an.

		r	f
1.	Das Hotel „Atlantic" liegt an der Binnenalster.	⊔	⊔
2.	Viele Hamburger Sehenswürdigkeiten können mit dem Schiff besichtigt werden.	⊔	⊔
3.	Der Hamburger Fischmarkt hat eine lange Tradition.	⊔	⊔
4.	Auf dem Fischmarkt kann man täglich von 5.00 bis 9.30 Uhr einkaufen.	⊔	⊔
5.	Jedes Jahr besuchen mehrere Millionen Menschen den Fischmarkt.	⊔	⊔
6.	Hamburg bietet die beste Ausbildung im Bereich Medien an.	⊔	⊔
7.	In Hamburg verdienen Werbefirmen mehr Geld als in anderen Städten.	⊔	⊔
8.	In Hamburg arbeiten ca. 17.000 Menschen in der Werbebranche.	⊔	⊔

b Welcher Text ist für welche Person besonders interessant?

1. Sonja B. möchte einkaufen.	⌞B⌟
2. Bertolt K. ist Architekt.	⊔
3. Sandra F. interessiert sich für das Leben von Schauspielern und Sängern.	⊔
4. Rikki M. möchte in Hamburg studieren.	⊔
5. Harry O. möchte Menschen fotografieren.	⊔
6. Frieder K. arbeitet in der Filmbranche und möchte sich noch weiterbilden.	⊔

c Lesen die Texte A und B im Kursbuch A, 1a, noch einmal und ergänzen Sie die passenden Nomen.

1. Die Außenalster hat 164 Hektar *Wasserfläche* .
2. Vom Schiff aus sieht man malerische _____ .
3. Die große Fontaine ist ein beliebtes _____ .
4. Ein traditionsreicher Markt ist der _____ .
5. Dort hört man die Stimmen der _____ .

2 Hamburgs Attraktionen

a Was gehört zusammen? Ordnen Sie zu und vergleichen Sie dann mit den Texten über Hamburg im
Kursbuch A, Aufgabe 1a.

1. viele Gesichter	a. ⊔ erfolgreichen Engagements
2. ein Fotomotiv	b. ⊔ des täglichen Lebens
3. Fisch	c. ⊔ Hamburgs
4. der Genuss	d. ⊔ bester Qualität
5. viele Dinge	e. ⊔ einer renommierten Privatschule
6. ein Beispiel	f. ⊔ begeisterter Besucher
7. die Niederlassung	g. ⊔ frischen Fisches

b Ergänzen Sie die Endungen der Adjektive im Genitiv vor Nomen ohne Artikel.
Dinge, die zu Hamburg gehören …

Adjektivendungen im
Genitiv vor Nomen
ohne Artikel
M und N: „-en"
F und Pl: „-er"

Maskulinum (M)	Neutrum (N)	Femininum (F)	Plural (M, N, F)
der Genuss frisch____ Fisches	ein Beispiel gut___ Managements	eine Ausbildung best___ Qualität	das Ziel begeistert___ Touristen

B1: 126

c Wessen Name ist das? Ordnen Sie zu.

1. Carlos Ramirez
2. Atlantic
3. Miami Ad
4. Udo Lindenberg
5. Weiße Flotte
6. Alster ist der Name …

ist der Name

a. ⊔ eines bekannten Sängers.
b. ⊔ touristischer Schiffen in Hamburg.
c. ⊔ eines norddeutschen Flusses.
d. ⊔ 1 eines mexikanischen Studenten.
e. ⊔ eines bekannten Hotels.
f. ⊔ einer renommierten Schule.

d Ergänzen Sie die Endungen der Adjektive im Genitiv vor Nomen mit unbestimmtem Artikel.
Das ist …

Maskulinum (M)	Neutrum (N)	Femininum (F)	Plural (M, N, F)
der Name ein___ berühmt___ Sängers	der Name ein___ bekannt___ Hotels	der Name ein___ renommiert___ Schule	der Name touristisch___ Schiffe

Adjektivendung im Genitiv vor Nomen mit unbestimmtem Artikel „-en"; Plural: „-er"!

e Ergänzen Sie die Endungen der Adjektive im Genitiv vor Nomen mit bestimmtem Artikel.
Hamburg ist die Stadt …

Maskulinum (M)	Neutrum (N)	Femininum (F)	Plural (M, N, F)
d___ traditionell___ Fischmarkts	d___ groß___ Hafenfestes	d___ schön___ Binnenalster	d___ zahlreich___ Werbefirmen

Adjektivendung im Genitiv vor Nomen mit bestimmtem Artikel „-en"

f Welche Adjektivendungen in 3 b – e sind gleich?

3 Alles super!

Das alles begeistert die drei Studentinnen in Hamburg. Ergänzen Sie die fehlenden Endungen.

1. die Möglichkeit einer guten Ausbildung
2. die Atmosphäre d___ wunderbar___ Stadt
3. die Schönheit d___ alt___ Häuser
4. die Qualität klein___ Theater
5. das Angebot zahlreich___ Geschäfte
6. die Nähe ein___ ruhig___ Parks
7. die Größe d___ alt___ Hafens
8. die Zahl kreativ___ Künstler
9. die Kleidung reich___ Hamburger
10. der Besuch d___ bekannt___ Fischmarkts
11. der Besuch ein___ berühmt___ Musicals
12. die Wörter d___ typisch___ Hamburger Dialekts

4 Studierende in Hamburg

Lesen Sie die Internetberichte im Kursbuch A, Aufgabe 3a, noch einmal und ergänzen Sie die Informationen in der Tabelle.

Name	Warum studiert sie / er in Hamburg?	Was findet sie / er in Hamburg interessant?
Irina	Weil die Ausbildung exzellent und sehr an der Praxis orientiert ist.	
Antonia		
Carlos		

B Wohin am Wochenende?

1 Tolle Veranstaltungen!

a Beantworten Sie die Fragen mithilfe der Anzeigen im Kursbuch B, Aufgabe 1.

1. Wann wird der Hafengeburtstag gefeiert?
2. Wer hat die „Die Dreigroschenoper" geschrieben?
3. Wie viele Tage dauert das Straßenfest in Barmbek?
4. Wo kann man die Karten für die Theatergruppe Delikt! kaufen?
5. Wo kann man nähere Informationen über das Musical „König der Löwen" bekommen?
6. Wo findet das „Murder Mystery Dinner" statt?

b Lesen Sie die Situationen und dann die Anzeigen im Kursbuch B, Aufgabe 1 noch einmal.
Welche Anzeige (A – F) passt zu welcher Situation? Jede Anzeige passt nur einmal. Es gibt auch die
Möglichkeit, dass keine Anzeige passt.

	Anzeige
1. Sie möchten ein Theaterstück von einem berühmten deutschen Autor sehen.	☐
2. Sie lieben Musicals und Tanztheater.	☐
3. Sie wollen mit Ihren Freunden drei unterhaltsame Tage verbringen.	☐
4. Sie lieben Theater, wo sie selber mitspielen können.	☐
5. Sie und Ihre Studienkollegen lieben Studententheater.	☐
6. Sie bummeln gerne, lieben Musik und Theater.	☐
7. Sie möchten gut essen und lieben Krimis.	☐

2 Drei Freunde in Hamburg

🔊 130 Hören Sie Teil 2 des Gesprächs zwischen Irina, Carlos und Antonia im Kursbuch B, Aufgabe 1c, noch einmal. Wer sagt was? Ergänzen Sie.

Mit einem Komma vor dem Infinitivsatz kann man den ganzen Satz besser verstehen.

1. *Irina* möchte gern ins Schauspielhaus gehen.
2. _____ hat keine Lust, „Die Dreigroschenoper" zu sehen.
3. _____ findet den Film „Dinner for one" total lustig.
4. _____ spielt gerne Detektiv.
5. _____ findet das „Murder Mystery Dinner" zu teuer.
6. _____ findet, dass man im Theater nicht essen sollte.

3 Was gefällt und was nicht – Infinitivsätze

a Was finden Irina, Carlos und Antonia gut oder interessant? Was nicht?
Schreiben Sie Infinitivsätze in eine Tabelle in Ihr Heft.

	findet es gut / interessant, ...	findet es nicht gut / nicht interessant, ...
Irina	– auf das Hafenfest gehen – das Schauspielhaus besuchen – sich mit Freunden treffen	– die Hafenrundfahrt am Sonntag machen – im Theater essen
Carlos	– den Film „Dinner for one" sehen – im Park spazieren gehen – in Hamburg einkaufen	– mit sehr vielen Menschen zusammen sein – am Sonntag auf Kinder aufpassen
Antonia	– mit Freundinnen etwas unternehmen – mit dem Schiff fahren – Hamburgs Geschichte kennenlernen	– die „Dreigroschenoper" sehen – wenig Zeit haben

Hauptsatz	Infinitivsatz
1. Irina findet es interessant,	*auf das Hafenfest zu gehen.*

b Was finden Sie gut, schön, angenehm (+), was nicht gut, blöd, unangenehm (−)? Ordnen Sie zu und formulieren Sie dann Infinitivsätze im Passiv.

fotografieren | einladen | verbessern | kritisieren | kontrollieren | besuchen | begrüßen | motivieren | fahren | anzeigen

Ich finde es gut, verbessert zu werden.

4 Irinas Bruder Wladimir

a Wo braucht man „zu" und wo nicht? Ergänzen Sie „zu" dort, wo man es in der Mail braucht.

> Hallo Mike,
> weißt du schon, dass ich in den nächsten Tagen nach Hamburg komme? Ich hatte schon lange geplant, meine Schwester _zu_ [1] besuchen. Jetzt freue ich mich, sie bald _____ [2] sehen und kann es kaum _____ [3] erwarten, bei ihr _____ [4] sein. Ich hoffe, dass sie Zeit hat und mich am Bahnhof abholt. Diesmal habe ich keine großen Pläne: Ich möchte nur _____ [5] sehen, wo und wie meine Schwester wohnt. Natürlich habe ich auch vor, Hamburg _____ [6] besichtigen. Du weißt ja: Ich liebe es, Neues _____ [7] entdecken und kennen_____lernen [8]. Hoffentlich hat Irina Zeit und Lust, mir etwas _____ [9] zeigen. Wo bist du denn gerade? Hast du Lust, dich mit mir in Hamburg _____ [10] treffen?
> Ciao! Mach's gut. Wladimir

b Welche Aussagen passen zu Ihnen? Schreiben Sie Infinitivsätze wie im Beispiel.

1. interessant finden neue Städte kennenlernen | 2. gut finden eine Stadt auf dem Schiff besichtigen | 3. wollen später einmal nach Hamburg fahren | 4. vorhaben noch mehr Deutsch lernen | 5. möchte lieber in Gruppe lernen als allein | 6. keine Lust haben am Wochenende zu Hause bleiben

1. Ich finde es interessant, neue Städte kennenzulernen.

5 Alternativen

Man muss sich entscheiden. Schreiben Sie Sätze in die Tabelle.

1. Wladimir: Hafenrundfahrt oder Stadtrundgang machen
2. wir: zu Hause essen oder ins Restaurant gehen
3. du: mit dem Bus fahren oder ein Taxi nehmen
4. Andrea: ins Kino oder ins Theater gehen wollen
5. Merve: Freunde besuchen oder Fahrrad fahren
6. die Freundinnen: Straßenfest besuchen oder einen Rundflug machen

1. Hauptsatz / 1. Satzteil	Position 0	2. Hauptsatz / 2. Satzteil
1. Entweder er macht eine Hafenrundfahrt Entweder macht er eine Hafenrundfahrt Er macht entweder eine Hafenrundfahrt	oder	einen Stadtrundgang.
2. _____	_____	_____
3. _____	_____	_____
2. _____	_____	_____
5. _____	_____	_____
6. _____	_____	_____

C Tatort Hamburg

1 Kalt erwischt in Hamburg – Chronologie

🔊 131 Hören Sie Szene 1 des Theaterstücks noch einmal und bringen Sie die Sätze
in die richtige Reihenfolge.

a. ⌴ Der Pastor sagt, dass Klaas verschwunden ist.
b. ⌴ Der Pastor stellt Frau Brandt Nele vor.
c. ⌴1 Der Pastor versucht, Klaas anzurufen.
d. ⌴ Frau Brandt beschreibt den Mann, den sie mit Klaas gesehen hat.
e. ⌴ Frau Brandt kommt zu einem Gesprächstermin zum Pastor.
f. ⌴ Frau Brandt sagt, wann und wo sie Klaas gesehen hat.
g. ⌴ Nele möchte alle Krankenhäuser anrufen.
h. ⌴ Nele sucht Klaas beim Pastor.
i. ⌴ Nele vermutet, dass der blonde Mann mit Bart ihr Ex-Freund ist.

2 Vermutungen

a Streichen Sie die Redemittel, die man nicht für Vermutungen benutzen kann.

Vielleicht … | Eventuell… | Ich vermute, dass … | ~~Würdest du gern …~~ | Wahrscheinlich … |
Ich hätte Lust … | Es könnte sein, dass … | Wie wäre es mit … | Ich glaube, … könnte … |
Möglicherweise …

b Was ist mit Klaas? Formulieren Sie Vermutungen mit den Redemitteln aus 2a. Schreiben Sie 5 Vermutungen in Ihr Heft und vergleichen Sie mit Ihrem Partner / Ihrer Partnerin.

Vielleicht trifft Klaas Neles Exfreund.

Eventuell …

3 Ein Zeugenbericht

🔊 132 Hören Sie Szene 2 des Theaterstücks noch einmal und vergleichen Sie sie mit dem folgenden Zeugenbericht: Was ist hier falsch? Korrigieren Sie die Fehler.

> „Also, da waren zwei Männer: Einer war ganz in Schwarz und hatte blonde
> Haare, den anderen habe ich nicht so gut gesehen, aber der hatte eine Trompete.
> Das habe ich genau gesehen. Der Blonde hat den anderen Mann mit ~~einer~~   „einem Messer"
> ~~Pistole~~ bedroht. Er hat dem Trompeter viele Fragen gestellt und von einer Frau
> 5 gesprochen, mit der er seit sechs Monaten zusammen ist. Der Trompeter hat
> gesagt, dass diese Frau – er hat sie Nele genannt – ihn nicht mehr liebt. Das hat
> den Blonden so geärgert, dass er den Trompeter auf die Brücke brachte und
> sagte, er soll ins Wasser springen. Der machte das aber nicht, sondern schlug
> dem Blonden die Trompete auf den Kopf. Der fiel hin. Da lief der Trompeter weg,
> 10 der Blonde stand auf und lief hinter ihm her und rief: „Ich krieg dich! Warte nur!"
> Das war alles, was ich gesehen und gehört habe."

4 Wer war's: Nele, Frau Brandt, der Pastor, oder Ole?

Hören Sie Szene 3 noch einmal. Wer macht was? Ergänzen Sie. 🔊 133

1. _Nele_ vermutet, dass Ole und Klaas im Container Terminal sind.
2. _____ sagt, dass Klaas „bei den Fischen" ist.
3. _____ möchte für immer mit Nele zusammen sein.
4. _____ hilft dem Pastor.
5. _____ fesseln Ole.
6. _____ hatte große Angst vor Ole.
7. _____ möchte Licht und Taucher holen.
8. _____ vermutet, dass sie an der falschen Stelle suchen.

5 Das Ende

Ordnen Sie die Sätze zu einer Zusammenfassung der letzten Szene von „Kalt erwischt in Hamburg".

Der Krankenwagen kam schnell und brachte Klaas ins Krankenhaus. | Nele und der Pastor besuchen Klaas. | ~~Die letzte Szene spielt im Krankenhaus.~~ | Klaas war in einem Kühlcontainer. | Nele erzählt ihm, was passiert ist. | Er war ohnmächtig. | Ole ist jetzt im Gefängnis.

Die letzte Szene spielt im Krankenhaus. ...

6 Kalt erwischt in Hamburg

a Wie ist der Krimi in den Szenen 1, 2, 3 und 5 aufgebaut? Zeichnen Sie einen Plan mit Personen, Schauplätzen und Handlung. Fassen Sie den Krimi mithilfe Ihres Plans zusammen und präsentieren Sie Ihre Ergebnisse im Kurs.

Notizen kann man auch grafisch mit einer Skizze festhalten.

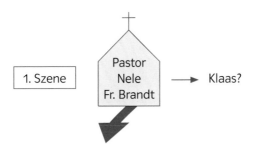

b Wenn Sie wissen möchten, was in Szene 4 passiert ist und wie Klaas gerettet wurde, lesen Sie den Krimi „Kalt erwischt in Hamburg" in der Reihe „Tatort DaF Hörkrimi" von Klett.

– Teilen Sie sich in Gruppen auf. Jede Gruppe wählt zwei Kapitel und fasst den Inhalt in Stichworten zusammen.
– Tragen Sie Ihre Zusammenfassung im Kurs vor.

Welche Szenen sind aus welchem Kapitel im Buch „Kalt erwischt in Hamburg"?

c Wenn Sie Lust haben, lesen Sie noch die letzte Szene aus dem Krimi.

DaF kompakt – mehr entdecken

1 Wortschatz lernen und erweitern: Typisch Hamburg?

Machen Sie ähnliche Wortwolken auch zu auch zu anderen Orten oder Themen.

Suchen Sie auf der Seite www.hamburg.de Wörter oder Namen, die Sie mit Hamburg verbinden können und ergänzen Sie die Wortwolke.

Hansestadt
Hafenrundfahrt **Hafengeburtstag**
Hummel, Hummel **Werbung**
Beatles **Elbe** **Moin, Moin**
Deutsches Schauspielhaus

2 Über Sprache reflektieren

Adjektivendungen im Genitiv. Ergänzen Sie die Tabelle und vergleichen Sie im Kurs.

Deutsch	Englisch	andere Sprache(n)
1. Das ist der Eingang eines sehr bekannten Hotels.	1. This is the entrance of a well-known hotel.	
2. Kennen Sie den Namen des berühmten Sängers?	2. Do you know the name of the famous singer?	

3 Miniprojekt 1: ein Theaterstück schreiben

Schreiben Sie Ihr eigenes Theaterstück; gehen Sie dabei folgendermaßen vor.

1. Was ist ein spannendes Thema einer Geschichte, eines Stückes?
2. Wer soll mitspielen? Welche Figuren gibt es? Schreiben Sie in Kleingruppen eine Rollenbiographie.
3. Wo spielt das Stück? Was passiert dort normalerweise? Spielen Sie eine Alltagsszene.
   Wählen Sie Beobachter. Beobachter spielen nicht mit, sondern beobachten die Szene. Sie geben Feedback und schreiben am Ende den Text auf.
4. Sie spielen die zweite Szene, in der etwas Ungewöhnliches passiert. Besprechen Sie diese Szene und spielen Sie diese Szene vor.
   Die Beobachter geben Feedback und schreiben den Text auf.
5. Inszenieren Sie das Stück: Bringen Sie die Szenen zusammen und finden Sie mit der dritten Szene ein Ende. Verteilen Sie die Rollen. Überlegen Sie, was Sie anziehen und welche Requisiten benutzt werden.
6. Wie lautet der Titel des Stücks? Schreiben Sie einen Programmzettel.
7. Suchen Sie sich ein Publikum und führen Sie das Stück auf.
8. Verbeugen Sie sich und genießen Sie den Applaus!

Die Biographie einer Figur
Name:
Alter:
Beruf:
Hobby oder Leidenschaft:
Lebensmotto:

Mord im Hafen
Es spielen:
Carlos Ramirez,
Irina Aphonina,
Antonia Sanchez
Der Hafen
Auf dem Michel
Ein gutes Ende
Goethe-Institut Berlin,
15. Dezember 15 Uhr

4 Miniprojekt 2: Werbung für Hamburg

In Hamburg gibt es viele Sehenswürdigkeiten. Was interessiert Sie? Arbeiten Sie in Gruppen: Jede Gruppe informiert sich über eine Sehenswürdigkeit (z. B. bei www.hamburg.de), fasst die wichtigsten und interessantesten Informationen auf einem Plakat zusammen und präsentiert dann ihre Informationen mithilfe des Plakates im Kurs. Bevor Sie Ihr Poster präsentieren, wählen Sie die interessanteste Sehenswürdigkeit aus und entwerfen eine Geräuschkulisse: Jede / r hat genau ein Geräusch (z. B. das Hupen eines Autos). Die anderen erraten die Sehenswürdigkeit. Anschließend wird das Poster präsentiert.

Eine heiße Zeit in Hamburg: [s] und [ts]

1 Hören und schreiben

a Hören Sie die Beispiele und sprechen Sie sie nach.

 134

[s]	– Haus	– günstig	– wissen	– Straße
[ts]	– Zahl	– Pizza	– Platz	– rechts	– Lektion

b Unterscheiden Sie die Laute [s] und [ts]. Finden Sie auch eigene Beispiele.

	[s] = stimmlos		**[ts] = stimmlos**	
Klang	a. ⊔ ein Laut	b. ⊔ zwei Laute	a. ⊔ ein Laut	b. ⊔ zwei Laute
Schreibweise	–s,		z–, –z–, –z	
Beispiele	Haus,		Zahl,	

2 Stichwörter zu Hamburg

a Irina hat einige Stichworte zu ihrem neuen Studienort aufgeschrieben. Schreiben Sie die Wörter in die Tabelle.

Straßenfest | Hafengeburtstag | Schauspielhaus | Binnenalster | Mediencampus | Tanztheater | Kunsthochschule | internationale Kongresse | Beatles-Platz | zahlreiche Kreative

[s]

[ts]

Für das [ts] braucht man viel Kraft. Wenn der Laut nicht scharf genug klingt, machen Sie eine kraftvolle Boxbewegung dazu.

Zehn

b Hören Sie nun die Wörter und vergleichen Sie mit Ihrer Lösung in 2a.

 135

3 An der Ad-School

a Irina, Carlos und Antonia haben Kommilitonen / Kommilitoninnen aus ganz Europa. Hören Sie die Städtenamen und entscheiden Sie: [s] oder [ts]?

 136

1. Lin [ ]
2. I [ ] tanbul
3. Pari [ ]
4. Sal [ ] burg
5. Am [ ] terdam
6. Brü [ ] el
7. Floren [ ]
8. [ ] ürich

b Schreiben Sie die Städtenamen in 3a.

4 Zahlenspiel

a Welche Zehnerzahl von 10 bis 90 hat kein [ts]?

b Eine Person denkt sich eine Zahl zwischen 1 und 100. Die Gruppe muss die Zahl raten. Jeder stellt der Reihe nach eine Frage, bis die Zahl erraten ist.

Ist die Zahl größer als 70?

Ja.

Ist die Zahl kleiner als 80?

Nein.

A Nachrichten schicken

1 Irgendwo, irgendwie, irgendwann, irgendwer ...

a Ergänzen Sie in den Sätzen „irgend-" + Fragewort.

~~irgendwann~~ | irgendwie | irgendwo | irgendwohin | irgendwoher | irgendwer

1. Weißt du schon, wann du ankommst? – Nein, ich komme _irgendwann_ am Nachmittag an.
2. Weißt du schon, wer dort ist? – Nein, aber _____ ist bestimmt da.
3. Weißt du schon, wie du das Treffen organisierst? – Nein, aber _____ mache ich das dann schon.
4. Weißt du schon, wohin du in den Ferien fährst? – Nein, aber _____ fahre ich bestimmt, denn ich muss raus aus der Stadt.
5. Weißt du schon, woher er das Buch hat? – Nein, er hat es von _____ mitgebracht.
6. Weißt du schon, wo das Treffen ist? – _____ in Köln, aber ich habe die Straße vergessen.

irgendjemand =
irgendwer
(beide deklinierbar)
irgendwer / irgendwas
ist umgangssprachlich

b Alles unklar! Irgendjemand / -en / -em, irgendwer / -wen / -wem oder irgendetwas – was passt?

1. Wer war da? – _Irgendwer / Irgendjemand_ – ich kannte ihn nicht.
2. Mit wem hast du telefoniert? – Mit _irgendwem / irgendjemandem_ . Ich habe den Namen nicht verstanden.
3. Wen sucht der Postbote? – _____ in unserem Haus. Er kann den Absender nicht gut lesen.
4. Was hast du getrunken? – Ich habe _____ mit Zitrone getrunken, ich weiß es nicht mehr genau.
5. Was hat der Mann gesagt? – _____ , ich habe es vergessen.
6. Wer hat dir geholfen? – _____ auf dem Postamt.

irgendwo ≠
nirgendwo / nirgends
irgendwohin ≠
nirgendwohin
irgendwoher ≠
nirgendwoher
irgendwann ≠ nie(mals)
irgendjemand ≠
niemand (deklinierbar)
irgend(et)was ≠ nichts

c Wie heißt das Gegenteil? Antworten Sie wie im Beispiel.

nirgendwo / nirgends (2x) | nichts | nirgendwoher | nirgendwohin | niemand | niemals

1. Ist der Autoschlüssel irgendwo? – Nein, er ist _nirgendwo / nirgends_ .
2. Willst du heute noch irgendwohin? – Nein, ich bin müde, ich will _____ !
3. Ist irgendjemand an der Tür? – Nein, da ist _____ .
4. Die Bilder müssen doch irgendwoher kommen? – Nein, sie kommen _____ .
5. Hast du meine Tasche irgendwo gesehen? – Nein, ich habe sie _____ gesehen.
6. Hattest du irgendwann Heimweh? – Nein, ich hatte _____ Heimweh.
7. Willst du noch irgendetwas trinken? – Nein danke, ich will jetzt _____ mehr.

d Sprechen Sie zu zweit.

Stift (grün) brauchen | Jacke (rot) wollen | Glas (groß) suchen | Schuhe (hell) möchten | ...

Brauchst du einen grünen Stift?

Egal, gib mir irgendeinen Stift.

Indefinitartikel (+ Nomen)

	M	N	F	Pl.
N	irgendein	irgendein	irgendeine	irgendwelche
A	irgendeinen	irgendein	irgendeine	irgendwelche
D	irgendeinem	irgendeinem	irgendeiner	irgendwelchen
G	irgendeines	irgendeines	irgendeiner	irgendwelcher

e Vergleichen Sie die Indefinitartikel aus 1d mit den Indefinitpronomen unten und markieren Sie die Unterschiede in der Tabelle.

Indefinitpronomen

	M	N	F	Pl.
N	irgendeiner	irgendeins	irgendeine	irgendwelche
A	irgendeinen	irgendeins	irgendeine	irgendwelche
D	irgendeinem	irgendeinem	irgendeiner	irgendwelchen
G	irgendeines	irgendeines	irgendeiner	irgendwelcher

f Sprechen Sie wieder zu zweit.

Brauchst du einen grünen Stift?

Egal, gib mir irgendeinen.

2 Nach Übersee

a Was passt? Ordnen Sie zu.

1. ein Paket
2. ein Formular
3. an einem Schalter
4. Briefmarken
5. einen Brief als Einschreiben

a.⌴ stehen
b.⌴ kaufen
c.⌴ aufgeben
d.⌴ schicken
e.⌴ ausfüllen

nach Übersee schicken: in Gebiete schicken, die jenseits des Meeres liegen
Einschreiben = Postsendung, bei der der Absender eine Quittung mit der Sendungsnummer erhält und die der Empfänger quittieren muss.

b Ein Brief. Schreiben Sie die Begriffe an die richtige Stelle.

Empfänger | Absender | Land | Postleitzahl | Hausnummer | Stadt | Straße | Briefmarke

```
Markus und Susanne Frey
Hohnemannstr. 167
34130 Kassel
Germany


                    Barbara Cohen
                    448 York Street
                    Ottawa, Ontario K1N 5S7
                    Kanada
```

c Hören Sie das Telefongespräch von Markus und Susanne im Kursbuch A, Aufgabe 4b, noch einmal. Was ist richtig (r), was ist falsch (f)?   🔊 137

		r	f
1.	Markus ist auf der Post und möchte ein Paket aufgeben.	⌴	⌴
2.	Er hat sein Notizbuch vergessen.	⌴	⌴
3.	Markus fragt nach der Adresse und Telefonnummer von seinem Bruder.	⌴	⌴
4.	Susanne sagt ihm die Ländervorwahl für Kanada.	⌴	⌴
5.	In dem Paket sind viele Bücher und Stofftiere für Marie.	⌴	⌴
6.	Markus braucht auch den Wert der Geschenke im Paket.	⌴	⌴
7.	Er notiert das Gewicht.	⌴	⌴
8.	Er braucht die Informationen für die Zollerklärung.	⌴	⌴

d Ergänzen Sie die Begriffe aus dem Schüttelkasten.

das Porto | der Standardbrief | die Zollerklärung | die Sendungsdauer | das Gewicht | der Paketinhalt

1. der normale Brief → *der Standardbrief*
2. Alles, was sich in einem Paket befindet. → _____
3. Die Zeit, die ein Paket braucht, bis es beim Empfänger ist. → _____
4. Das, was das Versenden eines Briefes, eines Pakets etc. kostet. → _____
5. Das, was ein Paket wiegt. → _____
6. Das Formular, das man für Pakete ins Ausland ausfüllen muss. → _____

B Ärger mit dem Päckchen

1 Was für ein Service!

a Komposita verstehen: Aus welchen Teilen sind diese Wörter zusammengesetzt?
Lesen Sie die 4 Schritte und schreiben Sie die Wörter in Ihr Heft wie im Beispiel.

Komposita

1. Nomen + Nomen: der Kundenauftrag (das letzte Nomen bestimmt das Genus)
2. Verbstamm + ung + s + Nomen: der Forschungsauftrag
3. Präfix + Verbstamm + ung + s + Nomen: der Nachforschungsauftrag
4. Präfix + Verb: das Abstempeln

1. Nachforschungsauftrag	3. Sendungsverfolgung	5. Kundenservice
2. Paketschein	4. Sendungsnummer	6. Einschreiben

```
1. Nachforschungsauftrag =
                              Nachforschung +     s +        auftrag
               nach +        forschung +          s +        auftrag
   nach +      forsch +      ung +                s +        auf +        trag
```

b Welche Erklärung passt zu den Komposita in 1a? Ordnen Sie zu.

a. ⊐ Wenn Sie ein Paket abgeben, bekommen Sie diesen Schein als Beleg für die Abgabe.
b. ⊐ Diese Nummer ist die Nummer des Pakets, des Päckchens oder des Einschreibens.
c. ⊐ Wenn Sie ein Problem haben, dann können Sie dort Hilfe bekommen.
d. ⊐ Wenn z.B. ein Paket nicht ankommt, dann geben Sie der Post den Auftrag, es zu suchen.
e. ⊐ Wenn Sie einen Brief schicken und eine Garantie haben wollen, dass er ankommt, dann müssen
   Sie ihn als … aufgeben.
f. ⊐ Mit Hilfe dieses Services können Sie sehen, wo Ihr Paket oder Päckchen im Moment ist.

2 Konjunktiv II

Schreiben Sie die Formen des Präteritums und des Konjunktivs II in die Tabellen auf dieser und der
nächsten Seite. Markieren Sie bei **1.**, **3.** und **4.** die Unterschiede.

1. Ausgewählte unregelmäßige Verben

Infinitiv	Präteritum	Konjunktiv II
kommen	ich kam	ich käme
werden	du	
gehen	es	
finden	wir	

2. Regelmäßige und unregelmäßige Verben

Infinitiv	Präteritum	Ersatzform: würde + Infinitiv
abfragen	ich fragte … ab	ich würde abfragen
gratulieren	er	
kosten	es	
sich kümmern	sie (Pl.)	
anfangen	wir	

B1: 136

3. gemischte Verben und Modalverben

Infinitiv	Präteritum	Konjunktiv II
denken	ich *dachte*	ich *dächte*
kennen	du	
wissen	er	
bringen	wir	

Infinitiv	Präteritum	Konjunktiv II
können	ich *konnte*	ich *könnte*
müssen	du	
wollen	Sie	
dürfen	wir	
sollen	ihr	

> Die Verben „nennen", „kennen", „rennen" bilden den Konjunktiv II mit „e": kennte. Man verwendet normalerweise die Ersatzform „würde" + Infinitiv: „er würde rennen".
>
> Konjunktiv II von „sollen" und „wollen": kein Umlaut

3 Konjunktiv II – irreale Konditionalsätze

a Welche Sätze sind irreale Konditionalsätze (i), welche sind reale Konditionalsätze (r), welche sind höfliche Fragen oder Bitten (h)? Kreuzen Sie an.

	i	r	h
1. Ich könnte nachforschen, wenn ich den Paketschein noch hätte.	X	☐	☐
2. Könntest du mir bitte Bescheid geben?	☐	☐	X
3. Wenn ich den Paketschein finde, schaue ich im Internet nach.	☐	X	☐
4. Wäre das Päckchen noch in Deutschland, käme es in 8 Tagen an.	☐	☐	☐
5. Wärst du so freundlich, mir die Sendungsnummer zu schicken?	☐	☐	☐
6. Könntest du morgen um 8 Uhr kommen?	☐	☐	☐
7. Nur wenn das Paket pünktlich ankommt, klappt es mit der Geburtstagsüberraschung.	☐	☐	☐
8. Wenn ich die Paketnummer noch hätte, würde ich im Internet nachschauen.	☐	☐	☐
9. Dürfte ich morgen noch einmal anrufen?	☐	☐	☐
10. Wenn Barbara das nächste Mal Geburtstag hat, schicken wir ihr das Paket früher.	☐	☐	☐

b Ergänzen Sie die Verben im Konjunktiv II.

1. Wenn das Paket noch in Europa *wäre* (sein), _____ (kommen) es in 8 Tagen an.
2. Ich _____ _____ um das Paket _____ (sich kümmern), wenn ich Zeit _____ (haben).
3. Man _____ (können) das Paket einfach finden, wenn du noch den Paketschein _____ (haben).
4. Wenn ich den Paketschein noch _____ (haben), _____ ich den Sendestatus im Internet _____ (abfragen können).
5. Wenn ich _____ (wissen), wo das Paket jetzt ist, _____ ich es dir _____ (sagen).
6. Aber spätestens in 14 Tagen _____ (müssen) du es haben.
7. Es _____ (sein) kein Problem, wenn das Paket am Dienstag _____ (ankommen).
8. Wenn ihr zur Geburtstagsparty _____ (kommen), _____ ich mich sehr _____ (freuen).

c Schreiben Sie die Sätze aus 3b (außer Satz 6) ohne „wenn" in Ihr Heft.

1. Wäre das Paket noch in Europa, käme es in 8 Tagen an.

4 Die Post

„Post" kann Unterschiedliches bedeuten. Ordnen Sie zu.

1. Ich muss mich beeilen, die Post schließt um 19 Uhr.
2. Ist Post für mich gekommen – ich erwarte einen Brief.
3. Er arbeitet schon lange bei der Post.

a. ☐ Dienstleistungsunternehmen
b. ☐ Postfiliale, Postamt
c. ☐ das, was befördert / zugestellt wird

C Unser Leben mit den „neuen" Medien

1 Freunde und Freundschaften

a Ergänzen Sie die Wörter aus dem Schüttelkasten in den Sätzen.

Brieffreund | beste Freundin | Freundebuch | Freundeskreis | Freundschaftsband | Freundschafts-
spiel | Gastfreundschaft | Parteifreunde | Sandkastenfreunde | Schulfreunde

1. Vielen Dank für die _____, wir kommen gern wieder!
2. Seit meiner Schulzeit habe ich einen _____ in Australien – wir schreiben uns immer noch.
3. Mein engerer _____ ist sehr groß, so ca. 50 Leute.
4. Leider haben wir das _____ verloren.
5. Hat dein Sohn auch ein _____ für seine Klassenkameraden?
6. Ich treffe meine _____ zu einem Klassentreffen.
7. Wir kennen uns schon ewig, wir sind richtige _____!
8. Ah, du trägst ein _____ an der Hand, das macht mich neugierig!
9. Seine _____ haben ihm wohl den Job besorgt, ohne sie wäre es nicht gegangen.
10. Mit meiner _____ habe ich auch Kontakt, wenn sie längere Zeit im Ausland ist.

b Ergänzen Sie die Verben aus dem Schüttelkasten in der passenden Form in den Sätzen.

beenden | schließen | sich anfreunden | tun | verbinden | zerbrechen

1. Wollen wir Freundschaft _____?
2. Leider ist unsere Freundschaft nach einem Jahr _____.
3. Uns _____ seit vielen Jahren eine tiefe Freundschaft.
4. Wir haben uns schnell mit den Nachbarn _____.
5. Nach dem heftigen Streit war unsere Freundschaft für immer _____.
6. Das habe ich nur aus Freundschaft zu ihm _____.

c Im Deutschen kann vieles *freundlich* sein. Bilden Sie Sätze mit den Nomen und dem Adjektiv *freundlich*.

Gesicht | Farben | Grüße | Lachen | Stimmung | Wetter | Worte

1. Heute Morgen begrüßte er mich mit einem freundlichen Gesicht.

d *Wenn, dann …* Schreiben Sie zu jeder Vorgabe zwei irreale Folgen bzw. Bedingungen.

1. Wenn er ein guter Freund wäre, …
2. Wenn sie eine gute Freundin wäre, …
3. Unsere Freundschaft würde ewig halten, wenn …

2 Wer ist ein Freund?

🔊 138   Hören Sie das Gespräch im Kursbuch C 2a noch einmal und beantworten Sie die Detailfragen.

1. Wie kontaktiert Herr Grün seine Freunde nach Facebook-Meldungen?
2. Was nennt Frau Schmitz eine gute Testfrage für Freundschaft?
3. Welche zwei Begriffe schlägt der Moderator vor?

3 Online unterwegs

Lesen Sie die Texte im Kursbuch C 4a noch einmal. Ordnen Sie die zusammenfassenden Aussagen zu.

A. Selbstbestimmung für Kinder   Text ⌣

B. Schulung statt Verbote   Text ⌣

C. Erwachsene sollen Regeln vorgeben   Text ⌣

D. Begleitung durch die Eltern ist notwendig   Text ⌣

E. Freiheit statt Verbote   Text ⌣

F. Internetnutzung durch Kinder kann man nicht verhindern.   Text ⌣

G. Computeraktivitäten verhindern andere Aktivitäten   Text ⌣

H. Klare Regeln über Handynutzung für alle Familienmitglieder   Text ⌣

4 Sprachen lernen: Online- oder Präsenzkurs? Vorteile und Nachteile

a Nummerieren Sie den Dialog in der richtigen Reihenfolge.

A ⌣ ○ Das Lesen auf diesen kleinen Geräten finde ich besonders anstrengend. Außerdem kann ich mich nicht so gut konzentrieren, wenn es laut neben mir ist.

B ⌣ ○ Mir nicht! Auch das direkte Gespräch mit dem Kursleiter im Präsenzkurs ist mir wichtig, da kann ich Fragen stellen und bekomme eine individuelle Erklärung.

C ⌣ ○ Ich reserviere mir diese Zeit einfach und freue mich immer auf den Mittwoch, weil ich da Kurs habe.

D ⌣ ○ Das ist ja das Problem! Wir machen nicht einmal beim U-Bahn-Fahren eine Pause, weil auch da gelernt werden soll.

E ⌣ ○ Also mir würden die anderen Kursteilnehmer fehlen! Ich arbeite gern in Gruppen und mag den direkten Kontakt mit anderen.

F ⌣ ○ Ja, aber da sind keine Gespräche möglich, die ich z.B. in den Pausen führe.

G ⌣ ● Das macht mir nichts. Mir gefällt auch, dass ich die Übungen allein ausprobieren kann. Niemand schaut mir zu und sieht meine Fehler.

H ⌣ ● Den bekomme ich bei den Skype-Treffen im Internet auch.

I ⌣1 ● Ich mag am Online-Lernen, dass ich mir die Lernzeit frei aussuchen kann. Egal wann, Lernzeit kann immer sein!

J ⌣ ● Ich habe mit den anderen Kursteilnehmern online-Kontakt, das genügt mir.

K ⌣ ● Diese Pausen und die Fahrzeit zum Kurs – genau dafür habe ich zu wenig Zeit.

L ⌣ ● Also ich finde es gut, im Alltag zwischendurch immer wieder kurze Wiederholungen zu machen, z.B. die Vokabeln noch einmal auf dem Smartphone zu lesen, wenn ich auf den Bus warte.

b Suchen Sie im Text in 4a nach Argumenten und tragen Sie sie in die Tabelle ein.

Vorteile Präsenzkurs	Nachteile Präsenzkurs

Vorteile Onlinekurs	Nachteile Onlinekurs
Lernzeit kann immer sein!	

c Unterstreichen Sie im Text in 4a Redemittel zum Argumentieren.

d Bereiten Sie eine kleine Präsentation zum Thema „Kinder online unterwegs" (Kursbuch C, 4a) vor. Nennen Sie die Vor- und Nachteile und sagen Sie dazu Ihre Meinung. Geben Sie auch Beispiele.

⚇ DaF kompakt – mehr entdecken

1 Neue Verben

„Neue" Verben, die zum Teil aus dem Englischen in die deutsche Sprache übernommen werden, folgen der regelmäßigen Konjugation. Notieren Sie die drei Stammformen.

~~chatten~~ | downloaden | mailen | simsen | skypen | surfen

1. einen Chat führen: *chatten – er chattete – er hat gechattet*
2. eine Mail schicken: _____
3. sich im Internet bewegen: _____
4. ein Dokument herunterladen: _____
5. mithilfe einer Software über das Internet telefonieren: _____
6. jemandem eine SMS schicken: _____

2 Über Sprache reflektieren

a Konjunktiv II: Lesen Sie das Beispiel. Wie wird in anderen Sprachen eine Möglichkeit ausgedrückt? Ergänzen Sie und vergleichen Sie im Kurs.

Deutsch	Englisch	andere Sprache(n)
eigene Originalform oder würde + Infinitiv: ich ginge / ich würde gehen	would + infinitive: I would go	

b Irreale Konditionalsätze: Lesen Sie das Beispiel. Wie werden irreale Bedingungen in anderen Sprachen ausgedrückt? Ergänzen Sie und vergleichen Sie im Kurs.

Deutsch	Englisch	andere Sprache(n)
Wenn ich die Nummer noch hätte, würde ich nachsehen. / Hätte ich die Nummer noch, würde ich nachsehen.	If I still had the number, I would look it up.	

3 Miniprojekt: Alles wäre besser, wenn . . .

Sammeln Sie in Gruppen Ideen für Sprüche auf Kaffeebechern (z. B. aus Pappe) und präsentieren Sie sie im Kurs. Wer hat den originellsten Spruch?

Alles wäre besser, wenn ich noch schlafen würde!

Wäre doch nicht jede Woche Montag!

Harte und weiche Plosive: p – b, t – d, k – g

1 Hart und weich

a Hören Sie zuerst die Laute und dann die Beispiele. Sprechen Sie dann nach.   139

[p]: Paket – Oper – Pop	**[b]:** bauen – Möbel – leben
[t]: Tasse – Note – Zeit	**[d]:** Dose – Ende – baden
[k]: Kind – merken – Musik	**[g]:** Gasse – liegen – August
Das sind harte Plosivlaute. Sie sind stimmlos und behaucht. Man muss sie mit viel Kraft sprechen.	Das sind weiche Plosivlaute. Sie sind am Wort- und Silbenanfang stimmhaft.

Bei jedem harten Plosivlaut eine kurze und schnelle Bewegung machen, z. B. einen (weichen) Ball, gegen eine Wand (oder die Tafel) werfen, eine Boxbewegung mit beiden Händen nach unten.

b Hören Sie die Wortpaare und sprechen Sie sie dann nach.   140

1. packen – backen	3. Karten – Garten	5. Boten – Boden
2. Tier – dir	4. Oper – Ober	6. Laken – lagen

c In folgenden Wörtern sind immer die beiden gegensätzlichen Plosive „k – g", „t – d" oder „p – b" enthalten. Hören Sie und schreiben Sie die Buchstaben in die Lücken. 141

1. ___ost___ote	3. ___isch___ecke	5. ___lückwunsch___arte
2. ___ahn___olizei	4. ___onners___ag	6. ___inder___arten

d Bilden Sie mit jedem Wort aus 1c einen kurzen Satz.

2 Ein Postbeamter erzählt

Ein Postbeamter erzählt, wie er einen sehr alten Brief gefunden hat. Schreiben Sie mit einem Partner / einer Partnerin eine Geschichte und lesen Sie sie im Kurs vor. Die Stichpunkte helfen.

im Keller | große Kiste | Kiste vergessen | in Kiste alte Posttasche | in Posttasche Brief | Einladung zu Gartenfest mit Tanz | von Herrn und Frau Gerke in Paderborn | Datum 30. Oktober 1903

Neulich wollte ich den Keller von meinem Onkel aufräumen. Da entdeckte ich unter der Kellertreppe …

3 In mein Paket packe ich …

a Sammeln Sie mit einem Partner / einer Partnerin viele Alltagsgegenstände mit p, b, t, d, k und g.

Brötchen, Wörterbuch, …

b Spielen Sie im Kurs. Sagen Sie, was Sie einpacken, und wiederholen Sie, was schon im Paket ist.

In mein Paket packe ich ein Brötchen.

In mein Paket packe ich ein Brötchen und …

A Campus Deutschland

1 Hochschulen in Deutschland

Lesen Sie die Informationstexte im Kursbuch A, Aufgabe 1 noch einmal und ergänzen Sie die passenden Wörter.

Allgemeine Hochschulreife | Aufnahmeprüfung | begabt | Einstieg | Fächerspektrum | Fachhochschulreife | Forschung | praxisorientiert | Promotionsstudium | Schwerpunkt | Regelstudienzeit

Wenn man an einer deutschen Universität studieren will, braucht man die _____ [1]. Für ein Studium an einer Fachhochschule reicht die _____ [2]. Wenn man künstlerisch _____ [3] ist, kann man an einer Musik-, Kunst- oder Filmhochschule studieren. Vorher muss man aber eine _____ [4] ablegen. Charakteristisch für die Universitäten ist die Verbindung von _____ [5] und Lehre. Die Fachhochschulen sind stärker _____ [6] und ermöglichen einen schnellen _____ [7] ins Berufsleben. Die Universitäten bieten ein größeres _____ [8] als die Fachhochschulen. Die Fachhochschulen legen ihren _____ [9] auf Fächer wie Wirtschaft, Ingenieurwesen, Gestaltung, Sozialwesen und Tourismus. Die _____ [10] beträgt für den Bachelor 6 und für den Master 4 Semester. Wer gerne wissenschaftlich arbeitet, kann nach dem Master ein _____ [11] anschließen.

2 Wieso? Weshalb? Warum?

a Verbinden Sie die Sätze mit „nämlich".

1. Marek findet ein Studium an einer Fachhochschule interessant. Er kann dort Theorie und Praxis verbinden.
2. Daniel interessiert sich schon seit seiner Kindheit für Deutschland. Seine Eltern haben dort studiert.
3. Daniel hat schon einen Studienplatz. Er bleibt nach dem Sprachkurs in Deutschland.
4. Françoise möchte später für eine internationale Organisation arbeiten. Sie muss Auslandserfahrung sammeln.
5. Kristin ist glücklich am Konservatorium. Das Studium macht ihr viel Spaß.

1. Marek findet ein Studium an einer Fachhochschule interessant. Er kann dort nämlich ...

b Schreiben Sie Sätze mit „weil".

1. Wegen seiner deutschen Freundin will Johann schnell Deutsch lernen. *(eine deutsche Freundin haben)*
2. Wegen der guten Studienbedingungen ist Mareike nach Deutschland gekommen. *(gute Studienbedingungen geben)*
3. Wegen der schlechten Note in der Klausur will Felix mit seinem Professor sprechen. *(eine schlechte Note haben)*
4. Wegen der Aufnahmeprüfung muss Claudio schon im Juli nach Deutschland reisen. *(einen Aufnahmetest ablegen müssen)*
5. Wegen des Visums hat Tarik einen Termin im Konsulat. *(ein Visum beantragen müssen)*

1. Johann will schnell Deutsch lernen, weil er eine deutsche Freundin hat.

c Schreiben Sie Sätze mit „wegen". Schreiben Sie die Sätze anschließend mit „da".

In der Umgangssprache wird „wegen" oft mit Dativ benutzt.

1. Ich habe eine Erkältung. Deshalb kann ich nicht zur Vorlesung kommen.
2. Das Wetter ist schlecht. Deshalb kann ich nicht joggen gehen.
3. Ich habe einen Arzttermin. Deshalb können wir heute nicht zusammen lernen.
4. Ich habe bald eine Prüfung. Deshalb bleibe ich am Wochenende zu Hause und lerne.
5. Ich habe Streit mit meinen Mitbewohnern. Ich möchte ausziehen.

1. Wegen einer Erkältung kann ich nicht zur Vorlesung kommen.
Da ich eine Erkältung habe, kann ich nicht zur Vorlesung kommen.

3 Erzähl doch mal!

a Formulieren Sie Fragen zu den folgenden Aspekten. Befragen Sie dann Ihren Partner / Ihre Partnerin zu seinem / ihrem Studium.

– Studienfach? Warum?
– Wo …? / An welcher Hochschule …? / Warum dort?
– Semester? Dauer des Studiums?

– Aufnahmetest? Numerus clausus?
– Abschluss? Pläne nach dem Studium?

b Schreiben Sie nun einen kleinen Text.

Ben studiert Medizin, weil er Arzt werden möchte. Er studiert an der Heinrich-Heine-Universität in Düsseldorf. Er ist im zweiten Semester …

4 Eine informelle E-Mail schreiben

a Ein Freund / eine Freundin möchte etwas über Ihr Studium wissen. Lesen Sie zuerst die folgenden Punkte:

1. Berichten Sie über Ihr Studium (Fach, Semester, Studienort …).
   Was sind Ihre Ziele?
2. Begründen Sie: Wie gefällt Ihnen das Studium? Warum?
3. Vereinbaren Sie ein Treffen, wo Sie noch mehr erzählen können. Nennen Sie Zeit und Ort.

b Machen Sie Notizen zu den drei Punkten.

1. Wo: an der Humboldt-Universität Berlin
Seit wann: im 5. Semester
Was: Physik
Ziele: Master machen / promovieren / in der Forschung arbeiten / …

2. ☺ interessant, tolle Professoren, …
☹ wenig Freizeit, abends lange im Labor bleiben, …

3. Treffen: Samstagabend 20 Uhr, bei … / zu Hause / in der Kneipe / …

c Welche Redemittel können Sie für die Punkte 2 und 3 verwenden? Ordnen Sie zu.

~~Besonders gut gefällt mir …~~ | ~~Hast du am … schon etwas vor?~~ | … finde ich (nicht so) interessant / langweilig. | Hast du vielleicht nächste Woche / nächstes Wochenende …. Zeit? | … finde ich nicht so gut. | Ich habe manchmal Probleme / Schwierigkeiten mit … | Ich bin total begeistert von … | Wie wäre es am … um … Uhr? | Wir könnten uns doch am … um … treffen. | Leider … | Ich bin sehr zufrieden mit … | Mein … mag ich sehr / gar nicht.

Gefallen / Missfallen ausdrücken: Besonders gut gefällt mir …
einen Vorschlag machen: Hast du am … schon etwas vor?

d Schreiben Sie nun Ihre E-Mail. Beachten Sie: Schreiben Sie auch eine passende Einleitung und einen passenden Schluss. Beginnen Sie nicht alle Sätze mit dem Subjekt. Verwenden Sie Konnektoren (weil, denn, da, aber, wenn …). **(P)**

e Tauschen Sie Ihre E-Mail mit Ihrem Partner / Ihrer Partnerin. Korrigieren Sie mit Hilfe der Checkliste.

Wurden eine Anrede und ein Gruß geschrieben?
Wurde zu allen Punkten etwas geschrieben?
Wurde in Punkt 3 eine Begründung geschrieben?

Wurden eine Einleitung und ein Schluss geschrieben?
Wurden Redemittel aus 4c verwendet?

In der Prüfung Zertifikat B1 schreiben Sie eine informelle E-Mail mit mindestens 80 Wörtern. In dieser E-Mail berichten Sie über sich selbst oder ein Ereignis. Sie erklären, was Ihnen gefällt oder missfällt und Sie beenden Ihre Mail mit einem Rat, einer Empfehlung, einem Vorschlag oder einer Einladung.

Beachten Sie: In Punkt 2 müssen Sie immer eine Begründung angeben. Schreiben Sie also immer einen Satz mit „wegen", „deshalb", „weil", „da", „nämlich" oder „denn".

B Wer die Wahl hat, . . .

1 Die deutschen Hochschulen in Zahlen

🔊 142–143 Hören Sie den ersten Teil des Vortrags im Kursbuch B 1b noch einmal und beantworten Sie die Fragen.

1. Wie viele Universitäten und Fachhochschulen gibt es in Deutschland?
2. Wie viele Studenten studieren an Fachhochschulen?
3. Wie viel Prozent studieren an privaten Hochschulen?
4. Wie viele Studienorte gibt es in Deutschland?
5. Wie viele ausländische Studierende haben im letzten Jahr in Deutschland ein Studium aufgenommen?
6. Wie viele Studenten studieren an der Ludwig-Maximilians-Universität in München?
7. Seit wann gibt es die Fernuniversität Hagen?
8. Wie viele ausländische Studenten sind zurzeit an der Fernuniversität Hagen eingeschrieben?

2 Unverhofft kommt oft – Konzessivsätze

a Was passt zusammen? Verbinden Sie.

1. Obwohl Lutz in seiner Freizeit gerne Klavier spielt,
2. Obwohl Leonie einen Abiturdurchschnitt von 1,3 hat,
3. Obwohl Max sprachbegabt ist,
4. Obwohl Niklas keine guten Noten in Mathematik hat,
5. Obwohl Carolin kein Abitur hat,
6. Obwohl Sibylle schon in der Schule Latein gelernt hat,
7. Obwohl Jonas noch kein Deutsch spricht,
8. Obwohl Benny auf Lehramt studiert,

a. ⊔ besucht sie einen Sprachkurs an der Universität.
b. ⊔ möchte er in Deutschland studieren.
c. ⊔ möchte er Ingenieurwissenschaften studieren.
d. ⊔ möchte er nicht Berufsmusiker werden.
e. ⊔ möchte er nicht Dolmetscher oder Übersetzer werden.
f. ⊔ möchte er später nicht an einer Schule unterrichten.
g. ⊔ möchte sie an einer Universität studieren.
h. ⊔ möchte sie nicht studieren, sondern eine Lehre machen.

b Markieren Sie die Information, die etwas Überraschendes / Unerwartetes ausdrückt. Verbinden Sie die Sätze mit „obwohl" und „trotzdem".

1. Die Aufnahmeprüfung ist sehr schwer. Mirko hat keine Angst.
2. Marie hat die Prüfung nicht bestanden. Sie hat viel gelernt.
3. Philipp hat einen Notendurchschnitt von 2,5. Er will Medizin studieren.
4. Christoph möchte im Ausland studieren. Seine Eltern können ein Auslandsstudium nicht finanzieren.
5. Antonia hat ihren Master mit „sehr gut" bestanden. Sie möchte nicht promovieren.

1. Die Aufnahmeprüfung ist sehr schwer. Trotzdem hat Mirko keine Angst.
Mirko hat keine Angst, obwohl die Aufnahmeprüfung sehr schwer ist.

c Ergänzen Sie die Sätze.

1. Leon mag Sport.
   (nicht Sport studieren wollen / in einem Sportverein sein)
   Deshalb *ist er in einem Sportverein.*
   Trotzdem *will er nicht Sport studieren.*
2. Paul steht morgens immer zu spät auf.
   (oft den Bus verpassen / pünktlich zur Uni kommen)
   Deshalb _____
   Trotzdem _____
3. Alina bekommt genug Geld von ihren Eltern.
   (immer pleite sein / nicht jobben müssen)
   Deshalb _____
   Trotzdem _____
4. Mario hat die Aufnahmeprüfung nicht bestanden.
   (nicht Kunst studieren können / nicht traurig sein)
   Deshalb _____
   Trotzdem _____
5. Laura ist in Paris zur Schule gegangen.
   (Französisch sprechen / nicht in Frankreich studieren)
   Deshalb _____
   Trotzdem _____
6. Simon muss neben dem Studium jobben.
   (gute Noten haben / wenig Zeit zum Lernen haben)
   Deshalb _____
   Trotzdem _____

d Was bedeuten die Sätze? Was fällt auf? Kreuzen Sie an.

1. **Trotz** der großen Hitze geht Leon joggen.
   a. ⨆ Weil es sehr heiß ist, geht Leon joggen.
   b. ⨆ Obwohl es sehr heiß ist, geht Leon joggen.

2. **Wegen** der großen Hitze geht Leon nicht joggen.
   a. ⨆ Weil es sehr heiß ist, geht Leon nicht joggen.
   b. ⨆ Obwohl es sehr heiß ist, geht Leon nicht joggen.

3. „trotz" und „wegen" stehen mit
   a. ⨆ Akkusativ.
   b. ⨆ Genitiv.

e Sagen Sie es anders. Schreiben Sie Sätze mit „obwohl".

1. Trotz des Regens findet das Uni-Sommerfest statt.
2. Trotz ihrer guten Abiturnoten will Lisa nicht Medizin studieren.
3. Trotz seiner künstlerischen Begabung will Moritz nicht Künstler werden.
4. Trotz seiner Krankheit nimmt Paul an der Prüfung teil.

1. Obwohl es regnet, findet das Uni-Sommerfest statt.

f Was erwartet man nicht von Ihnen? Was überrascht andere bei Ihnen? Berichten Sie.

> Obwohl ich nur 1,60 Meter groß bin,
> habe ich Schuhgröße 44.

> Ich bin in den Bergen geboren und aufgewachsen.
> Trotzdem kann ich nicht Ski fahren.

3 Strategien: E-Mails an der Hochschule

a Formelle und informelle E-Mails – Welche Anrede und Grußformel passen? Ordnen Sie zu.

Sehr geehrter Herr Professor / Sehr geehrte Frau Professorin … | Sehr geehrte Frau … |
Sehr geehrte Damen und Herren, … | Lieber / Liebe … | Mit freundlichen Grüßen | Viele Grüße

In der Prüfung Zertifikat B1 müssen Sie auch eine kurze formelle E-Mail schreiben.

1. Sie schreiben an die Studienberatung, weil Sie einen Beratungstermin wünschen.
   a. _____,
   ich studiere im zweiten Semester und möchte das Studienfach wechseln. Deshalb habe ich einige
   Fragen. Könnte ich möglichst bald einen Beratungstermin bekommen? Nächste Woche hätte ich jeden
   Tag Zeit.
   b. _____

2. Sie schreiben an Ihren Kommilitonen Lars, weil sie zusammen ein Referat erarbeiten müssen.
   a. _____,
   wir müssen unbedingt unser Referat zu Ende schreiben. Wir sind schon nächste Woche an der Reihe.
   Sollen wir uns am Samstagnachmittag bei mir zu Hause treffen? Melde dich mal bei mir.
   b. _____

3. Sie schreiben an Frau Fischer, die Sekretärin Ihrer Dozentin, um sich für die Sprechstunde anzumelden.
   a. _____,
   ich suche ein Thema für meine schriftliche Hausarbeit. Deshalb müsste ich unbedingt mit Frau
   Dr. Heimann sprechen. Könnte ich morgen zu ihrer Sprechstunde kommen?
   b. _____

4. Sie schreiben an Ihren Dozenten Professor Wolf, weil Sie zu einem Termin nicht kommen können.
   a. _____,
   wegen eines dringenden Arzttermins leider kann ich morgen leider nicht zu unserem Gespräch
   kommen. Wäre es möglich, den Termin auf Freitag zu verschieben?
   b. _____

b Sie haben bei der Studienberatung einen Beratungstermin bei Frau Mangold bekommen, zu dem Sie Ⓟ
nicht kommen können. Schreiben Sie eine E-Mail an Frau Mangold. Entschuldigen Sie sich höflich und
nennen Sie auch einen Grund. Bitten Sie um einen anderen Termin.

C Seinen Weg finden

1 Verben mit Präpositionen

a Tipps fürs Studium. Ergänzen Sie die passenden Verben. Achten Sie auf die richtige Form.

abhängen | berichten | bewerben | fürchten | helfen | informieren | interessieren | kümmern | teilnehmen | vorbereiten | warten | wenden

Bei den meisten Hochschulen muss man sich online um einen Studienplatz _____ [1]. Vor der Bewerbung sollte man sich auf der Homepage der Universität über die Voraussetzungen des gewünschten Studiengangs _____ [2]. Bei Fragen kann man sich auch an die Studienberatung _____ [3], die es in jeder Hochschule gibt und die Abiturienten und Studienanfänger gerne berät. Bei einigen Studiengängen, wie z.B. Medizin, muss man manchmal ein oder mehrere Semester auf eine Zulassung _____ [4]. Wichtig ist, dass man sich auch wirklich für das Fach _____ [5], das man studieren will.

Studierende, die ihre Hochschulreife nicht an einer deutschsprachigen Schule erworben haben, müssen bei der Einschreibung Deutschkenntnisse nachweisen. Welche Sprachnachweise akzeptiert werden, _____ [6a] vom Studienfach und von der Hochschule _____ [6b]. Wenn man die DSH ablegen will, sollte man unbedingt vorher an einem Sprachkurs _____ [7]. Viele Hochschulen bieten Sprachkurse an, in denen man sich auf die DSH _____ [8] kann.

Zu Beginn des ersten Semesters _____ [9] sich ältere Studenten um die Studienanfänger („Erstis"). Sie _____ [10] den „Erstis" bei der Erstellung des Stundenplans und erklären ihnen, welche Veranstaltungen sie im ersten Semester besuchen müssen. Die älteren Semester _____ [11] auch von ihren Erfahrungen mit Dozenten und Prüfungen und geben wertvolle Tipps für den Unialltag. Ihr braucht euch also vor dem Unistart nicht zu _____ [12].

b Markieren Sie die Präpositionen, die zu den Verben gehören und ergänzen Sie die Tabelle.

Verben + Präpositionen mit Akkusativ: sich bewerben um, ...
Verben + Präpositionen mit Dativ: abhängen von, ...

Lernen Sie die Verben immer mit der Präposition und dem passenden Kasus.

2 Irreale Wunschsätze

a Ordnen Sie die passenden Wünsche zu.

1. Ich habe keine Lust mehr zu studieren.
2. Das Semester dauert noch bis Juli.
3. Ich habe Schwierigkeiten mit meinem Referat.
4. Ich muss jedes Wochenende jobben.
5. In meiner WG ist jedes Wochenende Party.

a. ⌐⌐ Hätte ich doch mehr Freizeit!
b. ⌐⌐ Wenn mir doch bloß jemand helfen könnte!
c. ⌐⌐ Wären doch schon Semesterferien!
d. ⌐1⌐ Wäre ich doch schon fertig!
e. ⌐⌐ Wenn ich doch nur woanders wohnen würde!

b Formulieren Sie Wunschsätze.

Mein Freund Sebastian ... kommt immer zu spät. [1] | hat nie Zeit für mich. [2] | redet zu viel. [3] | hört nie zu. [4]

1. Wenn er doch nur pünktlich käme / kommen würde!

3 Auf einen Forumsbeitrag reagieren

Ordnen Sie die Redemittel den Kategorien oben rechts zu.

~~An deiner Stelle würde ich ...~~ | ~~Deine Sorge / dein Problem kann ich gut / überhaupt nicht verstehen.~~ | ~~Das Problem kenne ich. ...~~ | Du solltest vielleicht mal ... | Eine ähnliche Situation habe ich auch schon erlebt: ... | Es ist völlig normal, dass ... | Ich kann gut verstehen, dass ... | Ich kann mir gut vorstellen, wie du dich fühlst. | Ich rate dir, ... zu ... | Ich verstehe nicht, warum ... | Mir ist etwas Ähnliches passiert: ... | Versuch doch mal, ... zu ...

Verständnis/Unverständnis zeigen: Deine Sorge/Dein Problem kann ich gut/überhaupt nicht verstehen. ...
von eigenen Erfahrungen berichten: Das Problem kenne ich: ...
Ratschläge geben: An deiner Stelle würde ich ...

4 Strategien: einen Zeitungsartikel lesen

a Lesen Sie die Überschrift und den 1. Absatz des nachfolgenden Artikels. Was ist wohl das Thema? Vermuten Sie.

Lesestrategien B1

Im Teil 2 des Moduls Lesen bezieht sich das erste Item immer auf die Hauptaussage des Textes. Sie müssen den Text deshalb zuerst überfliegen und global verstehen.

b Lesen Sie die Aufgabe 1 und überfliegen Sie den Text. Welche Aussage ist richtig? Kreuzen Sie an.

1. In diesem Text geht es um
   a. ⎵ Berufsmöglichkeiten für Studienabbrecher.
   b. ⎵ Probleme von Studienabbrechern auf dem Arbeitsmarkt.
   c. ⎵ Gründe für einen Studienabbruch.

c Lesen Sie die Aufgaben 2 bis 4. Lesen Sie den Text noch einmal. Welche Aussagen sind richtig? Kreuzen Sie an.

Neue Ideen für junge Köpfe

Frankfurt. Seit Jahren steigt die Zahl der Studierenden an deutschen Hochschulen. Jedoch bricht jeder vierte Student das Studium ohne Abschluss ab, bei den MINT-Fächern Mathematik, Informatik, Naturwissenschaft und Technik liegt die Quote sogar bei 50 Prozent.

5 Um Studienabbrecher kümmert sich jetzt das Projekt „YourPush" der Handwerkskammer Frankfurt/Rhein-Main. Ziel des Projektes „YourPush" ist es, Studienabbrecher und Handwerksbetriebe zusammenzubringen. In den ersten drei Monaten nach Start des Projektes konnten schon einige Bewerber vermittelt werden: Ein Pädagogikstudent wird jetzt Metallbauer, ein Wirtschaftsstudent Karosseriebauer, eine Wirtschaftsstudentin Friseurin. Studienabbrecher können ihre Lehrzeit verkürzen: In den dreijährigen Lehrberufen kann die Dauer der Ausbildung

10 auf 18 Monate begrenzt werden, in den dreieinhalbjährigen auf 24 Monate.
„Wer sein Studium aufgibt, ist ein loyaler Mitarbeiter", sagt Brigitte Scheuerle von der Frankfurter Industrie- und Handelskammer (IHK). Ein Studienabbrecher bleibt nach der Lehre seinem Arbeitgeber erhalten, denn er wird kein Studium mehr beginnen. Viele Abiturienten jedoch, die zuerst eine Lehre machen, wechseln danach an die Uni und gehen dem Arbeitgeber verloren.

15 Karriere ist auch im Handwerk möglich. Alfred Will von der Handwerkskammer verweist auf die Möglichkeit, den Meistertitel zu bekommen und einen Betrieb zu leiten: Ein ehemaliger Architekturstudent macht nun eine Bäckerlehre, um später den Betrieb seines Schwiegervaters zu übernehmen.
„Nicht jeder Studienabbruch ist eine Katastrophe", sagte kürzlich die Präsidentin der Goethe-Uni Birgitta Wolf.
„Auch in zwei Semestern und ohne Abschluss kann ein junger Mensch Wichtiges lernen. Er wird dann, wenn er

20 sich umorientieren will, eventuell ein noch besserer Azubi oder studiert erfolgreich ein anderes Fach."
Es gibt also Perspektiven jenseits der akademischen Karriere. Daran arbeitet die Goethe-Uni jetzt gemeinsam mit der Fachhochschule, der IHK und der Handwerkskammer.

© Thomas Remlein, Frankfurter Neue Presse

2. Die Zahl der Studienabbrecher
   a. ⎵ ist den letzten Jahren gestiegen.
   b. ⎵ ist im Rhein-Main-Gebiet besonders hoch.
   c. ⎵ hängt vom Studienfach ab.

3. Ein Studienabbrecher, der eine Lehre macht,
   a. ⎵ will nach der Lehre meistens wieder studieren.
   b. ⎵ bleibt bei seinem Ausbildungsbetrieb.
   c. ⎵ bekommt meistens den Meistertitel.

4. Studienabbrecher
   a. ⎵ haben während ihrer Studienzeit nicht genug gelernt.
   b. ⎵ haben im Studium auch Kenntnisse erworben.
   c. ⎵ sind immer bessere Azubis.

DaF kompakt – mehr entdecken

Lesestrategien: Anmerkungen zu einem Text machen und über Texte sprechen

a Im Text „Latein lernen – nicht nur bei den alten Römern" geht es um die Rolle der lateinischen Sprache in deutschen Schulen und Universitäten. Was wissen Sie schon über das Thema? Sprechen Sie im Kurs.

b Lesen Sie den Text aus einer Zeitung. Markieren Sie Textstellen mit interessanten Informationen oder Informationen, die Sie nicht verstanden haben oder die Sie kommentieren möchten. Kennzeichnen Sie die Textstellen auch am Rand. Sie können dazu z. B. folgende Symbole verwenden:

! Das finde ich interessant. / Das wusste ich noch nicht.

? Das verstehe ich nicht.

+ Dazu möchte ich etwas ergänzen.

Damit bin ich nicht einverstanden.

Wenn Sie an einer deutschen Hochschule studieren möchten, müssen Sie selbständig Texte lesen und wichtige Informationen herausarbeiten und kommentieren. Es ist auch wichtig, dass Sie Informationen, die Sie nicht verstanden haben, kennzeichnen.

Latein lernen – nicht nur bei den alten Römern

Ist Latein wirklich eine tote Sprache? Wer eine Hochschule betritt, liest und hört sie überall: Das Wort „Universität" ist lateinisch: „Universitas" bedeutet die Gesamtheit. Die Universität wird auch „Alma
5 mater" genannt – die nährende Mutter, denn sie nährt ihre Kinder mit Wissen. Wo liegt die Universität? Auf dem „campus", dem Feld. „Professor" oder „docens" hießen schon die Lehrer in Rom. Große Vorlesungen finden im „Audimax" statt, dem „auditorium maximum". Wann beginnen die Veranstaltungen? Um 9.00 Uhr cum
10 tempore („mit Zeit") – das heißt erst um 9.15 Uhr. Aber Vorsicht: Manchmal beginnt eine Vorlesung „sine tempore" („ohne Zeit"). Dann muss man pünktlich um 9.00 Uhr im Hörsaal sitzen. Mit dem „commiles" („Kommilitone") geht man zum Essen in die Mensa – das lateinische Wort für „Tisch".
Und wenn man nach vielen Jahren endlich seinen Doktortitel erhält, steht eine lateinische Note auf dem Diplom. Der Doktorand bekommt ein Lob („laus") für seine Leistung: „summa cum laude" ist eine „1", „magna cum laude"
15 eine „2" und wenn die Arbeit nicht ganz so gut ist, gibt es immer noch ein „cum laude". Ganz gleich welche Note man bekommt, man ist „doctor" und darf ein „Dr." vor seinen Namen stellen.
Woher kommt die Vorliebe der deutschen Universitäten für die lateinische Sprache? Die Erklärung ist einfach: Bis ins 19. Jahrhundert wurden die Vorlesungen an deutschen Universitäten auf Latein gehalten. Aber auch nachdem Deutsch sich als Unterrichtssprache etabliert hatte, lernten die Schüler an deutschen Gymnasien weiter die Sprache
20 von Cicero und Cäsar. Das änderte sich erst Ende der 60er Jahre des 20. Jahrhunderts. Die modernen Fremdsprachen Englisch und Französisch – in der DDR lernten die Schüler Russisch – verdrängten Latein als erste Fremdsprache. Wer heute Latein lernt, lernt die Sprache meist als zweite oder dritte Sprache.
Die Universitäten verlangen aber bis heute Lateinkenntnisse: So mussten bis vor einigen Jahren nicht nur Studenten der Geisteswissenschaften Latein können, sondern auch Mediziner und Juristen. Heute darf man zwar ohne Latein
25 Arzt oder Rechtsanwalt werden. Doch in vielen Bundesländern sind Lateinkenntnisse immer noch Voraussetzung für ein Lehramtsstudium. Universitäten erwarten von Masterstudenten in den Geisteswissenschaften, dass sie einen lateinischen Text im Original verstehen. So überrascht es nicht, dass Latein bis heute die dritthäufigste Fremdsprache an deutschen Schulen ist. Die Zahl der Schüler, die Latein lernen, ist in den letzten Jahren sogar wieder gestiegen. Bis zum „Latinum" muss man in der Regel 5 Jahre Vokabeln, Deklinationen und Konjugationen büffeln.
30 Und wenn man in der Schule kein Latein gelernt hat? Keine Sorge – die Universitäten bieten Lateinkurse an, in denen man einfache Lateinkenntnisse erwerben oder das Latinum nachholen kann. Latein lebt!

c Sprechen Sie im Kurs über den Text. Die folgenden Redemittel helfen Ihnen.

Ich habe nicht gewusst, dass … | Mir war neu, dass … | Ich finde es interessant / überraschend / seltsam, dass … | Ich verstehe nicht, warum … | Ich würde gerne wissen, warum … | Im Text steht, dass … Das sehe ich anders. / Da bin ich anderer Meinung. | Diese Aussage stimmt nicht, denn … | Ich habe etwas anderes gehört: …

„Alma mater" habe ich schon oft gehört. Ich habe aber nicht gewusst, dass es ein anderes Wort für Universität ist.

Ist „Audimax" ein Hörsaal?

B1: 148

Satzakzent und Emotionen

1 Ein Gespräch unter Studenten

a Hören Sie die Sätze und markieren Sie den stärksten Akzent des Satzes. 🔊 144

○ Was ist denn los?
○ Was genau ist denn vorgefallen?

○ Und wo ist das Problem?

● Ich habe ein Problem mit meinem Professor.
● Ich habe ein Referat gehalten.
   Alle fanden es richtig gut.
● Mein Professor hat nicht richtig zugehört.
   Später hatte er keine Zeit für mich.
   Er hat mir dann eine schlechte Note gegeben.

○ Das gibt's doch nicht!

b Hören Sie die Sätze und markieren Sie den stärksten Akzent, d. h. den Satzakzent! 🔊 145

1. Ich möchte einen Termin in dieser Woche.
2. Der Termin ist am Freitag, nicht am Mittwoch.
3. Wie ist denn das passiert?
4. Wir gehen ins Kino, nicht ins Theater.

> In deutschen Sätzen oder Wortgruppen wird immer eine Silbe stärker betont als alle anderen. Die Silbe, die am stärksten betont wird, ist der **„Satzakzent"**. Er liegt normalerweise auf Sinnwörtern (Nomen, Verben, Adjektive, Adverbien).

c Sprechen Sie die Sätze in 1b laut und klopfen Sie bei dem Satzakzent auf den Tisch.

d Wir unterscheiden hier zwischen Kontrast- und Demonstrativakzent. Ordnen Sie den Sätzen aus 1b zu.

Kontrastakzent: Man möchte einen Gegensatz ausdrücken, z. B.: Das ist meine Tasche (nicht deine).
                      Sätze Nr. _____
Demonstrativakzent: Man weist auf etwas besonders deutlich hin, z. B.: Mir gefällt diese Tasche.
                      Sätze Nr. _____

2 Satzakzent und Situation

a Hören Sie den Satz fünfmal und achten Sie auf die verschiedenen Varianten. 🔊 146
Sprechen Sie anschließend in den verschiedenen Varianten nach.

1. **Ich** komme morgen um acht Uhr zu dir. (nicht Christina)
2. Ich **komme** morgen um acht Uhr zu dir. (ganz sicher)
3. Ich komme **morgen** um acht Uhr zu dir. (nicht heute)
4. Ich komme morgen **um acht Uhr** zu dir. (nicht um sieben Uhr)
5. Ich komme morgen um acht Uhr **zu dir**. (nicht zu Christina)

> Bei Kontrast- und Demonstrativakzenten können auch Funktionswörter (Artikel, Präpositionen, Pronomen etc.) einen Akzent tragen. Der Satzakzent ist abhängig von der Situation. Meistens wird die wichtigste oder die neueste Information im Satz betont.

b Sprechen Sie folgenden Satz in verschiedenen Varianten.

Ich gehe nächsten Dienstag um zehn zu Professor Brockmann in die Sprechstunde.

3 Emotionen sind lauter

a Hören Sie die Sätze in zwei Versionen: neutral und emotional. Was ist in der emotionalen Variante anders? 🔊 147

1. Das ist doch wohl die Höhe.
2. Das ist wirklich eine Frechheit!
3. So ein Quatsch!
4. Das ist ja gemein!
5. Das ist wirklich ärgerlich!
6. Das geht doch nicht!
7. Ich bin echt sauer!

Die emotionale Variante ist   a. ⌴ leiser.   b. ⌴ lauter.
Die emotionale Variante   a. ⌴ ist monotoner.   b. ⌴ hat eine größere Melodiebewegung.

b Sprechen Sie die Sätze in 3a in mehreren Varianten: neutral, emotional, geflüstert, langsam …

A Engagement für Mensch und Natur

1 Freiwillig arbeiten? Ja gerne, aber wo?

a Wo würden Sie sich gerne engagieren? Kreuzen Sie an.

	sehr gern	vielleicht	kann ich mir nicht vorstellen
als Sanitäter arbeiten	☐	☐	☐
bei der Freiwilligen Feuerwehr mitmachen	☐	☐	☐
ein Freiwilliges Soziales Jahr im Altenheim machen	☐	☐	☐
in einer Einrichtung für Behinderte arbeiten	☐	☐	☐
als Volunteer im Ausland arbeiten	☐	☐	☐
in einer Bürgerinitiative aktiv sein	☐	☐	☐
Kinder am Nachmittag betreuen	☐	☐	☐
sich in einer politischen Partei engagieren	☐	☐	☐
sich für den Tierschutz einsetzen	☐	☐	☐
sich in einer internationalen Hilfsorganisation engagieren	☐	☐	☐

b Fragen Sie Ihren Partner / Ihre Partnerin.

Würdest du als Sanitäter arbeiten?

Das wäre nichts für mich. Aber ich könnte mir vorstellen, Kinder oder Behinderte zu betreuen.

2 Fragen über Fragen …

a Was kann man antworten? Ordnen Sie zu. Einige Wörter passen zu mehr als einem Verb. Schreiben Sie in Ihr Heft.

Arbeitslosigkeit | Armut | Entschuldigung | Fußball | Geschenke | Gleichberechtigung | große Hunde | gute Noten | Hilfe | Komplimente | Korruption | Krankheiten | Literatur | Minderheiten | Musik | Prüfungen | Tierschutz | Umweltschutz | Ungerechtigkeit | …

Wofür setzt man sich ein? *Gleichberechtigung, …* *Wofür interessiert man sich?*
Wogegen kämpft man? *Worüber freut man sich?*
Wovor hat man Angst? *Worum bittet man?*

b Welche Frage passt? Ordnen Sie zu.

Womit beginnt die Prüfung? / Mit wem beginnen wir? | Wonach erkundigst du dich? / Nach wem hat sich der Polizeibeamte erkundigt? | Woran erinnerst du dich nicht gerne? / An wen erinnerst du dich gerne? | Worauf wartest du? / Auf wen wartest du? | ~~Worüber ärgerst du dich?~~ / Über wen ärgerst du dich? | Worum geht es in diesem Roman? / Um wen ging es bei eurem Streit? | Wovor hast du Angst? / Vor wem hattest du als Kind Angst?

1. Über den Lärm meiner Nachbarn.
2. Über meinen Chef.
3. Auf meinen Kollegen.
4. Auf den Bus.
5. Nach einem Mann, der hier wohnt.
6. Nach einem günstigen Angebot.
7. Vor Flugzeugen.
8. Vor meinem Mathematiklehrer.
9. An meine Englischlehrerin.
10. An den Sportunterricht.
11. Um Sofia.
12. Um eine Liebesgeschichte.
13. Mit dem Modul „Lesen".
14. Mit mir, denn ich war zuerst hier.

1. Worüber ärgerst du dich?

c Formulieren Sie Fragen. Befragen Sie die anderen Kursteilnehmer.

Wovon hast du diese Nacht geträumt?   Von einer großen Reise.

3 Was ist WWOOF?

Lesen Sie den Text im Kursbuch A, Aufgabe 3b noch einmal und ergänzen Sie die Wörter in der passenden Form.

anbauen | Anreise | Dünger | Lebensart | Mindestalter | Mitglied | ~~Netzwerk~~ | Schädlingsbekämpfungsmittel | züchten | Verpflegung | Vorkenntnisse | Taschengeld

WWOOF ist ein internationales _Netzwerk_ [1], das freiwillige Helfer an ökologische Höfe vermittelt. Der Bio-Landbau verwendet keine künstlichen _____ [2] und giftigen _____ [3]. Deshalb ist er besonders arbeitsintensiv.
Wenn man als freiwilliger Helfer bei WWOOF mitmachen will, braucht man keine landwirtschaftlichen _____ [4]. Das _____ [5] liegt bei 18 Jahren. Man bekommt die Kontaktdaten der Höfe, die freiwillige Helfer suchen, wenn man _____ [6] bei WWOOF ist. Meistens zahlen die Höfe nicht mehr als ein _____ [7]. Die Landwirte bieten aber Unterkunft und _____ [8]. Um die _____ [9] kümmern sich die Helfer selbst.
Als WWOOFer lernt man nicht nur, wie man Gemüse _____ [10] und Tiere _____ [11], sondern schließt auch neue Freundschaften. Besonders interessant ist ein Einsatz im Ausland: Man hat die Möglichkeit, etwas über die _____ [12] des Gastlandes zu erfahren.

4 Wozu macht man das? – Finalsätze

a Was passt zusammen? Ordnen Sie zu.

1. Ich arbeite in den Ferien als WWOOFer,
2. Ich verbringe meine Freizeit im Fußballverein,
3. Ich bin Mitglied in einer politischen Partei,
4. Ich nehme an einem Erste-Hilfe-Kurs teil,
5. Die verärgerten Bürger sammeln Unterschriften,
6. Die Bürger sammeln Geld,
7. Die Nachbarn organisieren ein Straßenfest,

a. ⊔ um bei Unfällen Hilfe leisten zu können.
b. ⊔ um den Jugendclub in ihrer Straße zu renovieren.
c. ⊔ um unsere Jugendmannschaft zu trainieren.
d. ⊔ um gegen den Bau einer Straße zu protestieren.
e. ⊔ um Geld für den Bau eines Spielplatzes zu sammeln.
f. ⌐1⌐ um mehr über die Öko-Landwirtschaft zu erfahren.
g. ⊔ um politisch mitbestimmen zu können.

b Verbinden Sie die die Sätze mit „um … zu".

1. Ich möchte in der Freizeit freiwillig arbeiten. Ich will meine Freizeit sinnvoll nutzen.
2. Ich gehe auf die Homepage von WWOOF. Ich will mich über Freiwilligenarbeit informieren.
3. Ich will auf einem ökologischen Hof arbeiten. Ich will etwas für den Umweltschutz tun.
4. Ich werde Mitglied bei WWOOF. Ich will die Kontaktdaten der Höfe bekommen.
5. Ich möchte in Frankreich als WWOOFer arbeiten. Ich will Land und Leute kennen lernen.
6. Ich schreibe eine Mail an den Hofbesitzer. Ich will mich über den Hof informieren.

1. Ich möchte in der Freizeit freiwillig arbeiten, um meine Freizeit sinnvoll zu nutzen.

c Markieren Sie die Subjekte in den Sätzen. Bilden Sie dann Sätze mit „um … zu" oder „damit".

1. WWOOF wurde 1971 in England gegründet. Junge Leute können Erfahrung im Bio-Landbau sammeln.
2. Auf der Homepage von WWOOF stehen viele Tipps. Die Interessenten können sich vor ihrem Einsatz informieren.
3. Die WWOOFer wenden sich direkt an die Landwirte. Sie besprechen Beginn und Dauer des Einsatzes.
4. Die Landwirte informieren die freiwilligen Helfer über die Art der Arbeit. Die Helfer wissen, was sie erwartet.
5. Die Landwirte müssen früh aufstehen. Sie kümmern sich um die Tiere.
6. Die WWOOFer bekommen freie Tage. Sie können Ausflüge in die Umgebung machen.
7. Es ist sinnvoll, die Landessprache zu sprechen. Man kann sich mit den Landwirten besser verständigen.

1. WWOOF wurde 1971 in England gegründet, damit junge Leute Erfahrung im Bio-Landbau sammeln können.

B Unten im Tal oder oben auf der Alp?

1 Was steht in den Anzeigen?

a Lesen Sie die Anzeigen im Kursbuch B 1b noch einmal und notieren Sie wichtige Informationen.

Anzeige	Lage des Hofs	Tätigkeiten	Tiere	Besonderheiten
A	30 Min. von Luzern			
B				
C				
D				
E				

b Lesen Sie die Definitionen. Um welche Wörter aus den Anzeigen handelt es sich?

CH: die Alp
D / A: die Alm

CH: die Renovation
D / A: die Renovierung

1. das Anbauen von Pflanzen auf dem Feld: _der Ackerbau_
2. der Verkauf von Produkten direkt auf dem Hof: _____
3. trockenes Gras ernten: _____
4. Haus für die Tiere: _____
5. ein Gebäude, in dem das Heu liegt: _____
6. eine große Wiese, auf der die Kühe Gras fressen: _____
7. Haus, in dem man Obst oder Gemüse anbaut: _____

2 Ein Anruf aus der Schweiz

🔊 148 Hören Sie noch einmal das Gespräch im Kursbuch B, Aufgabe 2b. Was ist richtig (r), was ist falsch (f)? Kreuzen Sie an.

	r	f
1. Lars hat Frau Eggers Anruf erwartet.	⬚	⬚
2. Freunde von Lars leben in der Nähe von Chur.	⬚	⬚
3. Die Arbeit auf dem Hof ist körperlich anstrengend.	⬚	⬚
4. Im Sommer helfen mehrere WWOOFer auf dem Hof der Eggers mit.	⬚	⬚
5. Lars weiß schon genau, was er studieren will.	⬚	⬚
6. Die WWOOFer müssen morgens die Kühe melken.	⬚	⬚
7. Lars interessiert sich dafür, wie man Käse herstellt.	⬚	⬚
8. Lars muss sich selbst um die Krankenversicherung kümmern.	⬚	⬚

3 Auf dem Bio-Hof arbeiten? Davon habe ich schon lange geträumt.

a Was sagen Frau Egger und Lars? Was passt zusammen? Ordnen Sie zu.

1. Frau Egger hat Lars' E-Mail erhalten.
2. Frau Eggers Anruf ist eine Überraschung.
3. Die Landschaft ist sehr schön.
4. Lars fragt nach der Unterkunft.
5. Auf dem Hof der Eggers wird viel mit der Hand gemacht.
6. Die Arbeit ist körperlich anstrengend.
7. Lars will gerne auf dem Land arbeiten.
8. Auf dem Hof kann man lernen, wie man Käse herstellt.

a. ⬚ Dafür interessiert sich Lars sehr, denn er mag Käse.
b. ⬚ Damit hat Lars nicht gerechnet.
c. ⬚1 Darüber hat sie sich sehr gefreut.
d. ⬚ Das ist körperlich anstrengend.
e. ⬚ Davon hat er schon immer geträumt.
f. ⬚ Davon stand nämlich nichts in der Anzeige.
g. ⬚ Davor hat Lars aber keine Angst.
h. ⬚ Lars' Freunde haben ihm viel davon erzählt.

b Wie findet man den passenden Hof? Ergänzen Sie die Sätze.

sich an WWOOF Schweiz zu wenden | dass Lars bei ihr arbeiten will | einmal auf einem Bio-Hof im Ausland zu arbeiten | im nächsten August in die Nähe von Chur zu reisen | in welchen Ländern man als WWOOFer arbeiten kann | ihm einige Fragen zu beantworten | wie lange man auf dem Hof der Eggers täglich arbeitet

1. Lars hat schon immer davon geträumt, _____
2. Im Internet hat er sich danach erkundigt, _____
3. Da er Freunde in der Schweiz hat, hat er sich dafür entschieden, _____
4. Die Hofbesitzerin Frau Egger hat er in einer Mail darum gebeten, _____
5. In einem Telefongespräch haben sie auch darüber gesprochen, _____
6. Frau Egger hat sich sehr darüber gefreut, _____
7. Jetzt freut sich Lars darauf, _____

c Formulieren Sie den Text um. Verwenden Sie die Verweiswörter im Schüttelkasten.

dabei | dafür (2x) | damit (2x) | daneben | darüber

Freiwilliges Soziales Jahr und Bundesfreiwilligendienst

Jedes Jahr leisten circa 70.000 junge Menschen ein Freiwilliges Soziales Jahr (FSJ) oder verpflichten sich für 12 Monate zum Bundesfreiwilligendienst (BFD). Für diese Dienste kann sich jeder zwischen 16 und 26 Jahren bewerben. Eingesetzt werden die Freiwilligen in Krankenhäusern und Pflegeheimen, in Einrichtungen für Men-
5 schen mit Behinderungen sowie in Kinder- und Jugendeinrichtungen. Die jungen Menschen leisten mit ihrer Arbeit einen wichtigen Beitrag für die Gemeinschaft. Das FSJ und der BFD sind Vollzeit-Jobs. Für diesen Job zahlen die Einrichtungen den Freiwilligen ein monatliches Taschengeld und Sozialversicherung. Außerdem bekommen sie einen Ausweis. Mit diesem Ausweis erhalten sie Ermäßigungen z. B. in öffentlichen Verkehrsmitteln. Neben diesen Freiwilligendiensten für junge Menschen gibt es auch für über 27-Jährige die Möglichkeit, im Rah-
10 men des Bundesfreiwilligendienstes in Teilzeit tätig zu werden. Bei diesem Dienst handelt es sich um eine Freiwilligenarbeit mit mindestens 20 Stunden pro Woche im sozialen, ökologischen, kulturellen und sportlichen Bereich. Informationen über den Bundesfreiwilligendienst findet man unter www.bundesfreiwilligendienst.de.

Jedes Jahr leisten circa 70.000 junge Menschen ein Freiwilliges Soziales Jahr (FSJ) oder verpflichten sich für 12 Monate zum Bundesfreiwilligendienst (BFD). Dafür kann sich jeder zwischen 16 und 26 Jahren bewerben. ...

Präpositionalpronomen werden in Texten verwendet, um Wiederholungen zu vermeiden: Ich weiß nicht, was ein Freiwilliges Soziales Jahr ist. Deshalb würde ich gerne mehr ~~über das Freiwillige Soziale Jahr~~ **darüber** erfahren.

---

4 Meine Träume, deine Träume ...

a Wovon träumen Sie? Schreiben Sie drei Träume / Wünsche auf drei kleine Zettel. Wovon träumen Sie nicht? Schreiben Sie auch das auf jeweils drei Zettel. Suchen Sie einen Partner / eine Partnerin. Legen Sie die Zettel so, dass Ihr Partner / Ihre Partnerin die Zettel lesen kann und befragen Sie sich. Wer zuerst drei Antworten mit „ja" erhält, gewinnt.

Politiker werden

ein schnelles Auto

einen Tandemsprung machen

viele Kinder haben

in Deutschland studieren

als WWOOFer arbeiten

Träumst du von einer Weltreise?

Ja. Davon träume ich schon lange. Und du? Träumst du davon, Millionär zu werden?

Nein. Davon träume ich nicht.

b Fragen Sie auch nach Interessen (Interessierst du dich für / dafür ...?) und Ängsten (Fürchtest du dich vor / davor ...?).

5 Davon habe ich schon immer geträumt: Ich will Bürgermeister werden!

Sie möchten Bürgermeister / Bürgermeisterin werden. Was versprechen Sie Ihren Wählern?

Ich setze mich dafür ein, dass ...
Ich kümmere mich darum, dass ...
Ich sorge dafür, dass ...
Wenn ich Bürgermeister bin, ...
Mit mir als Bürgermeister ...

C Eine tolle Erfahrung

1 Das sagt man so ...

a Welches Partizip passt? Ergänzen Sie.

anstrengende | aufregendes | entscheidende | folgenden | kommende | passende | spannenden | überzeugend

1. Wir haben gestern einen _____ Actionfilm im Kino gesehen.
2. Auf den _____ Seiten finden Sie noch weitere Übungen.
3. _____ Woche haben wir Prüfung. Bis dahin muss ich noch viel lernen.
4. Nächste Woche findet in Dortmund das _____ Spiel zwischen den beiden Mannschaften statt.
5. Für mein neues Kleid brauche ich jetzt nur noch _____ Schuhe.
6. Meine Reise nach Südamerika war wirklich ein _____ Erlebnis.
7. Jetzt weiß ich, was für eine _____ Arbeit die Landwirte haben.
8. Der Politiker hat zwar viele Argumente genannt, aber er war nicht wirklich _____.

b Was bedeuten die Redewendungen? Kreuzen Sie an.

1. Du hast eine **blühende** Phantasie.
   a. ⸺ Du hast viel Phantasie.
   b. ⸺ Du hast keine Phantasie.
2. Mein Großvater ist ein **wandelndes** Lexikon.
   a. ⸺ Er verändert sich oft.
   b. ⸺ Er weiß viel.
3. Halt mich bitte **auf dem Laufenden**!
   a. ⸺ Informier mich über alles, was passiert!
   b. ⸺ Sollen wir zusammen laufen?
4. Mir fehlt noch eine **zündende** Idee.
   a. ⸺ Ich habe noch keine gute Idee.
   b. ⸺ Ich kann kein Feuer anmachen.
5. Manche Leute glauben an **fliegende** Untertassen.
   a. ⸺ Sie glauben, dass Untertassen fliegen können.
   b. ⸺ Sie glauben an Unbekannte Flugobjekte (UFOs).
6. Von meinem Chef bekomme ich Mails am **laufenden** Band.
   a. ⸺ Er schickt mir nur selten Mails.
   b. ⸺ Er schickt mir viele Mails.
7. Das interessiert mich **brennend**.
   a. ⸺ Das interessiert mich überhaupt nicht.
   b. ⸺ Das interessiert mich sehr.
8. Im Sommer reise ich ins Land der **aufgehenden** Sonne.
   a. ⸺ Ich reise nach Japan.
   b. ⸺ Ich reise in die USA.

c Sagen Sie es anders. Verwenden Sie das Partizip 1.

Viel Lärm machen ...
1. Züge, die vorbeifahren *vorbeifahrende Züge*
2. Flugzeuge, die starten _____
3. Hunde, die bellen _____
4. Autos, die hupen _____
5. Fußballfans, die feiern _____
6. Kinder, die spielen _____
7. Motoren, die laufen _____

Die Bürger beschweren sich über ...
1. Flugzeuge, die nachts starten *nachts startende Flugzeuge*
2. die Luftverschmutzung, die ständig zunimmt *die ständig zunehmende Luftverschmutzung*
3. Motorräder, die zu schnell fahren _____
4. die Autos, die falsch parken _____
5. Nachbarn, die laut feiern _____
6. die Arbeitslosigkeit, die jährlich steigt _____
7. die Kriminalität, die ständig wächst _____
8. eine Verwaltung, die langsam arbeitet _____
9. die Fahrkartenautomaten, die nicht funktionieren _____

Vor dem Partizip können noch weitere Angaben stehen: z.B. Orts- oder Zeitangaben.

B1: 154

2 Raten Sie mal!

Schauen Sie sich die Icons an. Schreiben Sie die Tätigkeiten darunter, benutzen Sie dabei ein Partizip.

1. Bild 1 zeigt eine schlafende Person.

3 Strategien: Einen Kommentar im Internet schreiben

a Lesen Sie die Regeln der „Netiquette". Was halten Sie davon? Sprechen Sie im Kurs.

Netiquette – Auf der anderen Seite sitzt ein Mensch
1. Es ist möglich einen Codenamen zu benutzen.
2. In deutschsprachigen Foren ist das „Duzen" üblich.
3. Man bleibt fair und sachlich.
4. Man schreibt seine Texte nicht in Großbuchstaben.
5. Man achtet auf korrekte Rechtschreibung und Zeichensetzung.

b Sie haben in einer Online-Zeitung einen Artikel über das Freiwillige Soziale Jahr gelesen. Im Forum der Zeitung finden Sie folgenden Kommentar eines anderen Lesers.

> Ich finde es zwar toll, wenn junge Menschen nach der Schule ein Jahr freiwillig in einer sozialen Einrichtung arbeiten oder sogar ins Ausland gehen, um dort zu helfen. Für mich persönlich kam das allerdings nicht in Frage, denn ich musste nach der Schule eine Berufsausbildung machen und war froh, endlich Geld verdienen zu können. Meiner Meinung nach ist das nur etwas für Leute, die genug Geld haben oder reiche Eltern, die ihnen diese „Auszeit" bezahlen können. Meine Eltern konnten das nicht.
> Oliver

c Sie wollen Ihre Meinung schreiben. Welche Redemittel können Sie verwenden? Ordnen Sie zu.

Ich meine / finde, dass … | ~~Ich teile die Meinung von … (nicht)~~ | Ich möchte ein Beispiel nennen: … | Ich finde es (nicht) gut / richtig / sinnvoll, dass … | Ich bin da ganz anderer Meinung als … | Dafür / Dagegen spricht, dass … | Ich bin überzeugt, dass … | Wenn man …, kann man … | Ein (weiterer) Grund ist, dass … | Ein Vorteil / Nachteil ist: … | Dazu kommt, dass … | Ich bin der Ansicht / Meinung, dass … | Ich persönlich … gerne / lieber … | Ich habe die Erfahrung gemacht, dass … | Ich finde, … hat völlig recht. | Ich kann mir gut / nicht vorstellen, … zu … | Meiner Meinung nach … | Ein Freund / eine Freundin von mir … | Für mich kommt … nicht in Frage, denn …

auf die Meinung eines anderen reagieren: Ich teile die Meinung von …
seine Meinung sagen:
Argumente für / gegen etwas nennen:
Beispiele nennen / über Erfahrungen berichten:

d Schreiben Sie nun Ihre Meinung über freiwillige Arbeit (circa 80 Wörter). Nennen Sie Argumente, die Ihre Meinung stützen. Sie können auch Beispiele nennen und / oder von eigenen Erfahrungen berichten. Beachten Sie die „Netiquette". ⓟ

DaF kompakt – mehr entdecken

1 Geschriebene Sprache – gesprochene Sprache

a Welche beiden Sätze sind typisch für geschriebene Sprache? Markieren Sie die Sätze. Was fällt auf? Ergänzen Sie.

1. ⊔ Zum Melken und für die Ernte werden Melkmaschinen benutzt.
2. ⊔ Um die Kühe zu melken, benutzen die Landwirte Melkmaschinen.
3. ⊔ In der konventionell arbeitenden Landwirtschaft kommen künstliche Düngemittel zum Einsatz.
4. ⊔ Die Bauern, die ökologisch arbeiten, setzen keine künstlichen Düngemittel ein.

Aktiv | Verben als Bedeutungsträger | Infinitive mit „zum" und „für"/„zur"+ Nomen | Partizip 1 als Attribut

geschriebene Sprache	gesprochene Sprache
Passiv	
	Relativsätze
Nomen-Verb-Verbindungen	
	Finalsätze mit „um … zu"

> Selbstverständlich werden diese Formen auch in gesprochener Sprache benutzt. Man findet sie aber häufiger in geschriebenen Texten.

b Sagen Sie es anders. Verwenden Sie nominalisierte Infinitive mit „zu".

1. Die Eggers benutzen keine Maschinen, um Heu zu machen.
2. Man braucht keine Vorkenntnisse, um mitzuhelfen.
3. Frau Egger verwendet nur Gemüse vom eigenen Hof, um zu kochen.
4. Manchmal fährt sie ins Tal, um einzukaufen.
5. Man braucht feste Schuhe, um zu arbeiten.

1. Zum Heumachen benutzen die Eggers keine Maschinen.

> Der nominalisierte Infinitiv gilt als Nomen und wird großgeschrieben. Wenn der Infinitiv eine Akkusativergänzung hat, wird dieser vorangestellt: zum Heumachen.

c Wie heißen die Verben? Schreiben Sie.

1. die Zucht: _____
2. die Ernte: _____
3. der Anbau: _____
4. der Verkauf: _____

5. die Verarbeitung: _____
6. die Versorgung: _____
7. die Produktion: _____
8. die Herstellung: _____

2 Über Sprache reflektieren

Wie sagt man das in Ihrer Sprache? Vergleichen Sie im Kurs.

Deutsch	Englisch	andere Sprache(n)
Man braucht keine Vorkenntnisse, um teilzunehmen. Für die Teilnahme braucht man keine Vorkenntnisse.	You don't need any previous knowledge in order to take part.	

3 Miniprojekt: Freiwillig arbeiten beim Bergwaldprojekt

Informieren Sie sich auf der Webseite des Bergwaldprojekts (www.bergwaldprojekt.de). Schreiben Sie einen kurzen Text wie im Kursbuch A, Aufgabe 3b, in dem Sie auf folgende Punkte eingehen:

Was ist das Ziel des Bergwaldprojekts?
Wer kann mitmachen?

Wo und wie kann man freiwillig arbeiten?
Wie kann man sich bewerben?

Vokalhäufung und Vokaleinsatz

1 Vokale auf dem Ökohof

a Hören Sie die Wortgruppen und entscheiden Sie, ob die markierten Vokale lang oder kurz sind: Kurz = ˌ , lang = _ . 🔊 149

1. manchmal Schafskäse kaufen
2. bei der Käseherstellung helfen
3. spät in die Gärtnerei gehen
4. sich intensiv um die Tiere kümmern
5. die Hofbewohner oft besuchen
6. auf einem Ökohof arbeiten können
7. Natur- und Umweltschutz beachten
8. früh die Kühe melken müssen

b Sprechen Sie die Wortgruppen in 1a nach. Achten Sie dabei auf die korrekte Aussprache der Vokale.

2 Vokaleinsatz

a Hören Sie die Wörter und achten Sie auf die markierten Vokale. Sprechen Sie die Wörter anschließend nach. 🔊 150

- Semesterferienende
- Erfahrungsaustausch
- Heuernte
- Kulturunterschiede
- Gemüseanbau
- Bioobst

b Was fällt auf? Kreuzen Sie in der Regel an.

Wörter oder Silben mit einem Vokal am Anfang: Sie werden mit einem a. ⌞⌟ festen b. ⌞⌟ weichen Einsatz gesprochen. Man nennt das auch Vokaleinsatz. Vor dem Vokal hört man ein leichtes Knacken: den Knacklaut.
Diese Regel gilt nicht, wenn eine Nachsilbe mit einem Vokal beginnt (z. B. Eier, Betreuung) oder bei Fremdwörtern (z. B. Museum, ideal). ❗

3 Ökohofromantik

Hören Sie die Wortgruppen. Markieren Sie alle Vokaleinsätze und zeichnen Sie vor jedem Vokaleinsatz einen senkrechten Strich ein. Hören Sie anschließend noch einmal und sprechen Sie sie nach. 🔊 151

1. jeden Tag | um fünf | Uhr | aufstehen
2. tagsüber im Hofladen arbeiten
3. den Einsatz bei der Heuernte organisieren
4. Ackerbau und Käseherstellung erlernen
5. Leute aus anderen Kulturen treffen und interkulturelle Erfahrungen sammeln
6. ökologisches Obst und Gemüse anbauen und ernten
7. interessierte Besucher über die Arbeit auf einer Alp informieren

4 Wortkette

Wählen Sie ein Thema. Ein Teilnehmer / Eine Teilnehmerin sagt ein Wort, das zum Thema passt.
Der / Die Nächste wiederholt das Wort und bildet aus dem letzten Buchstaben ein neues Wort, das zum Thema passt. So geht es die Runde herum. Wer kein Wort weiß, ist raus. 👥👤

Thema: Bauernhof

Kuh

Kuh, Heu

Heu, Umwelt

Umwelt, ...

A Begrüßungen international

1 Gruß- und Abschiedsformeln

a Was sagen Sie zur Begrüßung, was zum Abschied? Schreiben Sie in Ihr Heft.

~~Tschüss!~~ | Hallo! | Grüß dich! | Mach's gut! | Guten Tag! | Schönen Tag noch! | Pass auf dich auf! | Ich grüße Sie! | Grüß Gott! | Bis dann! | Schönes Wochenende! | Guten Abend! | Bis morgen! | Machen Sie es gut! | Gute Reise! | Moin, moin! | Ade! | Servus! | Tschau!/Ciao! | Pfiat di!

Abschied: Tschüss!, ...
Begrüßung: ...

b Wie heißen die Gesten? Ordnen Sie den Bildern die Verben und Nomen zu.

~~sich zunicken~~ | sich umarmen | der Handschlag | sich auf die Wange küssen | die Verbeugung | sich zuwinken | die Umarmung | sich die Hand geben | das Winken | der Wangenkuss | ~~das Nicken~~ | sich verbeugen

1. *sich zunicken*
   das Nicken

2. _____

3. _____

4. _____
   _____

5. _____
   _____

6. _____
   _____

2 Reflexivpronomen: Formen

Schauen Sie sich die Tabelle in Kursbuch A, Aufgabe 3, noch einmal an und ergänzen Sie die Reflexivpronomen „sich, uns ..."

1. Junge Mädchen begrüßen *sich* oft mit einem Wangenkuss.
2. Wie verabschiedet man _____ bei euch?
3. Wie begrüßt ihr _____ normalerweise?
4. Wir umarmen _____ bei der Verabschiedung.
5. In Marokko stellt man viele Fragen, wenn man _____ begrüßt.
6. Nickt ihr _____ als Kollegen nur zu?
7. Küssen _____ alle in Frankreich bei der Begrüßung?
8. Begrüßt ihr _____ im Büro mit Wangenkuss?

3 Reflexivpronomen: reziproke oder reflexive Bedeutung

a Reziproke oder reflexive Bedeutung? Lesen Sie die Sätze und kreuzen Sie an.

	reziprok	reflexiv
1. Malika freut sich auf das Praktikum in Potsdam.	⌴	X
2. Die Mädchen treffen sich in drei Wochen in Potsdam.	X	⌴
3. Sie erinnert sich an Astrids Besuch in Marokko.	⌴	⌴
4. Malika und ihr Chef begrüßen sich mit einem Nicken.	⌴	⌴
5. Die Kolleginnen von Malika umarmen sich zur Begrüßung.	⌴	⌴
6. Malika fühlt sich in Potsdam wohl.	⌴	⌴

b Ersetzen Sie das Reflexivpronomen durch das Wort „einander".

1. Malika und Astrid treffen sich in Potsdam. → *Sie treffen einander in Potsdam.*
2. Umarmt ihr euch zur Begrüßung? → _____
3. Man gibt sich die Hand. → _____
4. Wir begrüßen uns mit einem Wangenkuss. → _____

Das Wort „einander" ist gehobener Sprachstil.

c Präposition + „einander". Lesen Sie den Tipp und ergänzen Sie dann die Sätze. Manchmal gibt es zwei Lösungen.

In Verbindung mit einer Präposition verwendet man meist „einander",
z. B. „Malika und Astrid warten auf sich." → „Sie warten aufeinander."
Achtung: Die Präposition und das Pronomen werden zusammengeschrieben.

nebeneinander | ~~miteinander~~ | voneinander | übereinander | miteinander | zueinander

1. Malika und Astrid unternehmen viel *miteinander* _____ .
2. Sie wissen viel _____ .
3. Sie haben Vertrauen _____ .
4. Sie telefonieren einmal in der Woche _____ .
5. Sie lachen viel _____ .
6. In Marokko haben sie _____ gewohnt.

d Formulieren Sie die Sätze um wie im Beispiel.

1. Malika und Astrid helfen sich. → *Malika und Astrid helfen sich gegenseitig.*
2. Sie rufen sich an. → _____
3. Sie schreiben sich lange E-Mails. → _____
4. Sie berichten sich von ihren Erfahrungen. → _____
5. Sie finden sich sehr sympathisch. → _____

Das Wort „gegenseitig" betont die reziproke Bedeutung des Pronomens. Das Reflexivpronomen bleibt hier – anders als bei „einander" – erhalten.

4 Und wie ist das bei Ihnen?

a Schreiben Sie einen kleinen Ratgeber für Ausländer. Wie begrüßt man sich bei Ihnen? Worauf muss man achten? Was sollte man besser nicht tun?
Schreiben Sie am besten auf ein großes Blatt Papier / ein Plakat.
Die Redemittel unten helfen.

Bei uns sagt man … zur Begrüßung / zum Abschied. | Zum Abschied / Zur Begrüßung kann man … sagen. | Man kann Folgendes sagen: … | Männer / Frauen begrüßt man … | Freunde begrüßen sich … | Kollegen begrüßen sich … | Seine Vorgesetzten begrüßt man … | Mit … muss man aufpassen. | … sollte man besser nicht tun. | Man erwartet … | Wenn jemand … sagt, muss man … antworten.

b Hängen Sie Ihre Ratgeber im Kursraum auf. Gehen Sie herum und kommentieren Sie, was bei Ihnen genauso möglich ist oder was man ganz anders machen sollte (stummer Dialog).

B Siezen, duzen, miteinander reden

1 „Café international"

a Lesen Sie die Problem-Situationen im Kursbuch B, Aufgabe 1a, noch einmal und ordnen Sie sie den Personen zu.

a. Yolanda   c. Malika   e. Nitin
b. Yi   d. Adam   f. Oleg

1. _f_ Im Praktikum: Der Chef bietet das „Du" an. Soll ich den Chef auch duzen?
2. ⊔ Gespräch mit der Kollegin: Ist das Thema „Geld" ein Tabu in Deutschland?
3. ⊔ Korrespondenz mit Firmenkunden: Welche Grußformeln verwendet man?
4. ⊔ Sektempfang bei einer Firma: Worüber kann ich mit den Leuten reden?
5. ⊔ Beim Friseur: Soll ich die Friseurin duzen oder siezen?
6. ⊔ Gespräch mit dem Professor: Wie spreche ich meinen Professor an?

b Lesen Sie in Malikas Ratgeber den Abschnitt zum Duzen und Siezen, Kursbuch B, Aufgabe 1b, noch einmal: Was ist richtig (r), was ist falsch (f)? Kreuzen Sie an.

	r	f
1. Das „Du" wird heute nur für Freunde und Familie benutzt.	⊔	⊔
2. Siezen ist höflicher.	⊔	⊔
3. Man sollte, wenn man unsicher ist, immer zuerst siezen.	⊔	⊔
4. Jüngere dürfen Älteren das „Du" anbieten.	⊔	⊔
5. Normalerweise bieten Mitarbeiter ihren Chefs das „Du" an, nicht umgekehrt.	⊔	⊔
6. In Läden für junge Menschen kann man die Verkäufer ruhig duzen.	⊔	⊔

c Lesen Sie den Abschnitt „Duzen und Siezen" im Kursbuch B, Aufgabe 1b, noch einmal. Duzen oder siezen Sie in folgenden Situationen? Kreuzen Sie an.

Situation:	Du	Sie
1. Sie sind Student(in) und auf einer Studentenparty eingeladen, kennen aber niemanden außer der Gastgeberin. Duzen oder siezen Sie die anderen Studenten?	⊔	⊔
2. Sie machen ein Praktikum in einer Firma. Es gibt viele junge, aber auch einige ältere Mitarbeiter dort. Duzen oder siezen Sie die Kollegen?	⊔	⊔
3. Sie sind Schüler(in), gehen in ein Kaufhaus und wollen eine Hose kaufen. Die Verkäuferin ist über 40 Jahre alt und duzt Sie. Duzen oder siezen Sie die Verkäuferin?	⊔	⊔
4. Sie sind schon lange in einem Sportverein. Duzen oder siezen Sie die anderen Sportler?	⊔	⊔
5. Sie sind in einem Lokal, das hauptsächlich von Studenten besucht wird. Duzen oder siezen Sie die Bedienung?	⊔	⊔

d Lesen Sie die Situationen, spielen Sie kurze Gespräche und bieten Sie einander das „Du" an. Die Redemittel unten helfen.

1. Sie sind auf einer Studentenparty eingeladen und lernen dort eine ältere Studentin kennen.
2. Sie sind neu in einer Firma. Ihre Kollegen / Kolleginnen sind so alt wie Sie.
3. Sie sind Chef / Chefin in einer Werbefirma und bekommen einen jungen neuen Mitarbeiter.
4. Sie sind vor kurzem in Ihre Wohnung gezogen und begegnen den anderen Bewohnern des Hauses nun auf einem Straßenfest.

Wollen wir nicht „du" zueinander sagen? Also, ich bin … | Haben Sie etwas dagegen, wenn wir uns duzen? | Sollen wir uns nicht duzen? | Wie wäre es, wenn wir „du" sagen würden? | Was halten Sie davon, wenn wir uns duzen? | Wir duzen uns hier alle. Ist das auch für Sie in Ordnung?

B1: 160

2 Briefe richtig schreiben

a Ordnen Sie die Anreden und Grußformeln in Briefen zu: Sind sie eher informell oder formell?

~~Liebe Frau Schulz, …~~ | Sehr geehrter Herr Maier, … | Tschau … | Schöne Grüße … | Herzlichst … |
Hallo, Herr Schneider, … | Mit freundlichen Grüßen … | Viele liebe Grüße … | Freundliche Grüße … |
Einen Sommergruß aus den Bergen schickt … | Herzliche Grüße Ihre Frau Schulz | Sonnige Grüße … |
Guten Tag Frau Müller, …

formell: *nicht so formell: Liebe Frau Schulz, …*   *informell:*

b Lesen Sie den Abschnitt „Anrede, Grußformeln und Schreibstil" im Kursbuch B, Aufgabe 1b, noch einmal. Machen Sie zu folgenden Punkten Notizen in Ihr Heft.

1. Formelle und nicht so formelle Anrede in Briefen
2. Nicht so formelle Anrede in E-Mails
3. Grußformeln in Briefen und E-Mails
4. Anrede an der Uni
5. Anrede an der Uni in Österreich

1. Formelle Anrede in Briefen → Sehr geehrte Frau Meier, …

3 Small Talk: die schwere Kunst der leichten Konversation

a Welche Sätze passen zu welchem Thema?

Darf ich fragen, was Sie beruflich machen? | Ach, da bin ich aber froh, wir wollen morgen doch einen
Ausflug machen. | Ach, ich habe eigentlich nicht viel gemacht, nur gestern war ich im Kino. |
Sie sprechen doch schon sehr gut! | Natürlich. Ich bin … und arbeite gerade an … | Danke, aber ich
habe in manchen Situationen noch Probleme, z. B. … | ~~Der Wetterbericht sagt für morgen besseres~~
~~Wetter voraus.~~ | Interessant, welchen Film hast du denn gesehen?

1. **Wetter**
   A: Jetzt regnet es schon den dritten Tag hier. Ist
   das normal für Mai?
   B: *Der Wetterbericht sagt für morgen besseres*
   Wetter voraus.
   A: _____
   _____

2. **Arbeit**
   A: Ich brauche wirklich Urlaub, ich habe so viel
   Arbeit!
   B: _____
   _____
   A: _____
   _____

3. **Deutsch**
   A: Ich finde Deutsch so kompliziert, ich bin ganz
   deprimiert.
   B: _____
   _____
   A: _____
   _____

4. **Wochenende**
   A: Was hast du denn am Wochenende gemacht?
   B: _____
   _____
   A: _____
   _____

b Small Talk: Wählen Sie ein Thema und spielen Sie drei Minuten lang zu zweit ein Gespräch im Kurs.

Wetter | Studium | Freizeit | Urlaub | Ausbildung | das letzte Wochenende | Sport | …

4 Kontakt aufnehmen

Arbeiten Sie zu zweit. Begrüßen Sie sich und unterhalten Sie sich über folgende Punkte.

– Wie Sie heißen (Name)
– Wo Sie herkommen
– Wo Sie wohnen (Wohnung / Haus)
– Familie?
– Was Sie machen (Schule, Studium, Beruf …)

– Was Sie in Ihrer Freizeit machen
– Waren Sie schon in anderen Ländern? Wenn ja, wo?
– Sprachen: Welche? Wie lange?
– Warum lernen Sie Deutsch?

Guten Tag, ich heiße … Und Sie? Wie heißen Sie?   *Freut mich. Mein Name ist …*

C Keine Panik – niemand ist perfekt!

1 Folgen ausdrücken: Konsekutivsätze mit „sodass"

a Markieren Sie die Sätze, die eine Folge ausdrücken. Verbinden Sie die Sätze erst mit „sodass", dann mit „so" im ersten und „dass" im zweiten Satz.

1. Potsdam hat eine schöne Umgebung. Malika möchte viele Ausflüge machen.
2. Malika hat schon viel gelernt. Das Praktikum bei GeoTherm ist vielfältig.
3. Die Kollegen bei GeoTherm sind nett. Malika fühlt sich wohl.
4. Malika hat viele Jahre Deutsch gelernt. Sie spricht sehr gut Deutsch.
5. Malika kann nicht mehr schlafen. Sie hat große Angst vor dem Teammeeting.

1. Potsdam hat eine schöne Umgebung, sodass Malika viele Ausflüge machen möchte.
Potsdam hat eine so schöne Umgebung, dass Malika viele Ausflüge machen möchte.

b Spielen Sie Minidialoge wie im Beispiel. Ergänzen Sie eigene Fragen und Antworten.

Person A	Person B
1. Arabisch – schwer	viele Jahre lernen müssen
2. Potsdam – grün	viele Berliner dort leben wollen
3. Text – leicht	kein Wörterbuch brauchen
4. Arbeit – anstrengend	abends ganz müde sein
5. …	…

Ist Arabisch schwer?

Ja, Arabisch ist so schwer, dass man es viele Jahre lernen muss.

c Missgeschicke und ihre Folgen: Schreiben Sie Sätze über Missgeschicke im Alltag und deren Folgen. Ergänzen Sie auch eigene Beispiele.

spät aufstehen | lange telefonieren | viel arbeiten | Portemonnaie zu Hause vergessen | viel Kaffee trinken | …	sodass / so dass	Bus verpassen | spät zu Bett gehen | vergessen zu essen | kein Geld dabei haben | nicht einschlafen können | …

Heute bin ich so spät aufgestanden, dass ich den Bus verpasst habe.

2 Konsekutivsätze mit „also" und „folglich"

a Markieren Sie in folgenden Sätzen die Hauptsatzkonnektoren „also" und „folglich".

1. Viele Lerner ärgern sich über Fehler. Also sehen sie die Fehler als etwas Negatives.
2. Sie können aber aus Ihren Fehlern lernen. Also sollten Sie sie als Chance sehen.
3. Die Lehrer erfahren viel aus den Fehlern der Schüler. Fehler sind also wichtig.
4. Eine Fremdsprache zu lernen ist anstrengend. Folglich sollte man Lernpausen machen.
5. Sie machen viele Fehler. Folglich sollten Sie ein Fehlerprotokoll machen.
6. Sie haben Ihre Fehler bemerkt. Sie sind folglich sensibler für die Fremdsprache geworden.

b Stellen Sie „also" und „folglich" in den Sätzen aus 2a um und schreiben Sie diese in eine Tabelle in Ihr Heft.

> „Also" und „folglich" stehen meist direkt nach dem Verb. Personalpronomen als Ergänzung stehen vor „also / folglich". „Also" wird häufiger beim Sprechen und in informellen Texten (wie z. B. in E-Mails) benutzt, „folglich" eher in formellen mündlichen und schriftlichen Texten.

Position 1	Position 2		Satzende
1. Sie	sehen	also die Fehler als etwas Negatives.	
2. Sie	sollten	sie also als Chance	sehen.

B1: 162

c Welche Aussage ist eher formell (**f**), welche informell (**i**)? Kreuzen Sie an.

	f	i
1. Du musst länger arbeiten? Wir können uns nicht treffen, oder?	☐	☐
2. Drei Teilnehmer haben die Mindestpunktzahl nicht erreicht. Sie müssen die Prüfung wiederholen.	☐	☐
3. Deutschkenntnisse sind für ein Studium in Deutschland notwendig. Viele ausländische Studenten nehmen an Deutschkursen teil.	☐	☐
4. Ich möchte gern deine Schwester kennenlernen. Du kannst sie ruhig zur Party mitbringen.	☐	☐
5. Pech gehabt: Sie ist verreist. Sie kann nicht mitkommen.	☐	☐
6. Es gibt nicht genug Anmeldungen. Der Kurs findet nicht statt.	☐	☐

d Schreiben Sie die Aussagen aus 2c mit „also" oder „folglich" in Ihr Heft.

1. Du musst länger arbeiten, also können wir uns nicht treffen, oder?

e Verbinden Sie die Sätze mit den Konnektoren in den Klammern.

1. Eine Sprache zu lernen ist nicht einfach. Man muss viel arbeiten. (also)
2. Einige Schüler haben Prüfungsangst. Sie machen mehr Fehler als sonst. (folglich)
3. Manchmal hat man eine Regel falsch verstanden. Man macht Fehler. (sodass)
4. Einige Fehler passieren häufig. Man sollte sie analysieren. (so …, dass)
5. Lehrer sollten Fremdsprachen beherrschen. Sie können Fehler besser verstehen. (sodass)

1. Eine Sprache zu lernen ist nicht einfach, man muss also viel arbeiten. / also muss man viel arbeiten.

3 Strategien, um die eigenen Deutschkenntnisse zu verbessern

a Lesen Sie zuerst die kurzen Gespräche. Welche Strategien benutzen die Personen, um ihr Deutsch zu verbessern? Ordnen Sie die Strategien den Gesprächen zu.

Gespräch 1
Malika: Hi Ingrid. Ich bin Malika und komme aus Marokko. Ich habe eine Bitte: Könntest du mich korrigieren, wenn ich Fehler im Deutschen mache? Ich möchte mein Deutsch nämlich möglichst schnell verbessern.
Ingrid: Aber gern, kein Problem.

Gespräch 2
Igor: Yi, ich würde gern am Montagnachmittag um halb vier mit dir ins Museum gehen.
Yi: Entschuldige, dass ich nachfrage: Wann meinst du? Um 15.30 Uhr?
Igor: Ja genau, um 15.30 Uhr, um halb vier.

Gespräch 3
Nitin: Maria, wir brauchen noch ein … Moment, ich schau' kurz im Wörterbuch nach. Aha, hier steht es – einen Lautsprecher.
Maria: Stimmt ja, Nitin. Gut, dass du daran gedacht hast.

Gespräch 4
Oleg: Klaus, kannst du das Ding da anmachen?
Klaus: Was meinst du?
Oleg: Das Gerät da.
Klaus: Du meinst den Overheadprojektor, oder?
Oleg: Ja, danke!

1. im Wörterbuch nachschlagen	☐
2. um Korrektur bitten	☐
3. Platzhalter / Oberbegriffe benutzen	☐
4. nachfragen	☐

b Markieren Sie die passenden Redemittel in 3a und ordnen Sie sie diese den vier Kategorien unten zu. Schreiben Sie in Ihr Heft und ergänzen Sie auch weitere Redemittel.

1. im Wörterbuch nachschlagen: Moment, ich schaue kurz im Wörterbuch nach.
2. um Korrektur bitten: …
3. Platzhalter / Oberbegriffe benutzen: …
4. nachfragen: …

DaF kompakt – mehr entdecken

1 Formen der Höflichkeit: Sie und Du, sehr geehrter Herr . . .

a Lesen Sie die Sätze. Welcher Satz ist höflicher? Kreuzen Sie an.

1. a. ⊔ Könntest du mir den Weg zur Post zeigen? b. ⊔ Wo ist der Weg zur Post?
2. a. ⊔ Bitte schreiben Sie einen Text. b. ⊔ Schreiben Sie einen Text.
3. a. ⊔ Würde es dir etwas ausmachen, wenn ich das Fenster öffne? b. ⊔ Ich mach mal das Fenster auf.
4. a. ⊔ Sophia, haben Sie eine Kopie gemacht? b. ⊔ Würden Sie bitte eine Kopie machen?
5. a. ⊔ Komm rein. b. ⊔ Komm doch rein.
6. a. ⊔ Haben Sie einen Tipp für mich? b. ⊔ Hätten Sie denn einen Tipp für mich?
7. a. ⊔ Wie heißen Sie? b. ⊔ Wie heißen Sie denn?

b Welche sprachlichen Formen machen Sätze höflicher? Kreuzen Sie an.

a. ⊔ Imperativ c. ⊔ Partikel e. ⊔ Perfekt
b. ⊔ Konjunktiv II d. ⊔ das Wort „bitte" f. ⊔ lange Sätze

c Schreiben Sie den Dialog so um, dass er höflicher wird. Besprechen Sie anschließend Ihre Varianten im Kurs.

○ Entschuldigung, ich habe eine Frage. ○ Wo finde ich die?
● Ja? ● Im ersten Stock.
○ Kann ich den Kopierer einfach benutzen? ○ Super. Danke!
● Nein, nur mit Passwort. Das gibt`s bei der Sekretärin. ● Gern.

> Das Wort „gern / gerne" kommt von: „Gern geschehen".

d Wie drückt man Höflichkeit in Ihrer Sprache aus? Wie reden Sie in Ihrer Sprache Personen an, wenn Sie keinen Namen haben? Sprechen Sie im Kurs.

Monsieur!

Ähm, Entschuldigung!

2 Über Sprache reflektieren

a Verben mit reziproker Bedeutung: Ergänzen Sie die Tabelle und vergleichen Sie dann im Kurs.

Deutsch	Englisch	andere Sprache(n)
1. Malika und Astrid helfen sich.	1. Malika and Astrid help each other.	
2. Sie helfen sich gegenseitig.	2. They help each other.	
3. Sie helfen einander.	3. They help each other.	

> An fast allen Hochschulen gibt es Sprachenzentren. Dort können Studierende Sprachkurse besuchen: Neben DaF-Kursen für internationale Studierende werden auch viele andere Sprachkurse angeboten. Darüber hinaus gibt es auch Hilfe beim Schreiben von wissenschaftlichen Arbeiten, Tutorien und auch Tandembörsen.

b Schreiben Sie eine Liebesgeschichte mit den folgenden reflexiven Verben.

sich kennenlernen | sich verabreden | sich häufiger treffen | sich verlieben | sich küssen |
sich lieben | sich streiten | sich trennen | sich wiedersehen | sich lieben

3 Miniprojekt: Die Sprachenzentren der Hochschulen und Universitäten

Lesen Sie den Text in der Marginalspalte und recherchieren Sie Informationen zu den Stichpunkten für die Universität Potsdam oder eine Hochschule Ihrer Wahl. Präsentieren Sie Ihre Informationen im Kurs.

– Welche aktuellen Veranstaltungen gibt es gerade? – Gibt es eine Schreibberatung?
– Gibt es eine Tandembörse? – Was ist für Sie noch interessant?

Auslautverhärtung

1 Was ist die Auslautverhärtung?

a Hören Sie die Wörter und sprechen Sie sie dann nach.   🔊 152

– Verb   – Tipp   – Lied   – Hut   – Tag   – Werk

b Wie klingt der letzte Konsonant? Schreiben Sie in die Tabelle.

Wir schreiben	Wir sprechen	Beispiele
-b, -p	p	Verb, Tipp
-d, -t		
-g, -k		

Auslautverhärtung heißt: Weiche Plosive (b, d, g) werden am Wort- und am Silbenende hart (p, t, k) ausgesprochen.

c Schreiben Sie zu den Wörtern in 1a den Plural.   Verb – Verben

d Hören Sie die Lösung von 1c. Was fällt auf? Ergänzen Sie die Regel.   🔊 153

1. Im Singular sprechen wir „-b", „-d" und „-g" am Wortende hart aus, im Plural sind hier die gleichen Laute _____, weil sie am Anfang einer Sprechsilbe stehen, z. B. bei Verben.
2. Wenn ein weicher Plosiv innerhalb der gleichen Silbe vor einem Konsonanten oder einer Konsonantenverbindung steht, wird er hart gesprochen, z. B.: schreiben → du schreibst, er schreibt; das Verb → des Verbs; der Job → des Jobs, die Jobs.

2 Verben

Schreiben Sie die fehlenden Formen in die Tabelle. Hören Sie anschließend die Lösungen. Markieren Sie alle weichen Plosive, die hart ausgesprochen werden. Sprechen Sie anschließend alle drei Formen. Achten Sie auf die Aussprache von „b", „d" und „g". Formulieren Sie auch Sätze.   🔊 154

Präsens	Präteritum	Partizip Perfekt
schreiben	schrieb	geschrieben
leben		
finden		
verstehen		
fragen		
steigen		

3 Small Talk

a Hören Sie die Sätze und unterstreichen Sie „b", „d" und „g", wenn sie hart ausgesprochen werden.   🔊 155

1. Früher schrieb man mehr Briefe.
2. Der Film am Freitag war sehr spannend.
3. Meine Kinder sind gesund.
4. Im Zug nach Hamburg sind immer viele Touristen.
5. Der Wind ist heute sehr kalt.
6. Es gab keinen Weg auf den Berg.
7. Letztes Jahr gab es viele Erdbeeren.
8. Mein Freund macht Urlaub in Prag.

b Führen Sie mit einem Partner / einer Partnerin ein Small-Talk-Gespräch. Verwenden Sie dabei unauffällig einen Satz aus 3a. Nach einer Minute wiederholen Sie gegenseitig den Satz Ihres Partners / Ihrer Partnerin aus 3a.

A Eine Stelle in Dresden

1 Mein Umgang mit dem Computer

a Ordnen Sie die Teile des Computers den Icons oben zu.

der Bildschirm | die Maus | der Rechner | der Chip | das (USB-)Kabel | die Tastatur | der Drucker | der Lautsprecher | die Spielkonsole | der Kopfhörer

1. _____   2. _____   3. _____   4. _____   5. _____

6. _____   7. _____   8. _____   9. _____   10. _____

b Ordnen Sie die Verben den Substantiven zu. Oft gibt es mehrere Möglichkeiten.

googeln | chatten | mailen | scannen | schreiben | skypen | hochladen | runterladen | arbeiten

1. ein Dokument _____
2. am PC _____
3. mit Freunden _____
4. ein Wort _____

2 Neuigkeiten!

a Lesen Sie die Sätze und ergänzen Sie die Verben in der passenden Form.

~~klappen~~ | sehen | machen | klettern | wandern | zerstören | ziehen

1. Ich bin glücklich, dass es mit der Stelle in Dresden *geklappt* _____ hat.
2. Ich habe auch schon das Zentrum von Dresden _____ .
3. Die Barockhäuser und die Frauenkirche wurden im Krieg _____ .
4. Am Samstag habe ich eine Dampferfahrt auf der Elbe _____ .
5. In der Sächsischen Schweiz kann man _____ und _____ .
6. Ich freue mich sehr darauf, nach Dresden zu _____ .

b Erstellen Sie ein Wortnetz zum Thema „Arbeit".

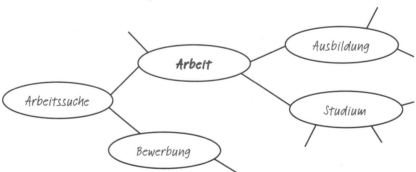

c Sprechen Sie im Kurs. Was muss man tun, um eine Stelle zu finden?

Zuerst … | Dann … | Später … | Danach… | Schließlich … | Wenn man Glück hat, …

> Zuerst muss man Stellenanzeigen lesen. Dann …

d Ordnen Sie die Wörter den Erklärungen und Synonymen zu.

der Job | berufstätig sein | das Gehalt | die Beschäftigung | die Stelle | das Einkommen | tätig sein als | der Arbeitsplatz | jobben | der Beruf | der/die Beschäftigte | beschäftigt sein als | die Tätigkeit | der Mitarbeiter/die Mitarbeiterin | der Lohn | der/die Angestellte | der Arbeitnehmer/die Arbeitnehmerin

Synonyme für …
1. Arbeit: der Job, …
2. arbeiten:
3. Person, die arbeitet:
4. Geld für Arbeit:

3 Zusammengesetzte Nomen

a Markieren Sie bei folgenden Komposita das Grundwort. Ergänzen Sie ggf. den Artikel und erklären Sie dann das Kompositum. Sie können auch mit dem Wörterbuch arbeiten.

1. der Arbeitgeber   *jemand, der anderen Arbeit gibt*
2. der Arbeitsort
3. die Arbeitszeit
4. der Arbeitskollege
5. der Arbeitstag
6. der Arbeitsbeginn
7. das Arbeitsverhältnis

Achtung:
„Arbeitgeber", „Arbeitnehmer" ohne Fugen-s

b Aus welchen Wortarten sind folgende Nomen zusammengesetzt?
Ergänzen Sie die Tabelle und dann die Regel.

Kompositum	Zusammensetzung	Wortarten
1. der Arbeitgeber	*die Arbeit + der Geber*	*Nomen + Nomen*
2. der Arbeitsort	*die Arbeit + s + der Ort*	*Nomen + Fugen-s + Nomen*
3. das Arbeitsverhältnis		
4. der Arbeitstag		
5. der Schreibtisch	*schreiben +*	
6. die Freizeit		
7. die Überstunde		
8. die Urlaubszeit		
9. die Geschäftsleitung		
10. das Quartalsende		

Komposita können im Deutschen mit vielen Wortarten gebildet werden: z. B. mit Nomen, _____, _____ und Präpositionen. Bei Zusammensetzungen mit Verben fällt die Endung „-____" des Infinitivs weg.

c Suchen Sie weitere Komposita im Arbeitsvertrag im Kursbuch A, Aufgabe 3a.
Schreiben Sie die Zusammensetzung wie in 3b in die Tabelle in Ihr Heft.

B Der erste Arbeitstag

1 Die Firma Inchip: Welche Abteilung macht was?

Lesen Sie die Aufgaben und ergänzen Sie die passende Abteilung.

~~Geschäftsführung~~ | Vertrieb / Marketing | Informatikabteilung | Entwicklungsabteilung | Sekretariat | Personalabteilung

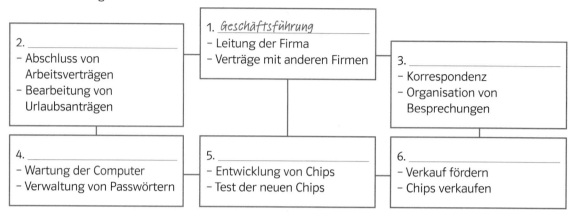

2. _____
- Abschluss von Arbeitsverträgen
- Bearbeitung von Urlaubsanträgen

1. *Geschäftsführung*
- Leitung der Firma
- Verträge mit anderen Firmen

3. _____
- Korrespondenz
- Organisation von Besprechungen

4. _____
- Wartung der Computer
- Verwaltung von Passwörtern

5. _____
- Entwicklung von Chips
- Test der neuen Chips

6. _____
- Verkauf fördern
- Chips verkaufen

2 Die Bedeutung von „lassen"

a Welche Bedeutung haben die Sätze? Kreuzen Sie an.

	etwas erlauben, zulassen	etwas / jdn. liegen lassen, zurücklassen	andere bitten, etwas zu tun
1. Lassen Sie Ihre Tasche im Büro.	☐	X	☐
2. Heute lasse ich mich im Taxi nach Hause fahren.	☐	☐	X
3. Ich lasse den Urlaubsantrag auf dem Tisch.	☐	☐	☐
4. Das Projekt lassen wir noch einmal kontrollieren.	☐	☐	☐
5. Die Mitarbeiter lassen die Kunden warten.	X	☐	☐
6. Der Chef lässt die Mitarbeiter früher gehen.	☐	☐	☐
7. Lasst ihr euch das Essen bringen?	☐	☐	☐
8. Lässt du dir den Urlaubsantrag per Mail schicken?	☐	☐	☐
9. Die Sekretärin lässt das Handy im Auto.	☐	☐	☐

b Lesen Sie die Sätze in 2a noch einmal und ergänzen Sie dann in den Regeln die passende Satznummer.

Das Verb „lassen" wird in unterschiedlichen Strukturen verwendet:
1. „lassen" + Nomen / Pronomen (als Vollverb, ohne weitere Verben), Sätze: *1,* _____
2. „lassen" + Verb (als Hilfsverb mit einem zweiten Infinitiv), Sätze: _____

c „lassen" + Nomen / Pronomen. Lesen Sie die Wörter und machen Sie Minidialoge wie im Beispiel.

Partner A
die Lesebrille | deine Tasche | euer Handy | die Notizen | den Laptop | den Arbeitsvertrag | das Projektmaterial | …

Partner B
auf dem Schreibtisch | im Büro | zu Hause | in der Tasche | im Computer | im Auto | …

Nimmst du die Lesebrille mit?

Nein, ich lasse sie zu Hause.

d „lassen" + Verb. Lesen Sie die Fragen und antworten Sie.

1. Unterschreibst du den Vertrag selbst? (Chef)
2. Korrigierst du den Text selbst? (Lehrerin)
3. Übersetzt sie die E-Mail selbst? (Sekretärin)
4. Kontrolliert ihr eure Arbeit selbst? (Kollege)
5. Organisiert er die Besprechung selbst? (Assistent)
6. Testet ihr die Chips selbst? (Testingenieur)

1. Nein, ich lasse ihn vom Chef unterschreiben.

e Das Perfekt von „lassen". Vergleichen Sie die Sätze und ergänzen Sie die Regeln.

1. Ich habe den Urlaubsantrag auf dem Tisch gelassen.
2. Ich habe mir den Urlaubsantrag per Mail schicken lassen und ihn im Büro gelassen.
3. Ich habe die Praktikantin meinen Computer benutzen lassen.

1. Perfekt von „lassen" + Nomen / Pronomen: „haben" + ____________________ Perfekt von „lassen".
2. Perfekt von „lassen" + Verb: „haben" + Infinitiv vom 2. Verb + ____________________ von „lassen".

!

f Perfekt von „lassen" + Nomen / Pronomen. Spielen Sie Minidialoge mit den Informationen in 2c und antworten Sie im Perfekt.

Wo ist deine Lesebrille?

Oh nein! Ich habe sie zu Hause gelassen.

g Perfekt von „lassen" + Verb. Schreiben Sie die Fragen und Antworten von 2d im Perfekt.

1. Hast du den Vertrag selbst unterschrieben? → Nein, ich habe ihn vom Chef unterschreiben lassen.

3 Anzeigen

Lesen Sie die Situationen 1 bis 5 und die Anzeigen a bis j aus verschiedenen deutschsprachigen Medien. Wählen Sie: Welche Anzeige passt zu welcher Situation? Sie können jede Anzeige nur einmal verwenden. Für eine Situation gibt es keine passende Anzeige. In diesem Fall schreiben Sie 0.

(P)

Am Wochenende möchten Christian und seine Kollegen Kultur in Dresden erleben. Sie suchen dafür passende Angebote.

1. Christian interessiert sich sehr für klassische Musik. Anzeige: ___
2. Christians Kollege Max möchte einen französischen Film sehen. Anzeige: ___
3. Agnieszka, die Teamleiterin vom Vertrieb, möchte gern ein Kunstmuseum besuchen. Anzeige: ___
4. Paul von der Entwicklungsabteilung interessiert sich für historische Verkehrsmittel. Anzeige: ___
5. Claire vom Sekretariat interessiert sich für die Stadtgeschichte. Anzeige: ___

a
Filmmusik-Konzert im Dresdner Zwinger
Open air und umsonst,
Samstag, den 3.9.2016

b
Sprache – die neue Ausstellung im Hygiene-Museum
Di – So: 10 – 18 Uhr,
Eintritt: 7 € / 5 €

c
Stadtmuseum Dresden
Ständige Ausstellung
800 Jahre Dresden
Öffnungszeiten:
Montag bis Freitag 9 – 16 Uhr

d
Kunst von der Romantik bis zur Gegenwart – Galerie Neue Meister im Albertinum
10 – 18 Uhr, montags geschlossen,
Eintritt: 10 € / 7.50 €

e
Verkehrsmuseum
Historische Verkehrsmittel – Verkehr der Zukunft.
Wegen Renovierung bis Oktober geschlossen!

f
Klassik am Abend
Schloss Albrechtsberg / Dresden
Werke von Mozart, Haydn und Händel
Donnerstag, 1.9.2016, 20 Uhr,
Eintritt: 25 €

g
Das französische Institut lädt ein zur Filmmatinée
am Sonntag 10 Uhr
„Ziemlich beste Freunde"
Kreuzstr. 6, 01067 Dresden,
Voranmeldung erbeten.

h
Die Dresdner Philharmonie spielt Mendelssohns „Elias"
am Sonntag, 4.9.2016,
in der Zionskirche.
Tickets: 35 €, ermäßigt 20 €

i
Weißeritztalbahn – älteste Schmalspurbahn in Deutschland.
Abfahrt der Dampfzüge täglich
7.42 Uhr / 9.42 Uhr / 12.12 Uhr / 14.12 Uhr / 14.42 Uhr / 16.42 Uhr
ab Dresden Freital-Hainsberg.

j
Zur Geschichte der Romantik in Dresden
Ausstellung im Kügelgenhaus
täglich außer montags
von 9 – 18 Uhr

C Silicon Saxony

1 Einen Text zusammenfassen: Textbauplan

Ein **Textbauplan** zeigt, wie ein Text aufgebaut ist.

a Lesen Sie den Artikel im Kursbuch C, Aufgabe 1a, noch einmal. Schreiben Sie dann die Aussagen in der richtigen Reihenfolge in den Textbauplan.

Kooperation mit Hochschule und Uni | ~~Freiberg: hochmoderne Werke für die Waferherstellung~~ | Mikroelektronik in Sachsen | weiterer Grund für den wirtschaftlichen Erfolg Dresdens | Firmen- und Beschäftigtenzahlen | ~~Verwendungsmöglichkeiten für Chips~~ | Dresden: wichtigster Standort für Mikro-elektronik | Spitzname Dresdens | ~~Industrieregion Sachsen~~

Industrieregion Sachsen

↓

	→	Verwendungsmöglichkeiten für Chips

↓

↓

↓

	→	Freiberg: hochmoderne Werke für die Waferherstellung

↓

↓

b Lesen Sie die beiden Zusammenfassungen und vergleichen Sie sie. Was finden Sie wo? Kreuzen Sie an.

A
In dem Zeitungsartikel geht es um Dresden. Dresden ist die Hauptstadt von Sachsen. Freiberg liegt in der Nähe von Dresden. In Freiberg werden die Wafer hergestellt. 1961
5 gründete Werner Hartmann die Arbeitsstelle für Molekulartechnik. Heute ist Dresden das größte Halbleiterzentrum in Europa.
In Freiberg bei Dresden gibt es eine hoch-moderne Industrie für die Waferherstellung.
10 Die gute Kooperation zwischen Firmen und Hochschulen sorgt für den großen Erfolg des Standortes.

B
Im Zeitungsartikel geht es um Sachsens Hauptstadt Dresden als größtes Halbleiter-zentrum in Europa. Bereits seit 1961 werden dort Mikrochips entwickelt und hergestellt.
5 In über 200 Firmen arbeiten rund 22.000 Be-schäftigte im Bereich der Mikroelektronik. Außerdem informiert der Artikel darüber, dass in Freiberg bei Dresden Wafer herge-stellt werden, die man zur Herstellung von
10 Mikrochips braucht. Zum Schluss wird her-vorgehoben, dass die enge Kooperation von Hochschulen und Dresdner Firmen zum großen Erfolg des Standorts beiträgt.

	Text A	Text B
1. Aufbau: sinnvolle Reihenfolge	☐	☒
2. Inhalt: Nur die wichtigsten Informationen sind enthalten.	☐	☐
3. Inhalt: wichtige Informationen fehlen	☐	☐
4. Zusammenhang: klar und verständlich	☐	☐
5. Stil: Wiederholungen	☐	☐
6. Sprache: typische Redemittel	☐	☐

c Welche Zusammenfassung finden Sie besser? Warum? Diskutieren Sie im Kurs.

2 Präpositionen und ihre Bedeutung

Welche Bedeutung haben die Präpositionen in folgenden Sätzen / Satzteilen: **a**, **b** oder **c**? Kreuzen Sie an.

1. Nach Informationen der Landesregierung beschäftigen über 200 Unternehmen rund 22.000 Personen.
   a. ⎵ wie die Landesregierung informiert wird
   b. ⎵ weil die Landesregierung informiert
   c. ⎵ Die Landesregierung informiert darüber, dass …
2. über 200 Unternehmen
   a. ⎵ mehr als 200 Unternehmen
   b. ⎵ etwa 200 Unternehmen
   c. ⎵ ca. 300 Unternehmen
3. „Silicon Saxony" nennt man Dresden deshalb heute – nach dem amerikanischen Zentrum der Mikroelektronik „Silicon Valley" im Süden von San Francisco.
   a. ⎵ … obwohl man die Region (südlich von San Francisco) „Silicon Valley" genannt hat.
   b ⎵ … wie das amerikanische Zentrum für Mikroelektronik …
   c. ⎵ Nach dem Vorbild des amerikanischen Zentrums für Mikroelektronik …

3 Endlich haben wir das Projekt beenden können!

Bilden Sie Sätze mit Modalverben im Perfekt. Schreiben Sie sie in eine Tabelle in Ihr Heft.

1. Christians Team – schnell – sollen – das Projekt – beenden
2. sie – noch – einen neuen Chip – testen – wollen
3. alle – sich anstrengen – müssen – sehr
4. sie – den Test – wiederholen – müssen – mehrmals
5. sie – gestern – können – den Test – abschließen – erfolgreich
6. sie – am Abend – ihren Erfolg – wollen – gemeinsam – feiern

Das Perfekt der Modalverben wird nur selten verwendet, meist zieht man das Präteritum vor.

	Position 2		Satzende
1. Christians Team	hat	das Projekt schnell	beenden sollen.

4 Ich habe einen Traum …

Tauschen Sie Ihren Text von Aufgabe 4 im Kursbuch C mit einem Partner / einer Partnerin. Lesen Sie den Text. Schreiben Sie seinen / ihren Traum im Rückblick: Was ist alles passiert? Was hat die Person machen wollen? Was hat sie gemacht?

Mein Traum
Ich träume davon, eines Tages in München leben zu können. Ich habe schon immer als freie Dolmetscherin für Englisch und Deutsch arbeiten wollen. So kann ich selbst entscheiden, wann und wo ich arbeite. Denn natürlich möchte ich später einmal eine Familie haben.
Anne

Im Jahr 2035:
Anne hat davon geträumt, in München leben zu können. Dort hat sie als freie Dolmetscherin arbeiten wollen. Sie hat aber einen Arbeitsplatz als Dolmetscherin in Berlin gefunden. Sie hat drei Kinder bekommen und lebt mit ihrer Familie immer noch in Berlin.

⚇ DaF kompakt – mehr entdecken

1 Hörstrategien: Interview mit Christian

🔊 156–157 **a** Hörstile: Machen Sie die Höraufgabe 2, im Kursbuch C, noch einmal. Welchen Hörstil wählen Sie hier: **a**, **b** oder **c**? Kreuzen Sie an.

a. ⊔ global und selektiv b. ⊔ selektiv und detailliert c. ⊔ global und detailliert

b Hörstrategien in der Prüfung: Sie hören einen Text zweimal. Welche Tipps sind dafür sinnvoll?
Kreuzen Sie an. Besprechen Sie das Ergebnis im Kurs.

1. Beim ersten Hören sollte man sich nur auf das Hören konzentrieren,
   erst beim zweiten Hören sollte man die Antworten ankreuzen. ⊔
2. Man sollte sich keine Notizen machen, sondern sich auf die
   vorgegebene Antwort konzentrieren. ⊔
3. Man muss sich die Fragen gut durchlesen und Schlüsselwörter markieren. ⊔
4. Am besten überlegt man sich schon vor dem Hören die Antworten. ⊔
5. Am besten man liest immer zwei Fragen, um nichts zu verpassen. ⊔
6. Man sollte nicht zu lange bei einer Frage überlegen. ⊔
7. Nach dem ersten Hören sollte man die Antworten noch einmal überprüfen:
   Habe ich alles richtig verstanden? ⊔

2 Über Sprache reflektieren

Ergänzen Sie die Tabelle und vergleichen Sie im Kurs.

	Beispiel
Deutsch	1. Ich lasse den Urlaubsantrag auf dem Tisch. („lassen" + Nomen) 2. Ich lasse mir den Urlaubsantrag per Mail schicken. („lassen" + Verb) 3. Ich lasse den Praktikanten meinen Computer benutzen. („lassen" + Verb)
Englisch	1. I'll leave the application for leave on the table. 2. I'll have the application for leave sent by mail. 3. I let the trainee use my computer.
andere Sprache(n)	

3 Miniprojekt: Städte-Quiz

Jeder beschreibt eine Stadt mit fünf Sätzen, ohne ihren Namen zu nennen. Die Sätze hängen Sie an die
Tafel und nummerieren die Zettel. Nun raten alle. Wer hat die meisten Städte herausgefunden?
Besprechen Sie danach interessante Informationen im Kurs.

1. Die Stadt ist bekannt bei Tänzern.

2. Sie liegt in Europa.

3. Sie ist keine Hauptstadt.

4. In ihrer Nähe werden Wafer produziert.

5. Sie liegt an der Elbe.

Assimilationsvorgänge

1 Assimilation hören

Hören Sie die Wörter. Was fällt Ihnen an den markierten Stellen auf? Kreuzen Sie an. 🔊 158
Sprechen Sie anschließend die Wörter nach.

– Mil**ch**	– **S**uppe	– Milch**s**uppe
– Arbei**t**	– **G**eber	– Arbeit**g**eber
– Pa**ss**	– **W**ort	– Pass**w**ort
– Freizei**t**	– **B**eschäftigung	– Freizeit**b**eschäftigung
– Layou**t**	– **D**esign	– Layout**d**esign

1. Der letzte Konsonant ist hier immer
   a. ⊔ hart und stimmlos.
   b. ⊔ weich und stimmhaft.

2. Der erste Konsonant ist hier immer
   a. ⊔ hart und stimmlos.
   b. ⊔ weich und stimmhaft.

3. Der markierte weiche Konsonant ist hier immer
   a. ⊔ stimmlos.
   b. ⊔ stimmhaft.

Die Konsonanten p, t, k, f, sch, ch und [s] sind stimmlos. Man spricht sie mit Kraft.
Die Konsonanten b, d, g, w, j, r und [z] sind stimmhaft. Man spricht sie weich.
Immer wenn direkt nach einem stimmlosen Konsonanten ein stimmhafter Konsonant steht, wird dieser auch stimmlos → Assimilation. Man kann auch sagen: „Die Harten besiegen die Weichen".

2 Neu in Dresden

a Christian hat sich aufgeschrieben, was er seiner Freundin am Telefon erzählen möchte. Hören Sie, was 🔊 159
auf dem Zettel steht, und sprechen Sie nach. Achten Sie auf die Assimilationen, die hier markiert sind.

– Meine Arbeit ist sehr interessant	– Frauenkirche ist sehr schön
– Chefs sind aus Dortmund	– möchte mit Freunden aus Würzburg ausgehen
– Kollegen sind aus der ganzen Welt	– habe das Nachtleben entdeckt
– Nachbarn sind sehr nett	– ein Kollege klettert gern, nimmt mich mit
– Sehenswürdigkeiten im Zentrum von Dresden	– mit dir wäre es schöner

b Was könnte die Freundin Christian fragen? Formulieren Sie Fragen mit folgenden Satzanfängen.

– Hast du schon …?	– Mit wem …?
– Wie findest du …?	– Bist du schon …?
– Woher sind deine …?	– Wie sind deine …?

Wie findest du deine Arbeit?

c Spielen Sie mit einem Partner / einer Partnerin das Telefongespräch zwischen Christian und seiner Freundin. Achten Sie auf die markierten Buchstaben.

3 Gedicht

Christians Freundin hat ein Alltagsgedicht geschrieben. Lesen Sie und unterstreichen Sie alle Stellen mit Assimilation. Sprechen Sie anschließend das Gedicht mit Ausdruck.

Am Montag ist sie abends zu Hause.
Am Dienstag geht sie ins Kino.
Am Mittwoch telefoniert sie mit einer Freundin.
Am Donnerstag packt sie ihre Tasche.
Am Freitag fährt sie zu Christian nach Dresden.

Am Samstag ist sie bei ihm.
Am Sonntag fährt sie wieder nach Hause.
Am Montag fühlt sie sich allein.
Wie soll das weitergehen?

A Alles anders

1 „derselbe", „dieselbe", „dasselbe"

a Markieren Sie im Brief im Kursbuch A, Aufgabe 1b, die Formen mit „-selb-".
Schauen Sie sich die Formen und Endungen an und ergänzen Sie die Regeln.

bestimmte | zwei | identisch | Adjektivendung | Sache

1. „derselbe", „dieselbe", „dasselbe" etc. bezeichnen eine _____ oder eine Person, die mit einer vorher oder nachher erwähnten Sache oder Person _____ ist.
2. Es wird als Demonstrativpronomen oder Artikelwort verwendet und besteht aus _____ Wortteilen.
3. Der erste Teil wird wie der _____ Artikel dekliniert, der zweite Wortteil bekommt die _____ wie nach dem bestimmten Artikel.

Umgangssprache:
– an + demselben = am selben
– bei + demselben = beim selben
– in + demselben = im selben
– von + demselben = vom selben
– zu + demselben = zum selben
– zu + derselben = zur selben
Betonung:
– ein und derselbe
– ein und dieselbe
– ein und dasselbe

b Ergänzen Sie die Formen.

1. Karl und Wolfgang haben in _derselben_ Stadt studiert.
2. Sie haben an _____ Hochschule studiert.
3. Beide haben auch _____ Fach belegt, nämlich Elektrotechnik.
4. Sie haben in _____ Wohnheim gelebt.
5. Nach dem Studium haben sie für _____ Firma gearbeitet.
6. Sie haben oft _____ Interessen.
7. Aber sie haben selten _____ Geschmack.

2 Das Plusquamperfekt – Aktiv

a Was hatten Karl und Marlene alles schon gemacht, bevor Sie nach Kreuzberg fuhren?
Schreiben Sie Sätze im Plusquamperfekt in Ihr Heft.

1. Sie machen eine lange Tour durch die Stadt.
2. Sie besichtigen die Gedächtniskirche.
3. Sie nehmen den Bus 100.
4. Sie steigen am Reichstag aus.
5. Sie laufen zum Potsdamer Platz.
6. Sie essen dort.
7. Sie ruhen sich aus.
8. Sie fahren zum Prenzlauer Berg.
9. Sie trinken dort Kaffee.
10. Sie beobachten einen Touristen.

1. Sie hatten eine lange Tour durch die Stadt gemacht.

b Temporalsätze mit „nachdem". Was machen Sie zuerst (1)? Was danach (2)?
Tragen Sie die Zahlen ein.

1. Ich frühstücke. (_1_) Ich fahre zur Sprachschule. (_2_)
2. Ich esse zu Mittag. (__) Ich wasche mir die Hände. (__)
3. Ich esse zu Abend. (__) Ich putze mir die Zähne. (__)
4. Ich gehe für das Abendessen einkaufen. (__) Ich arbeite. (__)
5. Ich gehe zu Bett. (__) Ich sehe das Fußballspiel. (__)
6. Ich beende den Sprachkurs. (__) Ich beginne ein Studium. (__)

Etwas findet vor etwas anderem in der Gegenwart statt:
Nebensatz: Perfekt + Hauptsatz: Präsens

Etwas findet vor etwas anderem in der Vergangenheit statt:
Nebensatz: Plusquamperfekt + Hauptsatz: Präteritum

„nachdem" ist ein vorzeitiger Konnektor, d.h., die Handlung, die vor einer anderen stattfindet, steht im Nebensatz mit „nachdem", z. B. **Nachdem ich das Brot gekauft habe, esse ich es.** → Zuerst habe ich das Brot gekauft, dann esse ich es.

c Schreiben Sie Sätze aus 2b mit „nachdem" + Perfekt / Präsens.

1. Nachdem ich gefrühstückt habe, fahre ich zur Sprachschule. /
Ich fahre zur Sprachschule, nachdem ich gefrühstückt habe.

3 Eines vor dem anderen oder gleichzeitig?

a Schreiben Sie Sätze mit „bevor". Benutzen Sie in Haupt- und Nebensatz das Perfekt.

1. (Marlene und Karl) mit dem Bus 100 fahren – den Ku'damm entlanglaufen
2. (sie) zum Potsdamer Platz laufen – den Bundestag sehen
3. (sie) im Prenzlauer Berg Kaffee trinken – am Potsdamer Platz Mittag essen
4. (sie) im Prenzlauer Berg herumlaufen – ins Café gehen
5. (sie) nach Hause fahren – auf dem türkischen Markt einkaufen gehen
6. (Karl) nach Stralsund zurückfahren – Wolfgang schreiben

1. Bevor Marlene und Karl mit dem Bus 100 gefahren sind, sind sie den Ku'damm entlanggelaufen.
   Marlene und Karl sind den Ku'damm entlanggelaufen, bevor sie mit dem Bus 100 gefahren sind.

„bevor" ist ein nachzeitiger Konnektor. Die Handlung, die später stattfindet, steht im Nebensatz mit „bevor", z. B. **Bevor ich das Brot gegessen habe, habe ich es gekauft.** → Zuerst habe ich das Brot gekauft, dann habe ich es gegessen.

b Gleichzeitig: Formulieren Sie Sätze mit „während". Benutzen Sie in Haupt- und Nebensatz die gleiche Zeitform. Schreiben Sie die Sätze einmal im Präsens und einmal im Perfekt wie im Beispiel.

1. U-Bahn fahren – Zeitung lesen
2. duschen – Musik hören
3. essen – fernsehen
4. arbeiten – E-Mails lesen
5. kochen – telefonieren
6. frühstücken – Nachrichten hören
7. spazieren gehen – singen
8. schlafen – träumen

1. Während ich U-Bahn fahre, lese ich Zeitung. / Ich lese Zeitung, während ich U-Bahn fahre.
   Während ich U-Bahn gefahren bin, habe ich Zeitung gelesen. / Ich habe Zeitung gelesen, während ...

c Was machen Sie oft gleichzeitig? Berichten Sie im Kurs.

> Ich schreibe eine SMS, während ich Bus fahre.

d Formulieren Sie die Sätze aus 3b noch einmal mit der Präposition „während" + Genitiv.

1. Während der U-Bahnfahrt lese ich Zeitung.

während + G =
Standardsprache

während + D =
Umgangssprache

4 Ein Lebenslauf

a Verbinden Sie die Sätze mit den Konnektoren „nachdem", „während" und „bevor".

1. Effie ist in Athen in die Schule gegangen. Davor hat sie dort den Kindergarten besucht. (bevor)
2. Sie hat Informatik studiert. Gleichzeitig hat sie abends als Babysitterin gejobbt. (während)
3. Sie hat lange einen Job gesucht und keinen gefunden. Danach hat sie ein Praktikum gemacht. (nachdem)
4. Sie hat das Praktikum in einer kleinen Firma absolviert. Während des Praktikums hat sie ihren späteren Mann kennengelernt. (während)
5. Nach dem Studium hat Effie eine Arbeit gefunden. Danach hat sie geheiratet. (nachdem)
6. Effie und ihr Mann konnten endlich in eine eigene Wohnung umziehen. Vor dem Umzug haben sie bei Effies Eltern gelebt. (bevor)

1. Bevor Effie in Athen in die Schule gegangen ist, hat sie dort den Kindergarten besucht. / Effie hat in Athen den Kindergarten besucht, bevor sie dort in die Schule gegangen ist.

b Schreiben Sie die passenden Präpositionen und Adverbien aus dem Text in 4a in die Tabelle. Welche Konnektoren, die sich auf Zeit beziehen, kennen Sie noch?

„Nebensatzkonnektor"	**nachdem**	**während**	**bevor**
Präposition (+ Nomen)		*während + G / D*	
Adverb			*davor*

B Berliner Geschichte(n)

1 Schmelztiegel an der Spree

a Lesen Sie den Text im Kursbuch B, Aufgabe 1b, noch einmal. Was ist richtig (r), was ist falsch (f)? Kreuzen Sie an.

	r	f
1. Berlin ist eine der größten Städte in Deutschland.	☐	☐
2. Die Stadt entwickelte sich nach der Gründung nur sehr langsam.	☐	☐
3. Friedrich III., „Kurfürst von Brandenburg", und „König Friedrich I. in Preußen" sind ein und dieselbe Person.	☐	☐
4. Viele Menschen kamen im 17./18. Jahrhundert nach Berlin, weil sie Arbeit suchten.	☐	☐
5. Die meisten Berliner waren zu Beginn des 18. Jahrhunderts Franzosen.	☐	☐
6. Die Einwohnerzahl wuchs mit der industriellen Revolution sehr schnell.	☐	☐
7. Berlin war Anfang des 20. Jahrhunderts eine bedeutende Kunst- und Kulturstadt.	☐	☐
8. Mehr als die Hälfte der Häuser in ganz Berlin waren nach dem Krieg zerstört.	☐	☐
9. 1945 wurde Westberlin Hauptstadt der BRD.	☐	☐

b Suchen Sie im Text im Kursbuch B, Aufgabe 1b die Verben zu den Nomen. Wie heißen sie im Infinitiv? Ein Verb finden Sie nicht im Text. Schauen Sie dann evtl. ins Wörterbuch.

1. der Boom
2. die Gründung
3. die Krönung
4. die Vereinigung
5. die Einladung
6. die Entwicklung
7. die Vervielfachung
8. die Forschung
9. die Zerstörung
10. die Flucht
11. die Teilung
12. der Verlust
13. der Zement
14. die Mauer
15. der Fall
16. die Wiedervereinigung

1. der Boom → boomen

c Die fünf Weltreligionen: Ordnen Sie die Nomen und Adjektive den Gotteshäusern zu. Einmal passen zwei Adjektive.

christlich | ~~der Islam~~ | islamisch | der Hinduismus | jüdisch | der Buddhismus | buddhistisch | das Christentum | der Christ, -en | der Jude,-n | das Judentum | der Muslim,-e | der Hindu, -s | der Buddhist,-en | hinduistisch | muslimisch

Gotteshaus:	die Moschee	der Tempel	die Synagoge	die Kirche
Glaube:	*der Islam*			
Person:				
Adjektiv:				

2 Lesestrategien

a Lesen Sie den Informationstext im Kursbuch B, Aufgabe 1b, noch einmal. Was ist richtig: a, b oder c? Kreuzen Sie an. Achtung: Die Reihenfolge der Aufgaben ist anders als im Text.

1. Im 17. Jahrhundert war jeder fünfte Berliner
   a.☐ Protestant.
   b.☐ Jude.
   c.☐ Franzose.

2. In den Goldenen Zwanzigern
   a.☐ war Berlin sehr reich.
   b.☐ arbeiteten dort viele Künstler.
   c.☐ forschten dort viele Wissenschaftler.

3. Um 1900 war Berlin eine sehr moderne Stadt, denn dort fuhr
   a.☐ die erste Eisenbahn.
   b.☐ die erste elektrische Straßenbahn.
   c.☐ das erste Auto.

4. 1990 wurde
   a.☐ Berlin geteilt.
   b.☐ Deutschland wiedervereinigt.
   c.☐ die Mauer geöffnet.

b Sie lesen einen neuen Text zweimal. Welche Tipps sind dafür sinnvoll? Kreuzen Sie an. Besprechen Sie das Ergebnis im Kurs.

1. Sie konzentrieren sich beim ersten Lesen nur auf den Hauptinhalt des Textes und fragen sich: Habe ich das Thema und die Hauptaussagen des Textes verstanden? ☒
2. Lassen Sie sich von unbekannten Wörtern nicht nervös machen: Sie müssen nicht jedes einzelne Wort verstehen, sondern den Textzusammenhang. ☐
3. Sie sollten sich beim Lesen viele Notizen machen. ☐
4. Beim Lesen sollten Sie die Schlüsselwörter im Text markieren. ☐
5. Sie sollten sich die Fragen gut durchlesen. ☐
6. Am besten überlegen Sie sich schon vor dem Lesen die Antworten auf die Fragen. ☐
7. Wenn Sie eine Frage nicht beantworten können, sollten Sie zur nächsten Frage gehen. ☐
8. Nach dem zweiten Lesen sollten Sie die Antworten nicht noch einmal überprüfen. ☐

3 Das Plusquamperfekt – Passiv

Schreiben Sie Sätze im Plusquamperfekt Passiv wie im Beispiel.

1. Berlin im 13. Jahrhundert gegründet → *Berlin war im 13. Jahrhundert gegründet worden.*
2. Brandenburg und Preußen vereinigt → *Brandenburg und Preußen waren ...*
3. Handwerker ins Land geholt → _____
4. französische Protestanten eingeladen → _____
5. die erste Straßenbahn gebaut → _____
6. es intensiv geforscht → _____

war +
Partizip Perfekt +
worden

4 Erinnerung an die Berliner Mauer

Lesen Sie die Texte aus einem Reiseführer und ordnen Sie zu.

1. ☐ Dort kann man die Mauer selbst bemalen.
2. ☐ Dort gibt es mehr als nur einen Kilometer Mauer zu sehen.
3. ☐ Dort konnten einige Leute früher über die Grenze gehen.
4. ☐ Hier kann man an Menschen denken, die beim Mauerbau und bei Fluchtversuchen gestorben sind.

A **Checkpoint Charlie:** Dieser ehemalige Grenzübergang ist heute noch zu sehen. In der Nähe befinden sich das Mauermuseum und eine sehenswerte Open-Air-Ausstellung über die Mauer.

B **East Side Gallery:** An der Grenze zwischen Kreuzberg und Friedrichshain gibt es direkt an der Spree die längste Open-Air-Galerie Berlins zu sehen. 118 Künstler und Künstlerinnen aus 21 Ländern haben hier 1990 die Mauer bemalt. Die Mauer ist hier noch 1,3 km lang.

C **Gedenkstätte Bernauer Straße:** Nicht weit vom Mauerpark kann man sich über die Mauer informieren. In der Gedenkstätte gibt es ein Dokumentationszentrum über die Mauer, aber auch ein Denkmal, das an die Opfer der Mauer erinnert.

D **Der Mauerpark:** In diesem Park in Berlin-Mitte stehen noch ca. 300 m der Berliner Mauer, auf die man Graffiti sprühen kann – besonders beliebt bei jungen Leuten. Am Sonntag findet hier ein Flohmarkt statt.

C Entdeckungen

1 Wladimir Kaminer

Ergänzen Sie den Text über Wladimir Kaminer.

Erfinder | ~~gehört~~ | Ausbildung | verfasste | Alltag | Staatsbürgerschaft | Autor

Wladimir Kaminer *gehört* [1] wohl zu den bekanntesten Berlinern. Er schreibt über sich selbst, dass er „privat ein Russe, beruflich ein deutscher Schriftsteller" ist. Der 1967 in der Sowjetunion geborene _____ [2] kam im Juni 1990 in die DDR, deren _____ [3] er noch erhielt.
5 Am 3.10.1990 wurde er Bürger der Bundesrepublik Deutschland. Bevor er in Moskau Dramaturgie studierte, machte er eine _____ [4] zum Toningenieur. Als Neuberliner _____ [5] er Erzählungen, die sehr schnell erfolgreich wurden. Darin geht es z.B. um den _____ [6] in Berlin, um Ausländer, um seine Schwieger-
10 mutter im Kaukasus oder um seinen Kleingarten.
Übrigens schreibt Kaminer seine Geschichten auf Deutsch. Außerdem ist Kaminer der _____ [7] der „Russendisko", die bis heute im „Kaffee Burger" stattfindet und wo man richtig toll tanzen kann.

Mehr über
Wladimir Kaminer:
www.russendisko.de

2 Mein Lieblingsort – einen Text strukturiert schreiben

a Lesen Sie Elisas Beitrag über ihren Lieblingsort in Paris und unterstreichen Sie alle Wörter, die den Text gliedern.

7.10. 2016 by Elisa
Wo ich in Paris am liebsten bin …
… diese Frage ist gar nicht leicht zu beantworten. Zuerst fallen mir die vielen faszinierenden Orte ein, und damit meine ich nicht nur bekannte Sehenswürdigkeiten wie Notre Dame oder den Eiffelturm
5 oder die Avenue des Champs-Élysées. Die sind natürlich schön, aber unter all den Menschen, die dort jeden Tag sind, fühle ich mich etwas verloren. Viel lieber mag ich Orte, die mir zeigen, dass ich – zumindest für eine Zeit – in Paris zu Hause bin. Das ist dann vielleicht die kleine Boulangerie Patisserie gegenüber der Metrostation, wo ich fast jeden Morgen das beste Croissant der Welt esse – mal mit einem Café au Lait oder auch mal mit einem Tee. Oder es ist doch der Wochenmarkt in meinem Vier-
10 tel, wo ich freitags kurz vor Schluss noch die besten Erdbeeren bekomme und wo die Marktfrau mich schon beim zweiten Besuch wiedererkannt hat? Nein, jetzt weiß ich es – es ist das Palais du Tokyo! Das ist ein Gebäude, das man 1937 anlässlich der Weltausstellung in Paris gebaut hat und in dem man heute zeitgenössische Kunst bewundern kann. Im Museumscafé essen meine Kolleginnen und ich oft zu Mittag, weil es dort sehr gut ist; zudem ist es günstig und eine Art „Geheimtipp". Abends ist dieses
15 Restaurant auch geöffnet, und man hat einen spektakulären Blick auf den Eiffelturm und die Stadt. Trotzdem ist die Atmosphäre noch familiär, denn es ist ein ungezwungener Treffpunkt für alle Besucher – ganz gleich ob aus Paris oder aus aller Welt. Ich bin jede Woche mindestens einmal dort, und alle Freunde, die mich bisher in Paris besucht haben, waren auch ganz begeistert.

 b Organisieren Sie die Strukturmarkierer in der Liste unten. Ergänzen Sie auch eigene Beispiele. Übertragen Sie die Tabelle in Ihr Heft.

Textgliederung	Verweiswörter (beginnen meist mit „d")	Begründungen	Gegengründe	Gegensätze
zuerst …	diese, damit …	weil …	Trotzdem …	aber, doch …

c Lesen Sie nun die Tipps zum Schreiben. Was haben Sie selbst schon gemacht? Sprechen Sie im Kurs.

Zoe: Ich notiere alle Ideen, überlege mir eine Reihenfolge und nummeriere sie.
Bertrand: Ich male mir das Thema auf das Blatt und schreibe Ideen um das Thema.
Tim: Ich male mir die Struktur des Textes mit Pfeilen auf.
Anneke: Ich suche Redemittel, die für die Textsorte typisch sind und überlege, welche Konnektoren zu meiner Argumentation am besten passen.
Tobias: Beim Korrekturlesen lese ich den Text zweimal. Beim ersten Lesen achte ich nur auf Inhalt und Struktur.
Beim zweiten Lesen achte ich auf Fehler.
Chiara: Ich schreibe alles auf, was mir so einfällt. Ich strukturiere noch gar nichts.

d In welcher Reihenfolge machen Sie folgende Schritte beim Schreiben? Vergleichen Sie mit Ihrem Partner / Ihrer Partnerin.

⎵ Überarbeiten   ⎵ Gliedern   ⎵ Ideen sammeln   ⎵ Schreiben
⎵ Gliederung durch Redemittel / Konnektoren präzisieren

3 Vom Wort zum Text – Schritt für Schritt

a Machen Sie zunächst eine Liste mit Sehenswürdigkeiten oder Lieblingsorten in Ihrer Stadt.

b Organisieren Sie Ihre Liste: Welcher Ort ist Ihnen am Wichtigsten, welcher kommt an zweiter Stelle usw.

Sammeln Sie Konnektoren für die Textgliederung. Beachten Sie: Wie ist die Wortstellung bei dem von Ihnen gewählten Konnektor? Zur Veranschaulichung vergleichen Sie die Musterlösung im Lösungteil.

c Schreiben Sie für jeden Ort den Grund, warum er Ihnen gefällt (bzw. besser gefällt als andere Orte). Überlegen Sie: Wie kann man auf Deutsch einen Grund ausdrücken?

Sammeln Sie kausale und konzessive Konnektoren. Beachten Sie auch hier: Wie ist die Wortstellung bei dem von Ihnen gewählten Konnektor?

d Überlegen Sie nun, wie Sie Ihre Ideen aus 3b in einem Text verbinden. Achten Sie dabei darauf, nicht jeden Satz mit dem Subjekt zu beginnen. Schreiben Sie nun den Text.

> Organisieren Sie Ihre Texte in den Schritten, wie sie in Aufgabe 3 gezeigt werden. Zur Veranschaulichung können Sie die Musterlösung im Lösungteil heranziehen.

4 Umgang mit den eigenen Fehlern: Fehlerprotokoll

a Welche Fehler machen Sie oft? Kreuzen Sie an.

1. Rechtschreibfehler ⎵
2. falscher Artikel ⎵
3. falsche Personalendung ⎵
4. falsche Verbform ⎵
5. falscher Kasus ⎵
6. falsche Verbstellung (z. B. Satzklammer) ⎵
7. falsche Konnektoren (z. B. „als" statt „wenn") ⎵
8. falsche Wortstellung nach Konnektoren ⎵

b Wo machen Sie die meisten Fehler? Erstellen Sie im Kurs eine Liste der häufigsten Fehler. Ordnen Sie die Fehler den Kategorien „Wortschatz", „Grammatik" und „Rechtschreibung" zu.

c Geben Sie Ihren Text aus 3d Ihrem Partner / Ihrer Partnerin. Er / sie unterstreicht die Gliederungselemente des Textes und korrigiert die Fehler, die er findet.

d Fehlersammlung: Sammeln Sie die lustigsten Fehler, malen Sie dazu etwas, korrigieren Sie die Fehler und machen Sie daraus ein Buch.

Chiara hatte nach dem Training eine Muskelkatze. → einen Muskelkater

DaF kompakt – mehr entdecken

1 Einen Text schreiben: „Die Humboldt-Universität zu Berlin"

hu-berlin.de/de/ueber blick/Geschichte/abriss

Recherchieren Sie Fakten zur Geschichte der Humboldt-Universität zu Berlin. Schreiben Sie einen Text. Adaptieren Sie die Redemittel aus dem Kursbuch B, Aufgabe 4.
Schreiben Sie etwas zu folgenden Punkten:

- Gründungsdatum
- Idee der Einheit „Lehre und Forschung"
- Zahl der Nobelpreisträger
- mindestens 3 Nobelpreisträger aus verschiedenen Wissenschaftsbereichen
- die Zeit vor dem Ersten Weltkrieg
- die Zeit nach dem Zweiten Weltkrieg
- die Zeit nach der Wende
- die Humboldt-Universität heute

2 Über Sprache reflektieren

a „derselbe", „dieselbe", „dasselbe": Ergänzen Sie die Tabelle und vergleichen Sie im Kurs.

Deutsch	Englisch	andere Sprache(n)
Lina ist in demselben Kurs wie Pit.	Lina is in the same class as Pit.	

b Temporalsätze: Vergleichen Sie die folgenden Sätze in verschiedenen Sprachen. Was fällt auf?

Deutsch	Englisch	andere Sprache(n)
1. Bevor er nach Berlin zog, wohnte er in Hamburg.	He lived in Hamburg before he moved to Berlin.	
2. Nachdem sie aus Berlin weggezogen war, war sie sehr traurig.	She was very sad after she moved away from Berlin.	
3. Während ich lese, esse ich.	I eat while I read.	

3 Miniprojekt: Linie 100 in Berlin

Recherchieren Sie unter www.bus100.de die Sehenswürdigkeiten, die an der Buslinie 100 in Berlin liegen.

a Erstellen Sie einen „Linie-100-Führer" auf Plakaten. Achten Sie auch auf die Gestaltung der Plakate. Arbeiten Sie dabei in Gruppen. Machen Sie eine Ausstellung Ihrer Plakate und vergleichen Sie im Kurs.

- Welche Sehenswürdigkeiten sind das?
- Was ist an diesen Sehenswürdigkeiten interessant?

b Suchen Sie sich eine Sehenswürdigkeit aus und schreiben Sie darüber einen kleinen Text. Beachten Sie dabei die Schritte aus dem Übungsbuch C, Aufgabe 3.

Berliner Geschichten

1 Der Ton macht die Musik

a Hören Sie den Satz in zwei Varianten und achten Sie auf die Melodiebewegung. Kreuzen Sie an.　🔊 160

Die Melodiebewegung ist ...　　　　**mittel.**　　**groß.**
1. Ich bin gern in Berlin.　　　　　　⊔　　　　⊔
2. Ich bin gern in Berlin.　　　　　　⊔　　　　⊔

b Summen Sie die Melodie der Sätze in 1a. Sprechen Sie dann die Sätze in 1a nach.

c Hören Sie die zwei Varianten des Satzes in 1a noch einmal. Welche Wirkung haben unterschiedliche Melodiebewegungen auf den Inhalt der Äußerung? Kreuzen Sie an.

1. mittlere Melodiebewegung:　　　a. ⊔ neutral, sachlich
　　　　　　　　　　　　　　　　　　b. ⊔ emotional
2. große Melodiebewegung:　　　　　a. ⊔ neutral, sachlich
　　　　　　　　　　　　　　　　　　b. ⊔ emotional

> Der Ausdruck von Emotionen ist eine komplexe Sache. Dabei spielen auch die Pausen, die Lautstärke und die Mimik eine Rolle. In dieser Lektion konzentrieren wir uns nur auf die Sprechmelodie.

2 Emotional oder nicht?

a Hören Sie die Sätze und entscheiden Sie, ob die Sätze neutral oder emotional klingen. Kreuzen Sie an.　🔊 161

	neutral	emotional
1. In Berlin regnet es oft.	⊔	⊔
2. Die Touristen gehen ins Museum.	⊔	⊔
3. Der Bus 100 ist eine gute Möglichkeit, eine Stadtrundfahrt zu machen.	⊔	⊔
4. Das Badeschiff sieht im Winter aus wie ein Ufo in der Spree.	⊔	⊔
5. In Kreuzberg gibt es einen türkischen Markt.	⊔	⊔

b Sprechen Sie jeden der Sätze in 2a in einer neutralen und einer emotionalen Variante. Achten Sie darauf, dass die Varianten möglichst unterschiedlich klingen.

3 Gefühle erraten

a Hören Sie den Satz in unterschiedlichen Gefühlsvarianten. Welches Gefühl wird ausgedrückt? Kreuzen Sie an.　🔊 162

	froh	traurig	wütend
1. Berlin hat sich sehr verändert.	⊔	⊔	⊔
2. Berlin hat sich sehr verändert.	⊔	⊔	⊔
3. Berlin hat sich sehr verändert.	⊔	⊔	⊔

b Sprechen Sie folgende Sätze in unterschiedlichen Gefühlsvarianten. Die anderen im Kurs raten, welches Gefühl Sie ausdrücken wollten.

Ich fahre wieder nach Hause.

Morgen kommen meine Schwiegereltern zu Besuch.

Leider fällt die Vorlesung von Professor Schulze heute aus.

A Warum auswandern?

1 Woanders ist es ...

Lesen Sie die Texte im Kursbuch A, Aufgabe 1b noch einmal, und beantworten Sie die Fragen.

1. Warum glaubt Claudia, dass sie in Schweden schnell eine Arbeit findet?
2. Warum macht sie einen Schwedischkurs?
3. Was hält Bert in seinem Beruf für wichtig?
4. Warum ist er optimistisch?
5. Von wem hat er den Tipp „Tirol" bekommen?
6. Wann und wo hat Ricardo seine Freundin getroffen?
7. Welchen Plan hat das Paar?
8. Was fehlt Ricardo möglicherweise in seiner neuen Heimat?

1. Weil in Schweden Fachkräfte gesucht werden.

2 Futur I

Ergänzen Sie „werden" in der passenden Form.

1. Wir _werden_ noch einmal neu anfangen.
2. Ich _____ schnell eine Stelle finden, da bin ich sicher.
3. _____ du bald weggehen?
4. Wann _____ ihr auswandern?
5. Ricardo und seine Freundin _____ ab August in Berlin leben.
6. Bert _____ nach Tirol gehen, um internationale Berufserfahrung zu sammeln.

b Da bin ich sicher. Antworten Sie im Futur I.

Bei Ländern:
Er geht nach Kanada. =
Er zieht nach Kanada. =
Er wandert nach
Kanada aus.

1. Geht Thomas nächstes Jahr nach Spanien? (nach Kanada)
2. Sucht er dort eine Arbeit?
3. Lernt er Spanisch? (Französisch)
4. Kündigt er seine Arbeit hier?
5. Schließt er eine Krankenversicherung für das Ausland ab?
6. Kommt er dann oft nach Hause? (selten)
7. Fehlen ihm seine alten Freunde?

1. Nein, er wird nach Kanada gehen.
2. Ja, er wird dort eine Arbeit suchen

c „werden" und seine Funktionen. Schreiben Sie die Sätze an die richtige Stelle.

Expertinnen werden gesucht. | Sie wird in Kürze Ärztin. | Sie werden nach Australien gehen. |
Er wird bald sein Studium beenden. | Es werden immer Fachkräfte gebraucht. |
Wir werden erfolgreiche Prüfungsteilnehmer.

werden

1. Vollverb	2. Hilfsverb + Partizip II = Passiv	3. Hilfsverb + Infinitiv = Futur I

B1: 182

d Welche Funktion hat „werden" in den folgenden Sätzen? Kreuzen Sie an.

	Vollverb	Passiv	Futur
1. Claudia wird mit ihrer Familie nach Schweden gehen.	⊔	⊔	⊠
2. Dort werden Fachkräfte gesucht.	⊔	⊔	⊔
3. Bert wird Koch.	⊔	⊔	⊔
4. Tirol wurde Bert von einer Bekannten empfohlen.	⊔	⊔	⊔
5. Ricardo wird in Berlin seine Familie fehlen.	⊔	⊔	⊔
6. Er wird dort gute Chancen haben, einen Job zu finden.	⊔	⊔	⊔

3 Das wird schon klappen!

a Welche Bedeutung haben die Partikeln und Adverbien? Ordnen Sie zu. Schreiben Sie in Ihr Heft.

~~vermutlich~~ | schon | wahrscheinlich | bestimmt | sicher | wohl

Vermutung: vermutlich, …   *Zuversicht:*   *Sicherheit:*

b Lesen Sie den Tipp, bringen Sie die Elemente in die richtige Reihenfolge und markieren Sie die Partikeln bzw. Adverbien.

1. Andrea – in Italien – noch – sicher – bleiben – wird
2. Martin – ziehen – wohl – wird – nach Amsterdam
3. Klaus – bestimmt – wieder – zu spät – wird – kommen
4. Penelope – wahrscheinlich – nicht – präsentieren – wird – das Projekt
5. Mira und Paul – machen – in New York – werden – ein Praktikum – wohl
6. Du – schon – in London – finden – wirst – einen Job

1. Andrea wird sicher noch in Italien bleiben. / Sicher wird Andrea noch in Italien bleiben.
2. Martin wird wohl nach Amsterdam ziehen.

> Die Partikeln „wohl" und „schon" können nur nach dem konjugierten Verb stehen. Die Adverbien „wahrscheinlich", „bestimmt" und „sicher" stehen bei Betonung auf Pos. 1.

c Beantworten Sie die Fragen im Futur I mit den Partikeln und Adverbien aus 3a.

1. Willst du wirklich auswandern? (Sicherheit)
2. Findet ihr im Ausland schnell Arbeit? (Zuversicht)
3. Ist internationale Berufserfahrung wichtig für einen Koch? (Vermutung)
4. Gibt es genug Arbeit für Übersetzer in Berlin? (Zuversicht)
5. Kann man die bürokratischen Probleme lösen? (Sicherheit)
6. Glaubst du, dass du rasch Freunde in Österreich findest? (Sicherheit)
7. Meinst du, du hast manchmal Heimweh? (Vermutung?)

1. Ich werde bestimmt auswandern!

d Blicken Sie in die Zukunft und sagen Sie sie für andere voraus!
Jeder schreibt seinen Namen auf einen Zettel. Alle Zettel werden gesammelt und gemischt.
Jeder zieht einen Zettel und schreibt einen Text über die Person, deren Name auf dem Zettel steht und liest seinen Text im Kurs vor.

Cynthia: Sie wird nächstes Jahr an der Humboldt-Uni in Berlin studieren und dort ihre zukünftige Geschäftspartnerin kennenlernen. Nach dem Studium werden sie ein Start up gründen und international erfolgreich sein. …

B Sich informieren

1 Lernen in Tirol

🔊 163 Hören Sie das Gespräch im Kursbuch B, Aufgabe 1a, noch einmal und beantworten Sie die Fragen.

1. Was macht Klara in Tirol? *Sie geht auf die Tourismusschule.* _____
2. Wo ist die Schule? _____
3. Warum ist sie nach Tirol gegangen? _____
4. Was war ihr dort am Anfang wichtig? _____
5. Was weiß sie über Jobs in Tirol? _____

2 Mobile Menschen

Ordnen Sie den Begriffen die passende Definition zu.

1. Auswanderer
2. Auslandstätige
3. Flüchtlinge / Geflüchtete
4. binationale Paare
5. Rückkehrer

a. ⊔ Menschen, die im Ausland arbeiten, aber nach dem Ende ihrer Tätigkeit wieder in ihr Heimatland zurückgehen.
b. ⊔ Menschen, die im Ausland gelebt haben, nun aber wieder in ihre Heimat zurückkehren wollen.
c. ⊔ Menschen aus verschiedenen Ländern, die zusammen leben.
d ⊔_1_ Menschen, die ihre Heimat für immer verlassen und im Ausland ein neues Leben beginnen wollen.
e. ⊔ Menschen, die wegen Krieg, Armut oder aus politischen Gründen aus ihrem Heimatland weggehen.

b Lesen Sie den Text im Kursbuch B, Aufgabe 2, noch einmal und ergänzen Sie die Wörter in der passenden Form.

anbieten | aktuell | ~~beraten~~ | arbeiten | binational | Rückkehr | Risiken | stellen | individuell | telefonisch | erfahren

Das Raphaelswerk _berät_ [1] Menschen, die ins Ausland gehen wollen. Es hilft auch Menschen, die im Ausland _____ [2], Flüchtlingen und _____ [3] Paaren. Außerdem hilft es bei der _____ [4] nach Deutschland. Beim Raphalswerk hat man die Möglichkeit, Fragen zu _____ [5], man bekommt _____ [6] Informationen über die Länder und _____ [7] etwas über Chancen und _____ [8]. Die Beratung ist _____ [9] und wird persönlich, _____ [10] oder via E-Mail _____ [11].

3 Können Sie mir bitte Informationen schicken?

a Passen die Sätze in eine formelle (**f**) oder informelle (**i**) Anfrage? Kreuzen Sie an.

	f	i
1. Sehr geehrte Damen und Herren, …	X	⊔
2. Ich brauche unbedingt Infos.	⊔	⊔
3. Könnten Sie mir bitte Informationen über … zusenden?	⊔	⊔
4. Welche Versicherungen sind bei einem Auslandsaufenthalt nötig?	⊔	⊔
5. Wie viel Geld soll ich denn mitnehmen?	⊔	⊔
6. Wo kann ich Jobs finden?	⊔	⊔
7. Können Sie mir eine Webseite zur Arbeitssuche empfehlen?	⊔	⊔
8. Vielen Dank im Voraus.	⊔	⊔
9. Liebe Grüße	⊔	⊔
10. Mit freundlichen Grüßen	⊔	⊔

b Tauschen Sie Ihre Anfragen zu Aufgabe 3a im Kursbuch B, mit einem Partner / einer Partnerin. Lesen Sie die Checkliste und prüfen Sie die Anfrage: Ist alles enthalten?

– passende Anrede?
– übersichtliche Gliederung der Absätze?
– Standardsprache?
– passende Grußformel?
– Name unter der E-Mail?

4 Alles ganz einfach! – „brauchen ... zu" + Infinitiv

a Schreiben Sie Sätze mit „brauchen nur + zu" + Infinitiv.

1. Was soll ich tun, um einen Termin zu vereinbaren? (anrufen)
2. Wie bekomme ich die Broschüre? (bestellen)
3. Wo gibt es Informationen zu Jobangeboten? (fragen)
4. Wo gibt es Versicherungen? (im Internet nachschauen)
5. Wie kann man Arbeit finden? (die Webseite „www.arbeitsagentur.de" besuchen)
6. Wie bezahle ich die Broschüre? (19,90 € überweisen)
7. Muss ich die komplette Adresse angeben? (Postleitzahl nennen)
8. Soll ich persönlich vorbeikommen oder soll ich anrufen? (anrufen)

1. Sie brauchen nur anzurufen.

b Da gibt es Irrtümer! Formulieren Sie Sätze mit „brauchen nicht / kein + zu" + Infinitiv.

1. Für die Beratung muss ich nichts zahlen.
2. Ich muss nicht persönlich kommen.
3. Ich muss keine Fragenliste vorbereiten.
4. Ich muss keine Ausbildung mehr machen.
5. Ich muss keinen Termin vereinbaren.
6. Um eine Krankenkasse muss ich mich nicht kümmern.

1. Für die Beratung brauche ich nichts zahlen.

c Arbeiten Sie zu zweit. Stellen Sie sich so viele Fragen wie möglich und antworten Sie mit „brauchen nicht ... zu" oder „müssen noch".

Musst du am Wochenende arbeiten? Nein, ich brauche nicht zu arbeiten.

Musst du noch für den Test lernen? Ja, ich muss unbedingt noch lernen.

5 Ein Niederländer in Bayern: Die Geschichte einer Auswanderung

Schreiben Sie mithilfe Ihrer Antworten im Kursbuch B, Aufgabe 5, einen kurzen Text über Niels' Auswanderung. Benutzen Sie temporale und kausale Konnektoren. Sie können dazu auch das Radiointerview mit Niels im Kursbuch, Aufgabe 5a und b auch noch einmal hören.   164–165

Temporale Konnektoren / Präpositionen:
dann | danach | später | anschließend | zuerst | bevor | nachdem | während | vor | nach | …

Kausale Konnektoren / Präpositionen:
weil | da | wegen | denn | deshalb | deswegen | daher | darum

Niels kommt aus den Niederlanden. Zuerst hat er dort …

C Im Gastland

1 Der Anfang ist gemacht

a Lesen Sie den Blog im Kursbuch C, Aufgabe 1, und beantworten Sie die Fragen.

1. Warum ist Bert froh, in Innsbruck zu sein? (2 Infos)
2. Warum ist die Probezeit ein guter Einstieg für Bert?
3. Was stört ihn am Restaurant, wo er arbeitet?
4. Warum überlegt Bert, noch einen Aufbaulehrgang zu machen? (2 Infos)

b Was glauben Sie? Was wird Bert wohl machen? Schreiben Sie Sätze im Futur I und benutzen Sie Partikeln und Adverbien aus Übungsbuch A, Übung 3a.

1. Berufserfahrung sammeln (Sicherheit)
2. im Restaurant nicht viel Neues lernen (Vermutung)
3. sich bei anderen Restaurants bewerben (Sicherheit)
4. eine gute Stelle finden (Zuversicht)
5. einen Aufbaulehrgang machen (Vermutung)
6. die nächsten Jahre in Österreich bleiben (Sicherheit)
7. Karriere in der Gastronomie machen (Vermutung)

1. Er wird sicher Berufserfahrung sammeln.

2 Zweiteilige Konnektoren

a Lesen Sie die Sätze in der Tabelle und achten Sie auf die Position der Konnektoren. Ergänzen Sie dann die Regel.

Satz 1			Satz 2	
Position 1	Position 2		Position 1	
Bert	mag	**weder** die Vorspeisen	**noch**	(mag er) die Desserts.
Weder	mag	Bert die Speisekarte,	**noch**	gefällt ihm das Restaurant.
Bert	mag	**sowohl** seinen Chef	**als auch**	seine Kollegen.
Sowohl sein Chef	ist	sehr nett	**als auch**	die Restaurantleitung.
Bert	arbeitet	**nicht nur** als Koch,	**sondern**	(er) bedient auch die Gäste.
Nicht nur in der Woche	arbeitet	er,	**sondern auch**	am Wochenende.

Vor „sondern" steht immer ein Komma.

Der erste Teil des Konnektors steht auf Position _____ oder direkt nach dem Verb im ersten Satz, der 2. Teil des Konnektors steht auf Position 1 im zweiten Satz.

b Ordnen Sie die Satzteile zu.

1. Weder will Bert für immer in Österreich bleiben,
2. Er möchte in Tirol sowohl arbeiten
3. Den Aufbaulehrgang findet er nicht nur spannend,
4. Bert will weder am Meer leben
5. Nicht nur als Koch könnte Bert arbeiten,
6. Sowohl den Sommer

a. ⎵ als auch seine Freizeit genießen.
b. ⎵ noch dort arbeiten.
c. ⎵ sondern auch als Touristikkaufmann.
d. *1* noch will er gleich wieder heimkehren.
e. ⎵ als auch den Winter in Bergen mag er sehr.
f. ⎵ sondern auch beruflich sinnvoll.

c Welcher zweiteilige Konnektor aus 2a passt? Ergänzen Sie.

1. Nicht nur für seine Natur ist Innsbruck bekannt, *sondern auch* für sein Kulturleben. (Das 2. Element wird betont.)
2. _____ Klara _____ Bert leben nun in Tirol. (Die Elemente sind gleich wichtig.)
3. Auswandern ist _____ leicht _____ ist es schnell organisiert. (Beide Elemente treffen nicht zu.)

B1: 186

4. Bert kann in Tirol _____ Deutsch sprechen _____ Berufserfahrungen sammeln. (Die Elemente sind gleich wichtig.)

5. _____ mag Bert die Gerichte _____ die Einrichtung des Restaurants. (Beide Elemente treffen nicht zu.)

6. Bert sucht _____ eine Stelle, _____ er überlegt sich auch, einen Aufbaulehrgang zu machen.

d Wer mag was? Bilden Sie Sätze wie im Beispiel mit den zweiteiligen Konnektoren aus 2a.

1. Marie 🐟 🥩   3. Paul 🖥 📚   5. Emil 🎿 🏄

2. Hans ⚽ 🏐   4. Ida 🐶 🐱   6. Hanna 🍿 🎭

1. Marie isst weder Fisch noch Fleisch.

e Üben Sie zu zweit.

Magst du lieber Kaffee oder Tee?

Ich mag weder Kaffee noch Tee.

Trägst du lieber Hosen oder Röcke?

Ich mag sowohl Hosen als auch Röcke.

3 Träume und Pläne

Was passt? Ergänzen Sie die Wörter aus dem Schüttelkasten.

weil | da | wegen (2x) | um ... zu | ~~aus~~ | deshalb | damit

1. *Aus* beruflichen Gründen ziehe ich im September in die USA.
2. Ich werde auswandern, _____ ich hier keinen guten Job finde.
3. Ich gehe _____ meiner nicaraguanischen Frau ins Ausland.
4. Wir wandern aus, _____ unseren Kindern eine bessere Zukunft _____ bieten.
5. _____ ich Auslandserfahrung für wichtig halte, werde ich für ein paar Jahre nach Skandinavien gehen.
6. Wir verlassen Europa _____ unserer Kinder. Sie leben beide in Australien.
7. Wir sind ins Ausland gegangen, _____ unsere Kinder ein besseres Leben haben.
8. Ich möchte internationale Erfahrungen sammeln, _____ möchte ich eine Zeit im Ausland.

> Der Nebensatz mit „da" steht meist vor dem Hauptsatz. „da" verwendet man oft, wenn der Grund schon bekannt ist.

4 Die Nachbarn Deutschland und Österreich – Überwindung alter Klischees

Lesen Sie den Text aus einem Magazin und ergänzen Sie die Wörter aus dem Schüttelkasten.

abgebaut | alten | dumm | erfolgreicheren | gespeichert | Identität | Konkurrenzsituation | lange | Nationalitäten | Reisen | Sportereignissen | Unabhängigkeit | Verhältnis | verwechselt | ~~Zusammenleben~~

Piefkes gegen Ösis

Das *Zusammenleben* [1] in der europäischen Union hat das deutsch-österreichische _____ [2] verändert. Wie man die Österreicher früher sah, wird z. B. in _____ [3] Filmen deutlich: Sie werden als seltsam sprechende Typen gezeigt, neben den _____ [4] Deutschen.

Nach dem 2. Weltkrieg wollten die Österreicher sich vor allem abgrenzen und eine eigene rot-weiß-rote _____ [5] finden. Sie wollten z. B. auf _____ [6] in der Welt nicht mit den Deutschen _____ [7] werden. Daher betonten sie ihre Eigenständigkeit und _____ [8]. Es war ihnen deshalb wichtig, bei _____ [9] die Deutschen zu besiegen. Auch wenn der 3:2-Sieg Österreichs über den amtierenden Weltmeister Deutschland bei der Fußballweltmeisterschaft im Jahr 1978 schon _____ [10] zurück liegt, so ist er doch im kollektiven Gedächtnis _____ [11].

Diese _____ [12] hat sich seit dem EU-Beitritt Österreichs 1995 entschärft, viele Vorurteile sind _____ [13] worden. Natürlich gibt es immer noch Witze, die den jeweils anderen _____ [14] dastehen lassen, aber die gibt es auch über andere _____ [15]. Langlebige Klischees gibt es leider überall!

DaF kompakt – mehr entdecken

1 Wortschatz lernen und erweitern

Was vermuten Sie: Welche Wörter werden überwiegend in Deutschland, welche in Österreich verwendet? Ordnen Sie zu.

das Cola – die Cola | der Jänner – der Januar | die Marille – die Aprikose | die Semmel – das Brötchen | Fahrstuhl – Lift | lecker sein – gut schmecken | ein halbes Kilo – 500 Gramm | der Sessel – der Stuhl | der Schrank – der Kasten | die Trafik – der Tabakladen | die Jause – die Brotzeit | erkältet – verkühlt | das Eigelb – der Eidotter | die Volksschule – die Grundschule | der Reißverschluss – der Zippverschluss | der Schornstein – der Rauchfang | die Konfitüre – die Marmelade | der Schi – der Ski | die Treppe – die Stiege | die Matura – das Abitur | das Krankenhaus – das Spital | die Ordination – die Praxis | …

Deutschland	Österreich
die Cola	das Cola

2 Über Sprache reflektieren

„brauchen + zu" + Infinitiv. Lesen Sie die Beispiele. Wie wird in anderen Sprachen Notwendigkeit ausgedrückt? Ergänzen Sie und vergleichen Sie im Kurs.

Deutsch	Englisch	andere Sprache(n)
Ich brauche nicht zu arbeiten.	I don't need to work.	
Ich brauche nur anzurufen.	I just have to call.	

3 Miniprojekt 1: Ein Praktikum in Deutschland!

Schauen Sie auf der Internetseite der Zentralstelle für Auslandsvermittlung nach Praktikumsmöglichkeiten.

– Welche Form des Praktikums interessiert Sie?
– Wo würden Sie es gern absolvieren?

Schreiben Sie Ihre Idee mit allen wichtigen Informationen dazu auf eine Karte und gestalten Sie im Kursraum eine Wandzeitung. Welche Ideen haben die anderen?

4 Miniprojekt 2: Das Buch der Träume

Markieren Sie auf einer Weltkarte den Ort, an dem Sie in der Zukunft leben wollen. Schreiben Sie dann einen Text über Ihre Träume und Pläne und tragen Sie den Text im Kurs vor.

B1: 188

Pausen im Satz

1 Pausen und Bedeutung

a Hören Sie die Sätze und markieren Sie die Pausen mit Kommas.   🔊 166

1.a Heute , nicht morgen.   a.⌐ es passiert heute   b.⌐ es passiert morgen
  b Heute nicht morgen.   a.⌐ es passiert heute   b.⌐ es passiert morgen
2.a Im Winter nicht im Sommer.   a.⌐ im Winter   b.⌐ im Sommer
  b Im Winter nicht im Sommer.   a.⌐ im Winter   b.⌐ im Sommer
3.a Klara sagt Bert wird nicht auswandern. a.⌐ Klara spricht b.⌐ Bert spricht
  b Klara sagt Bert wird nicht auswandern. a.⌐ Klara spricht b.⌐ Bert spricht

b Hören Sie die Sätze in 1a noch einmal. Was ändert sich an der Bedeutung der Sätze? Kreuzen Sie in 1a   🔊 166
an. Sprechen Sie die Sätze anschließend nach.

Die Pausen geben einem Satz Sinn.

c Sprechen Sie folgende Sätze in verschiedenen Sinnvarianten.

1. Sie rufen ohne uns.   2. Mit Salz nicht mit Zucker.   3. Hans sagt Franz wird nie Professor.

2 Sätze mit zweiteiligen Konnektoren

a Hören Sie die Sätze und tragen Sie die Pausen mit einem senkrechten Strich ein.   🔊 167

1. Innsbruck bietet nicht nur Natur, sondern auch Kultur.
2. Das Restaurant ist weder besonders chic noch ist die Küche sehr gut.
3. Wien gefällt nicht nur ihm, sondern auch seiner Freundin.
4. In Hamburg wohnen sowohl ihre Eltern als auch ihre Freunde.
5. Ich habe weder in Berlin noch in Frankfurt Arbeit gefunden.

b Hören Sie die Sätze in 2a noch einmal. Auf welchen Wörtern liegt die Betonung in den Sätzen in 2a?   🔊 167
Markieren Sie. Was fällt auf? Kreuzen Sie in der Regel an.

Zweiteilige Konnektoren sind   a.⌐ Sinnwörter.   b.⌐ Funktionswörter.
Sie werden bei neutraler Sprechweise a.⌐ betont.   b.⌐ nicht betont.

c Sprechen Sie die Sätze in 2a mit den passenden Pausen und der passenden Betonung.

d Hören Sie Satz 1 aus 2a noch einmal neutral und einmal emotional. Was fällt auf? Kreuzen Sie in der   🔊 168
Regel an.

Bei emotionaler Sprechweise kann die Betonung abweichen und man kann die Konnektoren
a.⌐ betonen.   b.⌐ nicht betonen.

e Sprechen Sie die Sätze in 2a mit emotionaler Betonung.

3 Arbeiten im Ausland – Pro und Kontra

a Sammeln Sie Argumente pro (+) und kontra (–)
Arbeiten im Ausland.

+	–
– neue Umgebung	– keine Familie dort
– ...	– ...

Nomen, Verben, Adjektive und Adverbien sind Sinnwörter, d. h. Wörter, die die Bedeutung tragen.
Artikel, Präpositionen, Pronomen sind Funktionswörter.

b Bringen Sie Ihre Argumente in Sätze mit
zweiteiligen Konnektoren und diskutieren Sie mit in Gruppen.
Achten Sie auf die Pausen und die Betonung.

Im Ausland habe ich weder meine Familie noch meine Freunde.

A Politik in Deutschland

1 Nur nichts Genaues sagen!

a Ergänzen Sie die Endungen von „einig-" und „manch-". Sind die Endungen wie bei den bestimmten oder wie bei den unbestimmten Artikeln?

Singular	Plural	
1. Manch_er_ Minister ist jung.	5. Manch_____ Parteien sind neu.	9. Einig_____ Politiker sind hier.
2. für manch_____ Minister	6. für manch_____ Parteien	10. für einig_____ Politiker
3. mit manch_____ Minister	7. mit manch_____ Parteien	11. mit einig_____ Politikern
4. wegen manch_____ Ministers	8. trotz manch_____ Parteien	12. die Ideen einig_____ Politiker

b Bilden Sie Sätze mit „einig-" und „manch-".

1. wir – haben – zu tun – einig-
2. ich – Interessante – lernen – einig-
3. sie (Pl.) – fragen nach – Politiker – einig-
4. er – Neue – berichten – ihnen – einig-
5. mit – Anstrengung – sie – verstehen – ihn – einig-
6. dabei – sie– Unangenehme – erfahren – einig-

1. Wir haben einiges zu tun.

„einiges" im Singular bezeichnet eine nicht sehr große Menge und wird gebraucht als
1. Indefinitpronomen, meist im Neutrum, z. B.: *In dem Artikel stand einiges über den Politiker.*
2. Indefinitartikel zusammen mit Nomen, die unzählbar sind, z. B.: *In dem Artikel stand einiges Neue über den Politiker. / Nach einiger Zeit wussten es alle, er hatte einigen Alkohol getrunken.*

c Ergänzen Sie „manch-" und „einig-" in der richtigen Form.

Es gibt _manche_ [1] Politiker, die am liebsten ganz unbestimmt bleiben. Sie sagen zum Beispiel: „In diesem Land muss sich e_____ [2] ändern und wir werden m_____ [3] dafür tun." Aber was ist das? Zum Glück gibt es auch e_____ [4], die konkrete Vorschläge machen. Darüber kann man dann diskutieren und m_____ [5] besser verstehen. M_____ [6] denkt daran, in die Politik zu gehen, aber vergisst dabei, dass e_____ [7] sehr schwer ist, z. B. die sehr lange Arbeitszeit, das viele Reisen, wenig Zeit für die Familie. E_____ [8] Politiker halten das ihr ganzes Leben lang aus, für m_____ [9] hingegen ist das undenkbar und sie kehren nach e_____ [10] Zeit wieder in ihren alten Beruf zurück.

2 Studierende und Politik

Lesen Sie den Text im Kursbuch A, Aufgabe 3a noch einmal: Was denken die Studierenden über Politik? Ordnen Sie zu.

Sabrina: Text ⊔   Paul: Text ⊔   Stephan: Text ⊔

1. „Wenn man sich in einer Partei engagiert, kann man die Gesellschaft positiv beeinflussen."

2. „Gegenüber der Wirtschaft ist Politik ohne Einfluss."

3. „Die Politik macht nichts gegen konkrete Probleme, deshalb engagiere ich mich persönlich für das, was mir wichtig ist."

3 Politische Aufgaben

Welche Aufgaben haben die Personen und Institutionen? Ordnen Sie zu.

der Bundespräsident / die Bundespräsidentin | ~~der Bundeskanzler / die Bundeskanzlerin~~ |
das Bundesverfassungsgericht | der Bundesrat | der Bundestag

1. Die Person bildet die Regierung, bestimmt die Richtlinien der Politik und wird alle 4 Jahre vom Parlament gewählt: *der Bundeskanzler / die Bundeskanzlerin*
2. Die Person repräsentiert und vertritt die Bundesrepublik nach außen; sie ernennt und entlässt die Minister und Ministerinnen und wird alle 5 Jahre gewählt: _____
3. Seine Aufgabe ist die Gesetze verabschieden, die Regierung kontrollieren, den Bundeskanzler oder die Bundeskanzlerin wählen. Er wird alle vier Jahre vom Volk gewählt: _____
4. Er wirkt bei der Gesetzgebung und Verwaltung mit; er berät Gesetzesvorschläge, stimmt ihnen zu oder lehnt sie ab; die Mitglieder werden von den Länderregierungen benannt: _____
5. Es kontrolliert, ob sich das Parlament und die Regierung nach der Verfassung richten: _____

4 Das politische System der Bundesrepublik Deutschland

Welches Wort passt? Ergänzen Sie.

Bundeskanzler | Bundesrat | Bundestag | Bundestagspräsidenten | Bundesversammlung |
Demokratie | ~~demokratischer~~ | Föderation | Gewalt | Hauptstadt | Kabinett | Länderregierungen |
Ministern | Parlament | Sitz | sozialer | Staatsoberhaupt | Verfassung | vertreten | Volk

Die Bundesrepublik Deutschland ist ein *demokratischer* [1], _____ [2] Rechtsstaat. In Deutschland herrscht das Prinzip der repräsentativen _____ [3]. Gesetzgeber ist die gewählte Volksvertretung, der „_____" [4], so heißt das deutsche _____ [5]. Seine Sitzungen werden vom _____ [6] geleitet. _____ [7] ist der Bundespräsident, der nicht direkt vom _____ [8] gewählt wird, sondern alle 5 Jahre von der _____ [9]. Regierungschef ist der _____ [10]. Er wird alle vier Jahre vom Bundestag gewählt und bildet zusammen mit den _____ [11] die Regierung (das sog. _____ [12]). Dass sich Gesetzgebung und Regierung nach der _____ [13] richten, wird durch das Bundesverfassungsgericht kontrolliert.
Die Bundesrepublik ist ein Bundesstaat, eine _____ [14] aus 16 Bundesländern. Die staatliche _____ [15] ist zwischen Bund und Ländern aufgeteilt. Die Bundesländer wirken durch den _____ [16] bei der Gesetzgebung und Verwaltung des Bundes mit. Er besteht aus Mitgliedern der _____ [17], die die Interessen der Bundesländer _____ [18]. Sitz von Bundespräsident, Regierung und Parlament sowie vom Bundesrat ist die _____ [19] Berlin, das Bundesverfassungsgericht hat seinen _____ [20] in Karlsruhe.

5 Die Bundesländer

a Schauen Sie sich die Karte mit den Bundesländern vorne im Kursbuch an und beantworten Sie die Fragen in ganzen Sätzen.

1. Welches Bundesland hat die größte Fläche?
2. Welche Städte sind gleichzeitig Bundesländer?
3. Welches ist das Bundesland mit der kleinsten Fläche (ohne Stadtstaaten)?
4. Welches Bundesland hat die meisten Einwohner?
5. Welcher Stadtstaat hat die wenigsten Einwohner?
6. Welches ist das nördlichste Bundesland?

1. Bayern ist das Bundesland mit der größten Fläche.

b Kleines Hauptstadtquiz: Bilden Sie zwei Gruppen. Der Kursleiter / die Kursleiterin fragt nach einer Hauptstadt oder nennt eine. Die Gruppe, die am schnellsten richtig antwortet, bekommt einen Punkt.

Wie heißt die Hauptstadt von Bayern?   Das ist …   Potsdam.   Wir denken, …

B Politische Parteien

1 Die „Sonntagsfrage" – Wen würden Sie wählen, wenn am Sonntag Bundestagswahl wäre?

🔊 169

Hören Sie noch einmal die Antworten der Personen in Aufgabe 2b im Kursbuch und beantworten Sie die Fragen.

1. Welche Partei und aus welchen Gründen würde die erste Person wählen?
2. Was findet die zweite Person positiv an den Grünen?
3. Warum will die letzte Person nicht wählen gehen?

Auf der Website der Bundeszentrale für politische Bildung (www.bpb.de) finden Sie ausführliche Informationen zu den Parteien in Deutschland.

2 Der Deutsche Bundestag

Lesen Sie den Text in Kursbuch B, Aufgabe 3c noch einmal und ergänzen Sie dann die Lücken.

Abgeordnete | behält | Bundesland | ~~Bundestag~~ | die Hälfte | Fraktion | Koalition | Mehrheit | Partei | Regierung | Überhangmandate | Verteilung | Wahlkreisen | Zweitstimmen

Der _Bundestag_ [1] hat im Prinzip 598 _____ [2], 299 aus den _____ [3] und 299 durch die Landeslisten. Die _____ [4] der Sitze im Bundestag wird auf der Basis der _____ [5] berechnet. Wenn eine _____ [6] in einem _____ [7] mehr Wahlkreise gewonnen hat, als ihr eigentlich Gesamtsitze auf der Basis der gewonnen Zweitstimmen zustehen, dann _____ [8] sie diese zusätzlichen Direktmandate als sog. „_____ " [9]. Um die _____ [10] zu bilden, braucht eine Partei die absolute _____ [11] der Stimmen im Bundestag, also eine Stimme mehr als _____ [12]. Wenn das nicht der Fall ist, muss sie mit einer oder mehreren Parteien eine _____ [13] bilden. Die Abgeordneten einer Partei im Bundestag bilden zusammen eine _____ [14].

3 Statt eines Kreuzes leider zwei!

Ergänzen Sie die Endungen und Präpositionen.

Statt _am_ [1] Morgen ist Lisa diesmal erst kurz _____ [2] 18.00 Uhr wählen gegangen. Statt d_____ [3] Grünen wollte sie diesmal die SPD wählen. Statt ein_____ [4] Kreuzes auf der linken Seite des Wahlzettels hat sie zwei gemacht, d.h., ihre Stimme war ungültig. Statt _____ [5] den Zettel hat sie nämlich auf die Uhr geschaut und schon war der Fehler da!

Mit „statt" + Genitiv (standardsprachlich) / + Dativ (umgangssprachlich) drückt man eine Alternative aus: Statt der Grünen / den Grünen wählt Lisa das nächste Mal eine andere Partei.
„statt" wird auch zusammen mit Präpositionen verwendet, z.B. Statt im Mai kommt er im Juni. / Statt für die SPD hat sie für die Grünen gestimmt.

4 Am Wahlabend – Je später, desto genauer

a „je ... desto / umso" – Machen Sie kurze Aussagen wie im Beispiel. Eine Aussage ist eine Redewendung. Welche?

1. spät – der Abend / genau – die Hochrechnung*
2. viel – Stimmen / viel – Sitze
3. wenig – Sitze / unzufrieden – die Parteimitglieder
4. glücklich – die Parteimitglieder / fröhlich – die Wahlparty
5. gut – das Ergebnis / lang – die Feier
6. spät – der Abend / schön – die Gäste

1. Je später der Abend, desto genauer die Hochrechnung.

*Die Hochrechnung: Am Wahlnachmittag und -abend berechnen Wahlforschungsinstitute das voraussichtliche Ergebnis der Wahlen. Es wird im Fernsehen gezeigt und immer wieder aktualisiert.

b Formulieren Sie mit den Elementen unten und den Ausdrücken aus 4a ganze Sätze und schreiben Sie sie in die Tabelle in Ihr Heft. Verwenden Sie auch „umso".

1. am – es ist / wird
2. eine Partei bekommt / sie – erhält
3. sie bekommt / sind
4. sind / wird
5. ist / dauert
6. am – es ist / sind

1. Satz: Nebensatz			2. Satz: Hauptsatz		
Position 1		Satzende	Position 1	Position 2	
1. Je später	am Abend es	ist,	umso genauer	wird	die Hochrechnung.

c Formulieren Sie folgende Sätze mit „je … desto / umso" um.

1. Wenn die Leute älter werden, werden sie oft konservativer.
2. Wenn man sich näher mit einem Problem beschäftigt, wird es meist komplizierter.
3. Wenn man besser Bescheid weiß, findet man eher eine Lösung.
4. Wenn man länger in einer Partei arbeitet, lernt man die Mitglieder besser kennen.
5. Wenn ein Politiker bekannter wird, wird sein Privatleben oft schwieriger.
6. Wenn ein Redner besser spricht, hat er mehr Erfolg.

1. Je älter die Leute werden, desto konservativer werden sie oft.

5 Bundestagswahlen

a Ersetzen Sie die unterstrichenen Wörter durch Synonyme aus dem Schüttelkasten.

der Sitz | ~~das Grundgesetz~~ | die Wahlpflicht | der / die Abgeordnete | wahlberechtigt |
die Landesliste | der Kandidat / die Kandidatin

1. die deutsche Verfassung → *das Grundgesetz*
2. Man darf wählen. → Man ist _____
3. Man muss nicht wählen. → Es gibt keine _____
4. jemand, der kandidiert → Er ist _____
5. Volksvertreter im Parlament → _____
6. Eine Liste, die von einer Partei in einem Bundesland aufgestellt wird → _____
7. Ein Platz im Parlament → _____

b Setzen Sie die Wortteile zusammen. Schreiben Sie in Ihr Heft.

~~alt~~ | Bundes | Direkt | Erst | ge | ~~gemein~~ | heim | mandat | Mehrheits | mittelbar | stimme |
stimme | tags | un | Verhältnis | wahl | wahl | wahlen | Zweit

1. allgemein

6 Wahlen auf verschiedenen Ebenen

Was für Wahlen gibt es in Deutschland? Ergänzen Sie die Wörter.

Landkreise | ~~föderativer~~ | Kommunen | Wahlen | Volksvertretungen | Bundestagswahl |
Kommunalwahlen | Landtagswahl

Deutschland ist ein *föderativer* [1] Staat. Die Bundesländer sind unterteilt in viele _____ [2] und jeder Landkreis in Gemeinden oder _____ [3]. Der föderativen Struktur entsprechen auch die _____ [4]: Es gibt _____ [5] auf drei Ebenen. Die Wahlberechtigten wählen bei der _____ [6] Abgeordnete für die Bundesrepublik Deutschland in den Bundestag. Für ein bestimmtes Bundesland wählen sie die Volksvertreter / innen in einen Landtag, das ist die _____ [7]. Bei den _____ [8] wählen sie einen Bürgermeister oder eine Bürgermeisterin und die Mitglieder eines Stadt- oder Gemeinderates.

C Ich engagiere mich für ...

1 Sätze verbinden

Ergänzen Sie: je ... desto / umso, zwar ... aber, entweder ... oder, um ... zu

1. Sie nimmt _____ gern an Diskussionen teil, nimmt _____ selten Stellung zu einem Thema.
2. _____ intensiver du dich mit Politik beschäftigst, _____ besser kannst du argumentieren.
3. _____ die Wahrheit _____ sagen, interessiere ich mich gar nicht für Politik.
4. Ich bin _____ Mitglied in einer Partei, _____ ich kann mir nicht vorstellen, für den Bundestag zu kandidieren.
5. Für mich steht fest: _____ man geht zu den Wahlen, _____ man geht nicht und unterstützt Populisten!
6. _____ mehr ich mich in meiner Freizeit engagiere, _____ besser und zufriedener fühle ich mich.
7. _____ immer auf dem neuesten Stand _____ bleiben, lese ich regelmäßig politische Kommentare im Internet.
8. Ich weiß, dass du _____ noch jung bist, _____ etwas mehr Interesse an gesellschaftlichen und politischen Themen könnte man von dir schon erwarten!
9. _____ sich freiwillig _____ engagieren, braucht es auch eine klare Meinung.
10. Manchmal denke ich: _____ mehr ich über Politik weiß und lese, _____ komplizierter wird alles.

2 Die eigene Meinung äußern

In den sozialen Medien haben Sie ein Video zum Thema „Die Gesellschaft braucht mehr freiwilliges Engagement" gesehen. Ein User hat als Reaktion Folgendes gepostet. Reagieren Sie darauf und schreiben Sie Ihre Meinung.

> Georg, 15.10.
> Es tut mir leid, aber das finde ich lächerlich! Können der Staat und auch private Organisationen sich nicht mehr leisten, Menschen für ihre Arbeit und ihre Leistungen zu bezahlen? Muss jetzt plötzlich alles freiwillig getan werden? Es gibt doch so viele Arbeitslose – kein Wunder, wenn man für Arbeit kein Geld mehr bekommt. Freiwillig, also umsonst, kann doch nur der etwas tun, der ja sowieso genug von allem hat und finanziell abgesichert ist.

3 Artikel und Plural

Ergänzen Sie die Artikel und Pluralformen. Welche Nomen gibt es nur im Singular?

1. _____ Prinzip_____
2. _____ Finanzreferat_____
3. _____ Engagement_____
4. _____ Thema_____
5. _____ Bildung_____
6. _____ Ausschuss_____
7. _____ Solidarität_____
8. _____ Gesellschaft _____
9. _____ Öffentlichkeit _____
10. _____ Mitglied_____
11. _____ Demokratie_____
12. _____ Wahlzettel _____
13. _____ Integration_____
14. _____ Grund _____
15. _____ Leistung_____
16. _____ Initiative_____

4 Eine Anzeige im AStA-Magazin

Was passt zusammen? Verbinden Sie.

Bist du jemand, der / die
1. etwas Neues ausprobieren möchte,
2. gern mit anderen darüber diskutiert,
3. denkt: Es gibt nichts,
4. das realisieren möchte,

5. mitentscheiden möchte,
6. ausländische Studierende darüber informieren möchte,

a. ⌷ was man nicht tun kann?
b. ⌷1 was sinnvoll und nützlich ist?
c. ⌷ worauf sie besonders achten müssen?
d. ⌷ was politisch und gesellschaftlich relevant ist?
e. ⌷ worüber andere nur reden?
f. ⌷ wogegen Studierende demonstrieren sollten?

Dann melde dich bei uns und engagiere dich – der AStA braucht dich!

5 Das oder was?

a Lesen Sie den Hinweis und entscheiden Sie, ob Sie „das" oder „was" verwenden.

Der Relativsatz mit „dass" bezieht sich auf
- ein neutrales Nomen: → „das", z.B. das Ergebnis, das viele überrascht hat
- ein Pronomen (alles, nichts, vieles, …): → „was", z.B. alles, was der Wähler will
- auf einen ganzen Satz, z.B. → „was", z.B. Die Grünen setzen sich für die Umwelt ein, was die Befragte gut findet.

Das Grundgesetz, _das_ [1] von 1949 stammt, ist die deutsche Verfassung. Über vieles, _____ [2] darin steht, wurde lange diskutiert. Alles, _____ [3] in seinen Artikeln steht, kann man unter www.bundestag.de nachlesen. Das deutsche Wahlsystem, _____ [4] eine Mischung aus Mehrheitswahl und Verhältniswahl ist, ist nicht einfach zu verstehen. Aber es gibt nichts, _____ [5] man nicht verstehen kann, wenn man sich bemüht.

b Formulieren Sie Relativsätze mit „was" und „wo(r)-".

1. Der Kandidat von einer kleinen Partei hat gewonnen. (alle – überraschen)
2. Das ist etwas. (wir – sich wundern über)
3. Es gibt vieles. (niemand – etwas erfahren von)
4. Sie hat die Wahl verloren. (niemand – verstehen)
5. Gibt es etwas? (du – mir erzählen – wollen)
6. Nein, es gibt nichts. (ich – mit dir – sprechen über – wollen)

1. Der Kandidat von einer kleinen Partei hat gewonnen, was alle überrascht.
2. Das ist etwas, worüber wir uns wundern.

6 Relativsätze

Lesen Sie den Text und ergänzen Sie die Relativpronomen: was, wo, wer, wem, wen. Achten Sie dabei auf die Groß- und Kleinschreibung.

Vor einem Jahr bin nach Aachen gezogen, um dort zu studieren. Am Anfang war das Studium hart, ich musste echt super viel lernen. Alles, _was_ [1] ich wollte, waren gute Bewertungen und erfolgreiche Tests. Aber bald wurde es zu viel Stress. Die Lösung war Sport und Abwechslung. _____ [2] viel arbeitet, muss auch mal entspannen. Also habe ich mich dort informiert, _____ [3] man die meisten Angebote findet: am Schwarzen Brett. Dort habe ich eine Anzeige gefunden: „_____ [4] neue Freunde und neue Herausforderungen sucht, _____ [5] Bewegung wichtig ist, der ist in unserem Kletterverein willkommen!" Das war genau das, _____ [6] ich gebraucht habe. Seitdem verbringe ich jede freie Stunde in der Kletterhalle oder draußen, oft gibt es kleine Feste oder Partys. So etwas kann ich jedem nur empfehlen. _____ [7] körperliche Anstrengung und höchste Konzentration begeistern können, der sollte unbedingt mit dem Klettern anfangen!

DaF kompakt – mehr entdecken

1 Erläutern und definieren: Politisches Tabu-Spiel

Tabu-Spiel zum Thema Politik. Das Ziel des Spiels ist, Wörter aus dem Bereich Politik zu erklären. Die Wörter selbst und weitere drei Tabu-Wörter dürfen bei der Erklärung nicht benutzt werden.

1. Sammeln Sie geeignete Wörter zum Thema Politik aus der Lektion und evtl. dem gesamten Lehrwerk.
2. Erstellen Sie mit diesen Wörtern Spielkarten, auf denen immer das Tabu-Wort steht und drei weitere Ausdrücke, die ebenfalls tabu sind. Machen Sie so viele Karten, dass alle mindestens ein Wort erklären können.
3. Bilden Sie zwei Gruppen. Nehmen Sie ein Wort vom Stapel und erklären es Ihrer Gruppe, Sie haben dafür 2 Minuten Zeit. Eine Person aus der anderen Gruppe kontrolliert.

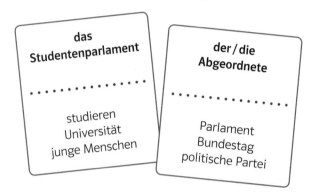

2 Über Sprache reflektieren

Wie lassen sich Sprüche mit „Je … desto/umso" übersetzen? Ergänzen Sie die Tabelle und vergleichen Sie im Kurs.

Deutsch	1. Je früher, desto besser! 2. Je später der Abend, umso schöner die Gäste.
Englisch	1. The sooner, the better. 2. …
Französisch	1. Plus tôt mieux! 2. …
andere Sprache(n)	…

3 Der AStA konkret

Recherchieren Sie im Internet: Gibt es eine deutsche Partneruni oder eine deutsche Uni, an der Sie gerne studieren würden? Gibt es dort einen AStA? Wie ist er strukturiert? Welche Referate gibt es? Welche Schwerpunkte hat er? Können Sie es sich vorstellen, bei einem AStA aktiv mitzuarbeiten? Warum (nicht)? Die Redemittel unten helfen.

Der AStA an der … hat … Referate. Das …referat kümmert sich um … | Daneben gibt es noch …

Ich persönlich könnte mir (nicht) vorstellen, im AStA mitzuarbeiten, weil … | Ich persönlich finde es (nicht) gut, dass … Besonders gut gefällt mir … / … gefällt mir gar nicht. | Ich bin total begeistert von … | Ich bin sehr zufrieden mit … | Ich finde es nicht so gut, dass … | … finde ich nicht so interessant/langweilig. | … finde ich nicht so gut.

Sprache der Politik – gut beherrscht

1 Konsonanten in der Politik

a Schreiben Sie die fehlenden Buchstaben in die Lücken. Alle Wörter kommen aus der Politik.

1. Bunde*spr*äsident
2. Gese_____ebung
3. Zwei_____imme
4. We_____elwähler
5. Regieru_____oalition
6. Bundesta_____äsident

7. Bundesverfassu_____ericht
8. Vermittlungsau_____uss
9. E_____imme
10. Regieru_____ef
11. Wah_____icht
12. Re_____aat

b Hören Sie die Wörter in 1a und markieren Sie den Akzent. 🔊 170

c Sprechen Sie die Wörter in 1a. Achten Sie dabei besonders auf die Konsonantenhäufungen.

d Bilden Sie jetzt mit jedem der Wörter aus 1a einen kurzen Satz.

Der Bundespräsident ist das Staatsoberhaupt von Deutschland.

2 Bundesländer

a Hören Sie die Namen der deutschen Bundesländer und markieren Sie den Akzent. 🔊 171

- Bayern
- Berlin
- Brandenburg
- Bremen
- Hamburg
- Hessen
- Niedersachsen
- Saarland
- Sachsen
- Thüringen
- Baden-Württemberg
- Mecklenburg-Vorpommern
- Nordrhein-Westfalen
- Rheinland-Pfalz
- Sachsen-Anhalt
- Schleswig-Holstein

b Sprechen Sie die Bundesländer in 2a nach.

c Wählen Sie eine Wortgruppe aus, nehmen Sie einen Stift zwischen die Zähne und sprechen Sie die Wortgruppe. Die anderen im Kurs notieren, was sie verstanden haben. Wer die meisten Wortgruppen richtig verstanden hat, gewinnt.

sachsen-anhaltinische Menschen | die Holsteinische Schweiz | die thüringische Regierungskoalition | die Württembergische Versicherung | der hessische Landtag | die Bayerische Staatsoper | die Hamburgische Landesbank | die mecklenburgisch-vorpommersche Ostseeküste | der Saarländische Rundfunk | das niedersächsische Pferd | die berlinerische Aussprache | der Westfälische Friede | die Bremische Volksbank | der rheinland-pfälzische Regierungssprecher | die Brandenburgischen Konzerte | die Sächsische Zeitung

3 Wörter raten

a Schreiben Sie fünf Nomen auf einen Zettel, die inhaltlich mit dem politischen System in Verbindung stehen und viele Zischlaute (ch, sch, s, z) haben.

b Erklären Sie mit einem Partner / einer Partnerin die Wörter für die anderen im Kurs. Sie dürfen aber nur abwechselnd jeweils ein Wort sagen. Die anderen raten.

Bundeskanzlerin Sie ist die Chefin der Regierung.

A Die Entwicklung der deutschen Sprache

1 Deutsche Sprache

a Bilden Sie Zusammensetzungen mit „Sprache". Achten Sie auf das Fugen -s.

Amt | Fach | Regional | Standard | Umgang | Verkehr

1. Sprache, die Menschen mit unterschiedlicher Muttersprache untereinander sprechen, um sich zu verständigen: *Verkehrssprache*
2. Sprache, in der sich öffentliche Stellen und die Bürger eines Staates verständigen: *Amtssprache*
3. Normierte Form der geschriebenen und gesprochenen Sprache: _____
4. Sprache, die meist in informellen Situationen im Alltag benutzt wird: _____
5. Sprache, die nur in einer bestimmten Gegend gesprochen wird: _____
6. Sprache, die in einem bestimmten Fachgebiet verwendet wird: _____

b Lesen Sie den Text im Kursbuch A, Aufgabe 1a noch einmal und ordnen Sie zu.

1. Deutsch zählt zum
2. Die deutsche Standardsprache entwickelte sich aus
3. Das Wort „deutsch" bildete sich aus

4. Bei einigen deutschen Minderheiten gilt Deutsch
5. Die Standardsprache verbreitete sich erst, als
6. In vielen Regionen sind die Dialekte

7. Die deutsche Sprache wird von

a. ⌐⌐ als wichtige Verkehrssprache.
b. ⌐⌐ noch sehr lebendig.
c. ⌐⌐ ca. 100 Millionen Menschen in Europa gesprochen.
d. ⌐⌐ verschiedenen sprachlichen Varietäten.
e. ⌐⌐ einem germanischen Wort heraus.
f. ⌐⌐ man Wörterbücher druckte und die Schulpflicht einführte.
g. ⌐*1*⌐ westgermanischen Zweig der indo-europäischen Sprachen.

c Lesen Sie den Lexikonartikel über „sprachlich"/„-sprachig". Was passt in welchem Satz?

> **„sprachlich" / „-sprachig":** Das mit „-sprachig" zusammengesetzte Adjektiv meint eher den konkreten Sprachgebrauch: jd. spricht mehrere Sprachen: mehrsprachig; das Wörterbuch ist in zwei Sprachen geschrieben: ein zweisprachiges Wörterbuch. „Sprachlich" zeigt eher den Bezug auf eine Sprache im Allgemeinen: Das Kind ist sprachlich gut entwickelt = die Sprache betreffend gut entwickelt. Es wird auch häufig in Zusammensetzung verwendet, z. B. der fremdsprachliche Unterricht – Unterricht, in dem man eine Fremdsprache lernt.

1. In vielen Ländern gibt es Minderheiten, die Deutsch sprechen: *deutschsprachige* Minderheiten.
2. Der Text ist, was die Sprache betrifft, sehr gut geschrieben. Er ist _____ gut.
3. Die Länder, in denen Englisch gesprochen wird: die _____ Länder.
4. Der Teil des Textes, der die Fachsprache betrifft: der _____ Teil.
5. Der Unterricht in Fremdsprachen ist wichtig. Der _____ Unterricht ist wichtig.
6. „Kriegen" ist der Ausdruck in der Umgangssprache für „erhalten" in der Standardsprache. „Kriegen" ist ein _____ Ausdruck für das _____ Wort „erhalten".

2 innerhalb – außerhalb

a Lesen Sie die Sätze und ergänzen Sie die Regeln.

1. Innerhalb und außerhalb Europas gibt es deutschsprachige Minderheiten.
2. Bitte melden Sie sich innerhalb eines Monats für den Deutschkurs an, außerhalb dieser Frist ist leider keine Anmeldung mehr möglich.

❗ Die Präpositionen „innerhalb" und „außerhalb" stehen mit dem _____ . Sie können sich auf einen Zeitraum oder einen _____ beziehen.
In letzter Zeit werden „innerhalb" und „außerhalb" auch oft mit „von + Dativ" verwendet, z. B. innerhalb von einer Woche, außerhalb von Europa.

 B1: 198

b Bilden Sie Sätze aus folgenden Elementen.

1. innerhalb – wenige Monate – meine Kollegin – Deutsch – gut – lernen
2. innerhalb – meine Familie – sprechen – Dialekt – alle
3. außerhalb – die Familie – Standarddeutsch – alle – sprechen
4. ein Kind – seine Muttersprache – sollen – lernen – innerhalb – die ersten zwölf Lebensjahre

1. Innerhalb weniger Monate hat meine Kollegin gut Deutsch gelernt.

3 Einflüsse auf die deutsche Sprache und ihr Wandel

a Lesen Sie den Text im Kursbuch 2 nochmals. Welche Aussagen sind richtig? Kreuzen Sie an.

	r	f
1. Die ersten lateinischen Begriffe, die die Germanen aus dem Latein übernommen haben, waren Wörter aus dem geistlichen Leben.	☐	☐
2. Die lateinischen Begriffe sind schon lange eingedeutscht.	☐	☐
3. Die Wörter, die man aus anderen Sprachen übernimmt, nennt man Lehnwörter.	☐	☐
4. Die italienischen Begriffe kamen aus dem Bereich der Marine, des Bankwesens und der Musik.	☐	☐
5. Die Wörter aus dem Französischen kamen aus dem Bereich der Malerei.	☐	☐
6. Die englischen Lehnwörter nehmen extrem zu.	☐	☐
7. Es gibt viele italienische Verben im Deutschen.	☐	☐
8. Die Verwendung des Genitivs geht zurück.	☐	☐
9. Der Genitiv wird häufig durch ein anderes Wort mit einer Präposition ersetzt.	☐	☐

b Sprechen Sie mit Ihrem Partner / Ihrer Partnerin, welche Einflüsse es auf Ihre Sprache gibt. Machen Sie sich zuvor ein paar Notizen.

4 Grammatik auf einen Blick: Relativpronomen im Genitiv

a Bezieht sich der Genitiv als Possessiv auf ein Substantiv (**S**) oder gehört er als Ergänzung zu einem Verb (**V**)? Kreuzen Sie an.

	S	V
1. Italienisch ist eine Sprache, deren Klang vielen gefällt.	X	☐
2. Ein ungewöhnliches Wort, dessen er sich bedient hat, …	☐	X
3. Ein Wort, dessen Aussprache vielen schwerfällt, …	☐	☐
4. Russisch ist eine Sprache, deren Grammatik viele Lerner kompliziert finden.	☐	☐
5. Eine Gruppe, deren Sprache nicht bekannt ist, …	☐	☐
6. Der Schriftsteller, dessen wir heute gedenken, …	☐	☐

b Bilden Sie Relativsätze. Schreiben Sie in Ihr Heft.

1. Latein ist eine Sprache. Ihr Einfluss ist sehr groß gewesen.
   1. Latein ist eine Sprache, deren Einfluss sehr groß gewesen ist.

2. Ein Fremdwort ist ein Wort aus einer anderen Sprache. Seine Form und Aussprache sind unverändert geblieben.

3. Lehnwörter sind Wörter. Ihre Herkunft kennen oft nur noch Fachleute.

4. Der deutsche Wortschatz ist sehr groß. Man schätzt seinen Umfang auf ca. 500.000 Wörter.

5. Ungarn ist ein Land. Seine deutschsprachige Minderheit nimmt ab.

6. Südtirol liegt im Norden von Italien. Seine Einwohner sprechen meist auch Deutsch.

B Varietäten der Sprache

1 Standardsprache, Umgangssprache, Varietäten

a Lesen Sie den Fachtext zu den Besonderheiten der Umgangssprache und ordnen Sie die folgenden Sätze in die Tabelle ein. Zwei Sätze passen in zwei Kategorien.

Die Umgangssprache kann sich auf verschiedene Weise von der Standardsprache unterscheiden:

1. Im Wortschatz und bei Redewendungen: Wörter werden verkürzt: „was" statt „etwas", „rein" statt „hinein". Besondere umgangssprachliche „Übersetzungen" für bedeutungsgleiche standardsprachliche Wörter und Ausdrücke, z. B. toll = sehr gut, Kohle = Geld, (keinen) Bock haben = (keine) Lust
5   haben.

2. In der Grammatik: Hier gibt es Unterschiede z. B. bei der Wortstellung in Nebensätzen (Ich komme nicht, weil ich habe keine Zeit.), bei der Konjugation (Endungen werden weggelassen, z. B. hab ich, is gut) oder beim Gebrauch von Pronomen. (In der Umgangssprache sagt man oft „die / „der" statt „sie" / „er", z. B. Sie ruft morgen an. → Die ruft morgen an. In einer formellen Situation kann
10 dies sehr unhöflich sein).

3. Bei der Aussprache: Hier wird vieles weggelassen, verkürzt oder zusammengefügt, z. B. haste = hast du, Gemma! = Gehen wir!, Mach ma! = Mach mal!

---

1. Tolle Klamotten in diesem Laden!	4. Willste was essen?
2. Haste was, biste was!	5. Halt die Klappe!
3. So ein Blödmann!	6. Warte nicht mehr, weil er kommt nicht mehr.

Wortschatz / Redewendung	Grammatik	Aussprache
Satz: 1	Satz:	Satz:

b Schreiben Sie die Sätze aus 1a in Standardsprache. Benutzen Sie eventuell ein Wörterbuch.

In diesem Geschäft gibt es sehr schöne Kleider.

c Lesen Sie den Text im Kursbuch B, Aufgabe 1a, noch einmal. Ordnen Sie folgende Redewendungen der passenden Sprachschicht zu. Dabei haben 1 – 3 sowie 4 – 6 die gleiche Bedeutung.

1. Man muss die Dinge nehmen, wie sie kommen.	4. Is' schon o.k.!
2. Et kütt wie et kütt. (Kölsch)	5. Das ist schon in Ordnung.
3. Du musst's halt nehmen, wie's kommt.	6. Passt scho! (Bairisch / Österreichisch)

1. Standardsprache: _1_   2. Umgangssprache: _____   3. Dialekt: _____

d Wie heißen die Nomen? Ergänzen Sie die Artikel.

1. mischen: *die Mischung*	4. gebrauchen: _____
2. färben: _____	5. bezeichnen: _____
3. aussprechen: _____	6. beeinflussen: _____

e Varianten in DACHL – Was bedeutet der Satz?

Pi mal Daumen (D)
Daumen mal Pi (A)   Er verdient Pi mal Daumen 1400 Euro monatlich.
Handgelenk mal Pi (CH / FL)

f Lesen Sie zuerst den Fachtext zur Aussprache des Standarddeutschen. Hören Sie dann noch einmal die Sätze im Kursbuch B, Aufgabe 1c, und die Übung 1 im Phonetikteil. Haben Sie alle das Gleiche gehört? Sprechen Sie im Kurs.

🔊 172–177

[...] **Aussprache:**
Das Sprechtempo ist in der Schweiz im Durchschnitt langsamer als in Österreich oder Deutschland.
Harter Stimmeinsatz:
In Norddeutschland und Mitteldeutschland gibt es zwischen Wörtern oder Silben, die mit einem Vokal beginnen, eine kleine Pause, z. B. in „am Abend", „unangenehm", „verabredet"; in der süddeutschen, österreichischen und schweizerdeutschen Aussprache hingegen gibt es diese Pause nicht. Deshalb klingt die nord-/mitteldeutsche Aussprache für Schweizer und Österreicher oft hart.
Unbetonte Endsilben (Schwa-Laut):
Das „e" in den Endsilben „-en" und „-e" hört man im Deutschen kaum, z. B. die Wörter „geben" und „leider" werden so ausgesprochen: „gebn", „laida". In Österreich und der Schweiz werden sie so gesprochen wie man sie schreibt. Man hört in der Schweiz sogar das „r" am Ende.
Die Aussprache der Adjektivendung „-ig":
Bei Wörtern wie „wenig" und „eilig" wird die Endung im Süddeutschen und Österreichischen „hart" ausgesprochen, also „wenik", „eilik". Die Standardaussprache ist: „eilich", „wenich".

2 Die beliebtesten Dialekte in Deutschland

a Sprechen Sie darüber, welche Dialekte Sie sympathisch finden, welcher Dialekt des Deutschen Ihnen am wenigsten / am besten gefällt. Begründen Sie.

b Schauen Sie sich die beiden Graphiken an. Beide zeigen die Ergebnisse von Umfragen in Deutschland. Sprechen Sie mit Ihrem Partner / Ihrer Partnerin darüber, welche Dialekte am beliebtesten sind, weniger beliebt sind, usw.

Norddeutsch	34,9%	Sächsisch	34,4%
Bairisch	29,6%	keinen	32,6%
Schwäbisch	13,7%	Bairisch	15,8%
keinen	13,1%	Schwäbisch	6,8%
Sächsisch	9,5%	Berlinerisch	5,1%
Berlinerisch	7,8%	Norddeutsch / Platt	4,3%
Hessisch	5,5%	Hessisch	3,0%
Kölsch	5,3%	Ostdeutsch	2,0%
Rheinisches Platt	4,0%		
Fränkisch	3,4%		

© ... Institut für Deutsche Sprache – amandes, 2010

3 Sterben die Dialekte aus?

Der Dialektforscher Niedermeier wird gefragt, ob er glaube, dass die Dialekte aussterben. Lesen Sie sein Statement und diskutieren Sie in Kleingruppen darüber, ob er Recht hat oder nicht. Wie denken Sie darüber?

In Deutschland werden zahlreiche Dialekte gesprochen – allerdings immer weniger. Viele Mundarten sterben allmählich aus – vor allem in Norddeutschland. In Deutschland ist das ziemlich sicher der Fall. Selbst in bisher dialektresistenten Gebieten Bayerns oder Baden-Württembergs übernimmt die jüngste Generation heute nicht mehr die Dialekte ihrer Eltern. Für die Schweiz werden die Dialekte oder Mundarten in naher Zukunft noch nicht aussterben. Für Österreich ist das Bild noch nicht ganz klar. In Städten wie Wien und Berlin oder im Ruhrgebiet entwickelten sich in den letzten Jahren eine Art Stadtdialekte. Aber auch diese Tendenz geht zurück. Möglicherweise entstehen in den Großstädten unter dem Einfluss von Migrantensprachen neue Varietäten, die man jedoch nicht als Dialekte, sondern eher als Ethnolekte bezeichnen muss. Grund dafür ist sicher das geringe Prestige der Dialekte, die zunehmende Mobilität und die überregionale Kommunikation, sowie die vorherrschende Rolle der Standardsprache in den Medien. Ich bin fest davon überzeugt, dass sich dieser Trend weiterhin fortsetzt. Und genau deshalb werden die Dialekte in nicht allzu ferner Zeit ausgestorben sein.

C Wörter und Worte

1 Wort – Wörter – Worte

Das Wort „Wort" hat zwei Pluralformen: „Worte" und „Wörter", mit unterschiedlichen Bedeutungen. Lesen Sie den Auszug aus dem Online-Wörterbuch „Digitales Wörterbuch der deutschen Sprache" (www.dwds.de). Ordnen Sie die Sätze den verschiedenen Bedeutungen (1–6) zu.

Wort
neutr., -s / -es, Wörter
neutr., -s / -es, -e

1. **einsilbige oder mehrsilbige selbstständige sprachliche Einheit mit einem bestimmten Bedeutungsgehalt** *(Wörter)*
   ein einsilbiges, dreisilbiges, mehrsilbiges, kurzes, langes, zusammengesetztes, neues, veraltetes, mehrdeutiges, umgangssprachliches, fachsprachliches, fremdes, unbekanntes, schwieriges, derbes Wort […]
2. **mündlich oder schriftlich formulierte, sinnvolle Äußerung, Bemerkung** *(Worte)*
   das gesprochene, geschriebene, gedruckte Wort
   er beherrscht sein Fach, spricht mehrere Sprachen, kennt sich in Literatur und Kunst aus, spielt Tennis und läuft Ski, mit einem Wort: er ist sehr vielseitig […]
   er sagte kein Wort dazu
   denk an meine Worte!
   du solltest auf sein Wort, seine Worte hören (du solltest dich nach dem, was er sagt, richten)
   jmdn. bei seinem, beim Wort nehmen (von jmdm. verlangen, dass er das Gesagte, Versprochene ausführt)
   jmd. steht für seine Worte ein
   etw. in knappen Worten mitteilen
   mit anderen Worten: ich soll dir 2 000 Euro borgen
   nach Worten ringen
   ein Schwall von leeren, nichtssagenden, tönenden Worten
3. **mündliche Darlegung, Äußerung von Gedanken zu einem bestimmten Thema vor einem bestimmten Publikum** *(ohne Plural; ohne Verkl.)*
   sich (in einer Versammlung, Diskussion) zu Wort melden (durch Handzeichen zu erkennen geben, dass man zur Sache sprechen möchte)
4. **Zitat** *(Worte; ohne Verkl.)*
   ein bekanntes, klassisches Wort
5. **Text** *(Worte; ohne Verkl.)*
   das dichterische Wort
6. **(mündliches) Versprechen, (mündliche) Zusage, Ehrenwort** *(ohne Plural; ohne Verkl.)*
   jmd. gibt sein Wort
   zu seinem Wort stehen

	Bedeutung
1. Die Aussprache der Wörter „nichtsdestotrotz" und „Eichhörnchen" ist schwer.	*1*
2. Die Worte des Papstes haben uns beeindruckt.	⊔
3. Das Wörterbuch hat viele Wörter.	⊔
4. Die gefährlichste Weltanschauung ist die Weltanschauung derer, die die Welt nie angeschaut haben. (A. von Humboldt)	⊔
5. Du hast mir doch dein Wort gegeben.	⊔
6. Vergiss nicht die Worte deines Vaters.	⊔
7. In diesem Text sind 120 Wörter.	⊔
8. Ich übergebe nun Frau Prof. Becker das Wort.	⊔
9. Wenn du etwas sagen möchtest, dann musst du dich (zu Wort) melden.	⊔
10. Er hat mir das Wort abgeschnitten.	⊔
11. Ein Mann, ein Wort.	⊔

B1: 202

2 Bekannte Sprichwörter

Sprichwörter sind traditionelle, kulturelle Aussagen und drücken Lebenserfahrungen aus. In jeder Sprache gibt es sie. Zu den häufigsten Sprichwörtern im Deutschen gehören die folgenden. Ordnen Sie zu.

1. Wer A sagt,
2. Es ist nicht alles Gold,
3. Aller Anfang
4. Ohne Fleiß
5. Ausnahmen
6. Es ist noch kein Meister
7. Wenn sich zwei streiten,

8. Wer wagt,
9. Wer zuletzt lacht,
10. Irren
11. Kommt Zeit,
12. Andere Länder,
13. Ende gut,
14. Reden ist Silber,

a. ⎵ bestätigen die Regel.
b. ⎵ ist menschlich.
c. ⎵ alles gut.
d. ⎵ lacht am besten.
e. ⎵ Schweigen ist Gold.
f. ⎵*1* muss auch B sagen.
g. ⎵ was glänzt.

h. ⎵ andere Sitten.
i. ⎵ ist schwer.
j. ⎵ kein Preis.
k. ⎵ freut sich der Dritte.
l. ⎵ vom Himmel gefallen.
m. ⎵ gewinnt.
n. ⎵ kommt Rat.

3 Deutsche Wörter in anderen Sprachen

a Lesen Sie den nachfolgenden Sachtext. Aus welchen Bereichen stammen die deutschen Wörter? Ordnen Sie die Wörter und schreiben Sie sie in Ihr Heft.

Ein Germanismus ist ein deutsches Wort, das in einer anderen Sprache als Lehnwort oder Fremdwort integriert wurde. Die meisten Wörter werden in eine andere Sprache übernom-
5 men, wenn in der fremden Sprache für dieses Wort kein passendes Äquivalent existiert. Im **Polnischen** finden wir beispielsweise die Wörter *ezelbryk* (← *Eselsbrücke*), *wihajsta* (← *wie heißt er?*, mit der Bedeutung ‚kleines Ding /
10 Sache') und *nudle*. Das **Slowenische** hat aus dem Deutschen *erlaubati* (← *erlauben*), *tišlar* (← *Tischler*), *žemlja* (← *Semmel*) entlehnt. Im **Hebräischen** gibt es die Wörter *Gemut* (← *Gemüt*), *Gesheftmaker* (← *Geschäftemacher*),
15 *Fainshmeker* (← *Feinschmecker*) und *Strudel*, das auch der Namen für "@" geworden ist, sehr wahrscheinlich aufgrund seiner Form. Seit einigen Jahren benutzen viele Bildungsbürger in den **USA**, gerade in New York (aus dem Jiddi-
20 schen) deutsche Wörter wie *wunderbar*, *Pretzel* (← *Bre(t)zel*), *Strudel*, *Schadenfreude*. *Mensch* ist eine besonders nette und hilfsbereite Person, *Macher* ist eine Person, die sehr aktiv und selbstsicher ist. Im täglichen Gebrauch sind
25 auch *rucksack*, *Kindergarden*, *Kaffeeklatsching* und *Gesundheit*! Im **australischen Englisch** finden wir *Oom pah pah music* (← *Humtata*, typischer Rhythmus bzw. Volksmusik auf dem Oktoberfest), *Krauts* (← *Sauerkraut*, Schimpf-
30 name für die Deutschen), im **südafrikanischen Englisch** *Abseiling* (← *abseilen*, Extremsportart) und *glühwein*, in **Namibia** *Bratkartoffeln* und *Brötchen*. In **Japan** wird das Wort *arubeito*
(← *arbeiten*) für besonders hartes Arbeiten verwendet, sowie *ederuwaisu* (← *Edelweiß*).
35 Im **Russischen** findet man *schtepsl* (← *Stöpsel*) und *buterbrot* (← *Butterbrot*), was dort jedoch nicht nur für ein mit Butter bestrichenes Brot steht, sondern ein belegtes Brötchen ohne Butter bedeutet. Das **Türkische** hat die dialek-
40 tale Bezeichnung *Kumbir* (← *Grumbir*) für *Kartoffel* entlehnt, mit der Bedeutung einer mit verschiedenen Zutaten gefüllten Kartoffel. Im **Finnischen** kann man *Besservisser* (← *Besserwisser*) finden, und im **Französisch der Schweiz**
45 spricht man auch von *Neinsager*. Das **Spanische** hat *Weltanschauung* übernommen, das **Ungarische** *koffer* und *vicces* (← *witzig*) und sogar im **ägyptischen Arabisch** finden wir ein deutsches Wort: *ferkisch* (← *fertig*).
50 Das Adjektiv ***kaputt*** scheint eins der am häufigsten entlehnten Wörter zu sein. Im Amerikanischen Englisch hat es die gleiche Bedeutung wie im Deutschen, auch im kanadischen Französisch bedeutet es ‚etwas funktioniert
55 nicht mehr'. Im Französischen generell finden wir auch die Bedeutung ‚müde': ‚Ich bin kaputt' = ‚Ich bin müde'. In die ehemalige deutsche Kolonie Deutsch-Ostafrika (heute Tansania) sind einige deutsche Begriffe eingewandert,
60 die heute noch in der Landessprache Kiswahili gebräuchlich sind. Ein witziges Beispiel ist „nusu kaputt". Die Bedeutung von „nusu" ist „halb" und der komplette Begriff bedeutet „Narkose" (wörtlich: halb kaputt).
65

b Kennen Sie deutsche Wörter, die in Ihre Sprache integriert worden sind? Berichten Sie im Kurs, welche Bedeutung sie in Ihrer Sprache haben und wie man sie schreibt.

ᨂᨂᨂ DaF kompakt – mehr entdecken

1 Sprache – Spielen – Lernen

Sie können Ihre Deutschkenntnisse spielerisch trainieren. Probieren Sie die Angebote (einer) der folgenden Seiten aus und tauschen Sie sich mit ihrem Partner / Ihrer Partnerin über Ihre Erfahrungen beim Spielen aus. Manche Spiele kann man auch gemeinsam spielen.

Allgemeine Sprachspiele:
https://www.goethe.de/ins/pl/de/spr/ueb.html

Serious Game: Das Geheimnis der Himmelsscheibe
www.lernen.goethe.de/spiele/lernabenteuer/himmelsscheibe/en

Filme zum Thema „typisch Deutsch": Deutschlandlabor
www.goethe.de/deutschlandlabor

2 Über Sprache reflektieren: Relativsätze im Genitiv

Lesen Sie das Beispiel. Ergänzen Sie die Tabelle und vergleichen Sie im Kurs.

Deutsch	Englisch	andere Sprache(n)
1. der Mann, dessen Gedicht ich in der Zeitung las …	1. the man whose poem I read in the newspaper …	
2. die Frau, deren Gedicht ich in der Zeitung las …	2. the woman whose poem I read in the newspaper …	
3. das Mädchen, dessen Gedicht ich in der Zeitung las …	3. the girl whose poem I read in the newspaper …	
4. die Studenten, deren Gedichte ich in der Zeitung las …	4. the students whose poem I read in the newspaper …	

3 Miniprojekt: Vorlesewettbewerb

a Organisieren Sie einen Vorlesewettbewerb auf Deutsch.

Version A:
Jeder liest einen Text aus einem Buch seiner Wahl. Nennen Sie vor dem Lesen Titel und Autor Ihres Buches und erklären Sie kurz den inhaltlichen Zusammenhang zum vorbereiteten Textabschnitt. Dieser Textabschnitt sollte sich in einer Zeit von 3 Minuten vorlesen lassen.
Am Ende entscheidet der Kurs gemeinsam: Wer hat am ansprechendsten vorgelesen?
Tipp: Gut vorlesen bedeutet nicht, übertriebene schauspielerische Darbietungen vorzuführen; ebenso wenig wie auswendiges Abspulen von Sätzen. Entscheidend ist, dass Sie Ihren Textabschnitt sehr gut kennen, die richtige Betonung finden und möglichst ungekünstelt die Atmosphäre der Geschichte vermitteln können.

Version B:
Ihr Kursleiter / Ihre Kursleiterin wählt ein Buch aus (das die Kursteilnehmer / innen nicht kennen). Alle lesen der Reihe nach den Text vor, der Kursleiter / die Kursleiterin beginnt. Am Ende der Runde entscheiden Sie gemeinsam: Wer hat am ansprechendsten vorgelesen?

b Welchen Sinn hat das Vorlesen? Finden Sie Argumente.

⊔ Textverständnis, Eigenständigkeit und Medienkompetenz werden erweitert.
⊔ Das Sprechen vor Publikum fördert das Selbstbewusstsein, die Präsenz und die Kommunikationsfähigkeit.
⊔ Man lernt das aktive Zuhören und steigert sein Konzentrationsvermögen.
⊔ …

Der Börsenverein des Deutsch Buchhandels veranstaltet seit 1959 jährlich einen Vorlesewettbewerb für Kinder: www.vorlesewettbewerb.de

Deutsch in den DACH-Ländern

1 Deutsch ist unterschiedlich

Hören Sie folgende Wörter in den verschiedenen Aussprachevarietäten: D, A, CH. Was fällt auf? 🔊 178–180
Kreuzen Sie an. Vergleichen Sie im Kurs.

Bundesdeutsch	Österreichisches Deutsch		Schweizer Standarddeutsch	
1. beim Abendessen	klingt anders ⌐	gleich ⌐	klingt anders ⌐	gleich ⌐
2. reden	klingt anders ⌐	gleich ⌐	klingt anders ⌐	gleich ⌐
3. Sonne	klingt anders ⌐	gleich ⌐	klingt anders ⌐	gleich ⌐
4. Haus	klingt anders ⌐	gleich ⌐	klingt anders ⌐	gleich ⌐
5. Häuser	klingt anders ⌐	gleich ⌐	klingt anders ⌐	gleich ⌐
6. bei der Post	klingt anders ⌐	gleich ⌐	klingt anders ⌐	gleich ⌐
7. die Katze im Garten	klingt anders ⌐	gleich ⌐	klingt anders ⌐	gleich ⌐
8. der Tipp	klingt anders ⌐	gleich ⌐	klingt anders ⌐	gleich ⌐
9. richtig	klingt anders ⌐	gleich ⌐	klingt anders ⌐	gleich ⌐

2 Akzentuierung

a Hören Sie folgende Wörter in den drei Varietäten und markieren Sie den Akzent. 🔊 181–183

Bundesdeutsch	Österreichisches Deutsch	Schweizer Standarddeutsch
1. Büro	1. Büro	1. Büro
2. Journalist	2. Journalist	2. Journalist
3. Balkon	3. Balkon	3. Balkon
4. Kopie	4. Kopie	4. Kopie
5. ADAC	5. ADAC	5. ADAC
6. DVD	6. DVD	6. DVD
7. VW	7. VW	7. VW

b Wo ist hier der Akzent? Kreuzen Sie an. Vergleichen Sie Ihre Ergebnisse im Kurs. 👥👥👥

	Bundesdeutsch	Österreichisches Deutsch		Schweizer Standarddeutsch	
1. Büro	letzte Silbe	Akzent anders ⌐	gleich ⌐	Akzent anders ⌐	gleich ⌐
2. Journalist	letzte Silbe	Akzent anders ⌐	gleich ⌐	Akzent anders ⌐	gleich ⌐
3. Balkon	letzte Silbe	Akzent anders ⌐	gleich ⌐	Akzent anders ⌐	gleich ⌐
4. Kopie	letzte Silbe	Akzent anders ⌐	gleich ⌐	Akzent anders ⌐	gleich ⌐
5. ADAC	letzter Buchstabe	Akzent anders ⌐	gleich ⌐	Akzent anders ⌐	gleich ⌐
6. DVD	letzter Buchstabe	Akzent anders ⌐	gleich ⌐	Akzent anders ⌐	gleich ⌐
7. VW	letzter Buchstabe	Akzent anders ⌐	gleich ⌐	Akzent anders ⌐	gleich ⌐

3 Ein Gedicht – dreimal anders

a Hören Sie das Gedicht rechts in den drei Varietäten: D, A, CH.
In welcher Reihenfolge hören Sie es? Notieren Sie: D, A, CH. 🔊 184–186

Vortrag 1 ⌐   Vortrag 2 ⌐   Vortrag 3 ⌐

b Lesen Sie das Gedicht in 3a laut.

Es war eine Mutter,
die hatte vier Kinder,
den Frühling, den Sommer
den Herbst und den Winter.

Der Frühling bringt Blumen,
der Sommer den Klee,
der Herbst, der bringt Trauben,
der Winter den Schnee.

Informationen zur Prüfung

Wenn Sie DaF kompakt neu A1 durchgearbeitet haben, können Sie Ihre Deutschkenntnisse mit der Prüfung „Start Deutsch 1" nachweisen. So sieht die Prüfung aus:

Fertigkeit	Teil	Aufgabe	Zeit	Punkte
Hören	1	6 kurze Alltagsgespräche (zweimal hören)		
	2	4 Durchsagen (einmal hören)	ca. 20 Minuten	25
	3	5 Ansagen am Telefon (zweimal hören)		
Lesen	1	1 oder 2 Nachrichten		
	2	10 Anzeigen, je 2 zur Auswahl	ca. 25 Minuten	25
	3	5 Schilder / Aushänge		
Schreiben	1	5 Informationen in Formular ergänzen	ca. 20 Minuten	25
	2	Kurznachricht schreiben (dazu 3 Leitpunkte)		
Sprechen	1	Sich vorstellen		
	2	Fragen stellen und auf Fragen antworten	ca. 15 Minuten	25
	3	Um etwas bitten und auf Bitten antworten		

Bewertung: Bei jedem Prüfungsteil können Sie maximal 25 Punkte erreichen.

100 – 90 Punkte = sehr gut
89 – 80 Punkte = gut
79 – 70 Punkte = befriedigend
69 – 60 Punkte = ausreichend
    unter 60 = nicht bestanden

Hören

ca. 20 Minuten

🔊 187–193   **Hören, Teil 1**

Was ist richtig? Kreuzen Sie an: a, b oder c. Sie hören jeden Text zweimal.

Beispiel

0. Was sucht die Frau?
   a. ☒ Eine Bluse.   b. ☐ Eine Hose.   c. ☐ Einen Rock.

1. Wann kommt Frau Gruber wieder ins Büro?
   a. ☐ Am Montag.   b. ☐ Am Dienstag.   c. ☐ Am Mittwoch.

2. Wohin gehen die Leute?
   a. ☐ Ins Café.   b. ☐ Ins Restaurant.   c. ☐ In den Supermarkt.

3. Wann kommt der Zug in München an?
   a. ☐ Um 14.25 Uhr.   b. ☐ Um 14.35 Uhr.   c. ☐ Um 14.45 Uhr.

4. Wie viel kostet eine Kinokarte?
   a. ☐ 8,– €.   b. ☐ 9,– €.   c. ☐ 11,– €.

5. Was macht Emil zum Abendessen?
   a. ☐ Pizza.   b. ☐ Salat.   c. ☐ Suppe.

6. Welche Zimmernummer hat Herr Koller?
   a. ☐ 178.   b. ☐ 278.   c. ☐ 378.

Hören, Teil 2

🔊 194–198

Was ist richtig (r), was ist falsch (f)? Kreuzen Sie an. Sie hören jeden Text einmal.

	r	f
Beispiel		
0. Heute kommt man nicht zum Hauptbahnhof.	⊔	X̲
7. Fluggäste nach Hamburg müssen zu einem anderen Ausgang gehen.	⊔	⊔
8. Im Zugrestaurant gibt es nichts zu essen.	⊔	⊔
9. Tomaten gibt es heute nicht im Angebot.	⊔	⊔
10. Ein Auto steht falsch.	⊔	⊔

Hören, Teil 3

🔊 199–204

Was ist richtig? Kreuzen Sie an: a, b oder c. Sie hören jeden Text zweimal.

Beispiel

10. Wann kann man Herrn Maier anrufen?
   a. ⊔ Heute ab 10.00 Uhr.
   b. ⊔ Morgen ab 9.00 Uhr.
   c. X̲ Morgen ab 10.00 Uhr.

11. Wo wohnt Markus?
   a. ⊔ In der Bachstraße.
   b. ⊔ Am Mozart-Platz.
   c. ⊔ In der Steinstraße.

12. Wann hat Iris morgen Zeit?
   a. ⊔ Um 14.00 Uhr.
   b. ⊔ Um 15.00 Uhr.
   c. ⊔ Um 17.00 Uhr.

13. Wann kann Sebastian die Wäsche abholen?
   a. ⊔ Am Montag.
   b. ⊔ Am Freitag.
   c. ⊔ Am Samstag.

14. Wo hat Michael einen Tisch reserviert?
   a. ⊔ Bei Francesco.
   b. ⊔ In der Pizzeria Napoli.
   c. ⊔ Im Restaurant Blaustern.

15. Wie möchte Frau Studer die Informationen?
   a. ⊔ In einer E-Mail.
   b. ⊔ Mit der Post.
   c. ⊔ Am Telefon.

Lesen

ca. 25 Minuten

Lesen, Teil 1

Lesen Sie die beiden Texte und die Aufgaben 1–5. Kreuzen Sie an: richtig (r) oder falsch (f).

	r	f
Beispiel		
0. Vera hat viel Arbeit.	⊔	X̲

Hi Vera,
muss noch viel arbeiten und bleibe heute bis 18.00 Uhr im Büro. Kannst du bitte einkaufen? Für das Frühstück brauchen wir noch Milch und Butter. Brot bringe ich mit. Bin um 19.00 Uhr zu Hause.
Tschau Leon

Hallo Leute,
hier alle Informationen für unseren Ausflug nach Rügen: Wir treffen uns am Samstag um 7.15 Uhr im Bahnhof, direkt am Gleis 1. Seid pünktlich, der Zug fährt schon um 7.22 Uhr ab!! Ihr müsst keine Fahrkarte kaufen, denn ich habe eine Gruppenkarte für uns alle gekauft. Der Zug zurück fährt um 21.04 Uhr ab und kommt in Greifswald um 22.36 Uhr an.
Liebe Grüße und bis Samstag ☺ Franzi

	r	f
1. Leon kommt um sieben.	⊔	⊔
2. Vera muss Brot kaufen.	⊔	⊔

	r	f
3. Treffpunkt ist am Gleis.	⊔	⊔
4. Alle müssen eine Fahrkarte kaufen.	⊔	⊔
5. Der Zug zurück fährt um 22.36 Uhr ab.	⊔	⊔

Lesen, Teil 2

Lesen Sie die Texte und die Aufgaben 6 bis 10. Wo finden Sie Informationen? Kreuzen Sie an: **a** oder **b**.

Beispiel

0. Sie suchen für 4 Wochen ein preiswertes Zimmer in Wien.

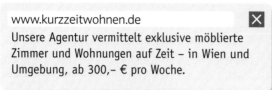

www.kurzzeitwohnen.de
Unsere Agentur vermittelt exklusive möblierte Zimmer und Wohnungen auf Zeit – in Wien und Umgebung, ab 300,– € pro Woche.

www.Pension-Weber.at
Zimmer mit Dusche / WC im Zentrum von Wien, auch wochenweise, ab 20,– € pro Tag.

a. ☐ www.kurzzeitwohnen.de　　b. ☒ www.pension-weber.at

6. Sie möchten ein billiges Auto kaufen.

www.autohaus-danner.com
DER Platz für gebrauchte Autos in Süddeutschland!! Bei uns finden Sie auf 9.000 m² ca. 1000 Autos – schon ab 2000 Euro!

www.autohaus-baerer.de
Mercedes, Ferrari, Porsche, ...
Ihr Traumauto bei Bärer!
Machen Sie eine Probefahrt! Wir laden Sie ein.

a. ☐ www.autohaus-danner.com　　b. ☐ www.autohaus-baerer.de

7. Sie möchten am Abend Sport machen.

www.lauftreff-bürger-allee.de
Lust auf Bewegung mit Gleichgesinnten?
Wir treffen uns jeden Montag und Mittwoch in der Bürger-Allee um 6.30 Uhr für 1 Stunde Morgensport.

www.sport-tut-gut.ch
Die Gruppe **„Tischtennis im Park"** sucht begeisterte Ping-Pong-SpielerInnen.
Treffpunkt: Stadtpark, Eingang Ost
Wann? Jeden Dienstag, 18.30 Uhr.

a. ☐ www.lauftreff-bürger-allee.de　　b. ☐ www.sport-tut-gut.ch

8. Ihre Freundin studiert und möchte nachmittags ein paar Stunden pro Woche jobben.

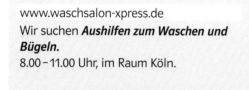

www.waschsalon-xpress.de
Wir suchen ***Aushilfen zum Waschen und Bügeln.***
8.00 – 11.00 Uhr, im Raum Köln.

www.studi-babysitter.de
Gesucht: Kinderbetreuung für 3 Tage pro Woche.
2 Kinder um 16.00 Uhr vom Kindergarten abholen und bis 18.00 Uhr betreuen.

a. ☐ www.waschsalon-xpress.de　　b. ☐ www.studi-babysitter.de

9. Sie suchen Freizeitpartner am Wochenende.

www.lesen-und-cafe.de
Lieben Sie Literatur?
Wir treffen uns jeden Sonntagnachmittag im „Literaturcafé" am Karlsplatz und sprechen über unsere Lieblingsbücher.

Theater-Fans e. V.
Hallo Theater-Interessierte!
Wir gehen regelmäßig einmal pro Monat am Donnerstagabend ins Theater oder in die Oper.
Kommen Sie doch mit!

a. ☐ www.lesen-und-cafe.de　　b. ☐ Theater-Fans e. V.

10. Sie brauchen neue Gartenstühle.

www.moebel-winter.com ☒	www.einrichten-mayer.com ☒
Endlich Frühling! Die neuen Gartenmöbel sind da: alles vom Gartentisch bis zur Hollywood-schaukel!	**Jede Woche neue Angebote:** noch bis Freitag: 10 % Preisnachlass auf alle Sessel, Sofas und Schränke für Ihr Wohn-zimmer

a. ⌴ www.moebel-winter.com   b. ⌴ www.einrichten-mayer.com

Lesen, Teil 3

Lesen Sie die Texte und die Aufgaben 11–15. Kreuzen Sie an: richtig (r) oder falsch (f).

Beispiel

0. Im Schaufenster von einem Kleidergeschäft

> **Die neue Sommermode für die modebewusste Frau ist da:** trendy Blusen, Röcke, Kleider, Hosen und vieles mehr!!!

Hier kann man Herrenhosen kaufen.   r ⌴   f ⌴X⌴

13. Am Fenster von einem Restaurant

> Liebe Gäste, **Wir feiern unseren 3. Geburtstag!** Diese Woche kosten alle Mittagsmenüs nicht 7,50 €, sondern nur 5,50 €.

Ein Menü kostet jetzt 7,50 €.   r ⌴   f ⌴

11. An der Tür von einer Wäscherei

> Wir haben leider heute den ganzen Tag und morgen bis 12.00 Uhr geschlossen. Denn wir bekommen eine neue Heizung.

Die Wäscherei hat heute am Nachmittag geöffnet.   r ⌴   f ⌴

14. Bei der Straßenbahn

> Sehr geehrte Fahrgäste! Ab dem 22. August fährt die Straßenbahn-Linie 2 zwischen 21.00 Uhr und 6.00 Uhr nur bis Rathausplatz. Fahrgäste zur Weiterfahrt zur Winterthurerstraße nehmen bitte ab Rathaus-platz die Bus-Linie 28.

Am 24. August fährt die Linie 2 nicht zum Rathausplatz.   r ⌴   f ⌴

12. An der Tür von Frau Professor Haberleitner

> Liebe Studierende, am 15. April habe ich keine Sprechstunde. Am 22. April bin ich aber wieder 2 Stunden (15.00–17.00 Uhr) für Sie da. Silvia Haberleitner

Frau Professor Haberleitner ist am 15. April nicht da.   r ⌴   f ⌴

15. An der Tür von einer Ärztin

> **Dr. Ingrid Steiner** Ärztin für Allgemeinmedizin Sprechzeiten: Mo., Do.: 13.00 – 17.00 Di.: 15.00 – 19.00 Mi., Fr.: 8.00 – 12.00 ohne Voranmeldung

Am Mittwochvormittag kann man zu Frau Dr. Steiner gehen.   r ⌴   f ⌴

Schreiben

Schreiben, Teil 1

Ihr Freund Eric Ewol (31) möchte seine Tochter Lisa (5) zu einem Schwimmkurs für Anfänger am Nachmittag anmelden. Herr Ewol wohnt mit seiner Familie in der Goethestraße 125 in 45127 Essen. In dem Formular fehlen fünf Informationen. Helfen Sie Ihrem Freund und schreiben Sie die fehlenden Informationen in das Formular.

Kinder-Schwimmkurse „Seestern" – Anmeldeformular

Ich möchte folgende Person zu einem Schwimmkurs für Anfänger anmelden:

Nachname: _Ewol_ _____ [0]
Vorname: _____ [1]
Straße / Haus-Nr. _Goethestr._ _____ [2]
Postleitzahl / Ort: _45127_ _____ [3]
Alter: _____ Jahre [4]
Die Person möchte folgenden Kurs besuchen: [5]
Vormittagskurs   (9.00 – 10.00 Uhr)   ⊔
Nachmittagskurs (15.00 – 16.00 Uhr)   ⊔
Abendkurs   (18.00 – 19.00 Uhr)   ⊔

Schreiben, Teil 2

Sie möchten im Mai Wien besuchen. Schreiben Sie an die Touristeninformation.

– Warum schreiben Sie?
– Informationen über Sehenswürdigkeiten, Museen, Kulturprogramm?
– Hoteladressen?

Schreiben Sie zu jedem Punkt ein bis zwei Sätze.
Schreiben Sie auch eine Anrede und einen Gruß am Schluss (ca. 30 Wörter).

Sprechen

Sprechen, Teil 1: Sich vorstellen

Stellen Sie sich vor und sagen Sie etwas zu folgenden Punkten.

– Name?
– Alter?
– Land?
– Wohnort?
– Sprachen?
– Beruf / Schule / Studium?
– Hobby?

Ich heiße Rodrigo, bin 22 Jahre alt und komme aus …

Mögliche Zusatzfragen vom Prüfer oder der Prüferin: Ihren Namen buchstabieren oder Ihre Telefonnummer nennen.

Sprechen, Teil 2: Um Informationen bitten und Informationen geben

Sie bekommen zwei Karten mit einem Wort, eine Karte zu Thema A (hier: Freizeit), eine Karte zu Thema B (hier: Essen). Stellen Sie zu dem Wort auf Ihrer Karte eine Frage und antworten Sie auf die Frage von einem anderen / einer anderen aus Ihrer Gruppe. Sprechen Sie zuerst über das Thema Freizeit, dann über das Thema Essen.

Thema Freizeit	Thema Freizeit	Thema Freizeit
Wochenende	Sport	Urlaub

Was machst du
am Wochenende?

Thema Freizeit	Thema Freizeit	Thema Freizeit
Kino	Freunde	Lesen

Ich schlafe lange.

Thema Essen	Thema Essen	Thema Essen
Kochen	Gemüse	Frühstück

Thema Essen	Thema Essen	Thema Essen
Fleisch	Lieblingsessen	Sonntag

Sprechen, Teil 3: Bitten formulieren und darauf reagieren

Sie bekommen zwei Karten mit einem Bild oder einem Wort. Formulieren Sie zu den Bildern oder Wörtern auf Ihren zwei Karten eine Bitte und antworten Sie auf die Bitten von einem anderen / einer anderen aus Ihrer Gruppe.

Gib mir bitte einen Stift!   Ja gern, hier ist er.

Informationen zur Prüfung

Wenn Sie DaF kompakt neu A2 durchgearbeitet haben, können Sie Ihre Deutschkenntnisse mit der Prüfung Goethe-Zertifikat A2 (früher Start Deutsch 2) nachweisen. So sieht die Prüfung aus:

Fertigkeit	Teil	Aufgabe	Zeit	Punkte
Hören	1	Informationen im Radio, Nachrichten auf dem Anrufbeantworter, Durchsagen	ca. 25 Minuten	25 (Punkte x 1,25)
	2	Gespräch zwischen zwei Personen		
	3	Kurze Einzelgespräche		
	5	Radiointerview		
Lesen	1	Medientext (z. B. Zeitungsartikel)	ca. 30 Minuten	25 (Punkte x 1,25)
	2	Informationstafeln, Veranstaltungsprogramme etc.		
	3	Korrespondenz (z. B. E-Mail)		
	4	Anzeigen		
Schreiben	1	Persönliche Mitteilung schreiben	ca. 20 Minuten	25 (Punkte x 1,25)
	2	Halbformelle Mitteilung schreiben		
Sprechen	1	Informationen zur Person austauschen (Gespräch mit einem / einer anderen Prüfungsteilnehmenden)	ca. 15 Minuten, Paarprüfung	25 (Punkte x 1,25)
	2	Ausführlich nähere Informationen zum eigenen Leben geben (Gespräch mit Prüfendem / -er)		
	3	Unternehmung planen und aushandeln (Gespräch mit einem / einer anderen Prüfungsteilnehmenden		

Bewertung: Bei jedem Prüfungsteil können Sie maximal 25 Punkte erreichen.

100 – 90 Punkte = sehr gut   79 – 70 Punkte = befriedigend   unter 60 = nicht bestanden
 89 – 80 Punkte = gut   69 – 60 Punkte = ausreichend

Hören

ca. 30 Minuten

Hören, Teil 1

🔊 205 – 209   Sie hören fünf kurze Texte. Sie hören jeden Text **zweimal**.
Wählen Sie für die Aufgaben 1 bis 5 die richtige Lösung: **a**, **b** oder **c**.

1. Wie ist das Wetter morgen?
   a. ⊔ Im Norden scheint die Sonne.
   b. ⊔ Im Süden und Osten regnet es.
   c. ⊔ In der Nacht sind es überall 13 Grad.

2. Wann muss Tina arbeiten?
   a. ⊔ Heute.
   b. ⊔ Am Wochenende.
   c. ⊔ Am Montag.

3. Warum können die Kunden nicht in die Tiefgarage gehen?
   a. ⊔ Weil es regnet.
   b. ⊔ Weil die Elektriker dort arbeiten.
   c. ⊔ Weil man dort nichts sieht.

4. Wann kann Frau Koch zu Dr. Rapp kommen?
   a. ⊔ Heute um 16 Uhr.
   b. ⊔ Heute um 18 Uhr.
   c. ⊔ Morgen um 10 Uhr.

5. Was will Sibel Kathrin schenken?
   a. ⊔ Einen Spiegel.
   b. ⊔ Ein Küchengerät.
   c. ⊔ Eine Pflanze.

Hören, Teil 2

🔊 210

Sie hören ein Gespräch. Sie hören den Text **einmal**. Was machen Hannah und Julian in der Woche?

Wählen Sie für die Aufgaben 6 bis 10 ein passendes Bild aus a bis i.
Wählen Sie jeden Buchstaben nur einmal. Sehen Sie sich zuerst die Bilder an.

Aufgabe	0	6	7	8	9	10
Tag	Montag	Dienstag	Mittwoch	Donnerstag	Freitag	Samstag
Lösung	i					

Hören, Teil 3

🔊 211–215

Sie hören fünf kurze Gespräche. Sie hören jeden Text **einmal**.
Wählen Sie für die Aufgaben 11 bis 15 die richtige Lösung: **a**, **b** oder **c**.

11. Wofür muss der Nachmieter eine Ablöse zahlen?

    a. ⊔
    b. ⊔
    c. ⊔

12. Was gab es auf der Party zu essen?

    a. ⊔
    b. ⊔
    c. ⊔

13. Was wollen die Frauen auf der Hochzeit anziehen?

    a. ⊔
    b. ⊔
    c. ⊔

14. Was will der Mann nicht auf die Reise mitnehmen?

    a. ⊔
    b. ⊔
    c. ⊔

15. Was hatte der Mann in seinem Portemonnaie?

    a. ⊔
    b. ⊔
    c. ⊔

🔊 216 **Hören, Teil 4**

Sie hören ein Interview. Sie hören den Text **zweimal**.
Wählen Sie für die Aufgaben 16 bis 20 „**Ja**" oder „**Nein**".
Lesen Sie jetzt die Aufgaben.

Beispiel

	r	f
Mathias ist vor zwei Jahren nach Berlin gezogen.	X	
16. Mathias hat in Stuttgart keinen Studienplatz gefunden.		
17. Seine Mutter fand es gut, dass er noch Berlin gegangen ist.		
18. Mathias' Geschwister haben im Ausland studiert.		
19. Mathias wohnt zurzeit bei seinen Eltern.		
20. Die Weihnachtsferien verbringt Mathias in Berlin.		

Lesen

ca. 30 Minuten

Lesen, Teil 1

Sie lesen in einer Zeitung diesen Text.
Wählen Sie für die Aufgaben 1 bis 5 die richtige Lösung: **a**, **b** oder **c**.

Beispiel
0. Hajo Schleifer …
    a. ⌣X hat ein halbes Jahr nur Dialekt gesprochen.
    b. ⌣ spricht heute nur noch Kölsch.
    c. ⌣ kann nicht gut Hochdeutsch sprechen.

1. Hajo Schleifer hat erlebt, dass …
    a. ⌣ sich die Leute freuen, wenn er sie auf Kölsch anspricht.
    b. ⌣ auf der Straße niemand mehr Kölsch spricht.
    c. ⌣ man ihn manchmal nicht versteht, wenn er Kölsch spricht.

2. Die Kölschsprecher …
    a. ⌣ sprechen nur Kölsch.
    b. ⌣ sprechen kein Kölsch.
    c. ⌣ sind meistens ältere Leute.

3. Die Menschen sprechen nicht mehr Kölsch, weil …
    a. ⌣ es in der Schule verboten war.
    b. ⌣ die Eltern nicht mehr mit ihren Kindern Kölsch gesprochen haben.
    c. ⌣ die junge Generation den Dialekt nicht mehr lernen wollte.

4. Hajo Schleifer freut sich, denn …
    a. ⌣ die Menschen interessieren sich für den Dialekt.
    b. ⌣ alle Kölner Bands singen auf Kölsch.
    c. ⌣ alle Kölner wollen wieder Kölsch lernen.

5. Dieser Text …
    a. ⌣ informiert über die sprachliche Situation in Köln.
    b. ⌣ gibt Ratschläge für Kölschsprecher.
    c. ⌣ informiert über die Sprachprobleme von Rentnern in Köln.

„Sechs Mond Kölsch" – sechs Monate Kölsch

Der Rentner Hajo Schleifer (72) schreibt Lieder, Gedichte und kleine Geschichten im Kölner Dialekt. Im letzten Jahr hat er für ein Experiment sechs Monate lang kein Hochdeutsch, sondern nur „Kölsch" gesprochen. Er wollte herausfinden, welche Rolle der Dialekt heute noch spielt.

Er setzte sich neben Menschen auf Parkbänke oder sprach Fremde im Café an. Dabei musste er feststellen, dass

5 man auf den Straßen von Köln und im Alltag nur noch selten Kölsch spricht. In einer Kölner Sparkasse wollte ein Angestellter sogar einen Kollegen rufen, der übersetzten sollte. Schleifer schätzt, dass nur noch 3 bis 5 Prozent der Kölner Kölsch sprechen. Und die wenigen Kölschsprecher sind meistens schon relativ alt.

Warum verschwindet ein Dialekt? Die Antwort ist ganz einfach: Die junge Generation lernt ihn nur, wenn die Alten ihn weitergeben. Aber genau das ist seit Jahrzehnten in Köln nicht passiert. Hajo Schleifer hat das selbst

10 erlebt. Sein Vater hat ihm als Kind gesagt: „Sprich richtig". Und richtig sprechen hieß „Hochdeutsch sprechen". Hajo Schleifer bleibt dennoch optimistisch: Zwar hört man im Alltag kaum noch Kölsch, aber die Menschen interessieren sich für den Dialekt, auch wenn sie ihn selbst nicht mehr sprechen. Er freut sich deshalb über die vielen neuen Kölner Musikbands, die auf Kölsch singen und nicht nur in Köln bekannt sind. Schliefer glaubt: „Die Menschen wünschen sich eine Sprache, mit der sie sich identifizieren können und die ihnen sagt: Wir ge-

15 hören zusammen."

Lesen, Teil 2

Sie lesen das Informationsblatt zum „Tag der offenen Tür" an der Volkshochschule.
Lesen Sie die Aufgaben 6 bis 10 und den Text.
In welchen Stock gehen Sie? Wählen Sie die richtige Antwort **a**, **b** oder **c**.

Beispiel

0. Sie möchten ein zweisprachiges Wörterbuch kaufen.
   a. ⌐ 1. Stock
   b. ⌐X 2. Stock
   c. ⌐ anderer Stock

6. Sie wollen Informationen zu einem Gymnastikkurs.
   a. ⌐ Erdgeschoss
   b. ⌐ 2. Stock
   c. ⌐ anderer Stock

7. Sie wollen mit anderen singen.
   a. ⌐ Keller
   b. ⌐ 3. Stock
   c. ⌐ anderer Stock

8. Sie wollen sich für den Yoga-Kurs anmelden.
   a. ⌐ Keller
   b. ⌐ Erdgeschoss
   c. ⌐ anderer Stock

9. Sie möchten Kaffee trinken und eine Kleinigkeit essen.
   a. ⌐ Erdgeschoss
   b. ⌐ 1. Stock
   c. ⌐ anderer Stock

10. Ihr Kind möchte in den Sommer- ferien einen Gitarrenkurs besuchen.
    a. ⌐ 2. Stock
    b. ⌐ 3. Stock
    c. ⌐ anderer Stock

Tag der offenen Tür an der Volkshochschule: Wo finden Sie welche Veranstaltung?

3. Stock:	Computerräume: Senioren-Kurse | Musikzimmer: Instrumente ausprobieren | Küche: Kochen mit Claudine – französische Vorspeisen zum Probieren
2. Stock:	Yoga zur Probe | Sprachenpräsentation: in 10 Sprachen grüßen lernen | Büchertisch: Lehrmaterialien für Sprachkurse | Spielecke für Kinder | Kursteilnehmer stellen aus: „Natur im Bild"
1. Stock:	Foto-Ausstellung „Unser Stadtteil" | Café und Snacks | Informationen über die Kinderkurse in den Ferien
Festsaal:	Kursleiter kennenlernen | Toilette mit Wickeltisch
Erdgeschoss:	Anmeldung: heute 15 % Rabatt auf alle Kurse bei Barzahlung | Sekretariat: Informationen über alle Kurse in den Bereichen Fremdsprachen und Computer | Getränkeautomat
Keller:	Sporthalle: Vorführung Bodenturnen | Beratung für Sportkurse mit Fitnesstest | Chorprobe zum Mitsingen

---

Lesen, Teil 3

Sie lesen eine E-Mail. Wählen Sie für die Aufgaben 11 bis 15 die richtige Lösung: **a**, **b** oder **c**.

Liebe Kristin,

du fragst dich sicher, warum ich dir aus unserem Kurzurlaub in München eine so lange Mail schreibe. Das kam so: Am Freitagmorgen sind Moritz und ich wie geplant nach München geflogen. Vor dem Abflug habe ich auf meiner Wetter-App gesehen, dass es schneien soll. Als wir in München ankamen, waren es minus fünf Grad, in Hamburg waren es 10 Grad mehr! Schnee gab es aber nur
5 in den Bergen.
Wir haben im Hotel eingecheckt, unsere Koffer abgestellt und sofort die Münchner Sehenswürdig-keiten besucht. Obwohl es so kalt war, waren sehr viele Touristen auf den Straßen. In einem Kauf-haus hat sich Moritz ein Paar Handschuhe gekauft, denn seine Finger waren schon ganz blau vor Kälte. Wir waren den ganzen Tag in der Stadt unterwegs.
10 In einem typischen Münchner Lokal haben wir zu Abend gegessen. Dort habe ich verschiedene bayerische Spezialitäten probiert, aber Moritz natürlich nicht. Du kennst ihn ja. Er isst nur, was er kennt. Etwas Neues ausprobieren kommt für ihn nicht in Frage. Mir hat am besten der Leberkäse geschmeckt.
In der Nacht hat es sehr viel geschneit und als wir am Samstagmorgen aufgewacht sind, war alles
15 weiß. Geplant war der Besuch vom Deutschen Museum, aber weil wir so viel Schnee noch nie ge-sehen haben, wollten wir zum Schlittenfahren in den Englischen Garten. Der Hotelbesitzer hat uns seinen Schlitten geliehen und wir sind losgegangen. Nach nicht einmal 100 Metern bin ich im Schnee ausgerutscht und aufs Knie gefallen. Mit dem Schlitten hat mich Moritz zum Hotel zurück-gebracht.
20 Ein Arzt – seine Praxis ist neben dem Hotel – hat mein Knie untersucht und gesagt, ich soll min-destens eine Woche nicht laufen. Moritz wollte aber unbedingt Schlitten fahren und ich sitze jetzt allein im Hotelzimmer, schreibe E-Mails und warte auf den Rückflug am Montagabend …
Ein Winterwochenende in München habe ich mir anders vorgestellt.

Viele Grüße
Lizzy

11. Als Lizzy und Moritz in München ankamen, …
   a.⎵ hat es geschneit.
   b.⎵ war es nicht so kalt wie in Hamburg.
   c.⎵ war es viel kälter als in Hamburg.

12. Weil es sehr kalt war, …
   a.⎵ musste sich Moritz Handschuhe kaufen.
   b.⎵ haben sie sofort im Hotel eingecheckt.
   c.⎵ waren nicht viele Touristen in der Stadt.

13. In einem Münchner Restaurant …
   a.⎵ hat Moritz nur wenig gegessen.
   b.⎵ hat Lizzy etwas typisch Bayerisches gegessen.
   c.⎵ haben Lizzy und Moritz bayerische Spezialitäten probiert.

14. Am Samstagmorgen …
   a.⎵ sind sie im Englischen Garten Schlitten gefahren.
   b.⎵ sind sie zuerst ins Deutsche Museum gegangen.
   c.⎵ hat sich Lizzy auf dem Weg zum Englischen Garten verletzt.

15. Lizzy sitzt im Hotelzimmer, weil …
   a.⎵ sie keine Lust mehr zum Schlittenfahren hat.
   b.⎵ weil sie sich München anders vorgestellt hat.
   c.⎵ sie nicht mehr laufen kann.

Lesen, Teil 4

Sechs Studenten suchen im Internet nach Nebenjobs.
Lesen Sie die Aufgaben 16 bis 20 und die Anzeigen a bis f.
Welche Anzeige passt zu welcher Person? Für eine Aufgabe gibt es keine Lösung. Markieren Sie so X.
Die Anzeige aus dem Beispiel können Sie nicht mehr wählen.

Beispiel

Tanja macht ihren Master in Chemie und sucht einen Teilzeitjob in diesem Bereich. *f*

16. Anne-Kathrin studiert Germanistik und Hispanistik und möchte von zu Hause aus arbeiten. ⊔
17. Tom hat schon oft in Lokalen gearbeitet und möchte samstagsabends als Kellner jobben. ⊔
18. Fahri fährt gerne Auto und sucht einen Teilzeitjob. ⊔
19. Boris möchte nachts arbeiten, aber er möchte keinen Schreibtischjob. ⊔
20. Marie studiert Französisch und Spanisch und sucht einen Job als Sprachlehrerin oder Übersetzerin. ⊔

a.
www.wirtschaftsclub-am-rhein.de

Studenten als Kellner für unser Restaurant und unsere Clubräume gesucht.
Wenn Sie flexibel und teamfähig sind, schicken Sie uns Ihre Bewerbung. Arbeitszeiten nach Bedarf, an Wochentagen, meistens am Abend (nie am Wochenende).
Vergütung: 12 Euro / Stunde.

d.
www.rheinterrassen.de

Wir suchen für unsere Biergärten am Rheinufer studentische Hilfskräfte in der Küche und im Service.

Arbeitszeiten: Mo – Fr, 18 – 22 Uhr oder Sa, 18 – 24 Uhr.
Voraussetzung: Erfahrung in der Gastronomie.

b.
www.gourmet-kurier.de

Lieferdienst sucht Kuriere

Verdiene bis zu 14 Euro pro Stunde als Kurierfahrer. Unsere Kuriere liefern Essen aus Restaurants nach Hause. Hast du einen Führerschein Klasse B? Bist du bereit, mindestens 15 Stunden pro Woche zu arbeiten?
Arbeitszeiten: 12 – 15 Uhr und 18 – 23 Uhr.
Dann bist du bei uns genau richtig.

e.
www.flughafenlogistik.de

Wir suchen Logistik-Helfer am Flughafen.

Ihre Aufgaben: Container beladen und entladen, Scannen und Sortieren von Paketen.
Voraussetzung: gute körperliche Kondition,
Arbeitszeiten: Mo – Fr, 22.00 – 03.00 Uhr.
Sie haben keine Angst vor harter körperlicher Arbeit? Dann bewerben Sie sich.

c.
www.reisetipps.de

Wir suchen Autoren, deren Muttersprache Deutsch, Englisch, Spanisch, Italienisch oder Französisch ist.
Du schreibst Texte über Reiseziele in aller Welt. Arbeitsort und Arbeitszeiten bestimmst du! Für jeden Text zahlen wir dir ein Honorar.
Voraussetzung: gute Grammatik- und Rechtschreibkenntnisse in deiner Muttersprache und Interesse an anderen Kulturen.

f.
www.linasol-chemie.de

Wir suchen wir unser Labor eine / n Werkstudenten / in für 20 Stunden pro Woche.

Voraussetzung: Mindestens 3. Semester Chemiestudium.
Wir bieten einen interessanten Arbeitsplatz.
Arbeitszeiten: nach Vereinbarung (vor allem am Nachmittag).

Schreiben

Schreiben, Teil 1

Sie müssen heute länger in der Universität bleiben und schreiben eine SMS an Ihren Freund Marco, mit dem Sie sich verabredet haben.

– Entschuldigen Sie sich, dass Sie zu diesem Treffen nicht kommen können.
– Schreiben Sie, warum.
– Nennen Sie einen neuen Ort und eine neue Uhrzeit für das Treffen.

Schreiben Sie 20 bis 30 Wörter. Schreiben Sie etwas zu allen drei Punkten.

Schreiben, Teil 2

Ihre Chefin, Frau Lorenz, feiert bald ihr Dienstjubiläum. Sie hat Ihnen eine Einladung zu ihrer Feier in einem Restaurant geschickt. Schreiben Sie Frau Lorenz eine E-Mail.

– Bedanken Sie sich und sagen Sie zu.
– Informieren Sie, dass Sie auf der Feier fotografieren wollen.
– Fragen Sie nach dem Weg zum Restaurant.

Schreiben Sie 30 bis 40 Wörter. Schreiben Sie etwas zu allen drei Punkten.

Sprechen

Sprechen, Teil 1

Sie bekommen vier Karten und stellen mit diesen Karten vier Fragen. Ihr Partner / Ihre Partnerin antwortet.

Fragen zur Person	Fragen zur Person	Fragen zur Person	Fragen zur Person
Studium? / Ausbildung?	Geschwister?	Wohnort?	Hobby?

Sprechen, Teil 2

Sie bekommen eine Karte und erzählen etwas über Ihr Leben.

Prüfungsteilnehmer / -in A

Von sich erzählen
– Was machen Sie im Urlaub?
– Wohin?   – Wo übernachten?
– Sport?   – Verkehrsmittel?

Prüfungsteilnehmer / -in B

Von sich erzählen
– Wie sieht Ihre Wohnung aus?
– Wie groß?   – Zimmer?
– Möbel?   – Zufrieden?

Sprechen, Teil 3

Sie planen eine Party und wollen mit Ihrer Freundin Nathalie einkaufen gehen.
Finden Sie einen Termin, an dem Sie beide Zeit haben.

Prüfungsteilnehmer / -in A

	Donnerstag, 21. Juni
7.00	joggen
8.00	
9.00	Vorlesung
10.00	
11.00	Treffen mit Svenja
12.00	
13.00	Sprechstunde Prof. Eckhard
14.00	
15.00	Spanischkurs
16.00	
17.00	Auto in die Werkstatt bringen
18.00	
19.00	Handballtraining
20.00	Handballtraining
21.00	

Prüfungsteilnehmer / -in B

	Donnerstag, 21. Juni
7.00	
8.00	Vorlesung
9.00	
10.00	Übung
11.00	
12.00	Treffen mit Mo in der Mensa
13.00	
14.00	Termin beim Zahnarzt
15.00	Gespräch mit Vermieter
16.00	
17.00	Paul abholen
18.00	Rückengymnastik
19.00	
20.00	
21.00	Geschäfte schließen

Anmerkung: Partner A darf nicht sehen, was Partner B hat und umgekehrt.

Informationen zur Prüfung

Wenn Sie DaF kompakt neu B1 durchgearbeitet haben, können Sie Ihre Deutschkenntnisse mit der Prüfung Goethe- / ÖSD-Zertifikat B1 nachweisen. Die vier Fertigkeiten Lesen, Hören, Schreiben und Sprechen werden in je einem Modul geprüft. Die Module können einzeln oder zusammen abgelegt werden. So sieht die Prüfung aus:

Fertigkeit	Teil	Prüfungsziel	Aufgabentyp	Zeit	Punkte
Lesen	1	Korrespondenz lesen	richtig / falsch	65 Minuten (Lösungen werden innerhalb der Prüfungszeit auf Antwortbogen übertragen)	100 (Punkte x 3,33, Ergebnis gerundet)
	2	Information und Argumentation in Medientexten verstehen	Mehrfachauswahl (3-gliedrig)		
	3	Zur Orientierung lesen (Anzeigen)	Zuordnung		
	4	Information und Argumentation in Kommentaren verstehen	ja / nein		
	5	Schriftliche Anweisungen verstehen (Gebrauchstexte)	Mehrfachauswahl (3-gliedrig)		
Hören	1	Informationen im Radio, Durchsagen, Anweisungen verstehen	richtig / falsch und Mehrfachauswahl (3-gliedrig)	ca. 40 Minuten (Lösungen werden nach dem Hören auf Antwortbogen übertragen; Zeit: 5 Minuten)	100 (Punkte x 3,33, Ergebnis gerundet)
	2	Als Zuschauer / Zuhörer im Publikum verstehen	Mehrfachauswahl (3-gliedrig)		
	3	Gespräche zwischen Muttersprachlern verstehen	richtig / falsch		
	4	Radiosendungen und Tonaufnahmen verstehen	Zuordnung		
Schreiben	1	Interaktion: Persönliche Mitteilung zur Kontaktpflege	beschreiben, begründen, einen Vorschlag machen	60 Minuten	100
	2	Produktion: Persönliche Meinung zu einem Thema äußern	beschreiben, begründen, erläutern, vergleichen, Meinung äußern		
	3	Interaktion: Persönliche Mitteilung zur Handlungsregulierung	sich entschuldigen, um etwas bitten, Alternative vorschlagen		
Sprechen	1	Interaktion: Gemeinsam etwas planen	Gemeinsames Planen anhand von 4 Leitpunkten	Vorbereitung (einzeln): 15 Minuten; Prüfung (Paarprüfung): ca. 15 Minuten	100
	2	Produktion: Kurzvortrag: Ein Thema präsentieren	Präsentation zu 5 vorgegebenen Folien		
	3	Interaktion: Über ein Thema sprechen, situationsadäquat reagieren	Fragen zur Präsentation stellen und darauf reagieren		

Bewertung: Pro Modul können maximal 100 Punkte erreicht werden. Ein Modul ist bestanden, wenn 60 % erreicht sind. Für die Module Lesen und Hören wird die Stufe B1 bestätigt, wenn mindestens 18 der 30 Aufgaben richtig gelöst wurden. Für die Module Schreiben und Sprechen müssen mindestens 60 % der möglichen Punktzahl erreicht werden.
Punktzahlen und Benotung (Punkte = Prozent):

100 – 90 Punkte = sehr gut	79 – 70 Punkte = befriedigend	unter 60 = nicht bestanden
89 – 80 Punkte = gut	69 – 60 Punkte = ausreichend	

Die Module können, sofern es die organisatorischen Möglichkeiten am Prüfungszentrum erlauben, beliebig oft abgelegt bzw. wiederholt werden.

Lesen

Lesen, Teil 1

Lesen Sie den Text und die Aufgaben 1 bis 6 dazu.
Wählen Sie: Sind die Aussagen richtig (r) oder falsch (f)?

SophiasBlogtagebuch.de

Sonntag, 5. 5. 20…
Hallo, alle miteinander,
ich melde mich heute nicht wie üblich erst spät in der Nacht, sondern schon jetzt – ihr werdet gleich erfahren, warum ☺!
Ab Donnerstag war das Wetter endlich so gut, dass ich keine Ausrede mehr hatte: Ich musste Lina versprechen, mit ihr am Wochenende Rad fahren zu gehen. Doch vorher musste ich mein Rad aus dem „Winterschlaf" holen: Gestern habe ich es ein bisschen geputzt, die Reifen aufgepumpt und auf manche Stellen einen Tropfen Öl gegeben – das war's auch schon.
Heute ging's gleich nach dem Mittagessen (für mich Langschläferin war es ja eigentlich das Frühstück!) los. Lina hatte in den letzten Tagen bestimmt schon trainiert, denn sie fuhr ziemlich schnell. Anfangs war es schwierig, bei ihrem Tempo mitzuhalten! Zum Glück hatte ich eine Wasserflasche dabei und meine Schreie „Trinkpause!" haben Lina immer wieder zum Anhalten gebracht.
Wir waren bei dem schönen Wetter natürlich nicht allein unterwegs: Die Radwege waren voll von Eltern mit Kleinkindern (die gerade fahren lernten) und Jugendlichen, die besonders cool sein wollten … und wir mittendrin! Weil wir uns beim Fahren natürlich unterhalten haben (Lina hat einen aufregenden neuen Job!), war ich irgendwann mit den Gedanken mehr bei ihr als auf der Straße. Und schon war es passiert: Ich hatte das Kind vor mir erst sehr spät bemerkt, bin ausgewichen und dabei an einen Baum gefahren. Das tat total weh! Ich habe mir den Unterarm und den Ellenbogen aufgeschürft, es hat sogar ein bisschen geblutet. Zum Glück hatte Lina Pflaster dabei – und es ist ja nicht viel passiert! Auch das Rad hat den Unfall gut überstanden und hat – so wie ich – nur ein paar kleine Kratzer abbekommen. Um mich von dem Schrecken zu erholen, haben wir gleich eine lange Pause gemacht.
Der Rückweg war dann mühsam, weil es eine längere Strecke bergauf ging. Außerdem hatten wir Gegenwind. Morgen habe ich bestimmt Muskelkater in den Beinen! Ich muss wohl noch ein bisschen trainieren, damit ich beim nächsten Mal besser mit Lina mithalten kann. Heute geh' ich früh ins Bett und verzichte aufs Fernsehen, der Tatort-Kommissar schafft's bestimmt auch ohne mich.
Auf bald
Sophia

Beispiel:

		r	f
0	Sophia machte am Wochenende eine Radtour.	X	

		r	f
1.	Das Rad musste erst repariert werden.	☐	☐
2.	Lina brauchte viele Pausen.	☐	☐
3.	Es waren viele andere Radfahrer unterwegs.	☐	☐
4.	Beim Fahren hatte Lina viel zu erzählen	☐	☐
5.	Sophias Rad ist kaputtgegangen.	☐	☐
6.	Sophia will trotz der Anstrengung bald wieder Rad fahren.	☐	☐

Lesen, Teil 2

ca. 20 Minuten

Lesen Sie den Text aus der Presse und die Aufgaben 7 bis 9 dazu.
Wählen Sie bei jeder Aufgabe die richtige Lösung: **a**, **b** oder **c**.

Wer ist nervöser: Reiter oder Pferde?

Forscher haben sich gefragt, welchen Einfluss das Publikum bei Reitvorführungen hat

Die Stressbelastung bei Pferden in verschiedenen Reitsportarten ist gut untersucht. Es gibt diverse Studien, die zeigen, dass es für Pferde Stress bedeutet, wenn sie geritten werden. Das Team aus Reiter und Pferd wurde bisher allerdings wenig erforscht, obwohl eine enge Zusammenarbeit zwischen beiden stattfindet. Mit einer kürzlich ab-geschlossenen Studie wollte man herausfinden, wie sich Stress bei Reitern auf ihre Pferde auswirkt. Dazu hat man sechs Reiter-Pferd-Paare bei zwei verschiedenen Einsätzen untersucht: Einmal nach einem Probetraining, also ohne Publikum, und einmal nach einer Veranstaltung mit ca. 1000 Zuschauern. Beim Pferd und beim Reiter wurden sowohl das Stresshormon (Cortisol) im Speichel als auch die Herzfrequenz mittels EEG gemessen.
Das Ergebnis überraschte die Forscher: Reiter sind nervös, wenn sie vor Publikum auftreten. Die Forscher hatten daher erwartet, dass sich der Stress des Reiters auf das Pferd übertragen würde. Doch für die Pferde macht es keinen Unterschied, ob sie vor Publikum auftraten oder nicht.

Beispiel:

0   Eine aktuelle Studie untersuchte, ob Pferde …

    a. ⊔ sehr nervöse Tiere sind.
    b. ⊠ auf Stress von Reitern reagieren.
    c. ⊔ und Reiter gut zusammenarbeiten.

7.   In diesem Text geht es um …

    a. ⊔ das Publikum bei Pferdevorführungen.
    b. ⊔ nervöse Reiter.
    c. ⊔ Forschungen zu Pferden und Reitern.

8.   Untersucht wurden Reiter und Pferde …

    a. ⊔ vor dem Training.
    b. ⊔ mit und ohne Zuschauer.
    c. ⊔ während der Vorführung.

9.   Das Ergebnis war überraschend, denn …

    a. ⊔ Zuschauer machen Pferde nicht nervöser.
    b. ⊔ der Stress der Reiter überträgt sich auf die Pferde.
    c. ⊔ Reiter und Pferde sind gleich nervös.

Lesen Sie den Text aus der Presse und die Aufgaben 10 bis 12 dazu.
Wählen Sie bei jeder Aufgabe die richtige Lösung: **a**, **b** oder **c**.

Schuld sind immer die anderen

Mehrmals täglich passieren Szenen, wie die heute beobachtete: Die Ampel springt auf Grün, doch der Radfahrer findet nicht gleich seine Pedale. Es dauert ein paar Sekunden, bis er losfahren kann – Zeit genug für einen Autofahrer, wütend zu schimpfen. Weil nun der Radfahrer absichtlich stehen bleibt, reagiert der Autofahrer mit Hupen und unfreundlichen Handzeichen. In anderen Fällen bleibt es allerdings nicht bei bösen Worten, sondern endet mit körperlichen Auseinandersetzungen. Aggressionen im Straßenverkehr sind weit verbreitet und sorgen für schlechte Laune bei allen Verkehrsteilnehmern. Umfragen zeigen, dass viele Autofahrer sich selbst als sicher, andere Autofahrer aber als Gefahrenquelle betrachten. Radfahrer fühlen sich eher unsicher im Straßenverkehr und sehen die größte Gefahr von Autos ausgehen. Doch auch zwischen Radfahrern und Fußgängern können heftige Konflikte entstehen. Dabei sehen sich die Fußgänger vor allem als Opfer und beklagen die Rücksichtslosigkeit der Radfahrer. Es kommt besonders dann zu Streitereien, wenn Gehwege statt der Radwege benutzt werden.
Was kann man dagegen tun? Experten empfehlen: Einander freundlicher und mit mehr Respekt zu begegnen.

10. In diesem Text geht es um …
    a. ⊔ steigende Verkehrsunfallszahlen.
    b. ⊔ streitende Verkehrsteilnehmer.
    c. ⊔ schlechte Verkehrsplanung.

11. Der Radfahrer wurde beschimpft, weil er …
    a. ⊔ zu langsam fuhr.
    b. ⊔ zu lange an der Ampel stand.
    c. ⊔ unfreundliche Zeichen machte.

12. Fußgänger ärgern sich über …
    a. ⊔ zu viele Radwege.
    b. ⊔ andere rücksichtslose Fußgänger.
    c. ⊔ Radfahrer auf dem Gehweg.

Lesen, Teil 3 ca. 10 Minuten

Lesen Sie die Situationen 13 bis 19 und die Anzeigen A bis J aus verschiedenen deutschsprachigen Medien. Wählen Sie: Welche Anzeige passt zu welcher Situation? Sie können jede Anzeige nur einmal verwenden. Die Anzeige aus dem Beispiel können Sie nicht mehr verwenden. Für eine Situation gibt es keine passende Anzeige. In diesem Fall schreiben Sie 0.

Einige Bekannte und Freunde von Ihnen suchen Jobs.

Beispiel:

0	Bert sucht Arbeit als Kellner. Nachts mochte er nicht arbeiten.	Anzeige _A_
13.	Sarah ist Köchin und möchte Vollzeit arbeiten.	Anzeige ⎵
14.	Anna studiert und möchte nur am Wochenende arbeiten.	Anzeige ⎵
15.	Sam sucht eine Praktikumsstelle als Gärtner.	Anzeige ⎵
16.	Eva mag Kinder und sucht einen Job für ein paar Stunden unter der Woche.	Anzeige ⎵
17.	Emil sucht einen Teilzeit-Job, bei dem er im Freien arbeitet.	Anzeige ⎵
18.	Anar war Taxifahrer und sucht dringend eine Vollzeitstelle.	Anzeige ⎵
19.	Nora möchte an 1–2 Abenden pro Woche als Babysitterin arbeiten.	Anzeige ⎵

A

Café Sandra

1. Für 7 bis 11 Uhr (Mo. bis Sa.) suchen wir eine Hilfskraft für die Küche (Vorarbeiten für die Köchin).
2. Zur Unterstützung von 10 bis 15 Uhr (Mittagsgeschäft, Mo. bis Sa.) brauchen wir einen Kellner / eine Kellnerin mit viel Schwung.

Interessierte bitte melden bei Sandra:
0152/8068567

C

Wir suchen ein sympathisches, zuverlässiges Kindermädchen

für unseren 6-jährigen Sohn Jakob und unsere 9-jährige Tochter Liane.

An Schultagen Betreuung ab Mittag (nach Schulschluss) bis mindestens 18:30 Uhr. An schulfreien Tagen im Schuljahr ganztags. Kleine Mithilfe im Haushalt erwünscht.

Robert und Erika Hauser, 0178/45 67 38 87

B

Studentische Kindergruppe

sucht dringend Aushilfe während der Lehrveranstaltungszeit (tägl. 9 bis 17 Uhr) zur stundenweisen Betreuung von Kindern (1,5 bis 5 Jahre) im Hauptgebäude, Raum D2514.
Tätigkeit regelmäßig nach Vereinbarung.
Bei Egon melden: 0167/4635890

D

Pizzeria Milano

Wir suchen für die Hauszustellung eine **freundliche Vollzeitkraft** mit Führerschein, Ortskenntnisse von Vorteil.
Schichtdienste (auch am Wochenende).

Ab sofort!

Persönliche Vorstellung bei Giuseppe Dalla nach telefonischer Anmeldung unter 24 53 667.

E

Rathaus-Kantine

Freie Stelle für erfahrenen Koch /
erfahrene Köchin als Ergänzung
unseres Küchenteams,
Mitgestaltung beim Speiseplan.

Mo – Fr. je 8 Stunden,
keine Wochenenddienste!

Bewerbungen bitte schicken an:
kantine@rathaus-neumuenster.de

H

Puppentheatermuseum

Personal für die Aufsicht und Mitbetreuung
von Kunst-Workshops (max. 10 Kinder) und
bei Kindergeburtstagsfeiern (max. 15 Kinder)
regelmäßig an Samstagen und /
oder Sonntagen gesucht,
Zeiteinteilung nach Absprache im Team
(Vormittags- oder Nachmittagsdienst).
Kontakt: office@puppentheatermuseum.de

F

Gärtner / in für städtischen Friedhof für 40 Stunde / Wo. gesucht

Arbeiten: gärtnerische Betreuung von Gräbern
und Beeten, Pflege des Baum-
bestands (Schnitt), Gestaltung von
Kränzen und Gestecken

Angenehmes Arbeitsklima in kleinem Team
Infos im Rathaus, Abteilung II, Frau Singer

I

Parkbetreuer / in gesucht!

Sie sind kommunikativ und tragen gern zum
guten Zusammenleben zwischen den verschiedenen Bevölkerungsgruppen bei?
Nach einer 2-tägigen Kurzschulung nehmen
wir Sie in unser mobiles Team auf.
Wechselnde Einsatzorte: Parks und Grün-
anlagen im gesamten Stadtgebiet.
Arbeitszeit nach Vereinbarung
(mind. 15 Wochenstunden).

Markus Müller, m.mueller@parkbetreuung.de

G

Botanischer Garten

Wir kultivieren fast 10.000 verschiedene
Pflanzenarten und bieten in unterschiedlichen
Berufsfeldern Praktika für gärtnerische,
technische und wissenschaftliche Tätigkeiten.

Für nähere Informationen bitte Frau Egger
kontaktieren: k.egger@botanischer-garten.de

J

Café-Bar Evi
Gesucht: Aushilfskellner / -in und Barmann / -frau

für geschlossene Veranstaltungen an Samstagen
und vor Feiertagen, Arbeitsbeginn 17 Uhr
(Vorbereitung der Räume, Servieren, Gäste-
betreuung)

Frau Evi: 891 77 42

Lesen, Teil 4

ca. 15 Minuten

Lesen Sie die Texte 20 bis 26. Wählen Sie: Ist die Person für (j = ja) oder gegen (n= nein) das Leben in einer Wohngemeinschaft (WG)?

In einer Zeitschrift lesen Sie Kommentare zu Fragen des Wohnens in Wohngemeinschaften (WGs).

		j	n				j	n
0	Elsbeth	X	☐		23.	Clara	☐	☐
20.	Jan	☐	☐		24.	Norbert	☐	☐
21.	Christine	☐	☐		25.	Karsten	☐	☐
22.	Louis	☐	☐		26.	Karin	☐	☐

0 Bei Wohngemeinschaft denken viele an verrauchte Zimmer, nächtelange Debatten, Streit wegen untreuer Partner usw. Das war zum Teil schon so in den späten 60er Jahren, aber heutzutage sieht das ganz anders aus. Ich habe meinen beiden Enkeln meine große Wohnung überlassen und sie haben eine Studenten-WG daraus gemacht – das ist eine gute Sache! Mit ein paar einfachen Regeln funktioniert das auch.

Elsbeth, 64, Geschäftsfrau

20. Immer irgendwelche Leute um sich haben – das ist doch eine schreckliche Vorstellung! Mir reicht mein Spiegelbild am Morgen! Und je älter ich werde, desto mehr schätze ich das Alleinsein. Wenigstens bei mir daheim will ich nur mit Leuten zu tun haben, die ich selbst einlade und die dann wieder gehen.

Christine, 48, Juristin

21. Ich habe das kleinste Zimmer in der WG, zahle aber gleich viel wie die anderen. Bei uns klappt das einfach nicht, auch die Arbeitsaufteilung ist ungerecht. Also, ich will wieder raus und warte gerade auf einen freien Platz in einem Studentenheim – da geht es gerechter zu. Und in den Sommerferien muss ich dort nicht zahlen, wenn ich verreise.

Jan, 22, Student

22. Wir wissen, dass der Zerfall der klassischen Familie immer wieder im Leben zu Brüchen führt, die zumindest ein vorübergehendes Single-Dasein mit sich bringen. Da kann eine WG eine gute Lösung auf Zeit sein. Eine große Wohnküche z. B. schafft Gelegenheit für unterstützende Sozialkontakte und verhindert Vereinsamung in Krisenzeiten.

Louis, 35, Psychologe

23. Sehr wenige existierende Wohnungen eignen sich als WG. Zum Glück gibt es Bauprojekte, wo WGs schon als Teil einer Wohnhausanlage eingeplant sind. Da wird die relativ kleine individuelle Wohnfläche kompensiert durch attraktive Gemeinschaftsräume. Wenn es gelingt, die gewünschte Nähe und die notwendige Distanz zu verwirklichen, dann funktioniert das Zusammenleben.

Clara, 34, Architektin

24. Am Anfang denkt man, dass eine WG Vorteile bringt. Das stimmt aber nur für den Hauptmieter. Die anderen haben viel weniger Rechte und wenn es zum Streit kommt, steht man als Untermieter ganz schön dumm da. Ich weiß aus Erfahrung, wovon ich spreche! Das Mietrecht ist wirklich ein Problem.

Karsten, 35, Grafiker

25. Leben in einer WG? Für meine Eltern ist so etwas unvorstellbar gewesen. Sie wollten im Alter nicht einmal in ein Seniorenheim ziehen. Für mich kommt eine WG in Frage. Ich habe schon mit einigen Freunden darüber gesprochen und manche halten es – so wie ich – für eine gute Idee. Das ist ein gutes Projekt, um den Pensionsschock zu überwinden.

Norbert, 61, Autohändler

26. Wir haben in unserer Gemeinde erkannt, dass ein Altersheim am Ortsrand zur Isolation der Bewohner beiträgt. Daher fördern wir jetzt ein „gemischtes" Projekt, wo es verschiedene Wohnangebote gibt, für Alte und Junge, für Familien und Singles. Von Kleinstwohnungen bis zu 4-Zimmer-Wohnungen, die als WGs genutzt werden können, ist alles dabei.

Karin, 42, Bürgermeisterin

Lesen, Teil 5

Lesen Sie die Aufgaben 27 bis 30 und den Text dazu.
Wählen Sie bei jeder Aufgabe die richtige Lösung: **a**, **b** oder **c**.

Sie informieren sich über die Bibliotheksordnung.

27. Die ausgeliehenen Medien kann man …
    a. ⊔ insgesamt drei Mal verlängern.
    b. ⊔ nur persönlich in der Bibliothek verlängern.
    c. ⊔ verlängern, wenn sie nicht reserviert sind.

28. Kinder unter 14 Jahren bekommen einen Ausweis, wenn …
    a. ⊔ ein Erziehungsberechtigter zustimmt.
    b. ⊔ sie ihren Ausweis unterschreiben.
    c. ⊔ sie ein Formular herunterladen.

29. Pro Bibliothekskarte kann man gleichzeitig ausleihen:
    a. ⊔ maximal zwölf CDs.
    b. ⊔ insgesamt zehn Medien.
    c. ⊔ zwei Nachschlagewerke.

30. Auf der Bibliotheks-Webseite kann man …
    a. ⊔ sehen, welche Medien man ausgeliehen hat.
    b. ⊔ eine Bibliothekskarte bestellen.
    c. ⊔ zu den Bibliotheksöffnungszeiten recherchieren.

Bibliotheksordnung

Anmeldung

Bringen Sie bitte zur Anmeldung einen gültigen Lichtbildausweis mit Adressnachweis und ein Passfoto mit. Sie erhalten eine Bibliothekskarte, die nicht übertragbar ist und die bei jeder Ausleihe vorzuweisen ist. Kinder unter 14 Jahren benötigen dafür die Unterschrift des Erziehungsberechtigten auf einer Einverständniserklärung (auf der Website in mehreren Sprachen zum Herunterladen).
Schüler / Schülerinnen und Lehrlinge bis zum vollendeten 18. Lebensjahr sind von der Bibliotheksgebühr befreit.
Bitte den Verlust oder Diebstahl der Karte sofort melden. Ebenso müssen Änderungen der Adresse, der Telefonnummer und des Namens bekannt gegeben werden. Die Bibliothek arbeitet EDV-unterstützt und verpflichtet sich zum gesetzlich vorgeschriebenen Datenschutz.

Recherche auf der Bibliotheks-Webseite

Auch außerhalb der Bibliotheks-Öffnungszeiten kann online im Medienkatalog recherchiert werden. Außerdem können Sie Informationen über selbst ausgeliehene Medien einholen und Medien reservieren. Die Nummer der Bibliothekskarte ist der Benutzername, Ihr Geburtsdatum das Passwort.

Ausleihe

Gegen Vorlage der Bibliothekskarte können Medien ausgeliehen werden. Die Ausleihdauer beträgt für Bücher und CDs vier Wochen, für Filme zwei Wochen. Pro Bibliotheksausweis können Sie insgesamt maximal zehn Medien gleichzeitig ausleihen.
Nachschlagewerke und aktuelle Zeitungen und Zeitschriften können nicht ausgeliehen werden.

Vorbestellung

Sie können schon ausgeliehene Medien persönlich oder über das Internet vorbestellen. Wenn Sie eine E-Mail-Adresse angeben, werden Sie per Mail verständigt, sobald das Medium vorhanden ist.
Sie können auch telefonisch nachfragen, ob das Medium schon zurückgebracht wurde. Das Medium liegt eine Woche lang für Sie bereit.

Verlängerung der Ausleihdauer

Die Ausleihdauer kann maximal zwei Mal verlängert werden, wenn das Medium nicht vorbestellt ist. Das können Sie persönlich, telefonisch oder auf der Website machen.

Hören

ca. 40 Minuten

Hören, Teil 1

Sie hören nun fünf kurze Texte. Sie hören jeden Text zweimal. Zu jedem Text lösen Sie zwei Aufgaben. Wählen Sie bei jeder Aufgabe die richtige Lösung.
Lesen Sie zuerst das Beispiel. Dazu haben Sie 10 Sekunden Zeit.

Beispiel 🔊 217

01 Die Buchhandlung informiert über die bestellten Bücher.   r ⎵   f ⎵

02 Das Buch „Neue Medien. Band 2" …

    a. ⎵ kann nicht geliefert werden.
    b. ⎵ kommt in zwei Wochen.
    c. ⎵ muss neu bestellt werden.

🔊 218

1. Das Radioprogramm wird geändert.   r ⎵   f ⎵

2. Die Sendung „Talk um fünf" …

    a. ⎵ wird um 15 Minuten gekürzt.
    b. ⎵ beginnt später als sonst.
    c. ⎵ hat ein neues Thema.

🔊 219

3. Sie hören Informationen der Stadt Altenbach.   r ⎵   f ⎵

4. An Sonntagen …

    a. ⎵ ist das Museum geschlossen.
    b. ⎵ gibt es eine Führung um 14 Uhr.
    c. ⎵ hat das Museum bis 16 Uhr geöffnet.

🔊 220

5. Dr. Schmitt ist zurzeit im Urlaub.   r ⎵   f ⎵

6. Wann kann Herr Schneider das Ergebnis abholen?

    a. ⎵ Heute bis 18 Uhr.
    b. ⎵ Erst nach dem Urlaub.
    c. ⎵ Morgen Nachmittag.

🔊 221

7. Die Chefin ruft Claudia Ansbacher an.   r ⎵   f ⎵

8. Die Unterlagen müssen …

    a. ⎵ heute noch fertig sein.
    b. ⎵ die neuen Zahlen enthalten.
    c. ⎵ per Mail geschickt werden.

🔊 222

9. Sie hören Informationen in einem Kaufhaus.   r ⎵   f ⎵

10. Herrenmode gibt es …

    a. ⎵ zurzeit im zweiten Stock.
    b. ⎵ ab morgen im ersten Stock.
    c. ⎵ besonders günstig ab Montag.

Hören, Teil 2 🔊 223–224

Sie hören nun einen Text. Sie hören den Text einmal. Dazu lösen Sie fünf Aufgaben.
Wählen Sie bei jeder Aufgabe die richtige Lösung: **a**, **b** oder **c**.
Lesen Sie jetzt die Aufgaben 11 bis 15. Dazu haben Sie 60 Sekunden Zeit.

Sie nehmen an einer Konferenz teil.

11. Die Konferenz …
    a. ⊔ dauert drei Tage.
    b. ⊔ hat am Vortag begonnen.
    c. ⊔ wird gerade eröffnet.

12. Das Namensschild braucht man …
    a. ⊔ in der Kantine.
    b. ⊔ bei der Abendveranstaltung.
    c. ⊔ für den Einlass in den Festsaal.

13. Die Konferenzmappe enthält auch …
    a. ⊔ einen Buchgutschein.
    b. ⊔ ein Ticket für öffentliche Verkehrsmittel.
    c. ⊔ einen Stadtplan.

14. Es gibt eine Programmänderung, weil …
    a. ⊔ Herr Haller erkrankt ist.
    b. ⊔ Frau Maurer-Feldbach abgesagt hat.
    c. ⊔ der Vortrag später stattfindet.

15. Teilnehmer am Workshop 2 sollen …
    a. ⊔ den Lift in den 2. Stock nehmen.
    b. ⊔ im Festsaal bleiben.
    c. ⊔ in den Raum 24A gehen.

Hören, Teil 3 🔊 225–226

Sie hören nun ein Gespräch. Sie hören das Gespräch einmal. Dazu lösen Sie sieben Aufgaben.
Wählen Sie: Sind die Aussagen richtig (**r**) oder falsch (**f**)?
Lesen Sie jetzt die Aufgaben 16 bis 22. Dazu haben Sie 60 Sekunden Zeit.

Sie sind im Schwimmbad und hören, wie sich ein Mann und eine Frau über eine Reise unterhalten.

	r	f
16. Nelly hat von Freunden von Olegs Reise erfahren.	⊔	⊔
17. Oleg fand das Regenwetter schrecklich.	⊔	⊔
18. Oleg und Julia sind mit der Bahn gefahren.	⊔	⊔
19. Oleg und Julia haben bei Freunden übernachtet.	⊔	⊔
20. Nelly findet Couchsurfen für sich selbst nicht so gut.	⊔	⊔
21. Oleg und Julia fanden kein gutes Restaurant.	⊔	⊔
22. Oleg lädt Nelly zum Essen ein.	⊔	⊔

Hören, Teil 4 🔊 227–228

Sie hören nun eine Diskussion. Sie hören die Diskussion zweimal. Dazu lösen Sie acht Aufgaben.
Ordnen Sie die Aussagen zu: Wer sagt was?
Lesen Sie jetzt die Aufgaben 23 bis 30. Dazu haben Sie 60 Sekunden Zeit.

Der Moderator diskutiert mit Frau Bayer und Herrn Steiner über das Thema „Gesunde Ernährung".

	Moderator	Frau Bayer	Herr Steiner
Beispiel:			
0 Wir wissen nicht genau, was gesunde Ernährung ist.	⊔	⊠	⊔
23. Man sollte sich nicht einseitig ernähren.	⊔	⊔	⊔
24. Rohes Obst und Gemüse gelten als gesund.	⊔	⊔	⊔
25. Man soll Obst und Gemüse aus der Region kaufen.	⊔	⊔	⊔
26. Es ist wichtig, Fragen nach der Herkunft der Produkte zu stellen.	⊔	⊔	⊔
27. Viele Menschen nehmen Vitamintabletten ohne Grund.	⊔	⊔	⊔
28. Die Mikrowelle ist sehr verbreitet.	⊔	⊔	⊔
29. In Kantinen werden wenig frische Lebensmittel verwendet.	⊔	⊔	⊔
30. Restaurants arbeiten sehr unterschiedlich.	⊔	⊔	⊔

Schreiben

Schreiben, Teil 1

Sie haben am Sonntag einen Ausflug mit Freunden gemacht. Eine Freundin konnte nicht teilnehmen. Berichten Sie ihr in einer E-Mail darüber.

– Beschreiben Sie: Wie war der Ausflug?
– Begründen Sie: Was hat Ihnen am besten gefallen und warum?
– Machen Sie einen Vorschlag für einen gemeinsamen Ausflug.

Schreiben Sie eine E-Mail (circa 80 Wörter).
Schreiben Sie etwas zu allen drei Punkten.
Achten Sie auf den Textaufbau (Anrede, Einleitung, Reihenfolge der Inhaltspunkte, Schluss).

Schreiben, Teil 2

Sie haben einen Online-Artikel zum Thema „Haustiere in der Stadt" gelesen.
In den Online-Kommentaren zum Artikel finden Sie folgende Meinung:

> „Haustiere in der Stadt"
> Mir tun Hunde leid, die eigentlich viel Bewegung brauchen. Wenn sie tagsüber die meiste Zeit einge-sperrt in einer kleinen Wohnung verbringen müssen, finde ich das unfair. Die Menschen achten zu we-nig darauf, was Tiere brauchen!

Schreiben Sie nun Ihre Meinung (circa 80 Wörter).

Schreiben, Teil 3

Frau Huber, die Sprachschulleiterin, hat für Ihre Kursgruppe einen Museumsbesuch geplant. Sie können an diesem Nachmittag aber nicht mitkommen.

Schreiben Sie an Frau Huber. Entschuldigen Sie sich höflich und berichten Sie, warum Sie nicht mitkom-men können.

Schreiben Sie eine E-Mail (circa 40 Wörter).
Vergessen Sie nicht die Anrede und den Gruß am Schluss.

Sprechen

ca. 15 Minuten für zwei Teilnehmende

Sprechen, **Teil 1:**

Gemeinsam etwas planen

Ihr Deutschkurs endet nächste Woche. Planen Sie eine gemeinsame Abschlussaktivität: ein Fest, einen Ausflug … Sprechen Sie über die Punkte unten, machen Sie Vorschlage und reagieren Sie auf die Vorschläge Ihres Gesprächspartners / Ihrer Gesprächspartnerin.

Planen und entscheiden Sie gemeinsam, was Sie tun möchten.

Abschlussaktivität für den Deutschkurs
– Was machen?
– Wann genau?
– Wo / Wohin?

– Was einkaufen / vorbereiten?
– …

Sprechen, Teil 2:

Ein Thema präsentieren

Sie sollen Ihren Zuhörern ein aktuelles Thema präsentieren. Wählen Sie dazu ein Thema.
Ihr Gesprächspartner / Ihre Gesprächspartnerin wählt das andere Thema. Dazu finden Sie hier fünf Folien.
Folgen Sie den Anweisungen links und schreiben Sie Ihre Notizen und Ideen rechts daneben.

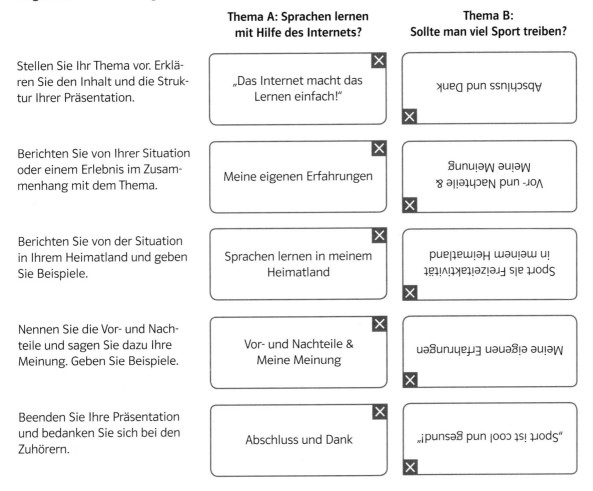

	Thema A: Sprachen lernen mit Hilfe des Internets?	Thema B: Sollte man viel Sport treiben?
Stellen Sie Ihr Thema vor. Erklären Sie den Inhalt und die Struktur Ihrer Präsentation.	„Das Internet macht das Lernen einfach!"	Abschluss und Dank
Berichten Sie von Ihrer Situation oder einem Erlebnis im Zusammenhang mit dem Thema.	Meine eigenen Erfahrungen	Vor- und Nachteile & Meine Meinung
Berichten Sie von der Situation in Ihrem Heimatland und geben Sie Beispiele.	Sprachen lernen in meinem Heimatland	Sport als Freizeitaktivität in meinem Heimatland
Nennen Sie die Vor- und Nachteile und sagen Sie dazu Ihre Meinung. Geben Sie Beispiele.	Vor- und Nachteile & Meine Meinung	Meine eigenen Erfahrungen
Beenden Sie Ihre Präsentation und bedanken Sie sich bei den Zuhörern.	Abschluss und Dank	„Sport ist cool und gesund!"

Sprechen, Teil 3:

Über ein Thema sprechen

Nach Ihrer Präsentation:

Reagieren Sie auf die Rückmeldung und auf Fragen der Prüfer / -innen und des Gesprächspartners / der Gesprächspartnerin.

Nach der Präsentation Ihres Partners / Ihrer Partnerin:

1. Geben Sie eine Rückmeldung zur Präsentation Ihres Partners / Ihrer Partnerin
   (z. B. wie Ihnen die Präsentation gefallen hat, was für Sie neu oder besonders interessant war usw.).
2. Stellen Sie auch eine Frage zur Präsentation Ihres Partners / Ihrer Partnerin.

1 Ich und die anderen

A Guten Tag!

1a 1. Guten Tag. Mein Name ist Tarik Amiri. • 2. Freut mich, Herr Amiri. – Woher kommen Sie? – Ich komme aus Marokko. • 3. Herzlich willkommen im Sommerkurs!

1b 1. Grüß dich. Ich bin Leyla. Wie heißt du? • 2. Ich heiße Tarik. – Woher kommst du? • 3. Aus Marokko. Aus Casablanca. Und du? • Ich bin aus der Türkei, aus Ankara.

1c 2. Wie heißt du? • 3. Mein Name ist Marie. • 4. Woher kommst du? • 5. Ich bin aus Italien. Und du? • 6. Ich komme aus Brasilien. • 7. Willkommen im Deutschkurs!

2 2. Ich • 3. Ich bin • 4. Ich bin • 5. Ich bin • 6. Ich bin • 7. Ich • 8. Ich bin • 9. Ich

3 2d • 3a • 4b

4 1. informell • 2. formell • 3. informell • 4. informell • 5. formell • 6. informell

5 2. aus Japan • 3. aus Polen • 4. aus Italien • 5. aus Portugal • 6. aus Deutschland • 7. aus Ungarn • 8. aus Österreich • 9. aus Großbritannien • 10. aus Türkei • 11. aus Peru • 12. aus Schweden • 13. aus China • 14. aus Kanada • 15. aus Frankreich • 16. aus Weißrussland

6a 2. Sie • 3. Sie • 4. Sie • 5. Er • 6. Sie

6b 2. **T**arik ist neu im **D**eutschkurs. **E**r kommt aus **M**arokko, aus **C**asablanca. • 3. **V**eronika kommt aus **M**oskau. **S**ie studiert **C**hemie. • 4. **P**atrick und **P**aul kommen aus **F**rankreich. **S**ie studieren **G**ermanistik. • 5. **D**as ist **T**homas. **E**r kommt aus **Ö**sterreich und studiert **M**aschinenbau.

B Sprachen öffnen Türen

1 2g • 3i • 4b • 5c • 6f • 7a • 8e • 9h

2a 2. kommen • 3. sprechen • 4. sein • 5. lernen • 6. studieren • 7. wohnen • 8. arbeiten

2b 2. lerne • 3. heißt • 4. kommt / ist • 5. sind • 6. kommen / sind • 7. kommt / ist • 8. studiert • 9. ist • 10. spricht • 11. lernt • 12. kommt / ist • 13. ist • 14. arbeitet

3 2i • 3h • 4d • 5g • 6c • 7f • 8b • 9e • 10a

4 Die Mutter ist Schweizerin. Der Vater kommt aus Deutschland. Mia wohnt / lebt in Tübingen und studiert Wirtschaft. Sie spricht Deutsch als Muttersprache. Sie spricht auch sehr gut Französisch. Italienisch spricht sie nicht so gut.

5a 2d • 3h • 4f • 5e • 6a • 7c • 8g

5b 3. Wo wohnst du? • 4. Wohnst du in Leipzig? • 5. Sprichst du Spanisch? • 6. Welche Sprachen sprichst du? • 7. Arbeitest du hier? • 8. Was studierst du? • 9. Bist du neu im Deutschkurs?

6a Brasilianer • Türkin • Pole • Französin • Deutsche

6b Marokkaner • Brasilianer • Türkin • Pole • Französin • Deutsche • **REGEL:** männlich -er / -e; weiblich -in

C Buchstaben und Zahlen

1a B • C • D • E • F • G • H • I • J • K • L • M • N • O • Ö • P • R • S • T • U • Ü • V • W • X • Y • Z

2a 31 • 54 • 45 • 71 • 17 • 41 • 14 • 29 • 92 • 68 • 86

2b 1. 16 • 2. 76 • 3. 84 • 4. 131 • 5. 335 • 6. 2120 • 7. 3335 • 8. 6676 • 9. 9889

2c b. dreiunddreißig • c. fünfundvierzig • d. achtundfünfzig • e. einundsechzig • f. siebenhundertsiebenundvierzig • g. achthundertachtundzwanzig • h. neunhundertvierundneunzig • i. (ein)tausendzweihundertdreizehn • j. zweitausendfünfhundertzweiundsechzig • k. dreitausendachthundertdreiunddreißig • l. fünfundvierzigtausendvierhundertachtzig • m. fünfhundertzweiundfünfzigtausenddreihundertfünfundfünfzig • n. sechshundertsechsundsiebzigtausendsechshunderteinundzwanzig

2d 2. 624218 • 3. 0174 6255 • 4. 289 45 54 0 86 • 5. 0170 21 23 78 • 6. 0221 14 39 13

3 2. 112.383 • 3. 102.908 • 4. 85.009 • 5. 84.307 • 6. 82.273 • 7. 81.110 • 8. 66.115

4 2. Woher kommen Sie? • 3. Wo wohnen Sie? • 4. Was studieren Sie? • 5. Welche Sprachen sprechen Sie? • 6. Wie ist Ihre Telefonnummer? • 7. Wie ist Ihre E-Mail-Adresse? • 8. Wie ist Ihre Adresse? • 9. Wie alt sind Sie?

5a Tübingen • Tübingen • Der Sprachkurs • Die Lehrerin • Frau Brandt • Wir • Studenten • Sprachkurs • Fünf Studenten • China • Sie • Deutsch • Leyla • Türkei • Tarik • Marokko • Informatik • Antoine • Schweiz • Er • Genf • Französisch • Muttersprache • Mein Tandempartner • Tim • München • Er • Tübingen • Portugiesisch • Wir • Deutsch • Portugiesisch • Spaß • Viele Grüße • Rodrigo

Phonetik

1d 1. Aussagesatz, z. B. Satz 2b + 3b, b • 2. Ja / Nein-Frage, z. B. Satz 3a, a • 3. W- Fragen, z. B. Satz 1a + 2a, b • 4. Rückfragen, z. B. Satz 1b, a.

2a 1b • 2b • 3a • 4b • 5b • 6a • 7b • 8b • 9a • 10b

2 Menschen und Dinge

A Früher und heute

1a 2. das Handy, -s • 3. der Computer, - • 4. der Laptop, -s • 5. das Smartphone, -s • 6. der mp3-Spieler, - • 7. USB-Stick, -s • 8. das Navigationsgerät, -e • 9. die Schreibmaschine, -n • 10. das Tablet, -s

1b 2. ein Smartphone – Das • 3. ein Tablet – Das • 4. ø USB-Sticks – Die • 5. ein Navigationsgerät – Das • 6. ein Plattenspieler – Der

3a **heute – Präsens:** ich habe, du hast, er / sie / es hat, wir haben, ihr habt, sie hatten • **früher – Präteritum:** ich hatte, du hattest, er / sie / es hatte, wir hatten, ihr hattet, sie hatten

3b 2. Früher hatte man D-Mark-Scheine, heute hat man Euro-Scheine. • 3. Früher hatte man Plattenspieler, heute hat man mp3-Spieler. • 4. Früher hatte man Schreibmaschinen, heute hat man Computer. • 5. Früher hatte man Bücher aus Papier, heute hat man E-Books. • 6. Früher hatte man Landkarten, heute hat man Navigationsgeräte. • 7. Früher hatte man Videokassetten, heute hat man DVDs. • 8. Früher hatte man Disketten, heute hat man USB-Sticks. • 9. Früher hatte man Postkarten, heute hat man E-Mails. • 10. Früher hatte man Videospiele, heute hat man Spiele-Apps.

4a 1. ein Smartphone • 2. ein Tablet – einen Laptop – ein Tablet • 3. ein Navigationsgerät – kein Navigationsgerät • 4. eine Kamera – eine Fotofunktion • 5. ein Auto – einen VW Golf • 6. einen CD-Spieler – einen mp3-Spieler • 7. ein Smartphone – ein Tablet – ein Smartphone • 8. einen Tandempartner • 9. Stifte – keine Bleistifte • 10. einen Plattenspieler

4b Haben – hatten – hören – benutzen – Lesen – es gibt – brauchen

4c 2i • 3b • 4h • 5e • 6f • 7a • 8c • 9d

4d *Mögliche Lösung:* Als Kind hatte ich Videospiele, Postkarten und viele Bücher aus Papier. Ich habe Spiele-Apps, E-Books und einen mp3-Spieler. Ich brauche ein Tablet und einen Computer.

B Familiengeschichten

1a 1. Schwiegereltern • 3. Schwager • 4. Cousins • 5. Enkelkinder • 6. Tante • 7. Neffen • 8. Nichte • 9. Urenkel

1b 2. Tante • 3. Schwägerin • 4. Schwager • 5. Nichte • 6. Neffe • 7. Cousin • 8. Schwiegervater • 9. Schwiegermutter

2a 2. Meine • 3. eure • 4. Unsere • 5. Ihr • 6. eure • 7. deine • 8. Meine • 9. Ihre • 10. Mein • 11. Sein • 12. seine • 13. deine • 14. Meine

2b 2. meine • 3. meine • 4. Meine • 5. Ihr • 6. mein • 7. Ihr • 8. Meine • 9. mein • 10. Meine • 11. Ihre • 12. Seine • 13. Mein • 14. meine • 15. Seine • 16. sein

3a 2a • 3e • 4h • 5b • 6g • 7c • 8f

3b 1. Ich bin Ingenieurin und arbeite bei Mercedes. • 2. Ich bin verheiratet und habe zwei Kinder. • 3. Viele Menschen sind nicht verheiratet oder sie sind geschieden • 4. Paul und Simone haben zwei Kinder, aber sie sind nicht verheiratet • 5. Ich bin noch Studentin, aber ich bin schon verheiratet. • 6. Er ist schon 45 Jahre alt, aber er ist nicht verheiratet.

4 *Mögliche Lösung:* Meine Familie ist relativ klein. Da sind meine Eltern Kristina und Jörg und meine Geschwister Sebastian und Elisabeth. Meine Mutter ist 45 und mein Vater ist 50 Jahre alt. Mein Bruder Sebastian ist 10 und meine Schwester Elisabeth ist 16 Jahre alt. Wir wohnen in Koblenz. Meine Großeltern leben noch, aber sie wohnen in der Schweiz.

C Wir gehen essen

1 2f • 3e • 4b • 5a • 6d • 7c

2a 1. Montag • 2. Dienstag • 3. Mittwoch • 5. Freitag • 6. Samstag • 7. Sonntag

2b 1f • 2g • 3c • 4b • 5a • 6d • 7e

2c 2. Am Samstag schließt das „Topkapi" um 1 Uhr. • 3. Am Sonntag öffnet das Bio-Restaurant um 10 Uhr. • 4. Am Sonntag schließt das Bio-Restaurant um 13 Uhr. • 5. Am Freitag öffnet das „Brunnenstüberl" um 12 Uhr. • 6. Am Freitag schließt das „Brunnenstüberl" um 15 Uhr 30.

3a **Vorspeise:** Karottensuppe, Tomatencremesuppe, Tomatensalat • **Hauptspeise / Hauptgericht:** Tafelspitz mit Kartoffeln und Salat, Wiener Schnitzel mit Pommes frites und Salat, Zanderfilet mit Kartoffeln und Salat • **Dessert / Nachspeise / Nachtisch:** Apfelstrudel, Eis mit Sahne, Eis ohne Sahne

4a a2 • b4 • c7 • d3 • e9 • f5 • g8 • h6 • i1

4b 2f • 3c • 4e • 5j • 6i • 7h • 8b • 9a • 10g

5b Mögen Sie Fisch? – Nein, ich mag keinen Fisch. / Ja, Fisch mag ich sehr. Aber Fleisch mag ich nicht.

Phonetik

1c 1. sch • 2. sch • 3. sch • 4. s • 5. sch • 6. sch • 7. s • 8. s

1d *Mögliche Lösungen:* Ich mag Schokolade. Ich nehme eine Vorspeise. Ich esse gern Wurst. Ich nehme einen Espresso.

1e 1. türkisch, vegetarisch, Fisch, Schwester, schreiben, chinesisch, Schweiz • 2. sprechen, Spezialität, Spanien • 5. studieren, Studentin • 6. Lichtenstein • 7. Samstag, Donnerstag, Österreich, Dienstag

2 *Mögliche Lösung:* Samstags bestelle ich in meinem Lieblingsrestaurant meine Lieblingstorte mit viel Schokolade und einen Espresso. Das schmeckt köstlich.

3 Studentenleben

A Uni und Termine

1a **Studium:** eine Übung / ein Tutorium haben • ein Referat halten • zur Sprechstunde gehen • eine Klausur schreiben • Hausaufgaben machen • mit Kommilitonen lernen • eine Besprechung haben
Freizeit: in der Mensa essen • die Familie besuchen • am Wochenende einen Ausflug nach … machen • einen Termin beim Arzt haben • frei haben • Sport machen

1b 2. 20 Stunden • 3. am Montagnachmittag ab 16.00 Uhr – am Dienstagvormittag – am Dienstagnachmittag ab 16.00 Uhr – am Mittwochvormittag zwischen 10.00 und 12.00 Uhr – am Mittwochnachmittag ab 16.00 Uhr – am Donnerstagnachmittag zwischen 14.00 und 16. Uhr – am Freitagvormittag bis 10.00 Uhr – am Freitagnachmittag – am Samstag und Sonntag

1c Am Montagnachmittag hat sie eine Vorlesung in Mathematik. • Am Dienstagnachmittag hat sie eine Vorlesung in Markt und Wettbewerb. • Am Mittwochvormittag hat sie eine Vorlesung in Statistik. • Am Mittwochnachmittag hat sie eine Übung in Statistik. • Am Donnerstagvormittag hat sie eine Übung in Markt und Wettbewerb und eine Übung in Marketing. • Am Donnerstagnachmittag hat sie eine Übung in Mathematik. • Am Freitagvormittag hat sie eine Vorlesung in Projektmanagement.

2a 2c • 3g • 4a • 5f • 6d • 7e

2b 3. Nein. Ich habe heute keinen Termin. • 4. Nein. Am Wochenende jobbe ich nicht. • 5. Nein. Morgen haben wir nicht frei. • 6. Nein. Die Sekretärin ist nicht da. • 7. Nein. Ich habe nicht viel zu tun. • 8. Nein. Ich gehe nicht zur Sprechstunde von Professor Hans.

3a 08:15 Vorlesung • 10:30 Besuch von Frau Heinen • 12:30 Arbeitsessen im Restaurant „Am Markt" • 13:45 Besprechung im Rektorat • 15:10 Gesprächstermin mit zwei spanischen Studentinnen • 15:40 Gesprächstermin mit Franziska Urban • 20:00 Studententheater

3b 1. halb sieben • 2. zwanzig nach sieben • 3. Viertel nach acht • 4. Viertel vor zwölf • 5. Viertel nach zwei • 6. Viertel vor vier • 7. vier Uhr • 8. halb sechs

4b 1. Lisa • 2. Lennard • 3. Philipp

4c 1. am Semesterende • 2. vormittags – nachmittags – abends – nachts • 3. den ganzen Tag • 4. meistens – oft – manchmal – selten • 5. am Wochenende

B Im Supermarkt

1a **Obst / Früchte:** der Apfel, Äpfel • die Orange, -n / Apfelsine, -n • die Weintraube, -n • **Gemüse:** die Karotte, -n • die Kartoffel, -n • die Tomate, -n • **Fleisch / Wurst:** das Rindfleisch, - • das Schnitzel, - • das Steak, -s • die Fleischwurst, - • **Eier und Milchprodukte:** der Joghurt, -s • der Käse, - • die Butter, - • die Milch, - • die Sahne, - • **Brot / Getreideprodukte:** das Brötchen, - • das Müsli, - s • **Süßigkeiten:** das Eis, - • die Marmelade, -n • die Schokolade, -n

2a

die Flasche	Apfelsaft, Bier, Cola, Ketchup, Öl, Milch, Wein, Orangensaft
das Glas	Marmelade, Würstchen, Gurken
die Dose	Bier, Cola, Kekse, Mais, Thunfisch, Champignons
der Becher	Joghurt, Sahne
die Packung / das Päckchen	Brötchen, Butter, Nudeln, Müsli, Kekse, Milch, Zucker, Salz, Mehl
die Schachtel	Kekse, Eier
die Tafel	Schokolade
der Beutel / die Tüte	Brötchen, Kekse, Tee, Schwarzbrot, Kartoffelchips, Reis, Müsli, Orangen, Äpfel
die Tube	Mayonnaise, Ketchup
die Schale	Weintrauben, Erdbeeren, Champignons
nicht zählbar	Salz, Zucker, Mehl, Pfeffer

2b 2 Schalen Erdbeeren – 3 Päckchen Butter – 4 Tüten Kartoffelchips – 2 Tüten Müsli – 3 Gläser Mayonnaise – 2 Becher Joghurt – 2 Tuben Senf – 2 Dosen Thunfisch – 3 Flaschen Orangensaft – 2 Tafeln Schokolade – 5 Schachteln Pralinen, 2 Gläser Marmelade

2c 1. Wir brauchen Butter. Wie viel brauchen wir denn? 1 Päckchen. • 2. Wir brauchen Sahne. Wie viel brauchen wir denn? 3 Becher • 3. Wir brauchen Würstchen. Wie viele brauchen wir denn? 7 Stück • 4. Wir brauchen Thunfisch. Wie viel brauchen wir denn? 2 Dosen • 5. Wir brauchen Gurken. Wie viele brauchen wir denn? 2 Stück • 6. Wir brauchen Eier. Wie viele brauchen wir denn? 10 Stück / 1 Schachtel

3 2b • 3c • 4d • 5a • 6e • 7f • 8g

4a 2 58 % • 3 33 % • 4 4 % • 5 25 %

4b Bürokraft, Kellner, Kassierer oder Verkäufer im Supermarkt, Nachhilfelehrer für Schüler oder Studenten, Programmierer, Sänger (auf Hochzeiten), Weihnachtsmann

C Endlich Wochenende

1a 2e • 3d • 4a • 5b • 6f

1b Bsp.: 2. Ja. Ich kenne sie. / Nein. Ich kenne sie noch nicht • 3. Ja. Ich kenne ihn. / Nein. Ich kenne ihn noch nicht. • 4. Ja. Ich kenne es. / Nein. Ich kenne es noch nicht. • 5. Ja. Ich kenne ihn. / Nein. Ich kenne ihn noch nicht. • 6. Ja. Ich kenne sie. / Nein. Ich kenne sie noch nicht.

1c **Ich besuche . . .** 2. sie jeden Freitag. • 3. dich morgen. • 4. ihn übermorgen. • 5. euch heute Abend. • 6. sie am Samstag. 7. euch am Donnerstagabend. 8. sie am Sonntagnachmittag.

2a 2. Was ist Rügen? • 3. Wen besuchst du am Wochenende? • 4. Was machst du am Wochenende?

2b 2. Wer wohnt auf Rügen? • 3. Wen besuchst du? • 4. Was besuchst du? • 5. Wer / Was ist sehr interessant? • 6. Wer kommt heute? • 7. Was war gut? • 8. Was hat Sebastian?

3 *Mögliche Beispiele:* gutes Wetter / Das mag ich: Es ist kalt. Die Sonne scheint. Es sind nur 3 Grad. Es schneit. Es sind 25 Grad. • schlechtes Wetter / Das mag ich nicht: Es sind minus 5 Grad. Es ist bewölkt. Es regnet. Es sind 35 Grad. Es gewittert. Es ist windig.

4 2. Leider ist das Wetter schlecht. Das ist schade. • 3. Zum Glück scheint die Sonne. • 4. Leider ist das Museum geschlossen. • 5. Zum Glück ist im Haus von Franziskas Bruder viel Platz. • 6. Leider sehe ich euch nur selten. • 7. Zum Glück haben wir ein langes Wochenende.

5c *Beispiellösung:* Liebe / Lieber …, am Freitag fahren wir nach Konstanz (am Bodensee). Wir wohnen dann bei Freunden. Das Wetter ist gut. Wir besuchen ein Museum und besichtigen die Stadt: Das archäologische Museum und den botanischen Garten finde ich besonders interessant. Die Stadt ist sehr schön. Am Sonntag fahren wir leider schon wieder nach Hause. Viele Grüße …

Phonetik

2c Job – Kurs • Mensa – Übung – Arbeit • Student – Gespräch – Klausur • Vorlesung – Sprechstunde • Referat – Praktikant • Semester – Termine – Professor

3a 1a • 2a • 3b • 4b • 5a • 6b • 7b • 8a • 9b

4 Wirtschaft und Kultur

A Hier kann man gut leben und arbeiten

1 Webentwicklerin: in Meetings gehen, am Schreibtisch sitzen, E-Mails schreiben, Termine planen • Schauspieler: viel lesen, Text lernen, Sprechübungen machen, zur Probe gehen, am Abend arbeiten

2a wir müssen, du musst, ihr müsst, er muss, sie muss / müssen • du kannst, wir können, er kann, sie kann / können, ihr könnt, ich kann

2b 2. kann • 3. Kannst • 4. musst • 5. muss • 6. kann • 7. Könnt • 8. müssen • 9. können

2c 2. man ist fähig • 3. man ist fähig • 4. es ist möglich

2d **Es ist (nicht) möglich:** er kann sein Buch nicht finden – ich kann heute nicht laut sprechen – Könnt ihr morgen schon um 10 Uhr kommen? – Viele Schauspieler können erst um 10:30 kommen – Beatriz kann ihren Hund nicht ins Büro mitnehmen – Morgens kann er oft lange schlafen • **Man ist fähig (Kompetenz):** Leopold kann gut Texte lernen. – Sie kann Spanisch, Deutsch und Englisch sprechen.

2g 2. Am Sonntag muss er arbeiten / Er muss am Sonntag arbeiten. • 3. Um 8 Uhr muss sie im Büro sein. / Sie muss um 8 Uhr im Büro sein. • 4. Am Wochenende kann sie wegfahren. / Sie kann am Wochenende wegfahren. • 5. Er kann morgens lange schlafen. / Morgens kann er lange schlafen. • 6. Jeden Tag muss sie im Büro arbeiten. / Sie muss jeden Tag im Büro arbeiten.

2h 1

3a 2. Er probt nicht sehr gern, denn er muss oft lange warten. • 3. Er mag seinen Job, denn er spielt gern andere Menschen. • 4. Leopold und Beatriz leben gern in Schwäbisch Hall, denn sie haben hier viele Freunde. • 5. Beatriz liebt ihre Arbeit, denn sie kann kreativ sein. • 6. Sie kennt Deutschland schon sehr gut, denn am Wochenende kann sie oft wegfahren.

3b 2. Am Sonntag schläft sie lange, denn sie muss nicht arbeiten. • 3. Er spricht Portugiesisch, aber er spricht kein Spanisch. • 4. Haben Sie Fragen oder ist alles klar? • 5. Ich nehme den Tafelspitz und ich nehme einen Salat. • 6. Wir kochen Spaghetti oder wir gehen in ein Restaurant. • 7. Sie spricht Spanisch und Englisch und sie lernt Deutsch.

3c

1. Hauptsatz	Konnektor – Pos. 0	2. Hauptsatz / 2. Satzteil
Am Sonntag schläft sie lange	denn	sie muss nicht arbeiten.
Er spricht Portugiesisch	aber	er spricht kein Spanisch.
Haben Sie Fragen	oder	ist alles klar?
Ich nehme den Tafelspitz	und	ich nehme einen Salat.
Wir kochen Spaghetti	oder	wir gehen in ein Restaurant.
Sie spricht Spanisch und Englisch	und	sie lernt Deutsch.

3d Er spricht Portugiesisch, aber kein Spanisch. Ich nehme den Tafelspitz und einen Salat. Wir kochen Spaghetti oder gehen in ein Restaurant. Sie spricht Spanisch und Englisch und lernt Deutsch.
Sätze mit „denn" kann man nicht verkürzen.

B Restaurant oder Picknick

1 2. • 4. • 3. • 1.
2a 2b • 3a • 4b • 5b • 6a
2b **Man ist (nicht) fähig:** Leopold kann sehr gut Texte lernen. Beatriz kann sehr gut Englisch sprechen. • **Es ist (nicht) nötig:** Beatriz muss am Wochenende nicht früh aufstehen. Am Freitag muss Beatriz arbeiten. Leopold muss Sprechübungen machen. • **Es ist (nicht) erlaubt:** Im Bus darf man nicht essen. Man darf draußen rauchen. – Im Bus darf man nicht laut Musik hören. – Beatriz darf ihren Hund im Bus mitnehmen. – Man darf im Stadtpark ein Picknick machen. • **Man wünscht sehr direkt / plant etwas (nicht):** Beatriz' Schwester will im August nach Deutschland kommen. – Leopold will jetzt ein Bier trinken. – Leopold und Beatriz wollen am Freitag eine Radtour machen • **Man wünscht höflich etwas (nicht):** Leopold möchte ein Picknick machen. – Beatriz möchte im August Urlaub nehmen. • **Etwas gerne haben:** Leopold mag Streuselkuchen. – Beatriz mag ihren Job.
2c *Mögliche Beispiele:* **Wunsch:** Ich möchte einen Kaffee trinken. – Du willst einen Film gucken. • **Erlaubnis:** Ihr dürft die Bücher lesen. • **Fähigkeit / Möglichkeit:** Ich kann Englisch sprechen. • **Notwendigkeit / Pflicht:** Sie müssen die Texte lernen. • **Etwas gern haben:** Er mag Schokolade.
2d 1. mag • 2. möchte • 3. mögen • 4. möchten • 5. mag • 6. möchte
3a 2. können • 3. kann • 4. können • 5. muss • 6. muss • 7. darf
3b 1. können • 2. muss, darf • 3. will, können • 4. dürft • 5. Musst, kannst • 6. muss • 7. könnt, müssen • 8. Willst, kann

C Im Beruf

1a 2. Köche kochen Essen. 3. Verkäufer verkaufen Kleidung. 4. Autorinnen schreiben Texte. 5. Automechaniker reparieren Autos. 6. Künstlerinnen malen Bilder. 7. Zahnärzte behandeln Patienten. 8. Lehrer unterrichten Kinder.
1b die Fachfrau, die Kaufleute, die Kauffrauen • die Landwirtin, die Buchhändlerinnen.
Architekt – Architekten / Architektinnen – Architektin • Informatiker – Informatikerin – Informatiker / Informatikerinnen • Maschinenbauer – Maschinenbauerin – Maschinenbauer / Maschinenbauerinnen • Werbefachmann – Werbefachfrau – Werbefachleute / Werbefachfrauen • Journalist – Journalistin – Journalisten / Journalistinnen • Praktikant – Praktikantin – Praktikanten / Praktikantinnen
2 **Baum 1:** Frühling, März, April, Mai • **Baum 2:** Sommer, Juni, Juli, August • **Baum 3:** Herbst, September, Oktober, November • **Baum 4:** Winter, Dezember, Januar, Februar
3a 2. Am dritten Juli. 3. Am ersten Dezember. 4. Am siebten November.
3b 1b • 3a • 4a
3c 2. vom 31.8. bis 4.9. • 3. von 18:45 bis 19:30 Uhr • 4. vom 31.10. bis 17.11.
3d Frau Müller: 1.8. bis 12.8. • Frau Meier: 11.7. bis 15.7. und 12.9. bis 30.9.
4b Weltmarktführer • in Deutschland 6.300 Mitarbeiter • über 400 Gesellschaften • in mehr als 80 Ländern • weltweit über 68.000 Mitarbeiter

Phonetik

1c **kurz:** Wippe, Locke, Kuller, Wenner • **lang:** Dahner, Niemer, Kuhler, Weener
1d 2. doppelte Vokale sind lang → Weener • 3. Vokale vor doppelten Konsonanten sind kurz → Wenner, Kuller • 4. i + e ist immer lang → Niemer
2b **Kurze Vokale:** Sänger, Arzt, Kellner, Journalist, Professor, Jurist • **Lange Vokale:** Betriebswirt, Schauspieler, Chemiker, Philosoph

---

5 Spiel und Spaß

A Das macht Spaß!

1a a1 • b3 • c2 • d4 • e6 • f5
1b 1c • 2– • 3a • 4b
1c 2. Do • 3. z. B. • 4. od. • 5. su. • 6. WE • 7. Tel. • 8. u. • 9. zz.
1d *Mögliche Lösung:* Hallo, ich möchte gern Musik mithören u. ins Konzert gehen. Wann und wohin geht es? LG Lydia
2

	ich	du	er / sie / es	wir	ihr	sie / Sie
lesen	lese	liest	liest	lesen	lest	lesen
sprechen	spreche	sprichst	spricht	sprechen	sprecht	sprechen
treffen	treffe	triffst	trifft	treffen	trefft	treffen
fahren	fahre	fährst	fährt	fahren	fahrt	fahren
schlafen	schlafe	schläfst	schläft	schlafen	schlaft	schlafen
laufen	laufe	läufst	läuft	laufen	lauft	laufen
wissen	weiß	weißt	weiß	wissen	wisst	wissen

3a 2. lese • 3. laufen • 4. läufst • 5. schläfst • 6. weiß • 7. triffst

4a 1. lesen • 2. haben • 3. treffen • 4. schauen • 5. fahren

4b 1a+c • 2a+d • 3a+c • 4a+d • 5a+d • 6a+c

5a 2f • 3a • 4e • 5c • 6b

B Hochschulsport

1a 1f • 2f • 3f • 4r • 5f • 6r

1c 2. Individualsport • 3. Öffnungszeiten • 4. Mitarbeiter •
5. Sporthallen • 6. Rabatt • 7. Angebot

2a 1. mit • 2. ab • 3. auf • 4. an

2b *Mögliche Lösungen:* 2. Wir kommen zum Probetraining mit. •
3. Tobias und Annika probieren den Schwimmkurs aus. •
4. Schwimmen findet montags und freitags statt. • 5. Ich
stehe um 7 Uhr auf. • 6. Du rufst Professor Mertens an.

2c

Position 1	Position 2		Satzende
3. Wann	stehst	du am Wochen-ende	auf?
8. Wann	rufst	du	Florian an?
4. Probieren	Annika und Tobias	das Lauftraining	aus?
5 Können	wir	am Montag	anfangen?
6. Ruft	ihr	mich	an?
7. Kannst	du	uns	abholen?

3 **Vorteile Individualsport:** Man kann flexibel Sport treiben. •
Man kann zu Hause, im Park oder im Wald aktiv sein. • Man
muss kein Geld für ein Fitnessstudio oder einen Sportkurs
bezahlen. • Man hat Ruhe.
Vorteile Mannschaftssport: Man kann im Sportkurs neue Leute kennenlernen. • Es ist gut für die Motivation und Disziplin,
denn man bekommt Unterstützung von den Teamkollegen. •
Trainer gibt Orientierung. • Man hat Kontakt mit anderen
Personen.

C Gut gelaufen

1a der Halbmarathon, die Halbmarathons – die Distanz, die Dis-
tanzen – die Strecke, die Strecken – das Publikum – der Triath-
let, die Triathleten – die Triathletin, die Triathletinnen – der
Platz, die Plätze – der Rekord, die Rekorde – das Ziel, die Ziele

1b a

1c 1r • 2f • 3r • 4f • 5r • 6r

1d 2. schaffen • 3. motivieren • 4. klappen • 5. feiern • 6. starten

1e 1. ist … gestartet • 2. hat … trainiert • 3. hat … geschafft •
4. hat … motiviert • 5. hat … geklappt • 6. haben … gefeiert

2a 2. Die Organisatoren haben den Lauf gut organisiert. • 3. Ihr
habt das Startgeld beim Start bezahlt. • 4. Axel Meyer hat die
Strecke in 33:01 Minuten geschafft. • 5. Wir haben 2014 gesiegt. • 6. Der Leonardo-Campus-Run hat Spaß gemacht. •
7. Alles hat sehr gut funktioniert. • 8. Du hast intensiv für den
Lauf trainiert. • 9. Tobias ist beim Lauftraining gestürzt. •
10. Tobias hat Ruhe gebraucht. • 11. Tobias und Annika haben
eine neue Sportart gesucht.

3a 2. bin … gestürzt • 3. habe … gemacht • 4. war • 5. habe …
trainiert • 6. war • 7. bin … gestartet • 8. hatte • 9. ist … passiert • 10. bin … gestürzt • 11. habe … gelacht • 12. hat … gesagt

3b Liebe Oma!
Gestern war ich mit Tobias und Jonas beim Campus-Run in
Münster. Insgesamt sind fast 800 Teilnehmer gestartet. Du
weißt ja, Jonas hat viel trainiert. Er hat die Strecke in einer
Superzeit geschafft – persönliche Bestzeit! Der Lauf war super
und die Organisatoren haben alles gut geplant. Nur Florian
hatte Pech – er ist gestürzt. Jetzt darf er nicht mehr laufen.
Der Arme! Sport ist jetzt tabu, aber nach einer Stunde hat er
wieder gelacht. Nächstes Jahr will ich unbedingt mitmachen!
Liebe Grüße und bis bald, Annika

4a *Lösungsvorschläge:* **schon oft:** – im Supermarkt jobben – ein
Konzert besuchen – eine Fremdsprache lernen – ein Museum
besuchen – in einem Team zusammen arbeiten • **manchmal:**
– Essen kochen – ein Instrument spielen – Geschirr spülen –
einen Sprachkurs machen • **einmal:** – ein Praktikum machen
– Fallschirm springen – Hausarbeit machen – Fußball spielen •
noch nie: – für einen Lauf trainieren – Urlaub am Meer machen – ein Auto kaufen

4b *Beispiele:* 1. Ich habe schon oft im Supermarkt gejobbt. • 2. Ich
habe schon oft ein Konzert besucht. • 3. Ich habe schon oft
eine Fremdsprache gelernt. • 4. Ich habe schon oft ein Museum besucht. • 5. Ich habe schon in einem Team gearbeitet.

Phonetik

2a **lang:** sehen, lesen • **kurz:** treffen, sprechen

2b ihr trefft • er spricht, ihr sprecht • er sieht, ihr seht • er liest,
ihr lest

2c 2a • 3a • 4b

3a **lang:** Wiemer, Wehmer • **kurz:** Winter, Wenter

3b **lang:** Lena, Wieland, Emil, Ina • **kurz:** Dirk, Jens, Nicki, Selma

6 Endlich ein Zimmer

A Zimmer gesucht – und gefunden

1 1. Irländisch • 2. Politikwissenschaften • 3. 6 • 4. möblierte •
5. Wohneinheit mit Küchenzeile

2a 1. ausfüllen • 2. finden – bekommen – beantragen •
3. bekommen – finden • 4. aufkleben

2b 1. kompliziert • 2. unmöbliert • 3. allein wohnen

3 1. Hallo • 2. Und, hast du schon ein Zimmer in Frankfurt gefunden? • 3. Toll! Wie schnell! Wohnst du allein? • 4. Oh, ein
unmöbliertes Zimmer. • 5. O. k. Du kannst mir dann später
schreiben! • 6. Tschüss.

3a 1. gefahren • 2. gekommen • 3. gegangen • 4. getroffen •
5. geblieben • 6. gesessen • 7. gegessen • 8. geredet •
9. gewusst • 10. gedacht • 11. gesehen • 12. gefunden

3b 2. Du bist zu spät gekommen → kommen • 3. Julius hat mit
dem Hausmeister gesprochen → sprechen • 4. Wir haben am
Sonntag lange geschlafen. → schlafen • 5. Habt ihr schon mal
Rhabarberschorle getrunken? → trinken • 6. Oliver und Vera
haben bei der Möbelsuche geholfen. → helfen

3c **mit „haben":** treffen → getroffen; sitzen → gesessen; essen →
gegessen; denken → gedacht; sehen → gesehen; schreiben →
geschrieben; sprechen → gesprochen; schlafen → geschlafen;
trinken → getrunken; helfen → geholfen
mit „sein": fahren → gefahren; kommen → gekommen;
gehen → gegangen; bleiben → geblieben

3d *Mögliche Lösung:* Leon ist gestern mit Oliver nach Frankfurt gefahren. Er hat seinen Wohnheimtutor Julius getroffen. Sie sind ins Restaurant gegangen und haben Schnitzel gegessen. Leon hat Vera eine SMS geschrieben. Sie ist nicht nach Frankfurt gefahren. Sie ist bei ihren Eltern. Am Sonntag hat sie lange geschlafen und ist zu Hause geblieben. Leon und Oliver haben am Abend mit Julius Bier getrunken und in einem Hostel geschlafen.

4a 1. studiert • 2. gewohnt • 3. gefahren • 4. gelesen • 5. gegangen • 6. diskutiert • 7. gefunden

4b 2. habe studiert • 3. habe gewohnt • 4. bin gefahren • 5. waren • 6. habe getroffen • 7. sind gegangen • 8. haben gegessen • 9. hatten • 10. arbeiten • 11. machen • 12. kochen • 13. gehen • 14. sehen • 15. haben • 16. bin • 17. komme • 18. haben

B Zimmer eingerichtet

1a **Möbel:** der Hochschrank, ̈e; das Bett, -en; die Matratze, -en; der Stuhl, ̈e; der Schreibtisch, -e; der Kleiderschrank ̈e; der Küchentisch, -e; die Kommode, -n; das Sofa, -s; der Sessel, - **Material:** das Metall, -e; der Kunststoff, -e; das Glas, ̈er

2 1. Ich habe Ihre Anzeige gelesen. Haben Sie den Schrank noch? • 2. Das ist schade. Und ist das Regal noch da? • 3. Super! Ich nehme das Regal. Kann ich es morgen Abend abholen? • 4. Ja, gerne. Und wie ist die Adresse? • 5. O. k. danke. Dann bis morgen.

3 1. schon erreicht • 3. am Sonntag besucht? • 4. leider ausgefallen • 5. zu Hause vergessen • 6. mit Freunden verbracht • 7. schon aufgemacht • 8. im ganzen Haus gesucht

4 **trennbare Vorsilbe:** nachschauen → nachgeschaut; mitkommen → mitgekommen; anrufen → angerufen; wegfahren → weggefahren; aufmachen → aufgemacht; ausschneiden → ausgeschnitten
untrennbare Vorsilbe: vergessen → vergessen; verbringen → verbracht; bezahlen → bezahlt; bekommen → bekommen; besuchen → besucht

5 1. a. Leon ruft Möbelverkäufer an. – b. Leon muss Möbelverkäufer anrufen. – c. Leon hat Möbelverkäufer angerufen. • 2. a. Ich hole das Sofa ab. – b. Ich muss das Sofa abholen. – c. Ich habe das Sofa abgeholt. • 3. a. Du kommst um drei Uhr vorbei. – b. Du musst um drei Uhr vorbeikommen. – c. Du bist um drei Uhr vorbeigekommen. • 4. a. Ihr gebt nicht viel Geld aus. – b. Ihr müsst nicht viel Geld ausgeben. – c. Ihr habt nicht viel Geld ausgegeben. • 5. a. Sie machen die Tür auf. – b. Sie müssen die Tür aufmachen. – c. Sie haben die Tür aufgemacht. • 6. a. Die Vorlesung fällt heute aus. – b. Die Vorlesung muss heute ausfallen. – c. Die Vorlesung ist heute ausgefallen. • 7. a. Wir klopfen zweimal an. – b. Wir müssen zweimal anklopfen. – c. Wir haben zweimal angeklopft. • 8. a. Der Verkäufer ruft nicht zurück. – b. Der Verkäufer muss nicht zurückrufen. – c. Der Verkäufer hat nicht zurückgerufen. • 9. a. Du füllst das Formular aus. – b. Du musst das Formular ausfüllen. – c. Du hast das Formular ausgefüllt. • 10. a. Ihr räumt die Wohnung auf. – b. Ihr müsst die Wohnung aufräumen. – c. Ihr habt die Wohnung aufgeräumt. • 11. a. Ich kaufe im Supermarkt ein. – b. Ich muss im Supermarkt einkaufen. – c. Ich habe im Supermarkt eingekauft. • 12. a. Wir stehen früh auf. – b. Wir müssen früh aufstehen. – c. Wir sind früh aufgestanden.

6 2. Wir haben den Hausmeister nicht erreicht. • 3. Ich habe oft angerufen. • 4. Er hat nicht zurückgerufen. • 5. Unsere Heizung ist ausgegangen. • 6. Zum Glück ist Julius vorbeigekommen.

7a *Mögliche Lösung:* Viele junge deutsche Menschen möchten lange in einer Wohngemeinschaften wohnen. Wohngemeinschaften sind nicht teuer …

7b Geld sparen – am Abend nicht alleine – soziale Kontakte sind wichtig – mit Freunden in einer WG ist praktisch – Freizeitaktivitäten zusammen machen

7c *Mögliche Lösung:*
Lieber Christian, ich möchte gern in einer Wohngemeinschaft wohnen, denn ich kann nach der Arbeit am Abend nicht allein sein. Ich kann mit Tom und Lisa zusammen kochen und Kaffee trinken. Soziale Kontakte sind für mich wichtig. Am Wochenende können wir viele Aktivitäten oder Sport zusammen machen. Ich finde muss den Putzplan einhalten (ich räume nicht gern die Küche auf ☹), aber es ist o. k., denn die Miete ist nicht hoch. Mit dem WG-Leben kann man Geld sparen. Liebe Grüße Sahra

C In der WG eingelebt

1a 1. aufräumen • 2. einkaufen • 3. runterbringen • 4. ausräumen • 5. leeren

1b 2. aufmachen • 3. einräumen • 4. ausschalten

2 1. an • 2. zwischen • 3. vor • 4. auf • 5. neben • 6. in • 7. unter • 8. hinter • 9. über

3a a1 • b7 • c10 • d6 • e4 • f11 • g8 • h9 • i5 • j2 • k3

3b auf dem Kühlschrank

4

Fach	Name	Nationalität	Inhalt	Vorlieben
1	André	Österreich	Sojamilch, Blumenkohl, Tomaten	ist Veganer
2	Irina	Russland	Vanillejoghurt, Schokoladenpudding, Erdbeeren	mag es süß.
3	Kristen	USA	Senf, Würstchen, Tartar	isst gern Fleisch.

5a 1. der • 2. dem • 3. dem • 4. dem • 5. dem • 6. dem • 7. der • 8. dem • 9. dem • 10. dem • 11. der • 12. dem

5b *Mögliche Lösung:* Liebe Nicole, gestern habe ich mein Zimmer in der WG bekommen. Es ist schon eingerichtet: ich habe ein Bett, es steht an der Wand neben der Tür. Über dem Bett hängen meine Bilder aus Ägypten. Unter dem Fenster steht mein Schreibtisch. Ich habe auch ein Sofa und einen Teppich. Vor dem Sofa steht noch ein Tisch. Ich mag mein Zimmer. Mal sehen, morgen kaufe ich noch eine Lampe. Liebe Grüße aus Stuttgart Lisa

Phonetik

1c 2. **mit**spielen – mit • 3. **an**rufen – an • 4. **an**fangen – an • 5. **an**klopfen – an • 6. **auf**räumen – auf

2c 2. be**schrei**ben • 3. be**zah**len • 4. er**zäh**len – er**zäh**lt • 5. ver**glei**chen

2e 1a • 2b

3a 2. **an**gerufen • 3. er**reicht** • 4. zu**rück**gerufen • 5. ver**ges**sen

7 Kleider machen Freude

A Café Waschsalon

1 Waschsalon • Inhaberin • Angebot • Internetcafé • Wegbeschreibung • Öffnungszeit • Kulturveranstaltung

2a 2. trocknen • 3. kopieren • 4. surfen • 5. lesen • 6. trinken • 7. essen • 8. treffen • 9. hören • 10. entspannen

2b **Kultur:** Film – Konzert – Theater • **Speisen:** Schinkentoast – Schokoladenkuchen • **Getränke:** Espresso – Saft – Tee – Milchkaffee • **Internet:** surfen – mailen

3 waschen – fernsehen – essen – trinken – Musik – DJs hören. – Man ist nie allein. – Kulturcharakter. – Man trifft viele unterschiedliche und neue Leute. – tolle Atmosphäre

4a 1b • 2b

4b 2. WV • 3. AI • 4. AI • 5. Aw • 6. Aw

4c 1. A • 2. V • 3. A • 4. V • 5. V • 6. A

4d 1. U • 2. P • 3. P • 4. P • 5. U • 6. U

4e 2. Trinken wir doch mal einen Milchkaffee. • 3. Machen Sie bitte einen Milchkaffee. • 4. Kommen Sie doch zum Konzert. • 5. Gehen wir doch ins Theater.

6 2. Waschen wir doch zu Hause! • 3. Bringen wir die Wäsche mal in den Waschsalon! • 4. Gehen wir doch jetzt essen! • 5. Schauen wir doch mal im Internet! • 6. Waschen wir doch heute Nachmittag!

B Pass auf, der läuft ein!

1 1r • 2f • 3f • 4r

2a 2. Wiederholen Sie das doch bitte noch mal. • 3. Können Sie das nochmal wiederholen. • 4. Entschuldigung, ich muss noch mal nachfragen. • 5. Darf ich noch mal nachfragen?

2b 1. Ja, gern. Das bedeutet „etwas noch einmal sagen". • 2. Natürlich. Was verstehen Sie denn nicht? – Das bedeutet „Schauen Sie im Wörterbuch nach". • 3. In der Steinerstraße. • 4. Gern. Am Samstag, um 19.30 Uhr.

2c 2. Was bedeutet „aufmachen". „Aufmachen" bedeutet „öffnen". • 3. Was bedeutet „zumachen"? „Zumachen" bedeutet „schließen". • 4. Entschuldigung, was bedeutet „bestens"? „Bestens" bedeutet „sehr gut".

3a 2. Entschuldigen Sie, darf ich Sie etwas fragen? • 3. Können Sie mir bitte helfen? • 4. Darf ich noch mal wiederkommen? • 5. Entschuldigen Sie, können bitte etwas langsamer sprechen? • 6. Entschuldigung, ich muss noch mal nachfragen. • 7. Können Sie das bitte noch mal wiederholen? • 8. Darf ich noch mal anrufen?

3b 2. Ich möchte morgen gern noch mal anrufen. • 3. Können Sie mir bitte helfen? • 4. Entschuldigung, das habe ich nicht verstanden. • 5. Kann ich morgen noch mal kommen? • 6. Entschuldigung, wo finde ich das Internetcafé?

4 2. Paar • 3. paar • 4. paar • 5. Paar • 6. paar • 7. paar

5 2. gelb + blau • 3. rot + weiß • 4. grün + blau • 5. schwarz + weiß • 6. rot + blau

6 **du:** Ruf an! – Pass auf! Rate! – Entschuldige! – Geh! – Lade ein! – Fahr weg! – Komm mit! – Öffne! Schließ! – Schreib! – Trink! – Dreh um! – Wiederhole! – Sei! – Zeichne! – Bleib! – Warte! – Mach an! • **Ihr:** Ruft an! – Passt auf! – Ratet! – Entschuldigt! – Geht! – Ladet ein! – Fahrt weg! – kommt mit! – Öffnet! – Schließt! – Schreibt! – Trinkt! – Dreht um! – Wiederholt! – Seid! – Zeichnet! – Bleibt! – Wartet! – Macht an! • **Sie:** Rufen Sie an! – Passen Sie auf! – Raten Sie! – Entschuldigen Sie! – Gehen Sie! – Laden Sie ein! – Fahren Sie weg! – Kommen Sie mit! Öffnen Sie! – Schließen Sie! – Schreiben Sie! Trinken Sie! – Drehen Sie um! – Wiederholen Sie! – Seien Sie …! – Zeichnen Sie! – Bleiben Sie! – Warten Sie! – Machen Sie … an!

7a 2. Mach die Waschmaschine auf! • 3. Füll die Wäsche ein! • 4. Wähl das Waschprogramm! • 5. Drück Start! • 6. Sei bitte höflich!

7b 2. Bringt doch bitte mal eure Gitarren mit! • 3. Ruft doch mal an! • 4. Seid bitte nicht zu spät da! • 5. Antwortet bitte schnell! • 6. Macht doch mal Musik!

C Neue Kleider – neue Freunde

1 2. Waschpulver nehmen → Nimm Waschpulver! • 3. lesen → Lies die Anleitung! • 4. haben → Hab keine Angst! • 5. sein → Sei nicht so langweilig! • 6. den Konzerttipp heute Abend → Vergiss den Konzerttipp! • 7. laufen → Lauf zur Josefstraße!

2 *Mögliche Lösung:* Kommst du mit ins Café Waschsalon? Da ist heute ein Gitarrenkonzert. Es heißt „Jazz meets Soul". Der Gitarrist ist aus Belgien. Ich lade dich ein. Soll ich Karten kaufen? Hast du Lust? Grüße, Max.

3a 2. Nimm doch Butter! • 3. Halt doch mal das Glas fest! • 4. Sei doch nicht so langsam! • 5. Stoß mich doch nicht! • 6. Vergiss das Salz bitte nicht! • 7. Öffne doch mal bitte das Fenster! • 8. Iss doch nicht so viel!

3b 2. Sprecht doch nicht so laut! • 3. Macht doch bitte mal die Tür auf! • 4. Vergesst die Schokolade nicht! • 5. Lauft bitte zur Kasse! • 6. Esst doch nicht so viel Eis! • 7. Nehmt doch auch noch Schokolade! • 8. Habt doch keine Angst! • 9. Seid doch mal ruhig!

4 2. machen → Mach eine Reise! • 3. nehmen → Nimm das Leben leicht! • 4. bleiben → Bleib gesund! • 5. denken → Denk positiv! • 6. sein → Sei neugierig!

5a *Mögliche Lösungen:* 2. Sollen wir jetzt die Wäsche sortieren? Mmh. Fangen wir an. • 3. Soll ich die Jacke anprobieren? Nein, das geht schon. • 4. Sollen wir zum Konzert gehen? Ja, gern. • 5. Sollen wir den neuen Tee ausprobieren? Nein, danke. • 6. Soll ich nach Wien fahren? Wie du willst.

5b 2. Wollen wir ins Kino gehen? Ja, gehen wir ins Kino. • 3. Wollen wir Kaffee trinken? Ja, trinken wir Kaffee • 4. Wollen wir „du" sagen? Ja, sagen wir „du".

6a 2. Socke • 3. Pulli • 4. Jacke • 5. 90 Grad • 6. Hemd • 7. Pulli • 8. Jacke

6b **Positiv (+):** Das ist ja toll! – Das sieht ja klasse aus! **Negativ (–):** Das sieht ja schrecklich aus! – So ein Mist! – Das ist ja furchtbar! – Oh nein! – Ich Idiot! – Schade!

7a 1924 • Schriftstellerin • Wien • Erzählungen – Hörspiele – Romane – Theaterstücke – Lyrik für Kinder und Erwachsene

7b Erzählungen – Hörspiele – Romane – Theaterstücke – Lyrik – Gedichte – Klassiker – Kinderlyrik – Germanistik

Phonetik

1b 1a • 2b • 3b • 4a • 5b • 6a • 7b • 8a
2a 1f • 2w • 3f • 4w • 5f • 6f • 7w • 8w • 9f
2b

	Wir sprechen „f"		Wir sprechen „w"
f	Farbe	w	Krawatte, Wäsche
v	vier, vorsichtig, intensiv	v	Verb, Pullover
ph	Phonetik		

8 Grüezi in der Schweiz

A Neu in Bern

1 1r • 2f • 3f • 4r • 5r • 6f
2 2c • 3b • 4g • 5d • 6a • 7f
3a 2. von … bis … • 3. hier • 4. links abbiegen • 5. dort • 6. rechts abbiegen • 7. über die Kreuzung • 8. geradeaus
3b 2. der Sportplatz • 3. das Kino • 4. den Bahnhof
3c 2. zum • 3. mit • 4. mit • 5. mit • 6. beim • 7. vom • 8. zu • 9. zur
4 b. Tippen Sie Ihren Zielort ein! • c. Tippen Sie auf Zielort wählen! • d. Sie müssen 8,80 Franken bezahlen.

B Es geht um die Wurst

1 2. Das ist doch nicht so schlimm. / Das macht doch nichts. / Das ist überhaupt kein Problem. • 3. Oh, vielen Dank. / Danke • 4. Nein, danke. / Sehr gerne, danke. • 5. Danke. • 6. Das macht doch nichts. / Das ist doch nicht so schlimm • 7. Das ist mir Wurst. • 8. Nein, danke. / Sehr gerne, danke.
2a / b 2. Die Stadt ist nicht sehr groß, aber die Stadt ist sehr schön / es gibt viele Sehenswürdigkeiten. • 3. Ich möchte gern das Einsteinhaus und / oder das Paul-Klee Museum besuchen. • 4. Das Paul-Klee Museum möchte ich besuchen, denn mir gefallen die Bilder von Paul Klee gut. • 5. Meine Arbeit gefällt mir sehr gut und meine Kollegen sind total nett. • 6. Auf einer Grillparty gestern war es peinlich, denn ich hatte nichts zum Grillen dabei. • 7. Ich hatte nichts zum Grillen, aber natürlich habe ich doch eine Wurst bekommen. • 8. Komm doch auch mal nach Bern, denn es gibt viele Sehenswürdigkeiten / die Stadt ist sehr schön.
2c 2. etwas • 3. nichts • 4. Alle • 5. Alle, etwas • 6. man • 7. nichts • 8. nichts
3a **allgemeine Gültigkeit:** 2.,6. • **Gegenwart:** 5. • **Zukunft:** 3., 4.
3b **Generalisierung:** gibt es – besitzt – man zeigt – es ist – hier finden … statt • **Zukunft:** zeigt
4a 2a • 3d • 4g • 5i • 6e • 7h • 8b • 9f • 10j
4b Bild a: Schritt 2 • Bild b: Schritt 10 • Bild c: Schritt 7 • Bild d: Schritt 3 • Bild e: Schritt 1 • Bild f: Schritt 4

C Wie komme ich …?

1a
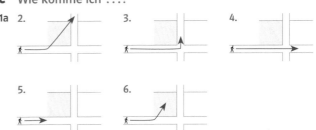

2a 2. um die • 3. durch den • 4. um das … herum • 5. um den … herum • 6. durch
2b 2. zum • 3. mit dem • 4. zum • 5. mit dem • 6. vom • 7. zur • 8. in die • 9. in die • 10. zum • 11. zur • 12. über die
3a 2. zu Ende machen • 3. ein Teil von einer Gruppe sein • 4. Hochzeit feiern • 5. anfangen
3b 1901 nach Italien gereist • 1905 nach Paris gereist • 1906 die Pianistin Lili Strupf geheiratet und in München gewohnt • 1911 zur Künstlergruppe „Blauer Reiter" gekommen • 1914 mit A. Macke und L. Moilliet nach Tunesien gereist • 1921–1931 Malerei an der Kunstschule „Bauhaus" in Dessau und Weimar unterrichtet • 1931–1933 Professor an Kunstakademie Düsseldorf • 1933 von Nationalsozialisten entlassen • 1940 in der Schweiz gestorben

DaF kompakt – mehr entdecken

1a 2. Man muss ihm immer eine Extrawurst braten. • 3. Alles hat ein Ende, nur die Wurst hat zwei • 4. Das ist ihm Wurst • 5. Es geht um die Wurst.

Phonetik

2b **konsonantisch:** Region, Touristen, Park, Bern, braun, Attraktion • **vokalisch:** Bär, mir, verkaufen, Besucher, immer
2c **konsonantisches „r":** deutlich • **vokalisches „r":** undeutlich, klingt fast wie ein „a"
2d **Bär:** vokalisches „r" • **Bären:** konsonantisches „r"
2e berühmte, reisen, interessant, fröhlich, Maler, abstrakt, Original, wirklich

9 Ein Grund zum Feiern

A Das müssen wir feiern!

1 2. Alles Gute zur Hochzeit • 3. Viel Glück für die Prüfung. • 4. Herzlichen Glückwunsch zum Examen. • 5. Herzlich willkommen im Haus. • 6. Alles Gute zum Ruhestand.
2a 1i • 2j • 3k • 4e • 5b • 6f • 7g • 8a • 9c • 10l • 11d • 12h
2b es geht, gefallen, gehören, schmecken, gratulieren, helfen, danken, passieren, antworten
2c dem / einem / deinem Bruder • dem / einem / deinem Kind • der / einer / deiner Mutter • den / ø / meinen Freunden
2d 2a • 3b • 4g • 5c • 6e • 7d
2e **Akk.:** mich, dich, ihn / es / sie, uns ,euch, sie / Sie • **Dat.:** mir, dir, ihm / ihm / ihr, uns, euch, ihnen / Ihnen

2f Liebe Tina, du kennst doch Sophia und Nils, oder? <u>Sie</u> haben ihren Master geschafft und wollen am Samstag eine große Party machen. Kommst du mit? LG Ali • Lieber Ali, Sophia und ich waren mal im Seminar von Professor Eck. Später habe ich <u>ihr</u> bei einer Hausarbeit geholfen. Nils kenne ich auch – <u>wir</u> sind beide beim Uni-Sport. Ich treffe <u>ihn</u> dort manchmal. Seit ein paar Wochen habe ich <u>ihn</u> aber nicht gesehen. <u>Er</u> hat also auch den Master geschafft. Das ist schön. Ich muss <u>ihn</u> unbedingt anrufen. Ich komme gerne mit zur Party. Wann beginnt denn die Party? VG Tina • Hi, die zwei haben viele Leute eingeladen. Ich bin schon um 16 Uhr da, denn ich möchte <u>ihnen</u> beim Kochen helfen. Komm doch auch früh. Dann kannst du <u>uns</u> helfen. Bis bald, Ali

3a **eine Einladung schreiben:** Am … um … Uhr mache ich eine Party. Kommst du auch? – Die Party findet am …. um … statt. – Ich hoffe, du kannst kommen. – Ich möchte dich zu meiner Party einladen. - Wir feiern bei mir zu Hause / bei meinen Eltern im Garten. • **zusagen:** Ich komme gern, aber ein bisschen später, denn … – Ich komme gern. – Natürlich komme ich. • **absagen:** Am … habe ich leider keine Zeit. Da muss ich … – Danke für die Einladung. Leider kann ich nicht kommen. Am … bin ich schon bei … eingeladen. – Tut mir leid, da kann ich nicht.

B **Den Studienabschluss feiern**

2 1. interessante • 2. interessant • 3. schicken • 4. karierte • 5. weite • 6. bequeme • 7. schick • 8. alten • 9. neue • 10. großen • 11. französischen • 12. deutschen • 13. lustig • 14. französische • 15. dunklen • 16. langen • 17. elegant • 18. roten • 19. schwarzer • 20. teuer • 21. teures

4 *Mögliche Lösungen:* 2. Ich möchte etwas ohne Alkohol (trinken). – Ich möchte (lieber) etwas Warmes (trinken). – Ich möchte (lieber) nichts Alkoholisches (trinken). • 3. Ich möchte (lieber) etwas Vegetarisches (essen). – Ich möchte (lieber) etwas Süßes (essen). – Ich möchte (lieber) etwas mit Käse (essen). • 4. Ich möchte (lieber) etwas Kaltes (trinken). – Ich möchte (lieber) etwas Alkoholisches (trinken). • 5. Ich möchte (lieber) etwas mit Fisch (essen). – Ich möchte (lieber) etwas Süßes (essen). • 6. Ich möchte (lieber) etwas mit Fisch (essen). – Ich möchte (lieber) etwas Warmes (essen). • 7. Ich möchte (lieber) etwas Vegetarisches (essen). – Ich möchte (lieber) nichts mit Schweinefleisch (essen). • 8. Ich möchte nichts Süßes.

C **Feste hier und dort**

1 2f • 3f • 4r • 5f • 6r • 7r • 8f • 9f

2a 2. Kristin schenkt ihrer Schwester einen Gutschein. • 3. Das Mädchen schenkt seinen Eltern ein Bild. • 4. Der junge Mann schenkt seiner Nichte einen Teddybären. • 5. Der junge Mann schenkt seinem Neffen eine DVD. • 6. Die Eltern schenken ihrem Sohn ein Fahrrad.

2b 2. Kristin schenkt ihr einen Gutschein. • 3. Das Mädchen schenkt ihnen ein Bild. • 4. Der junge Mann schenkt ihr einen Teddybären. • 5. Der junge Mann schenkt ihm eine DVD. • 6. Die Eltern schenken ihm ein Fahrrad.

2c 2. Kristin schenkt ihn ihrer Schwester. • 3. Das Mädchen schenkt es seinen Eltern. • 4. Der junge Mann schenkt ihn seiner Nichte. • 5. Der junge Mann schenkt sie seinem Neffen. • 6. Die Eltern schenken es ihrem Sohn.

2d 2. Kristin schenkt ihn ihr. • 3. Das Mädchen schenkt es ihnen. • 4. Der junge Mann schenkt ihn ihr. • 5. Der junge Mann schenkt sie ihm. • 6. Die Eltern schenken es ihm.

2e 2. Nils' Eltern schenken ihrem Sohn zum Geburtstag einen neuen Laptop. –Zum Geburtstag schenken Nils' Eltern ihrem Sohn einen neuen Laptop. – Ihrem Sohn schenken Nils' Eltern zum Geburtstag einen neuen Laptop. • 3. Die Großeltern schenken ihrem Enkel dieses Jahr eine neue Uhr. – Dieses Jahr schenken die Großeltern ihrem Enkel eine neue Uhr. – Ihrem Enkel schenken die Großeltern dieses Jahr eine neue Uhr. • 4. Der Kursleiter erklärt den Studenten die Aufgabe. – Die Aufgabe erklärt der Kursleiter den Studenten. – Den Studenten erklärt der Kursleiter die Aufgabe. • 5. Die Studenten schicken dem Kursleiter eine E-Mail. – Eine E-Mail schicken die Studenten dem Kursleiter. – Dem Kursleiter schicken die Studenten eine E-Mail. • 6. Der IT-Spezialist erklärt den Studenten das neue Programm. – Das neue Programm erklärt der IT-Spezialist den Studenten. – Den Studenten erklärt der IT-Spezialist das neue Programm. • 7. Die Studenten stellen dem IT-Spezialisten viele Fragen. – Viele Fragen stellen die Studenten dem IT-Spezialisten. – Dem IT-Spezialisten stellen die Studenten viele Fragen.

3 **Verben mit Dativergänzung:** schmecken, zustimmen, gratulieren, gefallen, helfen, antworten • **Verben mit Akkusativergänzung:** bestellen, aufräumen, finden, backen, trinken, lesen • **Verben mit Dativ- und Akkusativergänzung:** schenken, geben, zeigen, erklären, wünschen, leihen

4 1. n • 2. - • 3. n • 4. - • 5. n • 6. n • 7. - • 8. n • 9. - • 10. en • 11. - • 12. en • 13. -

5a 1. anzünden • 2. mitbringen • 3. einladen • 4. anstoßen • 5. anschneiden • 6. übernachten • 7. begrüßen • 8. anbieten • 9. halten • 10. wünschen

5b Meine Familie sehe ich nur zu Weihnachten, denn ich arbeite im Ausland. Am Heiligen Abend sind wir alle bei meinen Eltern und wir reden bis tief in die Nacht. Das finde ich sehr schön. (Alex, 30 – mag Weihnachten) • Zu Weihnachten gibt es bei uns immer Stress: Meine kleinen Geschwister streiten, mein Vater und mein Onkel streiten über Politik, meine Mutter arbeitet den ganzen Tag in der Küche und ist unzufrieden. (Saskia, 16: – mag Weihnachten nicht) • Zu Weihnachten besuche ich meine Eltern, es gibt ein leckeres Essen, ich bekomme Geschenke und wir singen Weihnachtslieder – wie früher, als ich klein war. (Nadine, 33 – mag Weihnachten)

DaF kompakt – mehr entdecken

1a 1B • 2C • 3A

1b 1. globales Lesen • 2. selektives Lesen • 3. detailliertes Lesen

1c 1. selektiv • 2. global • 3. detailliert

Phonetik

1e 1. [x] • 2. [ç] • 3. [ç] • 4. [ç]

1f 1. [x] • 2. [ç] • 3. [ç] • 4. [x] • 5. [ç] • 6. [ig] • 7. [ig] • 8. [ç]

2a 1. [x] • 2. [x] • 3. [x] • 4. [ç] • 5. [ç] • 6. [ç] • 7. [ç] 8. [ç] • 9. [ç] • 10. [ç]

10 Neue Arbeit – neue Stadt

A Wohnen in einer neuen Stadt

1 2f • 3e • 4g • 5b • 6a • 7d • 8c

2a **NO:** Nordosten • **O:** Osten • **SO:** Südosten • **S:** Süden • **SW:** Südwesten • **W:** Westen • **NW:** Nordwesten

2b 3. östlich • 4. westlich • 5. nordwestlich • 6. südlich • 7. südöstlich • 8. südwestlich

2c 2. Genf liegt westlich von Sion. • 3. München liegt nordwestlich von Salzburg. • 4. Salzburg liegt südwestlich von Wien. • 5. Bonn liegt südlich von Köln. • 6. Potsdam liegt südwestlich von Berlin. • 7. Hamburg liegt nordöstlich von Bremen • 8. Lausanne liegt nordöstlich von Genf. • 9. Die Schweiz liegt westlich von Österreich. 10. südlich (südöstlich) • 11. östlich • 12. westlich • 13. nördlich • 14. östlich • 15. nördlich (nordöstlich)

3a Position 0.

3b 2. Sie suchen in Zürich eine Wohnung, denn sie arbeiten dort ab September. • 3. Sie möchten nicht außerhalb, sondern lieber zentral wohnen. • 4. Sie wollen zentral wohnen, aber sie können nicht so viel bezahlen.

3c 3. Das Haus ist kein Reihenhaus, sondern ein Einfamilienhaus. • 4. das Haus hat keinen Balkon, sondern eine Terrasse. • 5. Das Haus hat kein Parkett, sondern Laminatboden. • 6. Das Haus hat keinen Keller, sondern einen Abstellraum.

3d 1. kein • 2. kein • 3. nicht • 4. nicht • 5. nicht

4a schön – schöner – am schönsten • billig – billiger – am billigsten • beliebt – beliebter – am beliebtesten • gut – besser – am besten

4b 2. kälter • 3. älter • 4. jünger • 5. größer • 6. länger • 7. kürzer

4c 1. wie • 2. als • 3. als

4d *Mögliche Lösungen:* Die Wohnung in Schwamendingen ist größer als die Wohnung in Enge. Die Wohnung in Enge ist (genau) so groß wie die Wohnung auf dem Lindenhof, aber sie kostet viel weniger. Die Wohnung auf dem Lindenhof ist teuer als die Wohnungen in Schwamendingen oder Enge, aber preiswerter / billiger als die Wohnung in der Bahnhofstraße. Die Wohnung in der Bahnhofstraße ist am teuersten, aber kleiner als die Wohnung in Schwamendingen. Sie hat mehr Bäder als die anderen Wohnungen und der Blick über die Zürcher Altstadt ist am schönsten.

B Ist die Wohnung noch frei?

1a die Miete, -n • die Lage, -n • die Besichtigung, -en • die Ablöse (nur Sg.) • der Vermieter, - • die Nebenkosten (nur Pl.) • das Zimmer, - • der Vertrag, ¨e • der Stock (nur Sg.) • die Waschküche, -n

1b

1c *Mögliche Lösungen:* 2. Wie ist die Adresse? • 3. Im wievielten Stockwerk ist die Wohnung? • 4. Wie groß ist das Wohnzimmer? • 5. Gibt es eine Waschmaschine? • 6. Gibt es einen Abstellraum? / Hat die Wohnung einen Abstellraum? • 7. Gibt es einen Parkplatz? • 8. Wie hoch ist die Ablöse? • 9. Wie hoch ist die Nettomiete? 10. Wie hoch ist die Kaution? • 11. Fährt / Hält eine Straßenbahn in der Nähe? • 12. Wie heißt der Vermieter?

1d *Mögliche Lösungen:* 2. Die Adresse ist Mainstraße 25. • 3. Die Wohnung liegt in der 2. Etage. Klingeln Sie dreimal. •4. Das Wohnzimmer ist 20 m² groß. • 5. Es gibt Waschmaschinen in der Waschküche im Keller. • 6. Es gibt keinen Abstellraum, sondern einen großen Keller. • 7. Es gibt einen Parkplatz in der Tiefgarage. • 8. Die Möbel sind geschenkt. • 9. Die Nettomiete beträgt CHF 1.940. • 10. Die Kaution beträgt zwei Monatsmieten. • 11. Sie können mit der Linie 25 fahren. Die Haltestelle heißt Mainstraße. • 12. Mein Name ist Widmer.

2 2. Man darf maximal zwei Stunden täglich üben. • 3. Man darf die Nachbarn nicht stören. • 4. Sie dürfen von Montag bis Samstag waschen. • 5. Sie arbeiten in der Woche • 6. Sie unterschreiben den Mietvertrag.

3 1. Andrea Mahler / Lara Jung • 2. ledig • 3. Bederstraße 250 • 4. 3-Zimmer-Wohnung • 5. 3. • 6. im Keller • 7. 01.09.2016 • 8. Kaution

4a 1. deiner • 2. meiner • 3. seiner • 4. ihrer • 5. deins • 6. meins • 7. deine • 8. meine • 9. deine • 10. meine

4b ○ Wem gehört der Computer? Hendrik, ist es deiner? – ● Nein, meiner ist das nicht. Aber vielleicht gehört er Lars? – ○ Nein, seiner ist es auch nicht. Vielleicht gehört er Ira? – ● Nein, ihrer ist es auch nicht. • ○ Wem gehört das Smartphone? Hendrik, ist es deins? – ● Nein, meins ist das nicht. Aber vielleicht gehört es Lars? – ○ Nein, seins ist es auch nicht. Vielleicht gehört es Ira? – ● Nein, ihrs ist es auch nicht. • ○ Wem gehört die Brille? Hendrik, ist es deine? – ● Nein, meine ist das nicht. Aber vielleicht gehört sie Lars? – ○ Nein, seine ist es auch nicht. Vielleicht gehört sie Ira? – ● Nein, ihre ist es auch nicht. • ○ Wem gehörten die Stifte? Hendrik, sind es deine? – ● Nein, meine sind das nicht. Aber vielleicht gehörten sie Lars? – ○ Nein, seine sind es auch nicht. Vielleicht gehörten sie Ira? – ● Nein, ihre sind es auch nicht.

5 2. seine • 3. unsere • 4. seins • 5. unserer • 6. unsere

C Unsere neue Wohnung

1 2. der Sessel, - • 3. der Kühlschrank, ¨e • 4. das Waschbecken, - • 5. der Herd, -e • 6. das Regal, -e • 7. das Bett, -en • 8. der Tisch, -e • 9. das Bild, -er • 10. die Badewanne, -en • 11. die Kommode, -n • 12. der Vorhang, ¨e • 13. der (Kleider)schrank, ¨e • 14. die Schrankwand, ¨e • 15. die Dusche, -en

2a 2. Wo? • 3. Wo? • 4. Wo? • 5. Wohin? • 6. Wohin? • 7. Wohin? • 8. Wo? • 9. Wo? • 10. Wohin? • 11. Wo? • 12. Wo?

2b Ich war im Bett, im Internet, im Park, im Supermarkt. • Ich gehe ins Bett, ins Internet, in den Park, ins Kino.

2c 2a. Er stellt die Lampe auf den Teppich. • 2b. Die Lampe steht auf dem Teppich. • 3a. Er legt das Buch auf das Bett. • 3b. Das Buch liegt auf dem Bett. • 4a. Er hängt das Bild an die Wand. • 4b. Das Bild hängt an der Wand.

2d 2. stehen – gestanden • 3. hängen – gehangen • 4. sitzen – gesessen

2e 2. stellen – gestellt • 3. hängen – gehängt • 4. setzen – gesetzt

2f 1. ins Internet gehen • 2. im Internet surfen • 3. im Park spazieren gehen • in der Küche liegen • 5. in die Küche gehen • 6. im Bett liegen

3a 1. zwischen die Fenster gestellt. • 2. die Matratze links von der Tür an die Wand gelegt. • 3. den Kleiderschrank / ihn in den Teil rechts von der Tür / in die Ecke gestellt • 4. gehängt.

3b 2. steht • 3. hängen • 4. liegt / ist • 5. liegt / ist • 6. legen • 7. leg • 8. stellst • 9. stelle • 10. lege • 11. liegt

4 1. Wo ist (bloß) meine Jacke? Ich habe sie doch gerade in den Schrank gehängt, oder? • 2. Wo ist mein Kuli? Ich habe ihn doch gerade auf den Tisch gelegt, oder? • 3. Wo ist (bloß) mein Wörterbuch? Ich habe es doch gerade in Regal gestellt, oder? • 4. Wo ist (bloß) mein Smartphone? Ich habe es doch gerade auf die Kommode gelegt, oder? • 5. Wo ist (bloß) meine Tasche? Ich habe sie doch gerade aufs Sofa gelegt, oder? • 6. Wo ist (bloß) mein Notizblock? Ich habe ihn doch gerade auf den Tisch gelegt, oder? • 7. Wo ist der / das Joghurt? Ich habe ihn / es doch gerade in den Kühlschrank gestellt, oder? • 8. Wo ist (bloß) der Suppentopf? Ich habe ihn doch gerade auf den Herd gestellt, oder?

DaF kompakt – mehr entdecken

1 Grund für die Mail: Kannst du vielleicht nicht erst nächstes, sondern schon dieses Wochenende nach Zürich kommen?

Phonetik

1b [s]: Einkaufsmöglichkeit • außerhalb • Kreis • Erdgeschoss • scheußlich • Monatsmiete • Terrasse • Bus • [z]: Süden • besichtigen • Sofa • leise

1d 1. [z] • 2. [z] • 3. [s] • 4. [s] • 5. [s] • 6. [s]

1e *Mögliche Lösung:* [s]: Eis • Fenster • Schluss • groß • [z]: Sonne • besuchen • Bluse

2 1u • 2g • 3g • 4g • 5g • 6u • 7g • 8g

11 Neu in Köln

A Auf nach Köln!

1 2c • 3d • 4a

2a 2b • 3a • 4a • 5b • 6b

2b **markierte konjugierte Verben:** 2. ist • 3. ist • 4. findet • 5. sucht • 6. möchte • 7. ist

Hauptsatz	Nebensatz		
3. Eva meint,	dass	das Studium anstrengend	ist.
6. Bernhard schreibt der WG eine Mail,	weil	er das Zimmer haben	möchte.

Nebensatz			Hauptsatz		
4. Dass	er Wirtschafts-mathematik interessant	findet,	sagt		Bernhard immer wieder.
5. Weil	Bernhard ein WG-Zimmer	sucht,	telefoniert		er mit Eva.
7. Dass	Köln eine schöne Stadt	ist,	weiß		Bernhard schon.

2c 2. Bernhard hofft, dass er in einer WG ein Zimmer finden kann. • 3. Eva findet es schön, dass Bernhard sie angerufen hat. • 4. Bernhard kommt nach Köln, weil er dort studieren will. • 5. Bernhard möchte in Köln studieren, weil er weg von zu Hause sein will. • 6. Eva glaubt, dass Bernhards Studium anstrengend ist.

2d 2. Weil viele junge Leute Köln interessant finden, studieren sie in der Stadt. • 3. Weil Köln viele Sehenswürdigkeiten hat, ist es eine interessante Stadt. • 4. Weil die Universität einen guten Ruf hat, gefällt sie den Studenten. • 5. Weil Bernhard schon einen Studienplatz hat, ist er glücklich.

2e 2. denn • 3. denn • 4. Weil – „Weil" leitet einen Nebensatz ein: Verb am Ende. „Denn" leitet einen Hauptsatz ein: Verb auf Position 2, „denn" auf Position 0.

2f 2. und • 3. Weil • 4. und • 5. dass • 6. denn • 7. dass • 8a. nicht • 8b. sondern • 9. und • 10a. keinen • 10b. sondern • 11. aber • 12. oder

3 *Mögliche Lösung:* In der Grafik kann man sehen, dass die meisten Deutschen ein Studium an einer Universität in Österreich und in den Niederlanden absolvieren. Die Grafik macht deutlich, dass nur ca. 10.000 Deutsche 2013 zum Studium in die USA gegangen sind. Man kann auch sagen, dass viele deutsche Studierende lieber in Europa studieren wollen.

B Kunst- und Medienstadt Köln

1 2. Fluss • 3. Schiffstouren • 4. Museen • 5. Ausstellungen • 6. Fernsehsender • 7. Kanal • 8. Messe • 9. Besucher

2a 2. sich erholen – sich befinden – sich wohlfühlen • 3. sich interessieren für • 4. sich ansehen – sich vorstellen • 5. sich freuen auf • 6. sich wohlfühlen – sich befinden • 7. sich vorstellen • 8. sich ansehen – sich interessieren für – sich freuen auf

2b 2. dich • 3. mich • 4. uns • 5. sich • 6. euch • 7. sich • 8. dich • 9. dir • 10. dir

2c 1. 1, 2 • 2. 3, 4

2d 2. Kaufst du dir (D) ein Buch über Fotografie? • 3. Ich wasche mir (D) die Hände. • 4. Er interessiert sich (A) für modernen Tanz. • 5. Ich erhole mich (A) am Freitag zu Hause. • 6. Fühlst du dich (A) in deiner Stadt wohl? • 7. Wir freuen uns (A) auf die Ausstellung. • 8. Ich treffe mich (A) morgen mit Anja. • 9. Siehst du dir (D) morgen die Van-Gogh-Ausstellung an? • 10. Ich freue mich (A) über das schöne Wetter.

2e b

2f *Mögliche Lösungen:* 2. Hast du dir das Museum angesehen? • 3. Hast du dich am Rhein erholt? • 4. Fühlst du dich in Köln wohl? • 5. Freust du dich auf die Ferien? • 6. Freust du dich über ein Geschenk? • 7. Kaufst du dir einen neuen Computer? • 8. • Interessierst du dich für Kunst?

2g Satzmitte • vor

3 2. tanzen • 3. Eintritt • 4. lesen • 5. Altstadt

C „Et es wie et es"

1 2e • 3a • 4b • 5d

2a 2. Akkusativ (M), Dativ (M, N, F, Pl.), Pl. bei Negativ- und Possessivartikel. • 3. Nominativ und Akkusativ (F), Nominativ und Akkusativ Pl. bei Nullartikel • 4. Nominativ und Akkusativ (N)

2b 1. Nominativ (M, N, F) • Akkusativ (N, F) • 2. Endung „-en": Akkusativ (M), immer im Dativ • immer im Plural

2c 2. -en • 3. -en • 4. -en • 6. -en • 7. -en • 8. -en • Im Dativ immer -en!

2d 2. -e • 3. -en • 4. -e • 5. -en • 6. -en • 7. -e • 8. -en • 9. -e

3 2a • 3d • 4e • 5c

4a 1

4b 2f • 3r • 4r • 5r • 6r

Phonetik

1c 1a. Heller • 2c. Ohrsen • 3b. Möller • 4b. Löhrmann • 5c. Mockel • 6a. Kehler

1d **lang:** Öhrsen • Löhrmann • Köhler • **kurz:** Höller • Möller • Möckel

1e **Frau Köhler kauft:** Möbel • Brötchen • Knödel • Öl • ein Hörbuch • **Frau Möckel kauft:** Töpfe • zwölf Löffel • ein Wörterbuch • Söckchen

2a 2. die Töchter • 3. die Töne • 4. die Böden • 5. die Röcke • 6. die Wörter • 7. die Körbe • 8. die Klöße

---

12 Geldgeschichten

A Ich möchte ein Konto eröffnen

2a 2e • 3b • 4f • 5a • 6h • 7d • 8c

2b b

2c 2. Ich kann Online-Banking machen, wenn ich einen Online-Zugang habe. • 3. Die EC-Karte ist kostenlos, wenn ich nur Online-Banking mache. • 4. Ich muss Gebühren bezahlen, wenn ich eine Überweisung am Schalter abgebe. • 5. Ich bekomme Zinsen, wenn ich Geld auf einem Festgeldkonto anlege. • 6. Ich muss Zinsen bezahlen, wenn ich einen Kredit aufnehme. • 7. Ich kann an 25.000 Geldautomaten Geld abheben, wenn ich auf Reisen bin. • 8. Die Back kann meine EC-Karte sperren, wenn ich sie verloren habe.

2d 2. Wenn ich das Online-Terminal benutzen will, muss ich zuerst die EC-Karte einführen und die PIN eingeben. • 3. Wenn ich eine Rechnung am Online-Terminal bezahlen will, wähle ich „Überweisung". • 4. Wenn ich den Kontostand wissen möchte, muss ich im Hauptmenü „Kontostand" wählen. • 5. Wenn ich „Beenden" drücke, bin ich fertig. • 6. Wenn ich meine EC-Karte verloren habe, kann die Bank sie sperren.

2e Mögliche Lösungen: 1. Wenn ich Geld brauche, muss ich jobben. • 2. Wenn ich Online-Banking mache, zahle ich keine Gebühren für Überweisungen. • 3. Wenn ich einen Kredit aufnehme, muss ich Zinsen bezahlen. • 4. Wenn ich eine Rechnung bezahlen muss, kann ich Online-Banking machen. • 5. Wenn ich Geld auf einen Sparkonto anlege, bekomme ich (vielleicht ;)) Zinsen.

4a 2e • 3c • 4i • 5h • 6g • 7f • 8b • 9a

4b *Mögliche Lösung:*

B Wie konnte das passieren?

1a 2. Meine Schwester musste als Kind Geschirr spülen. • 3. Du musstest als Kind das Essen kochen. • 4. Ich musste als Kind den Geschwistern bei den Hausaufgaben helfen. • 5. Lea musste als Kind das Zimmer allein putzen / aufräumen. • 6. Mein Vater musste als Kind das Auto waschen. • 7. Mein Bruder musste als Kind Einkäufe machen. • 8. Ihr musstet als Kind früh ins Bett gehen. • 9. Alex musste als Kind nachmittags in die Schule gehen. • 10. Moritz musste als Kind in den Ferien für die Schule lernen.

2a 1. Kinderbuchautor • 2. junger Mann • 3. 250,- €, EC- und Kreditkarte und alte Familienfotos • 4. suchte in allen Taschen • 5. zur Parfümerie zurück • 6. um 19.00 Uhr

2b *regelmäßige Verben:* kaufen, ich kaufte – fragen, ich fragte – (sich) entschuldigen, ich entschuldigte mich – anrempeln, ich rempelte an – suchen, ich suchte – beenden, ich beendete • *unregelmäßige Verben:* sein, ich war – gehen, ich ging – finden, ich fand – betreten, ich betrat – stattfinden, (die Lesung) fand statt – geben, ich gab – laufen, ich lief – bleiben, ich blieb – schließen, (das Geschäft) schloss – rufen, ich rief • *gemischte Verben / Modalverben:* müssen, ich musste – wollen, ich wollte – wissen, ich wusste

3a AE kam am 14. März 1879 in Ulm zur Welt. SF wurde am 6. Mai 1856 in Freiberg geboren. AE begann 1896 ein Studium in Zürich. SF zog 1860 mit seinen Eltern nach Wien. AE lebte und arbeitete von 1914 bis 1933 in Berlin. AE veröffentlichte 1916 die Relativitätstheorie. SF unterrichtete an der Wiener Universität und eröffnete 1886 seine eigene Praxis. SF schrieb Bücher und hielt Vorträge über Psychoanalyse. SF schrieb sich 1873 an der Wiener Universität für das Fach Medizin ein. AE 1909 wurde Dozent für theoretische Physik an der Universität Zürich. SF verließ 1938 Wien und emigrierte nach London. AE erhielt 1922 den Nobelpreis für Physik. AE ging 1933 nach Princeton und starb dort 1955. SF starb am 23. September 1939 in London.

4a 2a • 3c • 4d • 5b • 6e • 7f

4b 2. Als ich Kaffee kochen wollte, war kein Kaffeepulver mehr da. • 3. Als ich den Toaster anmachen wollte, fiel der Strom aus. • 4. Als ich die Haustür öffnete, regnete es. • 5. Als ich den Regen sah, ging ich zurück und holte den Regenschirm • 6. Als ich zur Bushaltestelle ging, klingelte das Handy. • 7. Als ich das Handy aus der Tasche nahm, fiel es mir aus der Hand und zerbrach.

6 *regelmäßige Verben:* kaufen: er kauft, kaufte, hat gekauft – fragen: er fragt, fragte, hat gefragt – (sich) entschuldigen: er entschuldigt sich, er entschuldigte sich, er hat sich entschuldigt – anrempeln: er rempelt an, rempelte an, hat angerempelt – suchen: er sucht, suchte, hat gesucht – beenden: er beendet, beendete, hat beendet – leben: er lebt, lebte, hat gelebt – veröffentlichen: er veröffentlich, veröffentlichte, hat veröffentlicht – unterrichten: er unterrichtet, unterrichtete, hat unterrichtet – eröffnen: er eröffnet, eröffnete, hat eröffnet – begrüßen: er begrüßt, begrüßte, hat begrüßt – bemerken: er bemerkt, bemerkte, hat bemerkt – klingeln: er klingelt, klingelte, hat geklingelt – holen: er holt, holte, hat geholt • *unregelmäßige Verben:* sein: er ist, war, (ist gewesen) – gehen: er geht, ging ist gegangen – finden: er findet, fand, hat gefunden – betreten: er betritt, betrat, hat betreten – stattfinden: (die Lesung) findet statt, fand statt hat stattgefunden – geben: er gibt, gab hat gegeben – laufen: er läuft, lief, ist gelaufen – bleiben: er bleibt, blieb ist geblieben – schließen: (das Geschäft) schließt, schloss, hat geschlossen – rufen: er ruft, rief, hat gerufen – werden: er wird, wurde, ist geworden – beginnen: er beginnt, begann, hat begonnen – ziehen: er zieht, zog, ist gezogen (intransitiv) – schreiben: er schreibt, schrieb, hat geschrieben – verlassen: er verlässt, verließ, hat verlassen – erhalten: er erhält, erhielt, hat erhalten – sterben: er stirbt, starb, ist gestorben – eintreffen: er trifft ein, traf ein, ist eingetroffen – zurückkommen: er kommt zurück, kam zurück, ist zurückgekommen – angeben: er gibt an, gab an, hat angegeben – sehen: er sieht, sah, hat gesehen – nehmen: er nimmt, nahm, hat genommen – ausfallen: er fällt aus, fiel aus, ist ausgefallen – fallen: er fällt, fiel, ist gefallen – zurückgehen: er geht zurück, ging zurück, ist zurückgegangen • *gemischte Verben / Modalverben:* müssen: ich musste – wollen: ich wollte – wissen: ich wusste, habe gewusst

C Wie im Märchen

1a Wer: Rui bedankt sich bei Frau Reimann. Was: Frau Reimann hat sein Portemonnaie gefunden. Warum: Sie hat das Portemonnaie im Fundbüro abgegeben. Wann: heute (implizit)

1b Ich möchte Ihnen ganz herzlich danken. • Vielen Dank (für Ihre Ehrlichkeit)! Ich möchte mich gern persönlich bei Ihnen bedanken.

1c *Mögliche Lösung:* Sehr geehrter Herr Andrade, vielen Dank für Ihre Mail. Ich freue mich, dass Sie Ihr Portemonnaie wiedergefunden haben und ich Ihnen helfen konnte. Ich möchte natürlich keinen Finderlohn, denn ich denke, es ist ganz normal, dass man ein Portemonnaie zurückgibt, wenn man es irgendwo findet. Aber wir können uns gern treffen, vielleicht im Café Baumann um 16.00 Uhr? Viele Grüße Andrea Reimann

2a 1. ja • 2. ja • 3. nein • 4. nein • 5. ja • 6. ja • 7. ja • 8. ja • 9. nein

2b Am 11.12.2015 war ich von ca. 16.30 bis 19.00 Uhr … Plötzlich gab es …, <u>als</u> der … <u>Weil ich</u> ein bestimmtes Buch … <u>Als ich</u> noch an der Information wartete, … <u>Als ich </u>an der Kasse bezahlen wollte … <u>mich plötzlich</u> ein junger Mann an. <u>Er</u> entschuldigte sich … Wir fanden das etwas komisch, <u>aber wir</u> … <u>aber ich</u> fand es nicht. <u>Dann</u> liefen wir … <u>Danach</u> fragten wir in der Parfümerie. <u>Leider </u>wusste … Um 19.00 Uhr beendeten wir <u>schließlich</u> …, <u>denn</u> ich musste …

2c *Mögliche Lösung:* Am letzten Wochenende wollten Rui und seine Frau Weihnachtsgeschenke kaufen. Zuerst gingen sie in ein Kaufhaus, später in ein Spielzeuggeschäft und dann in eine Parfümerie und schließlich in eine Buchhandlung, weil Rui noch ein Buch kaufen wollte. Er ging zur Information, denn er fand ein bestimmtes Buch nicht. Plötzlich gab es ein großes Gedränge, weil ein berühmter Krimiautor die Buchhandlung betrat. Er hatte am Abend eine Lesung. Als Rui noch an der Information wartete, rempelte ihn plötzlich ein junger Mann an, und als Rui bezahlen wollte, war leider das Portemonnaie weg. Im Portemonnaie waren Geld, EC-Karte und Fotos. Er und seine Frau suchten überall, konnten aber nicht finden. Schließlich beendeten sie die Suche, und Rui rief bei der Bank an. Am nächsten Morgen gingen sie zur Polizeiwache und erstatteten Anzeige. Danach gingen sie zum Fundbüro. Dort fand er zum Glück das Portemonnaie wieder, denn eine ehrliche Finderin hatte es im Fundbüro abgegeben.

2d Vor ein paar Tagen saß Frau Schneider im Café „Zweistein" auf der Terrasse und trank einen Cappuccino. Weil sie eine Nachricht bekam, sah sie auf ihr Smartphone und chattete dann mit Freundinnen. Nach 15 Minuten bestellte sie die Rechnung. Als sie bezahlen wollte, war ihr Portemonnaie nicht mehr in der Tasche. Sie hatte viel Geld im Portemonnaie. Sie fragte die anderen Gäste, aber leider wussten sie nichts. Am Nachmittag ging sie zur Polizei und erstattete Anzeige.

3a **Sache: +** etwas, **–** nichts • **Person: +** jemand, jemanden, jemandem, **–** niemand, niemanden, niemandem • **Ort: +** irgendwo, **–** nirgendwo / nirgends

3b *Mögliche Lösungen:* 2. Ja, da ist jemand vorbeigegangen. / Nein, niemand (ist vorbeigegangen). • 3. Ja, ich hatte viel Geld dabei. / Nein, (ich hatte) nichts Wertvolles (dabei). • 4. Ja, ein Mann … / Nein, niemand (hat mich angesprochen). • 5. Ja, mit einer Frau … / Nein, (ich habe) mit niemandem (gesprochen). • 6. Ja, (ich habe sie) vielleicht im Büro (vergessen). Nein, (ich habe sie) nirgendwo (vergessen).

DaF kompakt – mehr entdecken

2a 1c • 2e • 3a • 4f • 5d • 6b

Phonetik

2b 1b. Tang • 2c. Renker • 3a. Sinnbach • 4c. Bronk

4a **ng:** Beratung • Überweisungen • Gedränge • eingeben • Angestellte • lange • Entschuldigung • **nk:** Frank • Bank • ankommt • Bankschalter • funktioniert • unklar

4b 1. Überweisungen • Gedränge • lange • Entschuldigung • 2. Angestellte • 3. Frank • Bank • Bankschalter • funktioniert • 4. ankommt • unklar

4c 1. [ng], [nk] • 2. [ŋ], [ŋk]

13 Ohne Gesundheit läuft nichts

A Ich fühle mich gar nicht wohl

1a

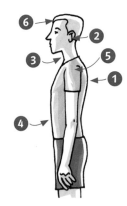

2 2. Ich bin erkältet, denn ich bin gestern ohne Jacke rausgegangen. • 3. Ich habe Rückenschmerzen, denn ich habe etwas Schweres getragen. • 4. Ich habe Ohrenschmerzen, denn ich war gestern Abend in einer Diskothek. • 5. Ich habe Magenschmerzen, denn ich habe zu viel Eis gegessen. • 6. Ich habe Schlafstörungen, denn ich muss immer an die Prüfung denken. • 7. Ich habe Kopfschmerzen, denn ich habe gestern auf der Party zu viel getrunken.

3a

2. Seitdem sie in ihrer eigenen Wohnung lebt,	lädt sie oft Freunde ein.
3. Seitdem sie im Masterstudiengang ist,	macht das Studium ihr mehr Spaß.
4. Seitdem sie an ihrer Masterarbeit schreibt,	schläft sie sehr schlecht.
5. Seitdem sie Schlafstörungen hat,	ist sie oft den ganzen Tag müde.
6. Seitdem es ihr nicht gut geht,	macht sie sich Sorgen um ihre Gesundheit.
2. Sie lädt soft Freunde ein,	seitdem sie in ihrer eigenen Wohnung lebt.
3. Das Studium macht ihr mehr Spaß,	seitdem sie im Masterstudiengang ist.
4. Sie schläft sehr schlecht,	seitdem sie an ihrer Masterarbeit schreibt.
5. Sie ist oft den ganzen Tag müde,	seitdem sie Schlafstörungen hat.
6. Sie macht sich Sorgen um ihre Gesundheit,	seitdem es ihr nicht gut geht.

3b

2. Bis sie eine in der Altstadt gefunden hat,	hat sie lange nach einer Wohnung gesucht.
3. Bis sie die Prüfung mit „sehr gut" bestanden hat,	hat sie Tag und Nacht für den Bachelor gelernt.
4. Bis sie mit der Masterarbeit fertig ist,	muss sie noch ein paar Wochen arbeiten.
5. Bis sie krank geworden ist,	(so lange) hat sie gearbeitet.
6. Bis sie einen Arzt gefunden hat,	hat es lange gedauert.
2. Sie hat lange nach einer Wohnung gesucht,	bis sie eine in der Altstadt gefunden hat.
3. Sie hat Tag und Nacht für den Bachelor gelernt,	bis sie die Prüfung mit „sehr gut" bestanden hat.
4. Sie muss noch ein paar Wochen arbeiten,	bis sie mit der Masterarbeit fertig ist.
5. Sie hat so lange gearbeitet,	bis sie krank geworden ist.
6. Es hat lange gedauert,	bis sie einen Arzt gefunden hat.

4 *Mögliche Lösungen:* 2: a, e, d • 3: e, a, c • 4: f • 5: b, a • 6: c

5 1. **Praxis Dr. Hofer:** Homöopathie • **gut:** nimmt sich Zeit • hört gut zu • alle Kassen • man bekommt schnell einen Termin • **schlecht:** 2. **Praxis Dr. Freund:** Arzt für Chinesische Medizin, Akupunktur und Homöopathie • **gut:** Behandlungen gut • **schlecht:** keine Kassenpatienten • Behandlung selbst bezahlen. • 3. **Praxis Dr. Rosmann:** Internist • **gut:** alle Kassen • **schlecht:** immer voll • auf einen Termin lange warten • wenig Zeit für Patienten

6 2. ○ Wie geht's dir / Wie geht es Ihnen? ● Gar nicht gut. Ich habe Ohrenschmerzen! ○ Geh doch / Gehen Sie doch zum Hals-Nasen-Ohrenarzt. ● O.k. • 3. ○ Wie geht's dir / Wie geht es Ihnen? ● Nicht so gut . Ich habe Magenschmerzen! ○ Geh doch / Gehen Sie doch zum Internisten. ● Ja, das muss ich. • 4. ○ Wie geht's dir / Wie geht es Ihnen? ● Ziemlich schlecht. Ich habe immer Kopfschmerzen! ○ Geh doch / Gehen Sie doch

zu einem Arzt für Chinesische Medizin. ● Gute Idee! • 5. ○ Wie geht's dir / Wie geht es Ihnen? ● Nicht besonders . Ich habe schreckliche Rückenschmerzen! ○ Geh doch / Gehen Sie doch einem Physiotherapeuten. ● Auf jeden Fall!

B Was fehlt Ihnen denn?

1a b: A • c: A • d: A • e: P • f: A • g: P • h: P • i: A • j: P • k: A • l: A • m: P

1b 2a • 3l • 4m • 5d • 6h • 7i • 8g • 9k • 10e • 11f • 12c • 13j

2 2. Vielleicht muss Beate Urlaub machen. • 3. Eventuell braucht sie Ruhe. • 4. Möglicherweise kann Beate nicht arbeiten. • 5. Wahrscheinlich muss Beate keine Diät machen.

3a 2b • 3a • 4b • 5b • 6b

3b 2. Sie darf nicht zur Arbeit gehen. • 3. Sie soll regelmäßig essen. • 4. Sie soll viel spazieren gehen. • 5. Sie kann reiten. • 6. Sie muss Medikamente nehmen. • 7. Sie kann noch zwei Wochen Urlaub machen.

3c 2. Wenn man kein Auto hat, muss man mit öffentlichen Verkehrsmitteln fahren. Wenn man ein Auto hat, braucht man nicht mit öffentlichen Verkehrsmitteln zu fahren. • 3. Wenn man zu dick ist, muss man Diät machen. Wenn man schlank ist, braucht man keine Diät zu machen. • 4. Wenn man alleine wohnt, muss man die Hausarbeit alleine machen. Wenn man in einer WG wohnt, Braucht man die Hausarbeit nicht alleine zu machen • 5. Wenn man krank ist, muss man zum Arzt gehen. Wenn man gesund ist, braucht man nicht zum Arzt zu gehen.

4 *Mögliche Lösungen:* 2: a, g, m • 3: g, k, l, m • 4: c, e • 5: a, g, m • 6: a, h, j • 7: a, k, l, m • 8: a, g • 9: d, g • 10: b • 11: e • 12: f, i • 13: g

5 2. n, Zeile: 3–4 • 3. j, Zeile: 5 • 4. j, Zeile:7 • 5. n, Zeile: 7 • 6. n, Zeile: 11

C Alles für die Gesundheit

1 2. Wenn Sie glauben, dass man hier etwas über Mathematik, Chromosomen oder über die Fernsehserie „X-Files erfährt, irren Sie sich. • 3. Das Museum trägt seinen Namen nach dem Physiker Wilhelm Conrad Röntgen. • 4. Das „X" steht in der Mathematik für etwas Unbekanntes. • 5. Für seine Entdeckung erhielt er 1901 den ersten Nobelpreis für Physik. • 6. Heute spielt die Röntgenstrahlung nicht nur in der Medizin eine große Rolle. • 7. Auf Knopfdruck geht ein Licht an. • 8. Auf seinen Wanderungen begleitete ihn oft Robert Koch. • 9. Er erzählte auch kaum etwas über sich.

2a 2. Satz 2 • 3. Satz 1 • 4. Satz 2 • 5. Satz 2 • 6. Satz 1 • 7. Satz 2.

2b 2. Sie sitzt den ganzen Tag. Deshalb hat sie Rückenschmerzen. • 3. Sie denkt immer an die Masterarbeit. Deshalb schläft sie nicht gut. • 4. Sie hat starke Magenschmerzen. Deshalb hat sie einen Termin bei Dr. Rosmann vereinbart. • 5. Die Praxis ist immer voll. Deshalb soll sie nicht zu Dr. Rosmann gehen. • 6. Dr. Hofer nimmt sich viel Zeit für seine Patienten. Deshalb soll sie zu ihm gehen. • 7. Dr. Hofer ist ein sehr erfahrener Arzt. Deshalb vertrauen ihm die Patienten.

2c 2. Sie hat Rückenschmerzen, weil sie den ganzen Tag sitzt. • 3. Sie schläft nicht gut, weil sie immer an die Masterarbeit denkt. • 4. Sie einen Termin bei Dr. Rosmann vereinbart, weil sie starke Magenschmerzen hat. • 5. Weil die Praxis ist immer voll ist, soll sie nicht zu Dr. Rosmann gehen. • 6. Weil Dr. Hofer sich viel Zeit für seine Patienten nimmt, soll sie zu ihm gehen. • 7. Weil Dr. Hofer ein sehr erfahrener Arzt ist, vertrauen ihm die Patienten.

2d 2. Die Röntgenstrahlung ist für die Medizin sehr wichtig, weil man ins Innere vom menschlichen Körper schauen kann. • 3. Die Entdeckung von Röntgen war revolutionär. Deswegen hat er den ersten Nobelpreis für Physik bekommen. • 4. Das Röntgenmuseum ist sehr modern und interaktiv. Darum ist es auch für Kinder interessant. • 5. Man hat das Museum 1932 in Remscheid-Lennep gegründet, weil W.C. Röntgen dort geboren wurde. • 6. Die gläserne Frau ist eine Attraktion, weil man das Skelett und die Organe sehen kann. • 7. Man kann sogar die Nerven und Adern erkennen. Daher sind viele Besucher begeistert.

3 *Mögliche Lösung:* Liebe Beate, schön, dass es dir endlich wieder besser geht! Dr. Hofer ist wirklich ein guter Arzt. Gut, dass du jetzt wieder unternehmungslustig bist. Ein Ausflug ins Röntgenmuseum ist wirklich eine tolle Idee. Leider kann ich am Wochenende nicht. Stell dir vor, jetzt bin ich krank. Ich habe eine Grippe. Dr. Hofer hat gesagt, dass ich auf jeden Fall eine Woche im Bett bleiben soll, viel trinken und nur leichte Sachen essen. Aber wir können den Ausflug machen, wenn es mir wieder besser geht, vielleicht übernächstes Wochenende? Liebe Grüße, Larissa

4 1. der Kopf • 2. die Finger • 3. das Auge • 4. die Nase • 5. der hals • 6. die Brust • 7. das Herz • 8. der Magen • 9. der Darm • 10. der Oberschenkel • 11. das Knie • 12. der Unterschenkel • 13. der Konchen • 14. der Fuß • 15. • die Hand • 16. der Arm • 17. das Ohr • 18. der Mund • 19. die Schulter • 20. der Rücken • 21. die Lunge • 22. der Bauch • 23. der Po • 24. der Muskel • 25. das Bein • 26. die Ader • 27. der Zeh

DaF kompakt – mehr entdecken

1a 1d • 2c • 3b • 4a

Phonetik

1c 1a. Kiehn • 1b. Kühn • 2a. Griener • 2c. Gruner • 3b. Künnemann • 3c. Kunnemann • 4a. Hirtner • 4c. Hurtner

1d **lang:** K̲ühn • **kurz:** K̲ünnemann • Hür̲tner

2b 1. Frau Kuhn • 2. Herr Griener • 3. Frau Hirtner • 4. Herr Künnemann • 5. Frau Hurtner • 6. Herr Kühn • 7. Frau Kinnemann • 8. Herr Grüner

3 *Mögliche Lösung:* grün • Gemüse • Frühstück • günstig • der Rücken • der Frühling

14 Griasdi in München

A Auszeit in München

1a 2. Es ist neblig. = Wir haben Nebel. • 3. Es ist windig. = Der Wind weht schwach / stark. • 4. Es regnet. = Es ist regnerisch. • 5. Es ist heiter = Es ist freundlich • 6. Es gewittert. = Es gibt ein Gewitter. / Es blitzt und donnert. 7. Es ist bedeckt. = Es ist bewölkt. • 8. Es schneit. = Es fällt Schnee. • 9. Es stürmt. = Es ist stürmisch • 10. Es hagelt. = Es fällt Hagel.

1b 2. Es regnet gegen Nachmittag • 3. Es regnet am Nachmittag. • 4. Es regnet gegen Abend. • 5. Es regnet die ganze Nacht über.

2a 2. bequem • 3. zu klein • 4. modern • 5. zu weit • 6. unpraktisch • 7. bunt • 8. hässlich

2c **A** Wirtschaftsstudenten • **B** Theologiestudenten • **C** Juristen • **D** Ethnologiestudenten • **E** Sportstudenten

2d *Wirtschaftsstudenten:* Männer: Anzug, Poloshirt – Frauen: langärmelige Blusen, elegante Blazer mit Rock und Rollkragenpullover oder Anzughose, Markenhandtäschchen • *Theologiestudenten:* Männer / Frauen: alte Cordhosen, XXL-Pullis, karierte Hemden in Erdfarben, Umhängetasche – Männer: Hornbrille – Frauen: schnell zusammengesteckter Haarknoten • *Juristen:* Männer: Anzug, schicke Halbschuhe, gebügeltes weißes Hemd, Pullis mit V-Ausschnitt, dunkle Jeans, Stiefel, Smartphone, Aktenkoffer, iPad. – Frauen: Kostüm mit farblich passender Handtasche, Stöckelschuhe, echter Perlenschmuck • *Ethnologiestudenten:* Männer und Frauen: farbenfrohe, gemusterte Kleidung, weite Hosen und Röcke, Ökosandalen, Jutebeutel, bunte Tücher, bunter Schmuck (Ketten, Ohrringe, Armreifen) • *Sportstudenten:* Männer und Frauen: aerodynamische Turnschuhe, Kapuzenjacke, Labelrucksack, Schweißband, kurze Haare oder (bei Frauen) zum Pferdeschwanz zusammengebundene Haare

2e **eher für Männer:** der Anzug, die Anzüge – der Halbschuh , die Halbschuhe – das Hemd, die Hemden • **eher für Frauen:** die langärmelige Bluse, die langärmeligen Blusen – der Rock, die Röcke – das Markenhandtäschchen, die Markenhandtäschchen – der schnell zusammengesteckte Haarknoten, die schnell zusammengesteckten Haarknoten – die Perlenkette, die Perlenketten – die farblich passende Handtasche, die farblich passenden Handtaschen • **eher für beide:** das Poloshirt, die Poloshirts – die alte Cordhosen, die alten Cordhosen – der XXL-Pulli, die XXL-Pullis – der Pulli mit V-Ausschnitt, die Pullis mit V-Ausschnitt – die Kapuzenjacke, die Kapuzenjacken –der elegante Blazer, die eleganten Blazer – der Rollkragenpullover, die Rollkragenpullover – die Anzughose, die Anzughosen – die Umhängetasche die Umhängetaschen – die Ökosandale, die Ökosandalen – der Turnschuh, die Turnschuhe – der hübsche Jutebeutel, die hübschen Jutebeutel – die Hornbrille, die Hornbrillen – die dunkle Jeans, die dunklen Jeans – der Stiefel, die Stiefel – die Hose, die Hosen – das karierte Hemd, die karierten Hemden – das Smartphone, die Smartphones – der Aktenkoffer, die Aktenkoffer – das iPad, die iPads – die lange Kette, die langen Ketten – der Ohrring, die Ohrringe – der Armreif, die Armreife – das bunte Tuch, die bunten Tücher – das Schweißband, die Schweißbänder

3 2. die Socke – die Socken, das Söckchen – die Söckchen
3. der Rock – die Röcke, das Röckchen – die Röckchen
4. das Kleid – die Kleider, das Kleidchen – die Kleidchen
5. der Mantel – die Mäntel, das Mäntelchen – die Mäntelchen
6. die Mütze – die Mützen, das Mützchen – die Mützchen
7. das Hemd – die Hemden, das Hemdchen – die Hemdchen
8. der Schuh – die Schuhe, das Schühchen – die Schühchen
9. die Bluse – die Blusen, das Blüschen – die Blüschen

B „Mein Kleiderbügel"

1 1 • 2 • 3 • 5

2a 2. Zu welcher Hose passt die Bluse? • 3. Welche Jacken gefallen dir? • 4. Wie gefällt dir denn der Rock? • 5. Zu welchem Kleid passt der Schal? • 6. Welches Kleid findest du am besten? • 7. Welche Mäntel gefallen dir? • 8. Wie gefällt dir denn das Hemd?

2b 1. ○ Wie findest du diese Hose? ● Welche denn? Die hier? ○ Nein, die da. • 2. ○ Wie findest du diese Jacken? ● Welche denn? Die hier? ○ Nein, die da. • 3. ○ Wie findest du dieses Blüschen? ● Welches denn? Das hier? ○ Nein, das da. • 4. ○ Wie findest du diesen Anzug? ● Welchen denn? Den hier? ○ Nein, den da.

2c 1. welches • 2. Das • 3. das • 4. diesem • 5. das • 6. welchen • 7. den • 8. den • 9. diesem • 10. der • 11. Welches • 12. Das • 13. das • 14. diesem • 15. das

3a 2. Eine rote Bluse mit kurzen Ärmeln. • 3. Ich habe Größe 38. • 4. Ja, wo ist denn die Umkleidekabine? • 5. Leider nein. Sie ist zu eng. • 6. Gut, das mache ich. • 7. Ja, sie passt genau. Ich nehme sie. • 8. Kann ich die Bluse auch umtauschen? • 9. Wie viel kostet sie denn? • 10. Kann ich auch mit Karte bezahlen? • 11. Danke schön.

3c 1. V • 2. K • 3. V • 4. K • 5. V • 6. K • 7. V • 8. K

C Zwei Münchner Originale

1a 1r • 2f • 3f • 4r • 5f

1b 2. Pferderennen • 3. Beginn des Oktoberfests • 4. Ende des Oktoberfests • 5. Besucher • 6. Schausteller • 7. Gastronomiebetriebe • 8. arbeiten auf dem Oktoberfest • 9. Umsatz

1c Am 17. Oktober 1810 fand ein Pferderennen statt. • Am 15. September um 12.00 Uhr beginnt das Oktoberfest. • Am 1. Sonntag im Oktober endet das Oktoberfest. • Jedes Jahr kommen 6 Millionen Besucher. • Es gibt 250 Schausteller und 100 Gastronomiebetriebe. • Auf dem Oktoberfest arbeiten 12.000 Menschen. • Es bringt einen Umsatz von 800 Millionen Euro.

2

	Artikel	Blogeintrag
Oktoberfest – seit wann?	17.10.1810: Pferderennen als Abschluss der Hochzeit von Kronprinz Ludwig von Bayern mit Prinzessin Therese von Sachsen-Hildburghausen	seit über 200 Jahren
Geschichte?	Man wiederholte das Pferderennen dann jährlich, bis daraus die Tradition der „Oktober-Feste" entstand. Diese entwickelten sich zu einem Volksfest (ohne Pferderennen).	–
Heute wann?	Beginn: am Samstag nach dem 15. September um 12.00 Uhr, Ende: am ersten Sonntag im Oktober	um 23.30 Ende
Angebot heute?	viele Unterhaltungsmöglichkeiten (es gibt ca. 250 Schausteller und 100 Gastronomiebetriebe): Schaukeln, Karussells, Buden; große Bierzelte	Bierzelte, Karussells, Riesenrad, typische Spezialität „Brathendl"
Besucher?	ca. 6 Millionen aus dem In- und Ausland	aus allen Ländern: Amerikaner, Japaner, viele Italiener
Wirtschaftliche Bedeutung?	12.000 Menschen dort; Umsatz: ca. 800 Millionen Euro	–

3a 1. Hausangestellte trafen sich am Sonntagmorgen im Englischen Garten. • 2. Hausangestellte • 3. man hat den Ball verboten • 4. Es gibt den Ball wieder • 5. von 5.00–8.00 Uhr • 6. 3. Sonntag im Juli

3b Kocherlball: Winter • Oktoberfest: Sommer

3c 2. das Hauspersonal • 3. die Lederhose • 4. der / die Hausangestellte • 5. das Jahrhundert • 6. der Hausdiener • 7. der Kocherlball • 8. die Dienstbotenuniform

4a 2. keinen – einen – keinen • 3. ein – keins • 4. eine – keine – eine • 5. ein – keiner • 6. ein – keins

4b Indefinitartikel stehen vor einem Nomen. Indefinitpronomen brauchen kein Nomen.

4c 2. jedem • 3. Jeder • 4. keins – eins • 5. viele • 6. jeden • 7. viele • 8. jedes

4d 1. vielen • 2. wenige • 3. allen • 4. Alle • 5. Jeder • 6. keiner • 7. jeder • 8. jede • 9. Welche • 10. viele • 11. alle • 12. Viele

5 *Mögliche Lösung:* Der Kocherlball fand 1880 zum ersten Mal statt: Immer im Sommer trafen sich Hausangestellte am Sonntagmorgen im Englischen Garten. Dort tanzten sie von 5 bis 8 Uhr am Morgen. 1904 hat man den Ball als unmoralisch verboten. Seit 1989 gibt es den Ball wieder. Inzwischen kann jeder mitmachen. Man feiert ihn heute jedes Jahr am 3. Sonntag im Juli, viele kommen in Tracht.

DaF kompakt – mehr entdecken

1a Thema • Artikel • eine Form von nonverbaler Kommunikation • Hochschule • wissenschaftliche Literatur • Autor(en) • Das Buch von Müller (2012) • Interviews machen • Studenten befragen • die Methode • Gründe und Meinungen zum Thema herausfinden • Literaturrecherche • abgeben

2a 1d1 • 2f6 • 3c3 • 4a5 • 5b2

Phonetik

1b Jacke • Bluse • Hose • Tasche

2b Gruppe 1: a • Gruppe 2: b • Gruppe 3: b • Gruppe 4: b

15 Eine Reise nach Wien

A Unterwegs zur Viennale

1 2. Er will bei einem Wiener übernachten („Couch surfen") • 3. Er will eine Woche bleiben. • 4. Die Übernachtung ist kostenlos. • 5. Er hat mit ihm telefoniert und ihm Mails geschrieben.

2a 2b • 3a • 4b • 5a • 6b

2b 2. der Campingplatz, ¨-e • 3. übernachten • 4. die Jugendherberge, -n • 5. reiselustig • 6. unterwegs • 7. das Gastgeschenk, -e • 8. das Hotel, -s

2c b

2d 1c • 2b • 3a

2e 1. „Couch surfen" gefällt mir, weil man andere Menschen kennenlernen kann. • 2. Ich finde, dass „Couch surfen" eine gute Idee ist. • 3. Ich möchte „Couch surfen" nicht ausprobieren, weil ich nicht bei fremden Leuten schlafen will. *Mögliche Lösung für andere Fehlertypen:* falsches Wort, falsche Endung, falsche Wortstellung

3 2b • 3b • 4b • 5b • 6c

B Spaziergang in der Innenstadt

1 2e • 3f • 4b • 5d • 6a

2a die Gasse, -n • die Kirche, -n • der Markt, ⸚e • das Museum, Museen • die Oper, -n • der Park, -s • der Platz, ⸚e • die Straße, -en • die Autobahn, -en • das Gebäude, – • der Ort, -e

2b 2. vorbeigehen • 3. umkehren • 4. überqueren

3a 1. zu – (rechts / links / gegenüber) von – aus • 2. … entlang – durch • 3. in – auf – an

3b 2. -m • 3. -m • 4. -m • 5. der • 6. der • 7. -r • 8. -m • 9. dem • 10. dem

3c 2. das • 3. die • 4. den • 5. den • 6. die

3d 2a • 3d • 4b

3f 1a • 2b

3g im • 3. Im • 4. auf dem • 5. Im • 6. auf den • 7. ins

4a Wien Museum – alte Stadtmodelle der Wiener Innenstadt – Kunst – Geschichte – Jungsteinzeit – 20. Jahrhundert • Stadt-kino im Künstlerhaus – Viennale-Filme – 5 Filme

4b Der Kahlenberg ist ein Hügel vor Wien. Hierhin fährt man, wenn man einen guten Blick auf Wien haben will. Man hat eine Superaussicht bin in die Slowakei. • Der Naschmarkt ist ein ganz besonderer Markt – hier gibt es viele exotische Lebensmittel. Hier riecht und schmeckt es super!!! • Das Café Sacher ist das berühmteste Café in Wien. Hier riecht und schmeckt es super – ich bringe eine ganze Sachertorte mit!

C Was wollen wir unternehmen?

1a **Ja:** Das ist eine gute Idee. – Das klingt gut. – Das gefällt mir bestimmt. – Ja, klar. Sehr gern • **Nein:** Das mache ich nicht so gern. – Das ist nichts für mich. – Da mache ich lieber etwas anderes. • **Vielleicht:** Das muss ich mir noch überlegen. – Ich weiß noch nicht genau. – Mal sehen, ich denk' noch mal nach.

1b 2f • 3e • 4a • 5c • 6d • *Mögliche Lösungen:* 2. Wir steigen auf den Dom. • 3. Ich gehe heute Abend ins Kino. • 4. Wollen wir später ein Theaterstück sehen? • 5. Wir spielen „Mensch ärge-re dich nicht". • 6. Morgen besichtigen wir den Dom.

2 1. sehr gute Lage, gleich neben einer U-Bahnstation; angenehmes Gästezimmer • 2. Sie sind ins Museum Moderner Kunst gegangen. • 3. Sie gefallen ihm besser als moderne Kinos • 4. Toll.

3a

Pos. 1	Pos. 2	Mittelfeld	Satzende
2. Er	ist	gestern ins Museum	gegangen.
3. Michael	hat	am Samstag zu Hause einen Spiele-Nachmittag.	
4. Jörg und Michael	wollen	am Mittag in einem Lokal	essen.
5. Jörg	hat	gestern Abend im Inter-net eine Theaterkarte	bestellt.
6. Jörg	ist	gerade aus dem Burg-theater nach Hause	gekom-men.

3b 2. Ich bin letzte Woche oft im Kino gewesen. • 3. Ich bin nach dem Kino im Zentrum spazieren gegangen. • 4. Michael und ich essen heute Abend in einem Wiener Beisl. • 5. Wir wollen danach in eine Disko tanzen gehen. • 6. Ich bin eine Woche in Wien gewesen. • 7. Ich muss morgen nach Hause zurückfah-ren.

3c 2. Im Kino bin ich letzte Woche oft gewesen. • 3. Nach dem Kino bin ich im Zentrum spazieren gegangen. • 4. Heute Abend essen Michael und ich in einem Wiener Beisl. • 5. Da-nach wollen wir in eine Disko tanzen gehen. • 6. In Wien bin ich eine Woche gewesen. • 7. Morgen muss ich nach Hause zurückfahren.

4a 2i • 3d • 4d • 5i • 6i • 7i • 8d

4b 2. wann der Film beginnt? • 3. wo man die Karten kaufen kann? • 4. wie lange der Film dauert?

4d Er macht eine Stadtführung.

4e b

Phonetik

1c 1b. Feier • 2b. Bäume • 3a. heiß • 4b. Laute • 5a. Mais • 6a. euer • 7b. aus • 8b. freuen • 9a. Raum • 10a. Reis

3a *Mögliche Beispiele:* das Auge – die Augen • der Aufzug – die Aufzüge • der Baum – die Bäume • der Bauch – die Bäuche • der Einkauf – die Einkäufe • die Frau – die Frauen • der Stau – die Staus • der Traum – die Träume

16 Ausbildung oder Studium

A Nach der Grundschule

1a 1f • 2f • 3r • 4r • 5f

4b 1. Grundschule • 2. Sekundarstufe 1 • 3. Sekundarstufe 2 • 4. Kindergarten • 5. Realschule • 6. Gymnasium • 7. Ende der Schulpflicht

2 2. Ein Bankkaufmann • 3. Das Gymnasium • 4. Ein Handwerker • 5. Das Abitur • 6. Ein Abschlusszeugnis • 7. Die „duale Ausbil-dung" • 8. „Lehrling" • 9. Ein Praktikum • 10. Eine Lehre

3a 2. Tim • 3. Rainer • 4. Sofia • 5. Emma

3b 2j • 3n • 4n • 5j • 6j • 7n • 8n

B Ich bin Azubi

1a **Präteritum:** du hattest • er / sie / es hatte • wir hatten • ihr hattet • Sie / sie hatten • **Konjunktiv II:** du hättest • er / sie / es hätte • wir hätten • ihr hättet • sie hätten

1b 2. Könntest du mir (bitte) helfen? • 3. Hättet ihr kurz Zeit? • 4. Möchtest du eine Tasse Tee? • 5. Hättest du Lust, … • 6. Wür-dest du mir (bitte) eine SMS schicken? • 7. Könnten Sie mir sagen, wie spät es ist? • 8. Würden sie mir bitte Ihre E-Mail-Adresse geben? • 9. Wäre es möglich, einen Test zu machen?

1c 2. Wir würden / möchten gern mit Ihnen sprechen. • 3. Ich hätte eine große Bitte. • 4. Ich hätte gern Ihre Telefonnummer. • 5. Würdest / Könntest du mich beraten? • 6. Dürfte / Könnte ich mal telefonieren? • 7. Könntet / Würdet ihr mir bitte helfen? • 8. Könnten Sie mir bitte eine Information geben? • 9. Könn-te / Dürfte ich bitte bei Ihnen vorbeikommen? • 10. Ich möchte Ihnen gern ein paar Fragen stellen. • 11. Welchen Beruf wür-den / könnten Sie empfehlen? • 12. Wann dürfte / könnte ich Sie anrufen?

3a **nur -s:** des Lehrers • des Praktikums • des Studiums • des Zen-trums • des Zettels • **nur -es:** des Grußes • des Hauses • des Stresses • des Satzes • **-s oder -es:** des Beruf(e)s • des Markt(e)s • des Rezept(e)s • des Vergleich(e)s • des Vorschlag(e)s • **-n / -en:** des Kollegen • des Kunden • des Nach-barn • des Patienten • des Praktikanten • **-:** der Arbeit • der Ausbildung • der Firma • der Lehre • der Praxis

3b Dienst → des Diensts • Tag → des Tags • Geld → des Gelds •
Test → des Tests • Ziel → des Ziels • Rezept → des Rezepts •
Anruf → des Anrufs • Ort → des Orts • Brief → des Briefs • Rad
→ des Rads • Flug → des Flugs • Bereich → des Bereichs

3c 2. die Ideen der Freunde • 3. die Ratschläge meines Lehrers •
4. die Informationen eines Berufsberaters • 5. der Vortrag
eines Experten • 6. der Besuch eines Betriebs

3d Sofias Freundin • 3. Rainers Berufswunsch • 4. Herrn Schmitz'
Vorschläge • 5. Emmas Studium • 6. Agnes' Schule

3e 2. der Abschluss von Verträgen • 3. die Überwachung von
Terminen • 4. die Gestaltung von Verkaufsräumen

3f **M:** -en • -en • **N:** -en • -en • -en • **F:** -en • -en • -en • **Plural:** -en •
-en • -er

C Das duale Studium

1 2. von • 3. an • 4. von • 5. für • 6. um • 7. vom – von • 8. auf

2 **Vorteile:** man verdient Geld – sicherer Arbeitsplatz nach der
Ausbildung – finanzielle Unabhängigkeit von den Eltern •
Nachteile: man hat verschiedene Wohnorte – man muss viel
planen – das duale Studium ist arbeitsintensiv – man hat
kaum Freizeit – man muss beim Arbeitgeber Urlaub beantragen

3 1e • 2h • 3f • 4a • 5g • 6c • 7d • 8b

4 A. 2. dem • 3. den • 4. dem • 5. den • 6. der • 7. dem • 8. den •
9. der • 10. dem • B. 1. die • 2. die • 3. der • 4. die • 5. der •
6. die • 7. die • 8. der • 9. der • 10. die

5 2. An meinem Arbeitsplatz arbeiten Kollegen, mit denen ich
gut zusammenarbeiten kann. • 3. Auf meinem Schreibtisch
steht ein Computer, an dem ich viele Stunden arbeite. • 4. Ich
suche im Internet Informationen, die ich für meine Artikel
brauche. • 5. Ich treffe wichtige Leute aus Politik und Gesellschaft, mit denen ich Interviews mache. • 6. Journalist / Journalistin

6c 1. Stefania kommt aus Italien. Vor ihrem dualen Studium hat
sie einen BA-Studiengang in Fremdsprachen (Deutsch, Englisch) absolviert. • 2. Sie hat im Internet recherchiert, mit deutschen Freunden gesprochen und sich schließlich an den DAAD
gewendet. Das duale Studium kann auch für ausländische Studierende nach einem BA-Studiengang interessant sein, als Ergänzung zum bisherigen Studium. • 3. Sie hat sich schon
immer für Wirtschaft und Finanzwesen interessiert. • 4. Fremd-
sprachen-, besonders Englischkenntnisse • 5. Das Studium ist
stressig und verschult, aber als Ergänzung zum BA ist es toll,
ebenso die Sicherheit des Arbeitsplatzes sowie die finanzielle
Unabhängigkeit.

6e **Gliederung:** Meine Präsentation gliedert sich in … Punkte:
Erstens …, zweitens …, drittens … – Zu Punkt 1: … Zuerst …
Dann … Schließlich … – Das führt mich zu Punkt 2: … Und
damit komme ich zu Punkt 3, den ich in … Unterpunkte ge-
gliedert habe: … – Zunächst zu Punkt 3.1: … – Nun zu Punkt
3.2: … – Meine Aufgaben sind folgende: …– Und zum letzten
Unterpunkt: … – Damit komme ich schon zu meinem letzten
Punkt: … • **Überleitungssatz:** Ihr wisst, dass … – Ich wollte…
– Mein Ziel war es, … – Ich muss zugeben … Aber … •
Begrüßung / Einleitung / Schluss: Hallo und guten Morgen! –
Im Rahmen von unserem Thema „…" möchte ich … vorstellen,
… – So, das war ein kurzer Überblick über … – Danke fürs Zu-
hören. – Wenn ihr Fragen habt, gerne.

Phonetik

2a 2. der F<u>a</u>hrer – die F<u>a</u>hrerin • 3. der Übers<u>e</u>tzer – die Übersetzerin • 4. der Pfl<u>e</u>ger – die Pfl<u>e</u>gerin • 5. der <u>A</u>rbeiter – die
<u>A</u>rbeiterin • 6. der M<u>a</u>ler – die M<u>a</u>lerin • 7. der Verk<u>äu</u>fer – die
Verk<u>äu</u>ferin • 8. der B<u>ä</u>cker – die B<u>ä</u>ckerin

2b 2. der Mediz<u>i</u>ner – die Mediz<u>i</u>nerin • 3. der H<u>a</u>ndwerker – die
H<u>a</u>ndwerkerin • 4. der Mech<u>a</u>niker – die Mech<u>a</u>nikerin • 5. der
Tr<u>ai</u>ner – die Tr<u>ai</u>nerin • 6. der M<u>u</u>siker – die M<u>u</u>sikerin

17 Erste Erfahrungen in der Arbeitswelt

A Hoffentlich bekomme ich den Platz!

1 1. Bachelor of Science • 2.Eberhard-Karls-Universität Tübingen
• 3. Albert-Einstein-Gymnasium, Stuttgart, Abitur • 4. Fortbildungskurs (Analysemethoden) bei Biotec, Mainz • 5. Microsoft
Office Programme • 6. C1 • 7. Spanisch, B2 • 8. Basketball,
Gitarre spielen

2a 1a • 2a • 3b • 4a • 5b • 6b • 7b • 8a

2b 2. meinem Profil • 3. teilgenommen • 4. bestanden • 5. absolviert • 6. Bereich • 7. sammeln. • 8. geweckt • 9. persönliches
Gespräch • 10. geehrter • 11. fasziniert • 12. hinaus • 13. dahin-
ter • 14. beigefügten • 15. verfüge • 16. Fortbildungskurs •
17. EDV-Kenntnisse • **Reihenfolge:** C A D B

3b 1. Die Einladung zum Vorstellungsgespräch bei Ritter Sport. •
2. Der Personalchef hat gesagt, dass sie sich unbedingt bewerben soll. • 3. Informationen über die Firma suchen und überlegen, was sie zu ihrem Lebenslauf sagen kann.

3a **formelles Schreiben:** Anrede, Grußformel: feste Ausdrücke •
Betonung von Sachlichkeit • übersichtliche Gliederung durch
Absätze • Verwendung von Standardsprache • **informelles
Schreiben:** Anrede, Grußformel: frei • Verwendung von
Umgangssprache • Verben ohne Konjugationsendung •
Betonung von Gefühlen

B Warum gerade bei uns?

1a 2a • 3a • 4a • 5b • 6b

1b 1. Jedes Jahr werden viele Bewerbungen an Ritter Sport geschickt. • 2. Die Bewerber werden zum Vorstellungsgespräch
eingeladen. • 3. Laura wurde von Herrn Bayer angerufen. •
4. Die Praktikanten werden vom Personalchef begrüßt. • 5. Von
Mitarbeitern werden die Praktikanten durch die Firma geführt.
• 6. Den Praktikanten wird für ihre Arbeit ein kleines Gehalt
gezahlt.

1c 2. Im gleichen Jahr wurde die Schokoladenfabrik gegründet. •
3. 1919 wurde die „Alrika" auf den Markt gebracht. • 4. 1926
wurde der erste Firmenwagen angeschafft. • 5. Die Firma
wurde 1930 nach Waldenbuch verlegt. • 6. In den 60er- und
70er-Jahren wurden viele neue Sorten hergestellt. • 7. Und es
wurde mit dem Slogan „Quadratisch, praktisch, gut" geworben.
• 8. Im Museum Ritter wird die Herstellung und Geschichte
von Schokolade präsentiert.

1d 2. In Köln werden Ford-Modelle hergestellt. • 3. In München
werden BMW-Modelle hergestellt. • 4. In Rüsselsheim werden
Opel-Modelle hergestellt. • 5. In Sindelfingen werden Mercedes-
Modelle hergestellt. • 6. In Stuttgart werden Porsche-Modelle
hergestellt. • 7. In Wolfsburg werden VW-Modelle hergestellt.

2a 2. Von Clara Ritter wurde eine originelle Idee entwickelt. – Clara Ritter entwickelte eine originelle Idee. • 3. Das Museum Ritter wurde vom Schweizer Architekten Max Dudler geplant. – Der Schweizer Architekt Max Dudler plante das Museum Ritter • 4. Vom Museum werden viele Ausstellungen zum Thema „Quadrat in der Kunst" gezeigt. – Das Museum zeigt viele Ausstellungen zum Thema … • 5. Das Museum wird oft von Schulklassen besucht. – Schulklassen besuchen oft das Museum.• 6. Von den Museumsführern werden die Besucher sehr gut betreut. – Die Museumsführer betreuen die Besucher sehr gut • 7. Die Gäste im Museumscafé werden von den Mitarbeitern sehr freundlich bedient. – Die Mitarbeiter bedienen die Gäste im Museumscafé sehr freundlich.

2b 2g • 3b • 4e(a) • 5f • 6d • 7a(e) • 2. In Hamburg werden von Airbus Flugzeuge hergestellt. • 3. In Leverkusen werden von Bayer Medikamente hergestellt. • 4. In München werden von Bosch elektronische Geräte hergestellt. • 5. In Bielefeld werden von Dr. Oetker Nahrungsmittel hergestellt. • 6. In München werden von MAN Fahrzeuge und Maschinen hergestellt. • 7. In München werden von Siemens elektronische Geräte hergestellt.

3a Dann werden 100g Honig hinzugefügt, später 2 Teelöffel Kakaopulver untergerührt. 100g Haselnüsse werden gemahlen dann untergerührt. Die Masse wird in einem Kochtopf leicht erhitzt und mit dem Pürierstab püriert. Dann wird die Masse in die Marmeladengläser gefüllt und zum Schluss in den Kühlschrank gestellt.

4 2. besucht • 3. gegangen • 4. gemacht • 5. beschäftigt • 6. teilgenommen • 7. studiere • 8. absolviert *(auch möglich:* gemacht) • 9. sammeln • 10. arbeiten

C Der erste Tag im Praktikum

1a 2. macht Werbung • 3. kontr. Rechnungen, überpr. Steuern • 4. nimmt Rohst. an (Kakao, Zucker, Nüsse) • 5. stellt Schoko. her

1b 2. In dieser Abteilung wird die Werbung gemacht: Marketing • 3. Hier werden die Rohstoffe angenommen: Wareneingang • 4. In dieser Abteilung wird der Verkauf vorbereitet: Vertrieb • 5. Hier werden die Steuern und die Rechnungen kontrolliert: Controlling / Buchhaltung • 6. Hier werden die verschiedenen Schokoladensorten hergestellt: Produktion • 7. Hier werden die Rohstoffe analysiert und die fertigen Produkte kontrolliert: Analytik und Rohstoffsicherheit • 8. Die Mitarbeiter / Mitarbeiterinnen werden von dieser Abteilung betreut: Personalabteilung

2a 2. in • 3. für • 4. bei

2b 2. Ich habe mich schon immer sehr für Chemie interessiert. • 3. Bürotätigkeit gefällt mir nicht, ich arbeite lieber mit Menschen. • 4. Ich bin noch nie gut in Chemie gewesen, darum würde ich nicht gern in der Analytik arbeiten. • 5. Ich würde gern im Marketing arbeiten, denn ich finde Werbung interessant.

2c 2. die Frühschicht • 3. die Gleitzeit • 4. die Nachtschicht • 5. die Spätschicht • 6. die Überstunde

2d 2. Schicht arbeiten • 3. Überstunden machen / abbauen / kontrollieren • 4. Gleitzeit haben

2e 2. Wenn sie ein eigenes Projekt hat. • 3. Sie kann sie abbauen. • 4. Mit dem Werksausweis kann man die Türen öffnen und die Arbeitszeit kontrollieren. • 5. Es ist sehr gut und gesund. • 6. Zu den öffentlichen Verkehrsmitteln ja, zum Auto nicht.

3a 2. Einführung • 3. Werk • 4. Kollegen • 5. Aufgaben • 6. analysieren • 7. Produkte • 8. Projekt • 9. Kantine • 10. Zuschuss • 11. Nachteil • 12. Rabatt

3b *Mögliche Lösung:* Liebe Laura, vielen Dank für deine Mail. Dein Praktikum bei Ritter Sport klingt sehr interessant. Erzähl mir deshalb bitte mehr: Wer hat die Einführung an deinem ersten Tag gemacht? Wie viele Kollegen gibt es in deiner Abteilung? Welche Aufgaben hast du im Moment? Und wie lange kannst du Mittagspause machen? Diese und nächste Woche muss ich sehr viel für die Uni tun, aber dann habe ich wieder mehr Zeit. Wenn es dir passt, besuche ich dich dann mal in deiner Mittagspause. Sag mir Bescheid. Liebe Grüße …

Phonetik

2b Le-bens-lauf • Fir-men-ge-schich-te • Scho-ko-la-den-fa-brik • Buch-hal-tung • Per-so-nal-ab-tei-lung • Ver-triebs-kennt-nis-se • Vor-stel-lungs-ge-spräch • In-dus-trie-prak-ti-kum

18 Endlich Semesterferien!

A Wohin in den Ferien?

1a

	Ostsee	Alpen	Bodensee	Berlin
Natur	Dünenlandschaft, wandern	Wanderparadies, wandern, herrliche Berge, klettern	tropische Pflanzen	viele Parkanlagen
Kultur	alte Hansestädte		Schifffahrt, hübsche kleine Städte	interessante Museen, moderne Architektur
Sport	Wassersport	Ski fahren	Fahrradtour	

1b 2. perfekt • 3. herrlich • 4. bekannt • 5. optimal • 6. attraktiv

2a 1b • 2c • 3a • 4c • 5a • 6c

2b 2. breiter • 3. idyllischer • 4. gesünder • 5. mehr • 6. interessanter • 7. größer • 8. besser • 9. teurer • 10. besten • 11. netter • 12. kleiner • 13. hübscher • 14. höher • 15. schöner

3 2. wie • 3. als • 4. wie • 5. wie • 6. als • 7. als • 8. wie

4 2. Mit einer Gruppe unterwegs zu sein hat mir mehr Spaß gemacht, als ich gedacht hatte. • 3. Es regnete so oft, wie ich im Wetterbericht gelesen hatte. • 4. Wir sind mehr und länger gefahren und haben länger geschlafen als ich geplant hatte. • 5. Meine Freunde mögen solche Abenteuerurlaube nicht so gern wie ich. • 6. In Norwegen wird es später dunkel als bei uns. • 7. Die Landschaft war faszinierender und die Strecken attraktiver als ich mir vorgestellt hatte. • 8. Ich finde Norwegen als Urlaubsziel genauso großartig wie Spanien.

5 *Mögliche Lösung:* Lieber Marcos, das Studium hier in München ist fantastisch, ich erfahre jeden Tag viel Neues und habe auch schon tolle Freunde gefunden. Leider kenne ich die Umgebung noch nicht so gut, deshalb möchte ich gern einmal in die Berchtesgadener Alpen fahren. Ich habe gedacht, wenn du mich im Sommer besuchen kommst, können wir das gemeinsam machen. Wir könnten erst eine Woche hier in München bleiben und dann noch eine Woche in die Alpen fahren. Ich möchte sehr gern wandern – eine Woche in der Natur, das stelle ich mir großartig vor! Was meinst du? Liebe Grüße Renato

B Ab in die Ferien!

1a 1a • 2c • 3c • 4c • 5b

1c 2. Sicher möchte sie nicht in die Berge fahren. • 3. Wahrscheinlich hat er einen Ferienjob. • 4. Vielleicht soll(t)en wir besser ans Mittelmehr fahren. • 5. Ich vermute, dass er in Spanien studieren will. • 6. Es kann sein, dass sie uns in Berlin besuchen.

2a 2. Niklas hat keine Zeit, er ist unflexibel (nicht flexibel). • 3. Pia findet Niclas' Vorschlag uncool. 4. Für Pia ist Wandern uninteressant. • 5. Pia ist unsportlich. • 6. In Niclas' Heimat ist das Wandern unpopulär.

2b 2a • 3a • 4a • 5a • 6b

3a 2. Einzelzimmer • 3. Vollpension • 4. Personenkraftwagen • 5. Ferienwohnung • 6. Doppelzimmer

3b 1. Ferienwohnung • 2. Doppelzimmer • 3. Einzelzimmer • 4. Halbpension • 5. Vollpension • 6. Personenkraftwagen

4a a (Anfang September etwa 14 Tage) – b (Wie viel kostet ein Zeltplatz und ab wie vielen Tagen Aufenthalt gibt es Rabatt?) – c (ist es möglich, dort zu frühstücken?) – e (Könnten Sie uns bitte Details zur Lage schicken?) – f (welche Freizeitmöglichkeiten die Region bietet und welche Wanderrouten direkt am Campingplatz starten?)

4b *Mögliche Lösung:* Sehr geehrte Damen und Herren, wir möchten Ende Oktober eine Woche in Ihrem Landgasthof verbringen und hätten ein paar Fragen: Wie viel kostet ein Doppelzimmer und ab wie vielen Tagen Aufenthalt gibt es Rabatt? Wir möchten gerne Vollpension buchen, denn wir wollen die Spezialitäten der Region bei Ihnen genießen. Gibt es auch genug vegetarische Gerichte? Mein Mann ist Vegetarier, liebt aber Süßspeisen. Außerdem möchten wir gern wissen, welche Freizeitmöglichkeiten die Region bietet. Gibt es Wanderouten direkt am Hotel? Vielen Dank im Voraus und beste Grüße Carmen Miranda

5a 3. Ja, wir haben welche. • 4. Nein, man kann keine ausleihen. • 5. Ja, es gibt welche. • 6. Nein, wir haben keine.

5b 2. Was für ein Zimmer ist das? / Was für eins ist das? • 3. Was für ein Wellnessraum ist das? / Was für einer ist das? • 4. Was für ein Schwimmbad ist das? Was für eins ist das? • 5. Was für ein Restaurant ist das? / Was für eins ist das? • 6. Was für eine Terrasse ist das? Was für eine ist das?

5c 1d • 2b • 3e • 4c • 5f • 6a

C Urlaubsspaß in den Alpen

1b Hi Ihr, die Berchtesgadener Alpen finde ich traumhaft und euren Tandemflug superspannend – das möchte ich auch unbedingt mal machen!! Die Aussicht von da oben muss unglaublich sein. Ich zwar keine 20 mehr, aber auch mit 40 kann man etwas Neues erkunden. Nur zelten möchte ich nicht, da gebe ich Ben recht: Abends möchte ich in einem bequemen Bett entspannen können!

2a 2. dann • 3. danach • 4. dann • Schließlich

3a 2a • 3b • 4b • 5a • 6b • 7c • 8c • 9c

3b 2. wenn • 3. Als • 4. Als • 5. wenn • 6. Wenn

3c 2. Zeit • 3. Zeit • 4. Bedingung • 5. Zeit • Bedingung

3d 2. dann • 3. denn • 4. als • 5. Wie • 6. bis • 7. weil • 8. dann • 9. wie • 10. weil • 11. Als • 12. Deshalb

4a 2. Hoffentlich wird mir nicht schlecht! • 3. Der Schirm wird auf den Berg gebracht. • 4. Vor dem Flug wurden alle wichtigen Details erklärt. • 5. Sie wird ja noch eine Supersportlerin! • 6. Vom Tandemlehrer wurden in der Luft Fotos gemacht.

4b *Entwicklung / Veränderung:* 1, 2, 5 • *etwas wird gemacht:* 3, 4, 6

DaF kompakt – mehr entdecken

1a 2. das Schloss, ̈er • 3. die See (nur Sg.) • 4. die Schlange, -n • 5. der Hering, -e • 6. der See, -n • 7. das Schloss, ̈er • 8. der Hahn, ̈e • 9. der Hering, -e • 10. die Schlange, -en

1b 2. 1. Bewertung – 2. Zeichen für Töne • 3. 1. Frucht – 2. Lampe • 4. 1. Historie – 2. Erzählung (z. B. Märchen). • 5. 1. oberer Abschluss eines Zimmers (Zimmerdecke) – 2. Stück Tuch (Tischdecke, Wolldecke) • 6. 1. Gefäß für Flüssigkeit (ein Glas Wasser) – 2. Material (Fensterglas) • 7. 1. Spielkarte – 2. Ticket • 8. 1. Möbelstück zum Sitzen – 2. Geldinstitut

Phonetik

1c 1a. Reetmann • 1b. Rettmann • 2a. Nehl • 2c. Nähl • 3b. Delling • 3c. Dähling • 4a. Mehler • 4b. Mäller • 5b. Hebbel • 5c. Häbel

1d 2a • 3b • 4b

2a Ostsee • angenehme • gehen • lesen • Segelbooten • Ferien • Regenwetter • jeden • vorher • sehe • sehr • gehe • Café • Tee • lese • erst • Ferien

19 Im Auto unterwegs

A Der Führerschein . . . (k)ein Problem?

1 1i • 2j • 3f • 4h • 5g • 6c • 7a • 8d • 9e • 10b

2a 2. Aber schon mit 17 Jahren darf man Auto fahren, wenn eine Person mit Führerschein mitfährt. • 3. Für den Führerschein muss man eine theoretische und eine praktische Prüfung ablegen. • 4. In einer Fahrschule muss man Fahrstunden nehmen. • 5. Die Verkehrsregeln kann man online lernen. • 6. Mit 16 Jahren kann man den Führerschein für Mopeds und Motorräder bis 125 cm³ machen. • 7. Mit der Führerscheinklasse A darf man Motorräder fahren. • 8. Fahrzeuge über 3,5 t darf man nur mit der Führerscheinklasse C fahren.

2b 2. Die weiße Linie auf der Fahrbahnmitte darf nicht überquert werden. • 3. Bei Dunkelheit muss das Abblendlicht eingeschaltet werden. • 4. Auch in einem Tunnel muss das Licht angemacht werden. • 5. Bei schlechter Sicht sollten andere Fahrzeuge nicht überholt werden. • 6. Fußgänger müssen über die Straße gelassen werden. • 7. Kinder dürfen nur in speziellen Kindersitzen im Auto mitgenommen werden. • 8. Beim Autofahren darf kein Handy benutzt werden. • 9. Bei langen Autofahrten sollten genügend Pausen eingelegt werden.

3a 1. die Kupplung • 2. die Bremse • 3. die Kupplung • 4. die Gangschaltung • 5. der Lichtschalter • 6. der Blinker • 7. die Hupe • 8. das Lenkrad

3b 2d • 3h • 4g • 5f • 6b • 7c • 8e

3c 2f • 3h • 4b • 5e • 6g • 7a • 8c • 9i

3d 2. Dann muss der Sicherheitsgurt angelegt werden. • 3. Dann müssen die Bremse und die Kupplung getreten werden • 4. Dann muss der Motor angemacht werden. • 5. Dann muss das Licht eingeschaltet werden. • 6. Dann muss der erste Gang eingelegt werden. • 7. Dann muss der Blinker gesetzt werden. • 8. Dann muss langsam die Kupplung losgelassen werden und vorsichtig das Gaspedal getreten werden. • 9. Dann muss der Verkehr im Rückspiegel beobachtet werden.

4a Johannes teilt die Meinung des Verfassers.

4b Da bin ich ganz anderer Meinung. • Es ist zwar richtig, dass … • Ich bin der Meinung, dass … • Meiner Meinung nach … • Ich persönlich finde es schade, dass …

B Mobilität um jeden Preis?

1a 1. zu schnelles Fahren • 2. Müdigkeit am Steuer • 3. schlechtes Wetter

1b *Mögliche Lösungen:*

	Meldung 1	Meldung 2	Meldung 3
Was?	Ein PKW fuhr auf einen Bus auf.	Ein LKW stieß mit einem PKW auf der Gegenfahrbahn zusammen.	Ein Motorradfahrer stürzte auf regennasser Fahrbahn. Eine Mercedesfahrerin fuhr darauf in die Leitplanke.
Wo?	Auf der A 42 Richtung Dortmund.	Auf der A 43 zwischen Bochum und Herne.	Am Westhofener Kreuz auf der A1.
Wer?	Ein 25-jähriger Golffahrer, Fahrer und Insassen des Busses.	Ein 53-jähriger LKW-Fahrer, ein PKW-Fahrer.	Ein 35-jähriger Motorradfahrer, eine Mercedesfahrerin
Warum?	Der PKW fuhr zu schnell und konnte nicht mehr bremsen.	Der LKW-Fahrer war eingeschlafen und kam auf die Gegenfahrbahn.	Der Motorrad musste bremsen und stürzte auf der nassen Fahrbahn
Verletzte / Schäden?	Insassen des Busses: leicht verletzt; PKW-Fahrer: schwer verletzt; Totalschaden am PKW (VW-Golf).	Der PKW-Fahrer wurde leicht verletzt. 60.000 Euro sachschaden.	Der Motorradfahrer wurde leicht verletzt, die Mercedesfahrerin erlitt einen Schock.
Folgen?	Ein Fahrstreifen ist gesperrt worden; Stau	Fahrbahn war 2 Stunden blockiert.	Auf der A1 in Richtung Dortmund lange Staus im Berufsverkehr.

2a 1. kommt • 2. führt • 3. ereignen sich / passieren / geschehen • 4. findet … statt • 5. ereignet • 6. passiert • 7. ereignet

2b 1. geschehen / passieren / sich ereignen • 2. sich ereignen • 3. stattfinden • 4. führen / kommen

3a 2c • 3d • 4h • 5e • 6f • 7g • 8a

3b a. ist … geräumt worden • b. ist … verletzt worden • c. ist … behandelt worden • d. ist gesperrt worden • e. sind … beschädigt worden • f. ist abgeschleppt worden • g. sind … abgeholt worden • h. sind … befragt worden

4a 2. Auf der Ruhr ist früher die Kohle transportiert worden. • 3. 125 Millionen Tonnen Kohle sind im Jahr 1958 abgebaut worden. • 4. Von 1962 bis 2014 sind in den Opel-Werken in Bochum Autos produziert worden. • 5. In Bochum ist 1962 die erste Universität des Ruhgebiets gegründet worden • 6. 1996 ist in Oberhausen das Einkaufszentrum CetrO eröffnet worden. • 7. Die Industrieanlage Zeche Zollverein in Essen ist 2001 zum Weltkulturerbe der UNESCO erklärt worden.

C Gemeinsam fahren

1 f • 2f • 3r • 4f • 5f • 6r

2a 1. sind stillgelegt • 2. sind umgebaut • 3. ist geöffnet • 4. ist gefüllt • 5. sind beleuchtet

2b 1. keine Endung • 2. eine Endung

2c 1. bestandenen • 2. stillgelegtes • 3. gemieteten • 4. umgebauten • 5. renovierte / geöffnet • 6. gefüllten • 7. genutzte • 8. geschulten • 9. beleuchteten

3a *Mögliche Lösungen:* Am letzten Wochenende habe ich mit meinen Kommilitonen aus dem Kurs „Grundlagen der Physik" einen Ausflug nach Marbach gemacht. Wir sind mit dem Auto von Lisas Mutter gefahren; Lisa hat erst seit 3 Wochen den Führerschein, sie meint, sie braucht eigentlich kein Auto und hat den Führerschein nur gemacht, damit sie später im Beruf flexibler ist.
Marbach ist sehr malerisch – es ist die Geburtsstadt von Friedrich Schiller, und es lohnt sich sehr, das Schiller-Nationalmuseum zu besichtigen!! Dort erfährt man nicht nur vieles über Schiller, sondern auch über viele andere Schriftsteller. Nach so viel Kultur haben wir ein Picknick bei herrlichem Wetter gemacht. Alles in Allem ein gelungener Tag, am nächsten freien Wochenende wollen wir alle gemeinsam nach Ludwigsburg. Viele Grüße von eurer Tina

4a 1. schonen / schützen • 2. tun • 3. produzieren • 4. leisten • 5. bilden • 6. nehmen • 7. reduzieren / senken • 8. tanken • 9. warten • 10. bezahlen

5 1A • 2B • 3C • 4A • 5B • 6A • 7A • 8C • 9A • 10B • 11C

5b **für etwas sein:** Ich finde … sinnvoll, weil • Ich finde … sind eine tolle Sache • … sind meiner Meinung nach ein wichtiger Beitrag zu(m / r) … • Positiv ist, dass … • **gegen etwas sein:** Ich persönlich … nicht gerne • Ich kann mir nicht vorstellen, … • Ein Nachteil ist, dass … • **geteilter Meinung sein:** Ich weiß nicht, was ich von … halten soll • … haben / hat Vor- und Nachteile • Man kann zwar …, aber …

DaF kompakt – mehr entdecken

1a fast ein Viertel (23 Prozent) • knapp drei Viertel (72 Prozent) • 67 Prozent • 66 Prozent • 78 Prozent • Platz 2 (42 Prozent) • 38 Prozent • fast jeder Dritte (29 Prozent) • mehr als die Hälfte (54 Prozent) • 39 Prozent • 500 Euro • über ein Viertel (27 Prozent)

1b 33% – ein Drittel / jeder Dritte • 50% – die Hälfte • 66% – zwei Drittel • 75% – drei Viertel • 23% – fast ein Viertel • 72% – knapp drei Viertel • 27% – über ein Viertel • 54% – mehr als die Hälfte • 67% – gut zwei Drittel

Phonetik

1a **1.** Gestern hatte ich in meiner Dienstzeit schon am frühen Morgen einen Einsatz. • **2.** Gegen 7.30 Uhr wurden mein Kollege und ich zu einem Einsatz gerufen, denn an der Kreuzung vor der Universität hat sich ein Unfall ereignet. • **3.** Ein Auto ist beim Abbiegen mit einem Radfahrer, der geradeaus fahren wollte zusammengestoßen. • **4.** Der Autofahrer, der rechts abbiegen wollte, hat den Radfahrer wohl nicht gesehen. • **5.** Im letzten Moment hatte der Autofahrer noch gebremst, aber es war zu spät. • **6.** Der Radfahrer ist zwar gestürzt, aber er trug einen Helm, deshalb ist er nur leicht am Bein verletzt worden. • **7.** Wir haben am Unfallort auch Passanten befragt: „Können Sie eine Zeugenaussage machen? Was haben Sie gesehen?"

2a **1.** Der Patient ist ungeduldig? ↗ • **2.** Die Wunde heilt gut. ↘ • **3.** Er muss aber Geduld haben. ↘ • **4.** Das Bein darf noch nicht bewegt werden? ↗ • **5.** Er bekommt Medikamente? ↗ • **6.** Wir können ihn noch nicht entlassen. ↘

2c **1.** Günter schreibt Klaus nicht. • **2.** Günter schreibt Klaus nicht? • **3.** Günter, schreibt Klaus nicht? • **4.** Günter schreibt, Klaus nicht? • **5.** Günter schreibt Klaus, nicht? • **6.** Günter schreibt? Klaus nicht? • **7.** Günter schreibt. Klaus nicht? • **8.** Günter schreibt? Klaus nicht.

20 Pendlerin zwischen den Ländern

A Wo liegt eigentlich Liechtenstein?

1a *Mögliche Lösung:* C • A • B • D

1b 1f • 2r • 3r • 4r • 5f • 6r • 7r • 8f

2a 1r • 2r • 3f • 4f • 5f • 6r • 7f • 8r • 9f • 10r

2b **Größe:** … hat eine Fläche von ca. … km². • **Geschichte:** (Das Land ist seit … Mitglied der Vereinten Nationen.) • … wurde … unabhängig (von…) • … zählt zu den ältesten … • **Politik:** Das Land ist seit … Mitglied der Vereinten Nationen. • Staatsoberhaupt ist … • Alle … Jahre wird das Parlament gewählt. • … ist eine parlamentarische Demokratie / konstitutionelle Monarchie / … • **Bevölkerung:** Die größte Bevölkerungsgruppe bilden die … • …% der Bevölkerung sind im tertiären Wirtschaftssektor tätig. **geografische Lage:** Der größte See ist …. • Aufgrund seiner geografischen Lage ist … ein ideales Urlaubsland. • … grenzt im Westen / Süden / Norden / Osten an … • Der höchste Berg ist … • … ist ca. 25 km lang und seine breiteste Stelle beträgt … • Die Hälfte / Ein Viertel / …% des Landes besteht aus Bergen / Seen / … • **Sprache:** … hat … Einwohner, die Amtssprache ist … • **Wirtschaft:** … setzte ein starkes Wirtschaftswachstum ein. • … wurden viele Industriebetriebe gegründet. • … ist (wirtschaftlich) eng mit … verbunden. • **Kultur:** Im Sommer werden … Aktivitäten angeboten. • Im Winter gibt es …

3a **1.** drittgröße • **2.** drittbeste • **3.** zweitschönste • **4.** achtbeliebteste • **5.** fünftteuerste • **6.** fünfthöchste

B Hochschulort Liechtenstein

1a Studienort • Studienfach • Studienreise • Studiengang • Studienzeit • Studienplan • …

1b *Mögliche Lösungen:* „Unterrichtssprache" ist die Sprache, die im Unterricht / im Kurs / im Seminar gesprochen wird. • „Studiengebühr" bedeutet einen festen Geldbetrag, den man [semesterweise] für ein Studium an die Hochschule zahlen muss.

1c

Adjektivattribut + Substantiv	Position rechts
Entwicklung wertvoller Skills	durch Wahlmodule und Gruppenarbeit in Teams
Kontakt	zwischen Studierenden und Dozenten
Kontakte	zu über 80 Partnerunis

2a 1r • 2r • 3r • 4r • 5f • 6r • 7r • 8f

2b **2.** Area • **3.** Big Data • **4.** Omni Channel • **5.** performen • **6.** cool • **7.** online • **8.** Interview

2c **Brunch** brunchen • **Chat** chatten • **Google** googlen • **Klick** klicken • **Mail** mailen • **Post** posten • **Klick** klicken • **Shop** shoppen • **Skype** skypen

2d *Mögliche Lösungen:* online shoppen • online recherchieren • online flirten / daten • online Zeitung lesen • online spielen …

3 2c • 3a • 4b • 5e • 6f

4 **1.** niedriger • **2.** näher • **3.** günstiger • **4.** reichsten • **5.** am häufigsten • **6.** am besten / bestens • **7.** höher • **8.** nächste

C Liechtenstein im Vierländereck

1a 1a • 2c • 3c • 4b • 5a

1b *Mögliche Lösungen:* **Stadtbibliothek:** Eine öffentliche Bücherei, in der jeder Bücher, Spiele oder DVDs ausleihen kann. • Radweg • Drehort • Städtereisefans • Kuhglocke • Ausgangspunkt • Seebühne • Technikfan • Schwebebahn • Bergwelt

2a a. 3 • b. 4 • c. 1 • d. 2

2b 1e • 2d / j • 3d / j • 4i • 5f • 6c • 7b • 8a • 9h • 10g

2c **Winteraktivitäten:** mit Schneeschuhen wandern / laufen • „schlitteln" = Schlitten fahren = rodeln • snowboarden • Ski fahren
Sommeraktivitäten: eine Schifffahrt genießen • Spaziergänge oder sportliche Wanderungen (machen) • Steinböcke oder andere Alpentiere beobachten • malen

3a 1 r – c • 2 r – b • 3 f – c • 4 f – a

Phonetik

Ich heiße Eisler

2a 1a. Hast • 2b. Erzfeld • 3a. Heisler • 4a. Haubert • 5b. Opper • 6b. Uhmann

2c **1.** Herr Haubert • **2.** Frau Ast • **3.** Herr Heisler • **4.** Frau Aubert • **5.** Herr Humann • **6.** Frau Eisler

21 Kreativ in Hamburg

A Neu in Hamburg

1a 2r • 3r • 4f • 5r • 6n • 7n • 8f

1b 2A • 30 • 4C • 5B • 6C

1c **2.** Häuserfassaden • **3.** Fotomotiv • **4.** Fischmarkt • **5.** Marktschreier

2a 2f • 3d • 4g • 5b • 6a • 7e

2b -en • -en • -er • -er

2c 2e • 3f • 4a • 5b • 6c

2d -es, -en • -es, -en • -er, -en • -er

3 **2.** -er, -en • **3.** -er , -en • **4.** -er • **5.** -er • **6.** -es, -en • **7.** -es, -en • **8.** -er • **9.** -er • **10.** -es, -en • **11.** -en • **12.** -es, -en

4 Irina studiert in Hamburg, weil die Ausbildung exzellent und sehr an der Praxis orientiert ist. Sie findet in Hamburg die Alster, der riesige Hafen, Kneipen, Café, kleine Theater und die Künstler interessant. • Antonia studiert in Hamburg, weil sie glaubt, dass die Schule ihr die Türen zu den besten Werbeagenturen der Welt öffnet. Sie findet Wasser, Parks, Geschäfte und Kultur interessant. Carlos studiert in Hamburg, weil er in Mexiko an einer deutschen Schule Abitur gemacht hat und nach Deutschland wollte. Er findet die Parks, das Wasser, die Speicherstadt und Hamburgs Geschichte interessant.

B Wohin in Hamburg?

1a **2.** Bertolt Brecht und Kurt Weill haben „Die Dreigroschenoper" geschrieben. • **3.** Es dauert zwei Tage. • **4.** Man kann sie an der Abendkasse kaufen. • **5.** Nähere Informationen findet man auf der Webseite. • **6.** Es findet in der Speicherstadt statt. Der Hafengeburtstag wird vom 5.-8. Mai gefeiert.

1b **2.** E • **3.** A • **4.** – • **5.** D • **6.** B • **7.** F

2 **2.** Antonia • **3.** Carlos • **4.** Antonia • **5.** Irina • **6.** Irina

3a

Hauptsatz	Infinitivsatz
Irina findet es gut,	das Schauspielhaus zu besuchen.
Irina findet es gut,	sich mit Freunden zu treffen.
Irina findet es nicht gut,	die Hafenrundfahrt am Sonntag zu machen.
Irina findet es nicht gut,	im Theater zu essen.
Carlos findet es gut,	den Film „Dinner for one" zu sehen.
Carlos findet es interessant,	im Park spazieren zu gehen.
Carlos findet es gut,	in Hamburg einzukaufen.
Carlos findet es nicht gut,	mit sehr vielen Menschen zusammen zu sein.
Carlos findet es nicht interessant,	am Sonntag auf die Kinder aufzupassen.
Antonia findet es gut,	mit Freundinnen etwas zu unternehmen.
Antonia findet es interessant,	mit dem Schiff zu fahren.
Antonia findet es nicht interessant,	„Die Dreigroschenoper" zu sehen.
Antonia findet es nicht gut,	wenig Zeit zu haben.

3b Mögliche Lösung: Ich finde es angenehm, eingeladen zu werden. • Ich finde es gut, verbessert zu werden. • Ich finde es unangenehm, kritisiert zu werden. • Ich finde es blöd, kontrolliert zu werden. • Ich finde es schön, besucht zu werden. • Ich finde es gut, motiviert zu werden. • Ich finde es nicht gut, beobachtet zu werden. • Ich finde es gut, überrascht zu werden. • Ich finde es unangenehm, untersucht zu werden. • Ich finde es angenehm, angerufen zu werden. • Ich finde es unangenehm, verletzt zu werden. • Ich finde es blöd, interviewt zu werden. • Ich finde es nicht gut, unterbrochen zu werden. • Ich finde es schön, verstanden zu werden.

4a **2.** zu • **3.** -- • **4.** zu • **5.** -- • **6.** zu • **7.** zu • **8.** zu • **9.** zu • **10.** zu

4b **2.** Ich finde es gut, eine Stadt auf dem Schiff zu besichtigen. • **3.** Ich plane, später einmal nach Hamburg zu fahren. • **4.** Ich habe vor, noch mehr Deutsch zu lernen. • **5.** Ich finde es besser, in Gruppe zu lernen als allein. • **6.** Ich habe keine Lust, am Wochenende zu Hause zu bleiben.

5

1. Hauptsatz /1. Satzteil	Position 0	2. Hauptsatz / 2. Satzteil
2. Entweder wir essen zu Hause	oder	(wir) gehen ins Restaurant.
Entweder essen wir zu Hause	oder	
Wir essen entweder zu Hause	oder	(wir) gehen ins Restaurant.
3. Entweder du fährst mit dem Bus	oder	(du) nimmst ein Taxi.
Entweder fährst du mit dem Bus	oder	
Du fährst entweder mit dem Bus	oder	(du) nimmst ein Taxi.
4. Entweder sie will ins Kino	oder	ins Theater gehen.
Entweder will sie ins Kino	oder	
Sie will entweder ins Kino	oder	ins Theater gehen.
5. Entweder sie besucht Freunde	oder	sie fährt Fahrrad.
Entweder besucht sie Freunde	oder	
Sie besucht entweder Freund	oder	(sie) fährt Fahrrad.
6. Entweder die Freundinnen besuchen das Straßenfest	oder	(sie) machen einen Rundflug.
Entweder besuchen die Freundinnen das Straßenfest	oder	
Die Freundinnen besuchen entweder das Straßenfest	oder	(sie) machen einen Rundflug.

C Tatort Hamburg

1 6a • 5b • 1c • 8d • 4e • 7f • 3g • 2h • 9i

2a **gestrichene Redemittel:** Ich hätte Lust … • Wie wäre es mit …

2b *Mögliche Lösung:* Eventuell gehen Klaas und Ole zusammen was trinken. • Ich vermute, dass Klaas Angst hat. • Wahrscheinlich möchte Ole, dass Nele zu ihm zurückkommt. • Es könnte sein, dass sich Klaas von Nele trennt. • Ich glaube, Klaas versucht, wegzurennen. • Möglicherweise streiten sich Klaas und Ole. • Ole könnte Klaas verletzen.

3 Er hat dem Trompeter viele Fragen gestellt → Der Trompeter hat dem Blonden viele Fragen gestellt • von einer Frau gesprochen, mit der der Blonde seit sechs Monaten zusammen ist → mit der der Trompeter seit sechs Monaten zusammen ist • den Trompeter nicht mehr liebt → den Blonden nicht mehr liebt • auf ein Schiff brachte → auf eine Brücke brachte • lief der Blonde weg → lief der Trompeter weg • der Trompeter stand auf → der Blonde stand auf

4 2. Ole • **3.** Ole • **4.** Nele • **5.** Nele und der Pastor • **6.** der Pastor • **7.** Nele • **8.** der Pastor

5 Nele und der Pastor besuchen Klaas. Nele und der Pastor erzählen ihm, was passiert ist. Klaas war in einem Kühlcontainer. Er war ohnmächtig. Der Krankenwagen kam schnell und brachte Klaas ins Krankenhaus. Ole ist jetzt im Gefängnis.

6

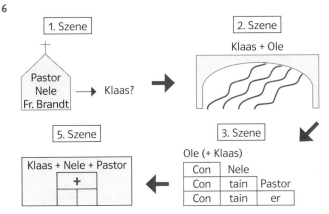

Phonetik

1b **[s]:** ein Laut • **Schreibweise:** -s-, -ss, -ss-, -ß, -ß- • **Beispiele:** der Kurs • günstig • Sehenswürdigkeit • wissen • Gasse • Fluss • Erdgeschoss • Fuß • Gruß • Straße • grüßen • **[ts]:** zwei Laute • **Schreibweise:** -tz, -tz-, -zz-, -ts, -ts-, -tion, -tion- • **Beispiele:** ziehen • Platz • Netz • benutzen • putzen • Pizza • Satzzeichen • rechts • nichts • Weihnachtsmann • arbeitslos • Lektion • Organisation • funktionieren • Präpositionen

2a **[s]:** Straßenfest • Schauspielhaus • Binnenalster • Mediencampus • Kongresse • Kunsthochschule • Beatles • **[ts]:** Hafengeburtstag • Tanztheater • internationale • Platz • zahlreiche

3a 1. [ts] • 2. [s] • 3. [s] • 4. [ts] • 5. [s] • 6. [s] • 7. [ts] • 8. [ts]

3b 1. Linz • 2. Istanbul • 3. Paris • 4. Salzburg • 5. Amsterdam • 6. Brüssel • 7. Florenz • 8. Zürich

4 dreißig

---

22 In Kontakt bleiben

A Nachrichten schicken

1a 2. irgendwer • 3. irgendwie • 4. irgendwohin • 5. irgendwoher • 6. Irgendwo

1b 3. Irgendjemanden / Irgendwen • 4. irgendetwas • 5. Irgendetwas • 6. Irgendjemand / Irgendwer

1c 2. nirgendwohin • 3. niemand • 4. nirgendwoher • 5. nirgendwo / nirgends • 6. niemals / nie • 7. nichts

1e **Unterschied Maskulinum Nominativ:** Indefinitartikel: irgendein • Indefinitpronomen: irgendeiner • **Unterschied Neutrum Nominativ + Akkusativ:** Indefinitartikel: irgendein • Indefinitpronomen: irgendeins

2a 1c • 2e • 3a • 4b • 5d

2b **Empfänger:** Barbara Cohen • **Absender:** Markus & Susanne Frey • **Land:** Germany • Kanada • **Postleitzahl:** 34130 • K1N 5S7 • **Hausnummer:** 167 • 448 • **Stadt:** Kassel • Ottawa (in Ontario) • **Straße:** Hohnemannstr. • York Street • **Briefmarke:** oben rechts

2c 2f • 3f • 4r • 5f • 6r • 7f • 8r

2d 2. der Paketinhalt • 3. die Sendungsdauer • 4. das Porto • 5. das Gewicht • 6. die Zollerklärung

B Ärger mit dem Päckchen

1a 2. Paketschein = Paket + schein • 3. Sendungsverfolgung = Sendung + s + verfolgung • send + ung + s + verfolg + ung • 4. Sendungsnummer = Sendung + s + nummer • send + ung + s + nummer • 5. Kundenservice = Kunden + service • 6. Einschreiben = ein + schreiben

1b 2a • 3f • 4b • 5c • 6e

2 **1. Ausgewählte unregelmäßige Verben: Werden:** du wurdest • du würdest • **gehen:** es ging • es ginge • **finden:** wir fanden • wir fänden • **2. Regelmäßige und unregelmäßige Verben: gratulieren:** er gratulierte • er würde gratulieren • **kosten:** es kostete • es würde kosten • **sich kümmern:** sie kümmerten sich • sie würden sich kümmern • **anfangen:** wir fingen an • wir würden anfangen • **sehen:** Sie sahen • Sie würden sehen • **fahren:** wir fuhren • wir würden fahren • **anrufen:** du riefst an • du würdest anrufen • **3. Gemischte Verben: kennen:** du kanntest • du würdest kennen / kenntest • **wissen:** er wusste • er wüsste • **bringen:** wir brachten • wir brächten • **Modalverben: müssen:** du musstest • du müsstest • **wollen:** Sie wollten • Sie wollten • **dürfen:** wir durften • wir dürften • **sollen:** ihr solltet • ihr solltet

3a 4i • 5h • 6h • 7r • 8i • 9h • 10r

3b 1. käme • 2. würde mich … kümmern – hätte • 3. könnte – hätte • 4. hätte – könnte … abfragen • 5. wüsste – würde … sagen • 6. müsstest • 7. wäre – ankäme • 8. käm(e)t – würde … freuen

3c 2. Hätte ich Zeit, würde ich mich um das Paket kümmern. • 3. Hättest du noch den Einlieferungsschein, könnte man das Paket finden. • 4. Hätte ich noch den Einlieferungsschein, könnte ich den Sendestatus im Internet nachschauen. • 5. Wüsste ich, wo das Paket jetzt ist, würde ich es dir sagen. • 7. Käme es am Dienstag an, wäre es kein Problem. • 8. Kämet ihr, würden wir uns freuen.

4 1b • 2c • 3a

C Unser Leben mit den „neuen" Medien

1a 1. Gastfreundschaft • 2. Brieffreund • 3. Freundeskreis • 4. Freundschaftsspiel • 5. Freundebuch • 6. Schulfreunde • 7. Sandkastenfreunde • 8. Freundschaftsband • 9. Parteifreunde • 10. besten Freundin

1b 1. schließen • 2. zerbrochen • 3. verbindet • 4. angefreundet • 5. beendet • 6. getan

1c *Mögliche Lösung:* Die Wohnung hat freundliche Farben • Freundliche Grüße • Er begrüßte sie mit einem freundlichen lachen • Unter den Kollegen herrscht eine freundliche Stimmung. • Heute haben wir freundliches Wetter. • Die Chefin findet freundliche Worte für die Mitarbeiterin.

1d *Mögliche Lösung:* 1. dann käme er nicht immer zu spät. – dann hätte er mir mit meinem Problem geholfen • 2. dann hätte sie heute auf meine Kinder aufgepasst. – dann hätte sie mehr Zeit für mich. • 3. wir nicht so weit voneinander entfernt wohnen würden. – wir nicht so verschiedene Partner geheiratet hätten.

2 1. Er kommentiert die Meldungen oder er ruft den Freund an. Manchmal verabredet er erin Internettelefonat mit dem Freund. • 2. Wer ist da, wenn ich Hilfe brauche? • 3. „Freunde" in Abgrenzung zu „friends" (= Kontakte, die nur online funktionieren)

3 A: Text 5 • B: Text 3 • C: Text 7 • D: Text 1 • E: Text 8 • F: Text 2 • G: Text 4 • H: Text 6

4a A4 • B12 • C10 • D2 • E6 • F8 • G5 • H7 • I1 • J11 • K9 • L3

4b **Vorteile Präsenzkurs:** Kontakt zu anderen Kursteilnehmern, Gespräche in der Pause, arbeiten in Gruppen, direkter Kontakt mit dem Kursleiter, individuelle Erklärungen • **Nachteile Präsenzkurs:** Zeitaufwand, Fehler sind für alle sichtbar, wenig flexibel • **Vorteile Onlinekurs:** Onlinekontakte zur Lerngruppe, Möglichkeit ständiger Wiederholungen • **Nachteile Onlinekurs:** Smartphone ist klein, daher unbequemes lesen, kein direkter Kontakt zu anderen Kursteilnehmern, kein echter Austausch, keine individuelle Beratung durch die Kursleitung.

DaF kompakt – mehr entdecken

1 2. mailen – er mailte – er hat gemailt • 3. surfen – er surfte – er hat gesurft • 4. downloaden – er loadete down – er hat downgeloadet • 5. skypen – er skypte – er hat geskypt • 6. simsen – er simste – er hat gesimst

Phonetik

1c 1. Postbote • 2. Bahnpolizei • 3. Tischdecke • 4. Donnerstag • 5. Glückwunschkarte • 6. Kindergarten

2 *Mögliche Lösung:* … eine große Kiste. Niemand wusste, dass dort eine Kiste stand. in der Kiste lag eine alte Posttasche. In der Posttasche lag eine Einladung zu einem Gartenfest mit Tanz. Die Einladung kam von Herrn und Frau Gerke in Paderborn. Sie wollten am 3. September 1913 den 20. Geburtstag ihrer Tochter feiern. Im Telefonbuch fand ich die Adresse von einem Herrn Gerke in Paderborn. Ich informierte ihn über den Brief und er freute sich sehr, denn das Mädchen war seine Urgroßmutter.

3 *Mögliche Gegenstände:* Kursbuch • Papier • Bleistift • Textmarker • Tafel Schokolade • Tüte Chips • Glas Gurken • Päckchen Butter • Gabel • Tasse • Teller • Bluse • Kleid • Pullover • Krawatte • Gürtel • Badehose • T-Shirt

23 Studium in Deutschland

A Campus Deutschland

1 1. Allgemeine Hochschulreife • 2. Fachhochschulreife • 3. begabt • 4. Aufnahmeprüfung • 5. Forschung • 6. praxisorientiert • 7. Einstieg • 8. Fächerspektrum • 9. Schwerpunkt • 10. Regelstudienzeit • 11. Promotionsstudium

2a 2. Daniel interessiert sich schon seit seiner Kindheit für Deutschland. Seine Eltern haben nämlich dort studiert. • 3. Daniel hat schon einen Studienplatz. Er bleibt nämlich nach dem Sprachkurs in Deutschland. • 4. Françoise möchte später für eine internationale Organisation arbeiten. Sie muss nämlich Auslandserfahrung sammeln. • 5. Kristin ist glücklich am Konservatorium. Das Studium macht ihr nämlich viel Spaß.

2b 2. Mareike ist nach Deutschland gekommen, weil es gute Studienbedingungen gibt. • 3. Felix will mit seinem Professor sprechen, weil er eine schlechte Note hat. • 4. Claudio reist schon im Juli nach Deutschland, weil er einen Aufnahmetest ablegen muss. • 5. Tarik hat einen Termin im Konsulat, weil er ein Visum beantragen muss.

2c 2. Wegen des schlechten Wetters kann ich nicht joggen gehen. / Da das Wetter schlecht ist, kann ich nicht joggen gehen. • 3. Wegen eines Arzttermins können wir heute nicht zusammen lernen. / Da ich einen Arzttermin habe, können wir heute nicht zusammen lernen. • 4. Wegen einer (baldigen) Prüfung, bleibe ich am Wochenende zu Hause und lerne. / Da ich bald eine Prüfung habe, bleibe ich am Wochenende zu Hause und lerne. • 5. Wegen eines Streits mit meinen Mitbewohnern möchte ich ausziehen. / Da ich mit meinen Mitbewohnern Streit habe, möchte ich ausziehen.

4c **Gefallen / Missfallen:** Besonders gut gefällt mir • finde ich (nicht so) interessant / langweilig • … finde ich nicht so gut • Ich habe manchmal Probleme / Schwierigkeiten mit … • Ich bin total begeistert von • leider … • Ich bin sehr zufrieden mit … • Mein(e / en) … mag ich sehr / gar nicht. • **Vorschlag:** Hast du vielleicht nächste Woche … Zeit? • Wie wäre es am … um … Uhr? • Wir könnten uns doch am … um … treffen.

4d *Mögliche Lösung:* Lieber …., ich studiere ja seit fast drei Jahren an der Humboldt-Universität Berlin. In meinem Physikstudium bin ich jetzt im fünften Semester. In diesem Bereich möchte ich unbedingt meinen Master machen. Und, wenn es möglich ist, möchte ich danach promovieren. Mein Ziel ist es, danach in der Forschung zu arbeiten.
Mein Studium ist sehr interessant, denn es ist sehr abwechslungsreich. Besonders gut gefällt mir, dass wir nette Professoren haben. Ich bin total begeistert von der guten Betreuung. Mein Forschungsprojekt mag ich sehr, weil es sehr abwechslungsreich ist. Außerdem bin ich mit der Ausstattung des Labors sehr zufrieden. Leider habe ich wenig Freizeit. Dass ich abends lange im Labor arbeiten muss, finde ich nicht so gut. Aber ich versuche, mir etwas mehr Zeit für andere Dinge zu nehmen. Zum Beispiel um mich mit Freunden zu treffen. Da ich unter der Woche wenig Zeit habe, schlage ich Samstagabend vor. Hast du vielleicht nächstes Wochenende Zeit? Wie wäre es am Samstagabend um 20 Uhr? Wir könnten uns doch in der Kneipe „Unicum" treffen, denn da ist das Bier nicht so teuer. Meld' dich doch bei mir. Tschüss, ….

B Wer die Wahl hat, …

1 1. In Deutschland gibt es derzeit 107 Universitäten und 246 Fachhochschulen. • 2. In Deutschland studieren 930.000 Studierende an einer Fachhochschule. • 3. Nur etwa 5 % aller Studenten studieren an privaten Hochschulen. • 4. In Deutschland gibt es 180 Orte mit einer staatlich anerkannten Hochschule. • 5. Über 100.000 ausländische Studierende haben im letzten Jahr in Deutschland ein Studium aufgenommen. • 6. An der Ludwig-Maximilians-Universität studieren zurzeit über 50.000 Studentinnen und Studenten. • 7. Die Fernuniversität Hagen wurde 1974 gegründet. • 8. Zurzeit gibt es ca. 5.300 Studierende an der Fernuniversität Hagen, die im Ausland leben.

2a 1. d • 2. h • 3. e • 4. c • 5. g • 6 a • 7. b • 8. f

2b 2. Marie hat viel gelernt. Trotzdem hat Marie die Prüfung nicht bestanden. / Obwohl Marie viel gelernt hat, hat sie die Prüfung nicht bestanden. • 3. Philipp hat einen Notendurchschnitt von 2,5. Trotzdem will er Medizin studieren. / Obwohl Philipp einen Notendurchschnitt von 2,5 hat, will er Medizin studieren. • 4. Christophs Eltern können ein Auslandsstudium nicht finanzieren. Trotzdem möchte er im Ausland studieren. / Obwohl Christophs Eltern ein Auslandsstudium nicht finanzieren können, möchte er im Ausland studieren. • 5. Antonia hat ihren Master mit „sehr gut" bestanden. Trotzdem möchte sie nicht promovieren. / Obwohl Antonia ihren Master mit „sehr gut" bestanden hat, möchte sie nicht promovieren.

2c 2. Deshalb verpasst er oft den Bus. Trotzdem kommt er pünktlich zur Uni. • 3. Deshalb muss sie nicht jobben. Trotzdem ist sie immer pleite. • 4. Deshalb kann er nicht Kunst studieren. Trotzdem ist er nicht traurig. • 5. Deshalb spricht sie Französisch. Trotzdem studiert sie nicht in Frankreich. • 6. Deshalb hat er wenig Zeit zum Lernen. Trotzdem hat er gute Noten.

2d 1b • 2a • 3b

2e 2. Obwohl Lisa gute Abiturnoten hat, will sie nicht Medizin studieren. • 3. Obwohl Moritz eine künstlerische Begabung hat, will er nicht Künstler werden. • 4. Obwohl Paul krank ist, nimmt er an der Prüfung teil.

3a 1a Sehr geehrte Damen und Herren, • 1b Mit freundlichen Grüßen • 2a Lieber Lars, • 2b Viele Grüße • 3a Sehr geehrte Frau Fischer, • 3b Mit freundlichen Grüßen • 4a Sehr geehrter Herr Professor Wolf, • 4b Mit freundlichen Grüßen

3b *Mögliche Lösung:* Sehr geehrte Frau Mangold, lieben Dank für den Beratungstermin kommenden Mittwoch. Leider kann ich diesen Termin nicht wahrnehmen, da ich genau um diese Uhrzeit eine wichtige Prüfung in meinem Nebenfach habe. Obwohl ich mein Studienfach wechseln möchte, ist diese Prüfung für mich sehr wichtig. Ich hoffe auf Ihr Verständnis und bitte um einen anderen Termin. Mit freundlichen Grüßen

C Seinen Weg finden

1a 1. bewerben • 2. informieren • 3. wenden • 4. warten • 5. interessiert • 6a / b hängt… ab • 7. teilnehmen • 8. vorbereiten • 9. kümmern • 10. helfen • 11. berichten • 12. fürchten

1b **Verben mit Präpositionen mit Akkusativ:** berichten von • informieren über • sich interessieren für • sich kümmern um • teilnehmen an • sich vorbereiten auf • warten auf • wenden an
Verben mit Präpositionen im Dativ: sich fürchten vor • bei etwas helfen

2a 2c • 3b • 4a • 5e

2b 2. Wenn er doch nur Zeit für mich hätte! • 3. Wenn er doch nur schweigen würde! / Wenn er doch nur weniger reden würde! • 4. Wenn er mir doch nur zuhören würde!

3 **Verständnis / Unverständnis zeigen:** Ich kann gut verstehen, dass … • Ich kann mir gut vorstellen, wie du dich fühlst. • Ich verstehe nicht, warum … • Es ist völlig normal, dass … • **Von eigenen Erfahrungen berichten:** Eine ähnliche Situation habe ich auch schon mal erlebt: … • Mir ist etwas Ähnliches passiert: … • **Ratschläge geben:** Du solltest vielleicht mal … • Ich rate dir, zu … • Versuch doch mal, … zu …

4b 1a

4c 2a • 3b • 4b

Phonetik

Satzakzent und Emotionen

1a ○ Was ist denn <u>los</u>? – ● Ich habe ein Problem mit meinem Pro<u>fes</u>sor. • ○ Was genau ist denn <u>vor</u>gefallen?– ● Ich habe ein <u>Re</u>ferat gehalten. Alle fanden es richtig <u>gut</u>. •
○ Und wo ist das <u>Pro</u>blem? – ● Mein Professor hat nicht richtig <u>zu</u>gehört. Später hatte er keine <u>Zeit</u> für mich. Er hat mir dann eine schlechte <u>Note</u> gegeben. • ○ Das gibt's doch nicht!

1b 1. Ich möchte einen Termin in <u>dieser</u> Woche. • 2. Der Termin ist am <u>Freitag</u>, nicht am Mittwoch. • 3. Wie ist denn <u>das</u> passiert? • 4. Wir gehen ins <u>Kino</u>, nicht ins Theater.

1d **Kontrastakzent:** Sätze 2, 4 • **Demonstrativakzent:** Sätze 1, 3

3a Die emotionale Variante ist lauter und hat eine größere Melodiebewegung.

24 Freiwillig arbeiten

A Engagement für Mensch und Natur

2a **Wofür setzt man sich ein?** Minderheiten • Tierschutz • Umweltschutz • **Wofür interessiert man sich?** Fußball • Geschenke • (große Hunde) • (gute Noten) • Komplimente • Literatur • Musik • Tierschutz • Umweltschutz • **Wogegen kämpft man?** Arbeitslosigkeit • Armut • Korruption • Krankheiten • Ungerechtigkeit • **Worüber freut man sich?** Geschenke • gute Noten • Hilfe • Literatur • Musik • **Wovor hat man Angst?** Arbeitslosigkeit • Armut • Prüfungen • Krankheiten • **Worum bittet man?** Entschuldigung • Hilfe •

2b 2. Über wen ärgerst du dich? • 3. Auf wen wartest du? • 4. Worauf wartest du? • 5. Nach wem hat sich der Polizeibeamte erkundigt? • 6. Wonach erkundigst du dich? • 7. Wovor hast du Angst? • 8. Vor wem hattest du als Kind Angst? • 9. An wen erinnerst du dich gerne? • 10. Woran erinnerst du dich nicht gerne? • 11. Um wen ging es bei eurem Streit? • 12. Worum ging es in diesem Roman? • 13. Womit beginnt die Prüfung? • 14. Mit wem beginnen wir?

3 2. Dünger • 3. Schädlingsbekämpfungsmittel • 4. Vorkenntnisse • 5. Mindestalter • 6. Mitglied • 7. Taschengeld • 8. Verpflegung • 9. Anreise • 10. anbaut • 11. züchtet • 12. Lebensart

4a 2c • 3g • 4a • 5d • 6b • 7e

4b 2. Ich gehe auf die Homepage von WWOOF, um mich über Freiwilligenarbeit zu informieren. • 3. Ich will auf einem ökologischen Hof arbeiten, um etwas für den Umweltschutz zu tun. • 4. Ich werde Mitglied bei WWOOF, um die Kontaktdaten der Höfe zu bekommen. • 5. Ich möchte in Frankreich als WWOOFer arbeiten, um Land und Leute kennenzulernen. • 6. Ich schreibe eine Mail an den Hofbesitzer, um mich über den Hof zu informieren.

4c 2. Auf der Homepage von WWOOF stehen viele Tipps, damit sich die Interessenten vor Ihrem Einsatz informieren können. • 3. Die WWOOFer wenden sich direkt an die Landwirte, damit sie Beginn und Dauer des Einsatzes besprechen können. / Die WWOOFer wenden sich direkt an die Landwirte, um Beginn und Dauer des Einsatzes besprechen zu können. • 4. Die Landwirte informieren die freiwilligen Helfer über die Art der Arbeit, damit die Helfer wissen, was sie erwartet. • 5. Die Landwirte müssen früh aufstehen, um sich um die Tiere zu kümmern. / Die Landwirte müssen früh aufstehen, damit sie sich um die Tiere kümmern können. • 6. Die WWOOFer bekommen freie Tage, damit sie Ausflüge in die Umgebung machen können. / Die WWOOFer bekommen freie Tage, um Ausflüge in die Umgebung machen zu können. • 7. Es ist sinnvoll, die Landessprache zu sprechen, um sich mit den Landwirten besser verständigen zu können. / Es ist sinnvoll, die Landessprache zu sprechen, damit man sich mit den Landwirten besser verständigen kann.

B Unten im Tal oder oben auf der Alp?

1a

Anzeige	Lage des Hofs	Tätigkeiten	Tiere	Besonderheiten
A	30 Min von Luzern	Renovationsarbeiten an Haus und Scheune, allgemeine Arbeiten im Stall, Garten und evt. im Wald	Kühe, Pferde, Schafe, Hühner	Mitbringen von Kindern möglich. Gerne auch Einsatz für 1 bis 2 Monate. Nur Nichtraucher
B	in der Nähe von Chur	Heumachen	–	nur für berggewohnte Personen
C	auf 1600 m mitten in den Bergen im Safiental	Mithilfe bei der Heuernte, Tierbetreuung, im Garten, im Haushalt (auch Ziegenkäseherstellung)	25 Milchkühe, Schafe, Ziegen und Hühner	eigenes Zimmer im Haus
D	auf 1000 m, steile Lage	Gemüseanbau, Käse- und Quarkherstellung, Erlernen von Milchverarbeitung in der Käserei	Kühe, Schafe, Hühner	Zusammenarbeit in einer kleinen Gruppe mind. 2 Wochen
E	im Sankt Galler Rheintal, ca. 2 km vom Bodensee entfernt	Versorgung der Hühner, Mithilfe bei der Gemüseernte und im Verkauf	500 Hennen und 10 Hähne	möbliertes Zimmer

1b 2. die Direktvermarktung • 3. das Heumachen / die Heuernte • 4. der Stall • 5. die Scheune • 6. die Weide • 7. das Gewächshaus

2 1f • 2r • 3r • 4r • 5f • 6f • 7r • 8r

3a 2b • 3h • 4f • 5d • 6g • 7e • 8a

3b 1. Lars hat schon immer davon geträumt, einmal auf einem Bio-Hof im Ausland zu arbeiten. • 2. Im Internet hat er sich danach erkundigt, in welchen Ländern man als WWOOFer arbeiten kann. • 3. Da er Freund in der Schweiz hat, hat er sich dafür entschieden, sich an WWOOF Schweiz zu wenden. • 4. Die Hofbesitzerin Frau Egger hat er in einer Mail darum gebeten, ihm einige Fragen zu beantworten. • 5. In einem Telefongespräch haben sie auch darüber gesprochen, wie lange man auf dem Hof der Eggers täglich arbeitet. • 6. Frau Egger hat sich sehr darüber gefreut, dass Lars bei ihr arbeiten will. • 7. Jetzt freut sich Lars darauf, im nächsten August in die Nähe von Chur zu reisen.

3c Eingesetzt werden die Freiwilligen in Krankenhäusern und Pflegeheimen, in Einrichtungen für Menschen mit Behinderungen sowie in Kinder- und Jugendeinrichtungen. **Damit** leisten die jungen Menschen einen wichtigen Beitrag für die Gemeinschaft. Das FSJ und der BFD sind Vollzeit-Jobs. **Dafür** zahlen die Einrichtungen den Freiwilligen ein monatliches Taschengeld und Sozialversicherung. Außerdem bekommen sie einen Ausweis. **Damit** erhalten sie Ermäßigungen z.B. in öffentlichen Verkehrsmitteln. **Daneben** gibt es auch für über 27-Jährige die Möglichkeit, im Rahmen des Bundesfreiwilligendienstes in Teilzeit tätig zu werden. **Dabei** handelt es sich um eine Freiwilligenarbeit mit mindestens 20 Stunden pro Woche im sozialen, ökologischen, kulturellen und sportlichen Bereich. Informationen über den Bundesfreiwilligendienst findet man unter www.bundesfreiwilligendienst.de.

C Eine tolle Erfahrung

1a 1. spannenden • 2. folgenden • 3. kommende • 4. entscheidende • 5. passende • 6. aufregendes • 7. anstrengende • 8. überzeugend

1b 1a • 2b • 3a • 4a • 5b • 6b • 7b • 8a

1c 2. die startenden Flugzeuge • 3. die bellenden Hunde • 4. die hupenden Autos • 5. die feiernden Fußballfans • 6. die spielenden Kinder • 7. die laufenden Motoren
Die Bürger beschweren sich über ... 3. die zu schnell fahrenden Motorräder • 4. die falsch parkenden Autos • 5. die laut feiernden Nachbarn • 6. die jährlich steigende Arbeitslosigkeit • 7. die ständig wachsende Kriminalität • 8. die langsam arbeitende Verwaltung • 9. die nicht funktionierenden Fahrkartenautomaten

2 2. Bild 2 zeigt eine arbeitende Person. • 3. Bild 3 zeigt eine Rad fahrende Person. • 4. Bild 4 zeigt eine Gitarre spielende Person. • 5. Das Bild 5 zeigt eine singende Person. • 6. Bild 6 zeigt eine tanzende Person. • 7. Bild 7 zeigt eine springende Person. • 8. Bild 8 zeigt eine Ball spielende Person.

3c **Auf die Meinung eines anderen reagieren:** Ich meine / finde, dass … • Ich finde es (nicht) gut / richtig / sinnvoll, dass … • Ich bin da ganz anderer Meinung als … • Ich persönlich … gerne / lieber … • Ich finde, … hat völlig recht. • Ich kann mir gut / nicht vorstellen, … zu … • Ein Freund / eine Freundin von mir … • **seine Meinung sagen:** Ich meine / finde, dass … • Ich bin überzeugt, dass … • Ich bin der Ansicht / Meinung, dass … • Meiner Meinung nach … • Für mich kommt … nicht in Frage, denn … • **Argumente für / gegen etwas nennen:** Dafür / Dagegen spricht, dass… • Ein Vorteil / ein Nachteil ist: … • **Beispiele nennen / über Erfahrungen berichten:** Ich möchte ein Beispiel nennen: … • Dazu kommt, dass … • Ich habe die Erfahrung gemacht, dass …

3d *Mögliche Lösung:* Ich finde es sinnvoll, dass sich junge Menschen in ihren Ferien sozial, ökologisch oder kulturell engagieren. Dabei ist es nicht so wichtig, in welchem Bereich oder Projekt dies genau passiert. Ich selbst habe die Erfahrung gemacht, dass es viel Spaß macht, sich zu engagieren. Ein Vorteil ist die praktische Erfahrung in einem neuen beruflichen Umfeld. Ich persönlich finde, dass ein solches Engagement auch bei der Jobfindung behilflich sein kann. Ein Freund von mir hat dieselben Erfahrungen gemacht.

DaF kompakt – mehr entdecken

1a 1 und 3

geschriebene Sprache	gesprochene Sprache
Passiv	Aktiv
Partizip 1 als Attribut	Relativsätze
Nomen-Verb-Verbindungen	Verben als Bedeutungsträger
Infinitive mit „zum" und „für"/ „zur" + Nomen	Finalsätze mit „um … zu"

1b 2. Zum Mithelfen braucht man keine Vorkenntnisse. • 3. Zum Kochen verwendet Frau Egger nur Gemüse vom eigenen Hof. • 4. Zum Einkaufen fährt sie manchmal ins Tal. • 5. Zum Arbeiten braucht man feste Schuhe.

1c 1. züchten • 2. ernten • 3. anbauen • 4. verkaufen • 5. verarbeiten • 6. versorgen • 7. produzieren • 8. herstellen

Phonetik

2b a

3 1. jeden Tag um fünf Uhr aufstehen • 2. tagsüber im Hofladen arbeiten • 3. den Einsatz bei der Heuernte organisieren • 4. Ackerbau und Käseherstellung erlernen • 5. Leute aus anderen Kulturen treffen und interkulturelle Erfahrungen sammeln • 6. ökologisches Obst und Gemüse anbauen und ernten • 7. interessierte Besucher über die Arbeit auf einer Alp informieren

25 Sich verstehen – ganz einfach?

A Begrüßungen international

1a **Abschied:** Mach's gut! • Bis dann! • Schönes Wochenende! • Schönen Tag noch! • Pass auf dich auf! • Machen Sie es gut! • Bis morgen! • Bis dann! • Gute Reise! • Ade! • Servus! • Tschau!/Ciao! • Pfiat di! • **Begrüßung:** Hallo! • Grüß dich! • Guten Tag! • Guten Abend! • Ich grüße Sie! • Grüß Gott! • Moin, moin! • (Servus!)

1b 2. sich die Hand geben – der Handschlag • 3. sich umarmen – die Umarmung • 4. sich zuwinken – das Winken • 5. sich verbeugen – die Verbeugung • 6. sich auf die Wange küssen – der Wangenkuss

2 2. sich • 3. euch • 4. uns • 5. sich • 6. euch • 7. sich • 8. euch

3a 3. reflexiv • 4. reziprok • 5. reziprok • 6. reflexiv

3b 2. Umarmt ihr einander zur Begrüßung? • 3. Man gibt einander die Hand. • 4. Wir begrüßen einander mit einem Wangenkuss.

3c 2. voneinander • 3. zueinander • 4. miteinander • 5. übereinander (auch möglich: miteinander) • 6. nebeneinander

3d 2. Sie rufen sich gegenseitig an. • 3. Sie schreiben sich gegenseitig lange E-Mails. • 4. Sie berichten sich gegenseitig von ihren Erfahrungen. • 5. Sie finden sich gegenseitig sehr sympathisch.

B Siezen, duzen, miteinander reden

1a 2c • 3a • 4b • 5d • 6e

1b 1f • 2r • 3r • 4f • 5f • 6r

1c 2. Sie • 3. Sie • 4. Du • 5. Du

2a **formell:** Sehr geehrter Herr Maier, … • Mit freundlichen Grüßen • nicht so formell: Hallo, Herr Schneider, … • Herzliche Grüße, Ihre Frau Schulz • Freundliche Grüße …• Guten Tag, Frau Müller … • **informell:** Tschau … • Viele liebe Grüße … • Herzlichst • Einen Sommergruß aus den Bergen schickt …

2b 2. **Nicht so formelle Anrede in E-Mails:** z.B. Liebe Frau Meier, Guten Tag, Frau Meier oder Hallo Frau Meier. • 3. **Grußformeln in Briefen und E-Mails:** in Briefen kaum noch „Hochachtungsvoll", sondern „Mit freundlichen Grüßen oder „Viele Grüße" • in der Schweiz: Freundliche Grüsse • 4. **Anrede in der Uni:** Professoren und Doktoren werden in Deutschland und der Schweiz nur noch bei offiziellen Anlässen mit ihrem Titel angesprochen. • 5. **Anrede an der Uni in Österreich:** akademische Titel sind sehr wichtig und werden auch im Uni-Alltag benutzt.

3a 1. **Wetter:** A: Ach, da bin ich aber froh, wir wollen morgen doch einen Ausflug machen. • 2. **Arbeit:** B: Darf ich fragen, was Sie beruflich machen? • A: Natürlich. Ich bin … und arbeite gerade an …• 3. **Deutsch:** B: Sie sprechen doch schon sehr gut! • A: Danke, aber ich habe in manchen Situationen noch Probleme, z.B. … • 4. **Wochenende:** B: Ach, ich habe eigentlich nicht viel gemacht, nur gestern war ich im Kino. • A: Interessant, welchen Film hast du denn gesehen?

C Keine Panik – niemand ist perfekt!

1a 2. Das Praktikum bei GeoTherm ist vielfältig, sodass Malika schon viel gelernt hat. – Das Praktikum bei GeoTherm ist so vielfältig, dass Malika schon viel gelernt hat. • 3. Die Kollegen bei GeoTherm sind nett, sodass sich Malika wohl fühlt. – Die Kollegen bei GeoTherm sind so nett, dass sich Malika wohl fühlt. • 4. Malika hat viele Jahre Deutsch gelernt, sodass sie sehr gut Deutsch spricht. – Malika hat so viele Jahre Deutsch gelernt, dass sie sehr gut Deutsch spricht. • 5. Malika hat große Angst vor dem Teammeeting, sodass sie nicht mehr schlafen kann. – Malika hat so große Angst vor dem Teammeeting, dass sie nicht mehr schlafen kann.

1b 2. Ist Potsdam grün? – Ja, Potsdam ist so grün, dass viele Berliner dort leben wollen. • 3. Ist der Text leicht? – Ja, der Text ist so leicht, dass man kein Wörterbuch braucht. • 4. Ist die Arbeit anstrengend? – Ja, die Arbeit ist so anstrengend, dass man abends ganz müde ist.

1c *Mögliche Lösungen:* Heute habe ich so viel gearbeitet, dass ich vergessen habe zu essen. • Heute habe ich mein Portemonnaie zu Hause vergessen, sodass ich kein Geld dabei habe. • Heute habe ich so viel Kaffee getrunken, dass ich nicht einschlafen konnte. • Heute habe ich so lange telefoniert, dass ich (erst) spät ins Bett gegangen bin.

2a und b

Position 1	Position 2			Satzende
3. Fehler	sind	also wichtig.		
4. Man	sollte	folglich Lernpausen	machen.	
5. Sie	sollten	folglich ein Fehlerprotokoll	machen.	
6. Folglich	sind	Sie sensibler für die Fremdsprache	geworden.	

2c 2f • 3f • 4i • 5i • 6f

2d 2. Drei Teilnehmer haben die Mindestpunktzahl nicht erreicht. Folglich müssen sie die Prüfung wiederholen. / Sie müssen die Prüfung folglich wiederholen. • 3. Deutschkenntnisse sind für ein Studium in Deutschland notwendig. Viele ausländische Studierende nehmen folglich an Deutschkursen teil. / Folglich nehmen viele ausländische Studierende an Deutschkursen teil. • 4. Ich möchte gerne deine Schwester kennenlernen. Du kannst sie also ruhig zur Party mitbringen. / Also kannst du sie ruhig zur Party mitbringen. • 5. Pech gehabt: Sie ist verreist. Also kann sie nicht mitkommen. / Sie kann also nicht mitkommen. • 6. Es gibt nicht genug Anmeldungen. Folglich findet der Kurs nicht statt. / Der Kurs findet folglich nicht statt.

2e 2. Einige Schüler haben Prüfungsangst. Sie machen folglich mehr Fehler als sonst. / Folglich machen sie mehr Fehler als sonst. • 3. Manchmal hat man eine Regel falsch verstanden, sodass man Fehler macht. • 4. Einige Fehler passieren so häufig, dass man sie analysieren sollte. • 5. Lehrer sollten Fremdsprachen beherrschen, sodass sie Fehler besser verstehen können.

3a 1. im Wörterbuch nachschlagen: 3 • 2. Um Korrektur bitten: 1 • 3. Platzhalter / Oberbegriffe benutzen: 4 • 4. Verständnis sichern: 2

3b 2. Um Korrektur bitten: Ich habe eine Bitte: Könntest du mich verbessern, wenn ich Fehler im Deutschen mache? • 3. Platzhalter / Oberbegriffe benutzen: …, kannst du das Ding da anmachen? / Das Gerät da. • 4. Verständnis sichern: Entschuldige, dass ich nachfrage: …

DaF kompakt – mehr entdecken

1a 1a • 2a • 3a • 4b • 5b • 6b • 7b

1b b • c • d

1c *Mögliche Lösung:* ○ Entschuldigung, ich hätte eine Frage. ● Ja bitte? ○ Kann ich den Kopierer denn einfach benutzen? ●, Nein, leider nur mit Passwort. Das gibt es bei der Sekretärin. ○ Wo finde ich sie denn? ● Im ersten Stock. ○ Das ist ja super. Vielen Dank! ● Gern.

Phonetik

1b 2. Wir sprechen „t" – Beispiele: Lied, Hut • 3. Wir sprechen „k". – Beispiele: Tag, Werk

1c Tipp, Tipps • Lied, Lieder • Hut, Hüte • Tag, Tage • Werk, Werke

1d weich

2 lebte – gelebt • fand – gefunden • verstand – verstanden • fragte – gefragt • stieg – gestiegen

3 1. Früher schrieb man mehr Briefe. • 2. Der Film am Freitag war sehr spannend. • 3. Meine Kinder sind gesund. • 4. Im Zug nach Hamburg sind immer viele Touristen. • 5. Der Wind ist heute sehr kalt. • 6. Es gab keinen Weg auf den Berg. • 7. Letztes Jahr gab es viele Erdbeeren. • 8. Mein Freund macht Urlaub in Prag.

26 Auf nach Dresden

A Eine Stelle in Dresden

1a 1. die Maus • 2. der Kopfhörer • 3. der Drucker • 4. die Spielkonsole • 5. der Rechner • 6. der Chip • 7. das (USB-)Kabel • 8. der Lautsprecher • 9. der Bildschirm • 10. die Tastatur

1b 1. mailen – scannen – schreiben – hochladen – runterladen • 2. arbeiten • 3. chatten – mailen – skypen – (arbeiten) • 4. googeln – (scannen) – schreiben

2a 2. gesehen • 3. zerstört • 4. gemacht • 5. klettern und wandern • 6. ziehen

2d 1. die Beschäftigung – die Stelle – der Arbeitsplatz – der Beruf – die Tätigkeit • 2. berufstätig sein – tätig sein als – jobben – beschäftigt sein als • 3. der / die Beschäftigte – der Mitarbeiter / die Mitarbeiterin – der / die Angestellte – der Arbeitnehmer / die Arbeitnehmerin • 4. das Gehalt – das Einkommen – der Lohn

3a 2. der Ort, an dem jemand arbeitet • 3. die Zeit, in der jemand arbeitet • 4. der Kollege, mit dem man arbeitet • 5. der Tag, an dem man arbeitet • 6. der Beginn der Arbeit • 7. der Vertrag / die Abmachung mit dem Arbeitgeber, bei dem man arbeitet

3b 4. die Arbeit + s + das Verhältnis – Nomen + Fugen-s + Nomen • 5. … + Tisch – Verbstamm + Nomen • 6. frei + die Zeit – Adjektiv + Nomen • 7. über + die Stunde – Präposition + Nomen • 8. der Urlaub + Fugen-s + die Zeit – Nomen + Fugen-s + Nomen • 9. das Geschäft + Fugen-s + die Leitung – Nomen + Fugen-s + Nomen • das Quartal + Fugen-s + das Ende – Nomen + Fugen-s + Nomen • **Regel:** Verben, Adjektiven – -en

3c **der Arbeitsvertrag:** die Arbeit + s + der Vertrag = Nomen + Fugen-s + Nomen • das • **die Probezeit:** die Probe + die Zeit = Nomen + Nomen • **der Arbeitnehmer:** die Arbeit + der Nehmer = Nomen + Nomen • **die Kernarbeitszeit:** der Kern + die Arbeit + s + die Zeit = Nomen + Nomen +Fugen-s + Nomen • **der Bruttolohn:** das Brutto + der Lohn = Nomen + Nomen • **der Jahresurlaub:** das Jahr + es + der Urlaub = Nomen + Genitivendung + Nomen • **die Kündigungsfrist:** die Kündigung + die Frist = Nomen + Fugen-s + Nomen

B Der erste Arbeitstag

1a 2. die Personalabteilung • 3. das Sekretariat • 4. die Informatikabteilung • 5. die Entwicklungsabteilung • 6. Marketing / Vertrieb

2a **etwas erlauben, zulassen:** 6 • **etwas / jdn. liegen lassen, zurücklassen:** 3, 9 • **andere bitten / beauftragen, etwas zu tun:** 4, 7, 8

2b 1. Sätze: 3, 9 • 2. Sätze: 2, 4, 5, 6, 7, 8

2d 2. Nein, ich lasse ihn von der Lehrerin korrigieren. • 3. Nein, sie lässt sie von der Sekretärin übersetzen. • 4. Nein, wir lassen sie von einem Kollegen kontrollieren. • 5. Nein, er lässt sie von seinem Assistenten organisieren. • 6. Nein, wir lassen sie von unserem Testingenieur testen.

2e 1. Partizip • 2. Infinitiv

2g 1. Hast du den Vertrag selbst unterschrieben? – Nein, ich haben ihn vom Chef unterschreiben lassen. 2. Hast du den Text selbst korrigiert? – Nein, ich habe ihn von der Lehrerin korrigieren lassen. • 3. Hat sie die E-Mail selbst übersetzt? – Nein, sie hat sie von der Sekretärin übersetzen lassen. • 4. Habt ihr eure Arbeit selbst kontrolliert? – Nein, wir haben sie von einem Kollegen kontrollieren lassen. • 5. Hat der die Besprechung selbst organisiert? – Nein, er hat sie von seinem Assistenten organisieren lassen. • 6. Habt ihr die Chips getestet? – Nein, wir haben sie von unserem Testingenieur testen lassen.

3 1h • 2g • 3d • 4i • 50

C Silicon Saxony

1a Mikroelektronik in Sachsen • Dresden: wichtiger Standort für Mikroelektronik • Firmen- und Beschäftigtenzahlen • Spitzname Dresdens • weiterer Grund für den wirtschaftlichen Erfolg Dresdens • Kooperation mit Hochschule und Uni

1b 2B • 3A • 4B • 5A • 6B

1c Zusammenfassung B ist die bessere.

2 1c • 2a • 3c

3

	Position 2		Satzende
2. Sie	haben	noch einen neuen Chip	testen wollen.
3. Alle	haben	sich sehr	anstrengen müssen.
4. Sie	haben	den Test mehrmals	wiederholen müssen.
5. Sie	haben	den Test gestern erfolgreich	abschließen können.
6. Sie	haben	am Abend ihren Erfolg gemeinsam	feiern wollen.

DaF kompakt – mehr entdecken

1a b

1b Folgende Tipps sind sinnvoll: 2 • 3 • 6 • 7

Phonetik

1 1. hart und stimmlos • 2. weich und stimmhaft • 3. stimmlos

2 *Mögliche Fragen:* Hast du schon die Sehenswürdigkeiten im Zentrum von Dresden gesehen. • Hast du schon das Nachtleben entdeckt? • Wie findest du deine Arbeit / deine Nachbarn / die Frauenkirche? • Woher sind deine Chefs / Kollegen? • Mit wem gehst du aus? • Mit wem kletterst du? • Bist du schon ausgegangen? • Wie sind deine Chefs / Kollegen / Nachbarn?

3 Am Montag ist_sie abends zu Hause. • Am Dienstag geht_sie ins Kino. • Am Mittwoch telefoniert_sie mit einer Freundin. • Am Donnerstag packt_sie ihre Tasche. • Am Freitag fährt_sie zu Christian nach Dresden. • Am Samstag ist_sie bei ihm. • Am Sonntag fährt_sie wieder nach Hause. • Am Montag fühlt_sie sich allein. • Wie soll das_weitergehen?

27 Geschichten und Gesichter Berlins

A Alles anders

1a 1. Sache • identisch • 2. zwei • 3. bestimmte • Adjektivendung

1b 2. derselben • 3. dasselbe • 4. demselben • 5. dieselbe • 6. dieselben • 7. denselben

2a 2. Sie hatten die Gedächtniskirche besichtigt. • 3. Sie hatten den Bus 100 genommen. • 4. Sie waren am Reichstag ausgestiegen. • 5. Sie waren zum Potsdamer Platz gelaufen. • 6. Sie hatten dort gegessen. • 7. Sie hatten sich dort ausgeruht. • 8. Sie waren zum Prenzlauer Berg gefahren. • 9. Sie hatten dort Kaffee getrunken. • 10. Sie hatten einen Touristen beobachtet.

2b 2. 2–1 • 3. 1–2 • 4. 2–1 • 5. 2–1 • 6. 1–2

2c 2. Nachdem ich mir die Hände gewaschen habe, esse ich zu Mittag. / Ich esse zu Mittag, nachdem ich mir die Hände gewaschen habe. • 3. Nachdem ich zu Abend gegessen habe, putze ich mir die Zähne. / Ich putze mir die Zähne, nachdem ich zu Abend gegessen habe. • 4. Nachdem ich gearbeitet habe, gehe ich für das Abendessen einkaufen. / Ich gehe für das Abendessen einkaufen, nachdem ich gearbeitet habe. • 5. Nachdem ich das Fußballspiel gesehen habe, gehe ich zu Bett. / Ich gehe zu Bett, nachdem ich das Fußballspiel gesehen habe. • 6. Nachdem ich den Sprachkurs beendet habe, beginne ich ein Studium. / Ich beginne ein Studium, nachdem ich den Sprachkurs beendet habe.

3a 2. Bevor sie zum Potsdamer Platz gelaufen sind, haben sie den Bundestag gesehen. / Sie haben den Bundestag gesehen, bevor sie zum Potsdamer Platz gelaufen sind. • 3. Bevor sie im Prenzlauer Berg Kaffee getrunken haben, haben sie am Potsdamer Platz zu Mittag gegessen. / Sie haben am Potsdamer Platz zu Mittag gegessen, bevor sie im Prenzlauer Berg Kaffee getrunken haben. • 4. Bevor sie ins Café gegangen sind, sind sie im Prenzlauer Berg herumgelaufen. / Sie sind sie im Prenzlauer Berg herumgelaufen, bevor sie ins Café gegangen sind. • 5. Bevor sie nach Hause gefahren sind, haben sie auf dem türkischen Markt eingekauft. / Sie haben auf dem türkischen Markt eingekauft, bevor sie nach Hause gefahren sind. • 6. Bevor Karl nach Stralsund zurückgefahren ist, hat er Wolfgang geschrieben. / Er hat Wolfgang geschrieben, bevor er nach Stralsund zurückgefahren ist.

3b **2.** Während ich dusche, höre ich Musik. / Ich höre Musik, während ich dusche. • Während ich geduscht habe, habe ich Musik gehört. / Ich habe Musik gehört, während ich geduscht habe. **3.** Während ich esse, sehe ich fern. / Ich sehe fern, während ich esse. • Während ich gegessen habe, habe ich ferngesehen. / Ich habe ferngesehen, während ich gegessen habe. • **4.** Während ich arbeite, lese ich E-Mails. / Ich lese E-Mails, während ich arbeite. • Während ich gearbeitet habe, habe ich E-Mails gelesen. / Ich habe E-Mails gelesen, während ich gearbeitet habe. • **5.** Während ich koche, telefoniere ich. / Ich telefoniere, während ich koche. • Während ich gekocht habe, habe ich telefoniert. / Ich habe telefoniert, während ich gekocht habe. • **6.** Während ich frühstücke, höre ich Nachrichten. Ich höre Nachrichten, während ich frühstücke. • Während ich gefrühstückt habe, habe ich Nachrichten gehört. / Ich habe Nachrichten gehört, während ich gefrühstückt habe. • **7.** Während ich spazieren gehe, singe ich. / Ich singe, während ich spazieren gehe. • Während ich spazieren gegangen bin, habe ich gesungen. / Ich habe gesungen, während ich spazieren gegangen bin. • **8.** Während ich schlafe, träume ich. / Ich träume, während ich schlafe. • Während ich geschlafen habe, habe ich geträumt. / Ich habe geträumt, während ich geschlafen habe.

3d **2.** Während des Duschens höre ich Musik. • **3.** Während des Essens sehe ich fern. • **4.** Während der Arbeit lese ich E-Mails. • **5.** Während des Kochens telefoniere ich. • **6.** Während des Frühstücks höre ich Nachrichten. • **7.** Während des Spaziergangs singe ich. • **8.** Während des Schlafs träume ich.

4a **2.** Während sie Informatik studiert hat, hat sie abends als Babysitterin gejobbt. / Sie hat abends als Babysitterin gejobbt, während sie Informatik studiert hat. • **3.** Nachdem sie lange einen Job gesucht und keinen gefunden hatte, hat sie ein Praktikum gemacht. / Sie hat ein Praktikum gemacht, nachdem sie lange einen Job gesucht und keinen gefunden hatte. • **4.** Während sie das Praktikum in einer kleinen Firma absolviert hat, hat sie ihren späteren Mann kennengelernt. / Sie hat ihren späteren Mann kennengelernt, während sie das Praktikum in einer kleinen Firma absolviert hat. • **5.** Nachdem Effie nach dem Studium eine Arbeit gefunden hatte, hat sie geheiratet. / Effie hat geheiratet, nachdem sie nach dem Studium eine Arbeit gefunden hatte. • **6.** Bevor sie endlich in eine eigene Wohnung umziehen konnten, haben sie bei Effies Eltern gelebt. / Sie haben bei Effies Eltern gelebt, bevor sie endlich in eine eigene Wohnung umziehen konnten.

4b nach + D • danach • gleichzeitig • vor + D • **Konnektoren, die sich auf Zeit beziehen:** z. B. wenn • als • seitdem • bis

B **Berliner Geschichte(n)**

1a 2f • 3r • 4r • 5f • 6r • 7r • 8f • 9f

1b **2.** die Gründung → gründen • **3.** die Krönung → krönen • **4.** die Vereinigung → sich vereinigen • **5.** die Einladung → jdn. einladen • **6.** die Entwicklung → sich entwickeln • **7.** die Vervielfachung → vervielfachen • **8.** die Forschung → forschen • **9.** die Zerstörung → zerstören • **10.** die Flucht → fliehen • **11.** die Teilung → teilen • **12.** der Verlust → verlieren • **13.** der Zement → zementieren • **14.** die Mauer → mauern • **15.** der Fall → fallen • **16.** die Wiedervereinigung → (sich) wieder vereinigen • **Ein Verb steht nicht im Text:** der Fall → fallen

1c **die Moschee:** der Islam • der Muslim, -e • islamisch, muslimisch • **der Tempel:** der Buddhismus • der Buddhist, -en • buddhistisch • der Hinduismus • der Hindu, -s • hinduistisch • **die Synagoge:** das Judentum • der Jude, -n • jüdisch • **die Kirche:** das Christentum • der Christ, -en • christlich

2a 1c • 2b • 3b • 4b

2b **Sinnvolle Tipps:** 2 • 4 • 5 • 7

3 **2.** … vereinigt worden. • **3.** Handwerker waren ins Land geholt worden. • **4.** Französische Protestanten waren eingeladen worden. • **5.** Die erste Straßenbahn war gebaut worden. • **6.** Es war intensiv geforscht worden.

4 1D • 2B • 3A • 4C

C **Spannendes Berlin**

1 **2.** Autor • **3.** Staatsbürgerschaft • **4.** Ausbildung • **5.** verfasste • **6.** Alltag • **7.** Erfinder

1b

Textgliederung	zuerst, zudem, abends, bisher, freitags, oder, bei + D, schon, jetzt, oft; *darauf, dann, danach, mittags, am Morgen, am kommenden Samstag, und, später, davor, während, bevor, als, nachdem, seitdem …*
Verweiswörter (beginnen meist mit „d")	dieser / dieses / diese, damit, Das (am Satzanfang), dort; *da …*
Begründungen	weil, denn; *daher, deswegen, darum, wegen + G …*
Gegengründe	Trotzdem; *obwohl, obgleich, trotz + G …*
Gegensätze	aber, doch, nein; *sondern, dagegen …*

2d **sinnvolle Gliederung:** 1. Ideen sammeln • 2. Gliedern • 3. Gliederung durch Redemittel / Konnektoren präzisieren • 4. Überarbeiten • 5. Schreiben

3 Musterlösung mit Anregungen

3a **Koblenz:** Deutsches Eck, Rheinanlagen, Kanzel der Basilika St. Kastor, Jesuitenplatz, Augenroller im Alten Kaufhaus, Festung Ehrenbreitstein

3b Gliederung (Lieblingsplatz zuerst nennen)
1. Jesuitenplatz (jeden Tag, Schule lag nebenan)
2. Rheinanlagen (danach; morgens [oft vor der Schule entlang gelaufen])
3. Kanzel der Basilika St. Kastor (oft am Wochenende)
4. Augenroller (oft um zwei Uhr, nach der Schule)
5. Festung Ehrenbreitstein (oft abends oder am Wochenende)

3c Begründen, warum etwas gefällt:
1. Jesuitenplatz (jeden Tag, Schule lag nebenan) → meine Schule lag nebenan, am Platz gibt es die beste italienische Eisdiele (Deutschlands ☺) **(weil)**
2. Rheinanlagen (danach; morgens [oft vor der Schule entlang gelaufen]) → jeden Tag neu erlebt, wie Wasser riecht, große Bäume, vor der Schule nur wenige Menschen **(denn)**
3. Kanzel der Basilika St. Kastor (oft am Wochenende) ← es gibt ein Detail, das kaum jemand kennt oder bemerkt: Am Geländer der Kanzel gibt es einen kleinen Porträtkopf, niemand weiß, wer da porträtiert ist. **(daher)**

4. Augenroller (oft um zwei Uhr, nach der Schule) → tolle Gruselgeschichte (**weil**)

5. Festung Ehrenbreitstein (oft abends oder am Wochenende) ← man hat einen tollen Blick auf die Koblenzer Altstadt und kann die Schiffe hören; man kann sehen, dass der Rhein eine andere Farbe hat als die Mosel (**deswegen**)

3d **Textproduktion (mit Optimierungen, wie man sie beim anschließenden Lesen vornimmt):**

Mein Lieblingsort in Koblenz ist der Jesuitenplatz. Hier war ich als Schülerin jeden Tag, denn meine Schule lag praktisch nebenan. Es gibt ein Glockenspiel, und das ~~Glockenspiel~~ fand ich als Kind interessant. Aber mein Lieblingsort ist ~~der Jesuitenplatz~~ *dieser Platz* deshalb, weil es ~~am Jesuitenplatz~~ *dort* das beste Eis nach italienischer Art außerhalb Italiens gibt. Danach kommen gleich die Rheinanlagen. Morgens bin ich auf meinem Schulweg ein Stück durch die Rheinanlagen gelaufen, und ich habe diese Zeit geliebt, denn man konnte jeden Tag neu erleben, wie Wasser riecht, und es gibt riesige Bäume. Und das Beste: morgens sind kaum Menschen ~~in den Rheinanlagen~~ *dort* unterwegs, man hat den Fluss und die Bäume fast für sich allein. Manchmal, besonders am Wochenende, war genug Zeit, in die Basilika St. Kastor zu gehen. ~~In der Basilika~~ *Dort* gibt es eine frühbarocke Kanzel, aber was wenige wissen (und auch nur wenige sehen): am Eisengeländer der Kanzel ist ein kleiner Kopf dargestellt, aber niemand weiß, wer dieser Mensch ist. Es ist fast, als wüsste man ein Geheimnis, wenn man den Kopf kennt. Daher ist auch ~~die Kanzel~~ *sie* einer meiner Lieblingsorte. Auch der Augenroller gehört ~~zu meinen Lieblingsorten~~ *dazu*, weil es dort auch eine spannende Gruselgeschichte gibt: Unter der Turmuhr sieht man ein Gesicht, dass alle halbe Stunde mit den Augen rollt und die Zunge herausstreckt. ~~Das Gesicht~~ *Es* erinnert an den 1536 in Koblenz hingerichteten Johann Lutter von Kobern. Dieser Ritter soll der Sage nach kurz vor seiner Hinrichtung mit den Augen gerollt und die Zunge herausgestreckt haben.

An den Wochenenden waren wir oft auf der Festung Ehrenbreitstein. Sie liegt auf der anderen Rheinseite auf einem Hügel. Von ~~der Festung Ehrenbreitstein~~ *dort* aus hat man einen tollen Blick auf die Koblenzer Altstadt und das Deutsche Eck. Deswegen gehört auch die Festung ~~Ehrenbreitstein~~ zu meinen Lieblingsplätzen in Koblenz. Außerdem kann man ~~von der Festung Ehrenbreitstein aus~~ *von dort oben* sehen, dass der Rhein eine andere Farbe hat als die Mosel. Es sieht so aus, als würden Rhein und Mosel ein paar hundert Meter nebeneinander fließen.

Phonetik

1a 1. mittel • 2. groß

1c 1. neutral, sachlich • 2. emotional

2a 1. neutral • 2. neutral • 3. emotional • 4. neutral • 5. emotional

2b 1. wütend • 2. froh • 3. traurig

28 Von hier nach dort – von dort nach hier

A **Warum auswandern?**

1 2. Weil der Neuanfang dann leichter ist. • 3. Er hält internationale Erfahrung in seinem Beruf für wichtig. • 4. Weil man in Österreich Leute sucht. • 5. Die Freundin von seiner Schwester hat ihm den Tipp gegeben. • 6. Er hat sie vor drei Jahren in Lissabon getroffen. • 7. Ab August wollen sie zusammen in Berlin leben. • 8. Seine Familie, seine Freunde und das Klima fehlen ihm möglicherweise in seiner neuen Heimat.

2a 2. werde • 3. Wirst • 4. werdet • 5. werden • 6. wird

2b 3. Nein, er wird Französisch lernen. • 4. Ja, er wird hier seine Arbeit kündigen. • 5. Ja, er wird eine Krankenversicherung für das Ausland abschließen. • 6. Nein, er wird selten nach Hause kommen. • 7. Ja, seine alten Freunde werden ihm fehlen.

2c 1. Sie wird in Kürze Ärztin. – Wir werden erfolgreiche Prüfungsteilnehmer • 2. Expertinnen werden gesucht. – Es werden immer Fachkräfte gebraucht. • 3. Sie werden nach Australien gehen. – Er wird bald sein Studium beenden.

2d 2. Passiv • 3. Vollverb • 4. Passiv • 5. Futur • 6. Futur

3a **Vermutung:** wahrscheinlich – vermutlich • **Zuversicht:** schon • **Sicherheit:** bestimmt – sicher

3b 3. Klaus wird bestimmt wieder zu spät kommen. / Bestimmt wird Klaus wieder zu spät kommen. • 4. Penelope wird das Projekt wahrscheinlich nicht präsentieren. / Wahrscheinlich wird Penelope das Projekt nicht präsentieren. • 5. In New York werden Mira und Paul wohl ein Praktikum machen. / Mira und Paul werden wohl ein Praktikum in New York machen. • 6. In London wirst du schon einen Job finden. / Du wirst in London schon einen Job finden.

3c 2. Wir werden wohl eine Arbeit finden. • 3. Vermutlich wird internationale Erfahrung wichtig für einen Koch sein. / Für einen Koch wird internationale Erfahrung vermutlich wichtig sein. • 4. Es wird schon genug Arbeit für Übersetzer in Berlin geben. • 5. Sicher wird man die bürokratischen Probleme lösen können. / Die bürokratischen Probleme wird man sicher lösen können. • 6. Bestimmt werde ich Freunde in der neuen Heimat finden. / In der neuen Heimat werde ich bestimmt Freunde finden. • 7. Wahrscheinlich werde ich manchmal Heimweh haben. / Ich werde wahrscheinlich manchmal Heimweh haben.

B **Sich informieren**

1 2. Die Schule ist in St. Johann • 3. Weil es dort es ein gutes Ausbildungsprogramm gibt und ihre Freundin auch dort arbeitet. • 4. Es war ihr wichtig, dort nicht allein zu sein. • 5. Es gibt dort passende Arbeitsplätze.

2a 2a • 3e • 4c • 5b

2b 2. arbeiten • 3. binationalen • 4. Rückkehr • 5. stellen • 6. aktuelle • 7. erfährt • 8. Risiken • 9. individuell • 10. telefonisch • 11. angeboten

3a 2i • 3f • 4f • 5i • 6i • 7f • 8f • 9i • 10f

4a 2. Sie brauchen sie nur zu bestellen. • 3. Sie brauchen nur zu fragen. • 4. Sie brauchen nur im Internet nachzuschauen. • 5. Sie brauchen nur die Webseite www.arbeitsagentur.de zu besuchen. • 6. Sie brauchen nur 19,90 € zu überweisen. • 7. Sie brauchen nur die Postleitzahl zu nennen. • 8. Sie brauchen nur anzurufen.

4b 2. Ich brauche nicht persönlich zu kommen. • 3. Ich brauche keine Fragenliste vorzubereiten. • 4. Ich brauche keine Ausbildung mehr zu machen. • 5. Ich brauche keinen Termin zu vereinbaren. • 6. Ich brauche mich nicht um eine Krankenkasse zu kümmern.

5 *Mögliche Lösung:* … Zuerst hat er dort eine Ausbildung als Elektriker angefangen. Da ihm diese Ausbildung nicht gefallen hat, hat er sie nicht zu Ende gemacht. Dann hat er als Aushilfe an einer Autobahnraststätte gearbeitet und die Kollegen, die am Büffet gearbeitet haben, beneidet, weil sie mehr mit Menschen zu tun hatten. Niels interessiert sich sehr für Deutschland und er liebt die Berge. Deswegen hat er sich anschließend an die ZAV gewendet und hat so eine Stelle als Küchenhilfe in einem Hotel am Chiemsee bekommen. Dort ist er aber nicht geblieben, denn die Bezahlung und die Arbeitsbedingungen waren schlecht. Wegen seiner guten Sprachkenntnisse hat er dann eine Lehrstelle als Hotelfachmann in einem Hotel in Berchtesgaden bekommen. Nach der Ausbildung konnte er dort bleiben. Wenn er alt ist, möchte er zurück in die Niederlande gehen und dort vielleicht ein Lokal mit bairischen Spezialitäten aufmachen.

C Im Gastland

1a 1. … weil er dort keine Sprachprobleme hat. • 2. Weil er sich danach entscheiden kann, ob er in dem Restaurant weiterarbeiten will. • 3. Es ist nicht besonders schick und hat auch keine interessante Speisekarte. • 4. Dann kann er studieren oder ein Unternehmen im Gastgewerbe leiten.

1b 2. Im Restaurant Alpenrose wird er vermutlich / wohl nicht viel Neues lernen. • 3. Er wird sich sicher / bestimmt bei anderen Restaurants bewerben. • 4. Er wird schon eine gute Stelle finden. • 5. Vermutlich / Wahrscheinlich wird er einen Aufbaulehrgang machen. • 6. Er wird sicher / bestimmt in den nächsten Jahre in Österreich bleiben. • 7. Wahrscheinlich wird er im Gastgewerbe Karriere machen. / Er wird wohl im Gastgewerbe Karriere machen.

2a 1

2b 2a • 3f • 4b • 5c • 6e

2c 2. Sowohl … als auch • 3. weder … noch • 4. sowohl … als auch • 5. Weder … noch • 6. nicht nur … sondern

2d 2. Hans mag sowohl Fußball als auch Basketball. • 3. Paul surft nicht nur gern im Internet (arbeitet / liest nicht nur gern am Computer / …), sondern liest auch gern (Bücher). • 4. Ida mag sowohl Hunde als auch Katzen. • Emil mag weder Ski fahren noch snowboarden (mit dem Snowboard fahren). • Hanna mag sowohl Kino als auch Theater. / Hanna geht sowohl gern ins Kino als auch ins Theater.

3 2. weil • 3. wegen • 4. um … zu • 5. Da • 6. wegen • 7. damit • 8. deshalb

4 2. Verhältnis • 3. alten • 4. erfolgreicheren • 5. Identität finden. • 6. Reisen • 7. verwechselt • 8. Unabhängigkeit • 9. Sportereignissen • 10. lange • 11. gespeichert • 12. Konkurrenzsituation • 13. abgebaut • 14. dumm • 15. Nationalitäten

DaF kompakt – mehr entdecken

1

Deutschland	Österreich
der Januar	der Jänner
die Aprikose	die Marille
das Brötchen	die Semmel
der Lift	der Fahrstuhl
der Tabakladen	die Trafik
500 Gramm	ein halbes Kilo
der Schrank	der Kasten
der Stuhl	der Sessel
die Brotzeit	die Jause
das Eigelb	der Eidotter
erkältet	verkühlt
die Grundschule	die Volksschule
der Reißverschluss	der Zippverschluss
der Schornstein	der Rauchfang
die Marmelade	die Konfitüre
der Ski	der Schi
die Treppe	die Stiege
das Abitur	die Matura
das Krankenhaus	das Spital
die Praxis	die Ordination

Phonetik

1a 1a. Heute, nicht morgen. • es passiert heute • 1b. Heute nicht, morgen. • es passiert morgen • 2a. Im Winter, nicht im Sommer. • im Winter • 2b. Im Winter nicht, im Sommer. • im Sommer • 3a. Klara, sagt Bert, wird nicht auswandern. • Bert spricht • 3b. Klara sagt, Bert wird nicht auswandern. • Klara spricht

1d 1a. Sie rufen ohne uns. • 1b. Sie rufen: ohne uns. • 2a. Mit Salz, nicht mit Zucker. • 2b. Mit Salz nicht, mit Zucker. • 3a. Hans sagt, Franz wird nie Professor. • 3b. Hans, sagt Franz, wird nie Professor.

2a 1. Innsbruck bietet nicht nur <u>Natur</u>, | sondern auch <u>Kultur</u>. • 2. Das Restaurant ist weder besonders <u>schick</u> | noch ist die <u>Küche</u> sehr gut. (Außerdem hört man eine leichte Betonung auf „gut".) • 3. Wien gefällt nicht nur <u>ihm</u>, | sondern auch seiner <u>Freundin</u>. • 4. In Hamburg wohnen sowohl ihre <u>Eltern</u> | als auch ihre <u>Freunde</u>. • 5. Ich habe weder in <u>Berlin</u> | noch in <u>Frankfurt</u> Arbeit gefunden.

2b 1b • 2b

2d b

29 Interessieren Sie sich für Politik?

A Politik in Deutschland

1a 2. en • 3. -em • 4. -es (auch möglich: -en) • 5. -e • 6. -e • 7. -en • 8. -er • 9. -e • 10. -e • 11. -en • 12. -er • Die Endungen der Indefinitartikel „einig-" und „manch-" sind wie bei dem bestimmten Artikel.

1b 2. Ich erfahre einiges Interessante. • 3. Sie lesen einiges über Politiker. • 4. Er berichtet mir einiges Neue. • 5. Mit einiger Anstrengung versteht sie ihn. • 6. Dabei erfährt sie einiges Unangenehme.

1c 2. einiges • 3. manches • 4. einige • 5. manches • 6. Mancher • 7. einiges • 8. Einige • 9. manche • 10. einiger

2 Text 1: Paul • Text 2: Stephan • Text 3: Sabrina

3 2. der Bundespräsident / die Bundespräsidentin • 3. der Bundestag • 4. der Bundestagspräsident • 5. der Bundesrat

4 2. sozialer • 3. Demokratie • 4. Bundestag • 5. Parlament • 6. Bundestagspräsidenten • 7. Staatsoberhaupt • 8. Volk • 9. Bundesversammlung • 10. Bundeskanzler • 11. Ministern • 12. Kabinett • 13. Verfassung • 14. Föderation • 15. Gewalt • 16. Bundesrat • 17. Länderregierungen • 18. vertreten • 19. Hauptstadt • 20. Sitz

5a 2. Berlin – Hansestadt Hamburg – Hansestadt Bremen • 3. Saarland • 4. Nordrhein-Westfalen • 5. Bremen • 6. Schleswig-Holstein

B Politische Parteien

1 1. Die Zweitstimme für die CDU, denn diese Partei ist im guten Sinn konservativ, und vielleicht die Erststimme für die FDP, weil sie sich für die freie Marktwirtschaft und niedrige Steuern einsetzt. 2. Sie findet an den Grünen gut, dass ihnen die Umwelt wichtig ist und sie das im Bundestag thematisieren. • 3. Damit sich „die da oben" nicht so sicher fühlen.

2 2. Abgeordnete • 3. Wahlkreisen • 4. Verteilung • 5. Zweitstimmen • 6. Partei • 7. Bundesland • 8. behält • 9. „Überhangmandate" • 10. Regierung • 11. Mehrheit • 12. die Hälfte • 13. Koalition • 14. Fraktion

3 2. vor • 3. der • 4. eines • 5. auf

4a 2. je mehr Stimmen, umso mehr Sitze • 3. je weniger Sitze, desto unzufriedener die Parteimitglieder • 4. je glücklicher die Parteimitglieder, umso fröhlicher die Wahlparty • 5. je besser das Ergebnis, desto länger die Feier • 6. je später der Abend, umso schöner die Gäste • 6. = Redewendung

4b

1. Satz: Nebensatz			2. Satz: Hauptsatz		
Position 1		Satzende	Position 1	Position 2	
2. Je mehr	Stimmen eine Partei	bekommt,	umso mehr Sitze	erhält	sie.
3. Je weniger	Sitze eine Partei	bekommt,	desto unzufriedener	sind	die Parteimitglieder.
4. Je glücklicher	die Parteimitglieder	sind,	umso föhlicher	wird	die Wahlparty.
5. Je besser	das Ergebnis	ist,	desto länger	dauert	die Feier.
6. Je später	am Abend es	ist,	umso schöner	sind	die Gäste.

4c 2. Je länger man sich mit einem Problem beschäftigt, umso komplizierter wird es meist. • 3. Je besser man Bescheid weiß, desto eher findet man eine Lösung. • 4. Je länger man in einer Partei arbeitet, umso besser lernt man die Mitglieder kennen. • 5. Je bekannter ein Politiker wird, desto schwieriger wird oft sein Privatleben. • 6. Je besser ein Redner spricht, umso mehr Erfolg hat er.

5a 2. wahlberechtigt • 3. die Wahlpflicht • 4. der Kandidat • 5. der / die Abgeordnete • 6. die Landesliste • 7. der Sitz

5b die Bundestagswahlen • das Direktmandat • die Erststimme • geheim • die Mehrheitswahl • unmittelbar • die Verhältniswahl • die Zweitstimme

6 2. Landkreise • 3. Kommunen • 4. Volksvertretungen • 5. Wahlen • 6. Bundestagswahl • 7. Landtagswahl • 8. Kommunalwahlen

C Ich engagiere mich für …

1 1. zwar … aber • 2. Je … desto • 3. Um … zu • 4. zwar … aber • 5. Entweder … oder • 6. Je … umso • 7. Um … zu • 8. zwar … aber • 9. Um … zu • 10. Je … desto

2 *Mögliche Lösung:* Ich finde, Georg hat auf ein wichtiges Problem hingewiesen: Es gibt zwar viele Arbeitslose, die keine passenden Jobs finden, aber bei vielen Stellen herrscht doch Fachkräftemangel, und freiwillige Helfer ersetzen z. B. im Altersheim keine ausgebildeten Pflegekräfte. Wer hier einen bezahlten Job will, sollte auch eine entsprechende Qualifikation haben. Außerdem ist die freiwillige Arbeit gerade für junge Leute eine gute Möglichkeit, vor dem Beginn des Studiums oder dem Einstig ins Berufsleben wichtige Erfahrungen zu sammeln. Und wenn reiche Menschen der Gesellschaft etwas von ihrer Zeit schenken, ist das doch toll.

3 1. das Prinzip, -ien • 2. das Finanzreferat, -e • 3. das, Engagement, -s • 4. das Thema, Themen • 5. die Bildung, -en (Pl. in der Bedeutung „Form, Gestalt") • 6. der Ausschuss, ⁼e • 7. die Solidarität (nur Sg.) • 8. die Gesellschaft, -en • 9. die Öffentlichkeit, -en • 10. das Mitglied, -er • 11. die Demokratie, -en • 12. der Wahlzettel, - • 13. die Integration, -en • 14. der Grund, ⁼e • 15. die Leistung, -en • 16. die Initiative, -en

4 2f • 3a • 4e • 5d • 6c

5a 2. was • 3. was • 4. das • 5. was

5b 3. Es gibt vieles, wovon niemand etwas erfahren darf. • 4. Sie hat die Wahl verloren, was niemand versteht. • 5. Gibt es etwas, was du mir erzählen willst? • 6. Nein, es gibt nichts, worüber ich mit dir sprechen will.

6 2. Wer • 3. wo • 4. Wer • 5. wem • 6. was • 7. Wen

Phonetik

1a 2. tzg • 3. tst • 4. chs • 5. ngsk • 6. gspr • 7. nsg • 8. ssch • 9. rstst • 10. ngsch • 11. lpfl • 12. chtsst

1b 1. Bundespräsident. • 2. Gesetzgebung • 3. Zweitstimme • 4. Wechselwähler • 5. Regierungskoalition • 6. Bundestagspräsident • 7. Bundesverfassungsgericht • 8. Vermittlungsausschuss • 9. Erststimme • 10. Regierungschef • 11. Wahlpflicht • 12. Rechtsstaat

1d *Mögliche Sätze:* 2. Die Gesetzgebung muss sich nach der Verfassung richten. • 3. Mit der Zweitstimme wählt man die Landesliste einer Partei. • 4. Es gibt immer mehr Wechselwähler. • 5. Es ist nicht leicht, eine Regierungskoalition zu bilden. • 6. Der Bundestagspräsident leitet die Sitzungen des Bundestags. • 7. Das Bundesverfassungsgericht hat seinen Sitz in Karlsruhe. • 8. Wenn man sich nicht einigen kann, versucht man, im Vermittlungsausschuss einen Kompromiss zu finden. • 9. Mit der Erststimme wählt man einen Kandidaten von einem Wahlkreis. • 10. Der Bundeskanzler ist der Regierungschef. • 11. In Deutschland ist Wählen freiwillig, es gibt keine Wahlpflicht. • 12 Die Bundesrepublik Deutschland ist ein Rechtsstaat.

2a Bayern • Berlin • Brandenburg • Bremen • Hamburg • Hessen • Niedersachsen • Saarland • Sachsen • Thüringen • Baden-Württemberg • Mecklenburg-Vorpommern • Nordrhein-West-falen • Rheinland-Pfalz • Sachsen-Anhalt • Schleswig-Holstein

30 Deutsch und andere Sprachen

A Die Entwicklung der deutschen Sprache

1a 3. die Standardsprache • 4. die Umgangssprache • 5. die Regionalsprache • 6. die Fachsprache

1b 2d • 3e • 4a • 5f • 6b • 7c

1c 2. sprachlich • 3. englischsprachigen • 4. fachsprachliche • 5. fremdsprachliche • 6. umgangssprachlicher – standardsprachliche

2a Genitiv • 2. Ort

2b 2. Innerhalb meiner Familie sprechen alle Dialekt. • 3. Außerhalb der Familie sprechen alle Standarddeutsch. • 4. Innerhalb der ersten 12 Lebensjahre sollte ein Kind seine Muttersprache lernen.

3a 1f • 2r • 3r • 4f • 5f • 6r • 7f • 8r • 9r

4a 3S • 4S • 5S • 6V

4b 2. Ein Fremdwort ist ein Wort, dessen Form unverändert geblieben ist. • 3. Lehnwörter sind Wörter, deren Herkunft oft nur noch Fachleute kennen. • 4. Der deutsche Wortschatz, dessen Umfang man auf ca. 500.000 Wörter schätzt, ist sehr groß. • 5. Ungarn ist ein Land, dessen deutschsprachige Minderheit abnimmt. • 6. Südtirol, dessen Einwohner meist auch Deutsch sprechen, liegt im Norden von Italien.

B Varietäten Sprache

1a **Wortschatz / Redewendung:** Satz 2, 3, 4, 5 • **Grammatik:** 6 • **Aussprache:** 2, 4

1b 2. Hast du etwas, bist du etwas. • 3. So ein Idiot. • 4. Willst du etwas essen? • 5. Sei still! • 6. Warte nicht mehr, weil er nicht mehr kommt.

1c 1. **Standardsprache:** 5 • 2. **Umgangssprache:** 3, 4 • 3. **Dialekt:** 2, 6

1d 2. die Färbung • 3. die Aussprache • 4. der Gebrauch • 5. die Bezeichnung • 6. die Beeinflussung

1e Bedeutung: Er verdient ungefähr 1400 Euro monatlich.

C Wörter und Worte

1 2. Bedeutung 2 • 3. Bedeutung 1 • 4. Bedeutung 4 • 5. Bedeutung 2 • 6. Bedeutung 2 • 7. Bedeutung 1 • 8. Bedeutung 3 • 9. Bedeutung 3 • 10. Bedeutung 2 • 11. Bedeutung 5

2 2g • 3i • 4j • 5a • 6l • 7k • 8m • 9d • 10b • 11n • 12h • 13c 14e

---

P Modelltest Goethe-Zertifikat A1: Start Deutsch 1

Hören: **Teil 1** 1c – 2a – 3b – 4a – 5c – 6b • **Teil 2** 7r – 8f – 9f – 10r • **Teil 3** 11a – 12b – 13a – 14c – 15a

Lesen: **Teil 1** 1r – 2f – 3r – 4f – 5f • **Teil 2** 6a – 7b – 8b – 9a – 10a • **Teil 3** 11f – 12r – 13f – 14f – 15r

Schreiben: **Teil 1** 1. Lisa • 2. 125 • 3. Essen • 4. 5 • 5. Nachmittagskurs

Teil 2: *Mögliche Lösung:* Sehr geehrte Damen und Herren, mein Name ist … und ich möchte im Mai nach Wien fahren. Ich möchte ein paar Informationen bekommen: Welche Sehenswürdigkeiten sind interessant? Wie ist das Kulturprogramm in Wien im Mai? Zeigt ein Museum eine Ausstellung? Ich suche auch ein Hotel. Können sie mir bitte Adressen geben? Mit freundlichen Grüßen xy

---

P Modelltest Goethe-Zertifikat A2

Hören: **Teil 1** 1a – 2b – 3c – 4b – 5a • **Teil 2** 6a – 7d – 8f – 9g – 10h • **Teil 3** 11c – 12b – 13a – 14b – 15b • **Teil 4** 16f – 17r – 18f – 19r – 20f

Lesen: **Teil 1** 1c – 2c – 3b – 4a – 5a • **Teil 2** 6c – 7a – 8b – 9b – 10b • **Teil 3** 11c – 12a – 13b – 14c – 15c • **Teil 4** 16c – 17a – 18b – 19e – 20X

P Modelltest Goethe- / ÖSD-Zertifikat B1

Lesen: **Teil 1** 1f – 2r – 3r – 4r – 5f – 6r • **Teil 2** 7c – 8b – 9a • **Teil 2** 10b – 11b – 12c • **Teil 3** 13E – 14H – 15G – 16B – 17I – 18D – 19O • **Teil 4** – 20n – 21n – 22j – 23j – 24n – 25j – 26j • **Teil 5** 27c – 28a – 29b – 30a

Hören: **Teil 1** 1r – 2c – 3f – 4c – 5f – 6c – 7f – 8b – 9r – 10c • **Teil 2** 11c – 12a – 13c – 14b – 15c • **Teil 3** 16f – 17f – 18r – 19f – 20r – 21f – 22r • **Teil 4 Moderator:** 23 – 25 – 28 • **Frau Bayer:** 24 – 27 – 29 • **Herr Steiner:** 26 – 30

🔊 **3**

Sie haben die 3 0 7 5 1 1 gewählt. Leider ist niemand zu Hause.

🔊 **4**

Meine Nummer ist 6 2 4 2 1 8.

🔊 **5**

Hallo, Leute. Bin gerade nicht zu Hause. Ihr könnt mich unter meiner Handynummer erreichen: 0174 62 55.

🔊 **6**

Guten Tag. Das ist der Anschluss 089 / 45 54 0 86. Bitte sprechen Sie nach dem Piep-Ton.

🔊 **7**

Sprecherin: Hallo, Tim. Gibst du mir die Nummer von Tina?
Sprecher: Hm, die Nummer ist 0 170 21 23 78.

🔊 **8**

Sprecherin: Entschuldigung, wie ist die Telefonnummer von Klaus?
Sprecher: Ähm, die Vorwahl ist 0221 und dann 14 39 13.

🔊 **9**

Welche Studienfächer sind in Deutschland sehr beliebt? Hier die Zahlen. Welches Fach ist Nummer 1? Nummer 1 ist Betriebswirtschaftslehre: Das sind 209.724 Studierende. Nummer 2 ist Maschinenbau mit 112.383 Studenten. Und Nummer 3? Rechtswissenschaften – das Fach studieren 102.908 Studenten. Nun kommt Medizin mit 85.009 Studenten, dann Wirtschaft mit 84.307 Studenten und Informatik mit 82.273 Studenten. Es folgen Germanistik mit 81.110 und Elektrotechnik mit 66.115 Studenten. Nun zu den Kulturnachrichten …

🔊 **19**

Professor Jung: Habe ich heute viele Termine?
Frau Bultmann: Sie haben heute sogar sehr viele Termine. Um Viertel nach acht haben Sie Vorlesung …, also in fünfzehn Minuten.
Professor Jung: Das ist doch klar – Vorlesungen vergesse ich nicht.
Frau Bultmann: Letztes Semester haben Sie aber …
Professor Jung: Ja, das stimmt … Ähm … Also, was ist heute auf dem Terminkalender?
Frau Bultmann: Nach der Vorlesung, um halb elf kommt Ihre Kollegin Frau Heinen. Sie hat ein paar Fragen … Und dann haben Sie ein Arbeitsessen mit Ihren Kollegen. Um halb eins im Restaurant „Am Markt". Um Viertel vor zwei haben Sie eine Besprechung im Rektorat.
Professor Jung: Schon um Viertel vor zwei? Da habe ich aber nicht viel Zeit für das Essen mit meinen Kollegen.
Frau Bultmann: Und um drei Uhr beginnt Ihre Sprechstunde.
Professor Jung: Wie viele Studenten sind denn auf der Liste? Drei Studenten. Um zehn nach drei kommen Frau Gonzales und Frau Díaz. Das sind zwei Studentinnen aus Spanien im ersten Semester. Um zwanzig vor vier kommt Franziska Urban. Sie war schon gestern hier, aber Sie hatten keine Zeit. Sie hat nur ein paar Fragen.

Professor Jung: Stimmt, gestern hatte ich einfach viel Arbeit. Sie kommt also heute um zwanzig vor vier. Ist das alles?
Frau Bultmann: Heute Abend um acht spielt das Studententheater.
Professor Jung: Ja, ja. Das ist klar. Sie kommen doch auch, oder?
Frau Bultmann: Natürlich. Zum Studententheater komme ich immer.
Professor Jung: Heute ist ein langer Tag … also, an die Arbeit.

🔊 **23**

1. Gut, ich komme am Donnerstag nach Frankfurt, das ist der 7.8. Bis bald, tschüss. • 2. Wann bitte? Am 9.6., ist das richtig? Das ist in 10 Tagen… • 3. Nein, am Montag, also am 2.5., habe ich keine Zeit, aber am Dienstag … • 4. Kannst du morgen, also am 10.1., schon um 8 Uhr ins Büro kommen?

🔊 **24**

1. Wir fahren vom 17.3. bis 22.3. nach Stuttgart, kommst du mit? •
2. Oh schade! Das Restaurant ist vom 31.8 bis zum 4.9. geschlossen. • 3. Ja, der nächste freie Termin ist von 18 Uhr 45 bis 19 Uhr 30. •
4. Ich möchte vom 31.10. bis zum 17.11. Urlaub machen.

🔊 **25**

Fr. Meier: Guten Morgen Frau Müller. Ich habe hier den neuen Urlaubsplaner. Planen Sie Urlaub im Sommer?
Fr. Müller: Ja also, mein Mann feiert am 05.04. Geburtstag. Es gibt eine große Party. Ich möchte da gerne vom 04.04. bis zum 06.04. Urlaub machen. Und dann fahren wir nach Schweden: vom 01.08. bis zum 12.08. Und Sie, Frau Meier?
Fr. Meier: Ja, also, ich fahre vom 11.07. bis zum 15.07. nach Italien. Dann möchte ich im September noch mal Urlaub machen. Vielleicht vom 12.09. bis zum 30.09.
Fr. Müller: Drei Wochen Urlaub im September! Super!
Fr. Meier: Ja. Das ist mein Jahresurlaub. Ich fahre im September immer lange in Urlaub. Also, dann notiere ich jetzt die Termine.

🔊 **29**

Interviewer: Herzlichen Glückwunsch, Frau Langer! Sie sind die Siegerin heute beim Leonardo-Campus-Run. Wie fühlen Sie sich?
Beate Langer: Vielen Dank. Ich bin sehr glücklich und zufrieden und ein bisschen müde.
Interviewer: Sie haben schon viel Erfahrung mit diesem Lauf hier in Münster und Sie haben schon dreimal gesiegt.
Beate Langer: Ja, ich habe schon 2012 und 2014 gesiegt und 2010 bin ich das erste Mal gestartet.
Interviewer: Und Sie haben sicher viel trainiert für den Campus-Run, oder?
Beate Langer: Nein, leider nicht, die letzten drei Monate war ich nicht so aktiv, denn ich war krank, ich hatte Probleme mit meinem Fuß.
Interviewer: Und wie war der Lauf? Hatten Sie Probleme?
Beate Langer: Nein, alles hat super geklappt. Das Wetter war gut, die Sonne war nicht so stark, und man hat nicht so viel Energie investiert.
Interviewer: Und haben Sie schon einen neuen Plan für das nächste Jahr?
Beate Langer: Ich fahre auch Rad und ich schwimme. Nächstes Jahr starte ich wieder beim Iron-Man auf Hawaii, da war ich schon 2014 das erste Mal.

Interviewer: Dann wünsche ich Ihnen alles Gute für die Zukunft. Machen Sie heute noch eine Party mit Ihren Freunden?

Beate Langer: Danke sehr. Ja klar, mit meiner Freundin Judith Noll habe ich oft zusammen trainiert und heute feiern wir auch zusammen mit anderen Freunden.

Interviewer: Dann viel Spaß und danke für das Interview. Bis zum nächsten Mal.

Beate Langer: Vielen Dank. Bis zum nächsten Mal.

◁🔊 **43**

vgl. ◁🔊 44 / 44 (A1 / A1 – B1)

◁🔊 **44**

vgl. ◁🔊 48 / 48 (A1 / A1 – B1)

◁🔊 **60**

vgl. ◁🔊 10 / 69 (A2 / A1 – B1)

◁🔊 **67**

Sprecherin: 1. Heller 2. Ohrsen 3. Möller 4. Löhrmann 5. Mockel 6. Kehler

◁🔊 **69**

Sprecher: 1. der Sohn – die Söhne; 2. die Tochter – die Töchter; 3. der Ton – die Töne; 4. der Boden – die Böden; 5. der Rock – die Röcke; 6. das Wort – die Wörter; 7. der Korb – die Körbe; 8. der Kloß – die Klöße

◁🔊 **72**

Sprecher: 1. Tang – 2. Renker – 3. Sinnbach – 4. Bronk

◁🔊 **75**

vgl. ◁🔊 30 / 89 (A2 / A1 – B1)

◁🔊 **78**

Sprecher: 1. Kiehn – Kühn; 2. Griener – Gruner; 3. Künnemann – Kunnemann; 4. Hirtner – Hurtner

◁🔊 **84**

Sprecher: Jacke – Bluse – Hose – Tasche

◁🔊 **88**

vgl. ◁🔊 39 / 98 (A2 / A1 – B1)

◁🔊 **89**

Fremdenführer: Und hier, meine Damen und Herren, befinden wir uns auf dem Josefsplatz. Dieser Drehort ist sehr wichtig für den „Dritten Mann". Denn hier lag die Wohnung von der Hauptfigur des Films, Harry Lime, gespielt von Orson Welles. Der Drehort hat sich bis heute praktisch nicht verändert. Den sollten Sie unbedingt fotografieren. Gut, dann gehen wir weiter.

◁🔊 **92**

Sprecherin: 1. Feier – 2. Bäume – 3. heiß – 4. Laute – 5. Mais – 6. euer – 7. aus – 8. freuen – 9. Raum – 10. Reis

◁🔊 **94 – 95**

vgl. ◁🔊 44 / 103 (A2 / A1 – B1) – ◁🔊 45 / 104 (A2 / A1 – B1)

◁🔊 **96 – 98**

vgl. ◁🔊 46 / 105 (A2 / A1 – B1) – ◁🔊 48 / 107 (A2 / A1 – B1)

◁🔊 **99**

Stefania: Hallo und guten Morgen! 400 Berufe, die man dual studieren kann! Das wissen in Italien nur wenige. Und sicher ist es interessant für euch zu erfahren, wie ich zum dualen Studium gekommen bin. Im Rahmen von unserem Thema „duales Studium" möchte ich euch heute meinen Weg vorstellen, den ich als ausländische Jugendliche gegangen bin. Meine Präsentation gliedert sich in vier Punkte: Erstens: Was habe ich vor dem dualen Studium gemacht, und wie habe ich davon erfahren? Zweitens: Welchen Studiengang habe ich gewählt? Drittens: Wie funktioniert mein duales Studium? Und viertens: Wie gefällt mir das duale Studium?

◁🔊 **100**

Stefania: Zu Punkt 1 „Was habe ich vorher gemacht und wie habe ich vom dualen Studium erfahren?": Ihr wisst, dass ich aus Italien komme und vorher einen Bachelor-Studiengang in Fremdsprachen absolviert habe, mit Deutsch und Englisch. Ich wollte nach Deutschland, aber was sollte ich dort tun? Zuerst habe ich im Internet recherchiert. Aber das machte mich total konfus. Dann habe ich mit deutschen Freunden gesprochen. Schließlich habe ich mich an das Informationsbüro des DAAD gewendet. Dort hat man mir erklärt, dass das duale Studium auch für ausländische Studierende nach einem Bachelor-Studiengang interessant sein kann. Es ist eine Art Ergänzung zum bisherigen Studium. Wirtschaft und Finanzwesen haben mich auch schon immer interessiert. Und so habe ich nach einem passenden Studium gesucht.

◁🔊 **101**

Stefania: Das führt mich zu Punkt 2: „Welchen Studiengang habe ich gewählt?" Beim DAAD hat man mir verschiedene Internetseiten gezeigt, die ich dann zu Hause in Ruhe angeschaut habe. Mein Ziel war es, einen zweisprachigen Studiengang zu finden, so dass ich auch meine Englischkenntnisse weiter nutzen konnte. Die Wahl fiel auf „International Business", wo ich zwei Fremdsprachen brauche, und auch Italienisch von Vorteil ist.

◁🔊 **102**

Stefania: Und damit komme ich zu Punkt 3, den ich in drei Unterpunkte gegliedert habe: Ausbildungsort, Aufgaben, Einkommen. Zunächst zu Punkt 3.1.: Die duale Hochschule und auch das Unternehmen sind in einer kleinen Stadt im Süden Deutschlands. Die Firma ist international bekannt und hat mehrere Filialen im Ausland, auch in Italien. Nun zu Punkt 3.2.: Meine Aufgaben sind Marketing, Produkt- und Projektmanagement und Controlling. Fremdsprachenkenntnisse und eine interkulturelle Kompetenz sind sehr wichtig, da ich viele direkte Auslandsbeziehungen habe. Und nun zum letzten Unterpunkt: das Einkommen. Während des Studiums bin ich finanziell unabhängig, man verdient so zwischen 900 und 1200 Euro. Das variiert aber in Bezug auf Studienjahr und auch auf die Firma.

🔊 103

Stefania: Damit komme ich schon zu meinem letzten Punkt, Punkt 4: Wie gefällt mir das duale Studium? Ich muss zugeben, es ist sehr arbeitsintensiv, manchmal sogar ziemlich stressig. Man hat kaum Freizeit. Das Studium ist auch sehr verschult. Ich bin natürlich auch etwas älter als die anderen Studierenden, die direkt von der Schule kommen. Aber das duale Studium ist eine ideale Ergänzung für meinen Bachelor, und toll ist wirklich die Sicherheit des Arbeitsplatzes und die finanzielle Unabhängigkeit. So, das war ein kurzer Überblick über meinen Weg von Italien nach Deutschland, von der Uni zum dualen Studium hierher. Danke fürs Zuhören und wenn ihr Fragen habt, gerne.

🔊 105

Sprecher: der Lehrer – die Lehrerin; der Fahrer – die Fahrerin; der Übersetzer – die Übersetzerin; der Pfleger – die Pflegerin; der Arbeiter – die Arbeiterin; der Maler – die Malerin; der Verkäufer – die Verkäuferin; der Bäcker – die Bäckerin

🔊 106

Sprecher: der Sportler – die Sportlerin; der Mediziner – die Medizinerin; der Handwerker – die Handwerkerin; der Mechaniker – die Mechanikerin; der Trainer – die Trainerin; der Musiker – die Musikerin

🔊 107

vgl. 🔊 52 / 111 (A2 / A1 – B1)

🔊 108

vgl. 🔊 53 / 112 (A2 / A1 – B1)

🔊 109

vgl. 🔊 51 / 110 (A2 / A1 – B1)

🔊 110

Sprecher: – Auslandspraktikum – Berufspraktikum – Betriebspraktikum – Praktikumsbezahlung – Industriepraktikum – Praktikumsmesse – Pflichtpraktikum – Praktikumsplatz – Schulpraktikum – Praktikumszeugnis

🔊 111

vgl. 🔊 56 / 115 (A2 / A1 – B1)

🔊 114

Sprecher: 1. Reetmann – Rettmann, 2. Nehl – Nähl; 3. Delling – Dähling; 4. Mehler – Mäller; 5. Hebbel – Häbel

🔊 115

Sprecherin: Ostsee; angenehme; gehen; lesen; Segelbooten; Ferien; Regenwetter; jeden; vorher; sehe; sehr; gehe; Café; Tee; lese; erst; Ferien

🔊 118

Sprecherin: 1. Der Patient ist ungeduldig? – 2. Die Wunde heilt gut. – 3. Er muss aber Geduld haben. – 4. Das Bein darf noch nicht bewegt werden? – 5. Er bekommt Medikamente? – 6. Wir können ihn noch nicht entlassen.

🔊 120

vgl. 🔊 7 / 124 (B1 / A1 – B1)

🔊 121 – 124

vgl. 🔊 9 – 12 / 126 – 129 (B1 / A1 – B1)

🔊 127

Sprecherin: 1. Hast – 2. Erzfeld – 3. Heisler – 4. Haubert – 5. Opper – 6. Uhmann

🔊 128

Sprecher: 1. Herr Haubert ist Hausmeister. – 2. Frau Ast lebt in Hagen. – 3. Herr Heisler liebt die Alpen – 4. Frau Aubert arbeitet an der Uni. – 5. Herr Humann hat Hunde. – 6. Frau Eisler mag Hörbücher.

🔊 130

vgl. 🔊 14 / 131 (B1 / A1 – B1)

🔊 131

vgl. 🔊 16 / 133 (B1 / A1 – B1)

🔊 132

vgl. 🔊 17 / 134 (B1 / A1 – B1)

🔊 133

vgl. 🔊 18 / 135 (B1 / A1 – B1)

🔊 135

Sprecherin: sss:
- Straßenfest
- Schauspielhaus
- Binnenalster
- Mediencampus
- Kongresse
- Kunsthochschule
- Beatles

tss:
- Hafengeburtstag
- Tanztheater
- internationale
- Platz
- zahlreiche

🔊 **136**

Sprecher: 1. Linz – 2. Istanbul – 3. Paris – 4. Salzburg –
5. Amsterdam – 6. Brüssel – 7. Florenz – 8. Zürich

🔊 **137**

vgl. 🔊 21 / 138 (B1 / A1 – B1)

🔊 **138**

vgl. 🔊 24 / 141 (B1 / A1 – B1)

🔊 **141**

Sprecherin: 1. Postbote – 2. Bahnpolizei – 3. Tischdecke –
4. Donnerstag – 5. Glückwunschkarte – 6. Kindergarten

🔊 **142 – 143**

vgl. 🔊 30 – 31 / 147 – 148 (B1 / A1 – B1)

🔊 **148**

vgl. 🔊 38 / 155 (B1 / A1 – B1)

🔊 **153**

Sprecherin: Verb – Verben, Tipp – Tipps, Lied – Lieder, Hut – Hüte,
Tag – Tage, Werk – Werke

🔊 **154**

Sprecher: schreiben – schrieb – geschrieben; leben – lebte –
gelebt; finden – fand – gefunden; verstehen – verstand – verstanden; fragen – fragte – gefragt; steigen – stieg – gestiegen

🔊 **156 – 157**

vgl. 🔊 46 – 47 / 163 – 164 (B1 / A1 – B1)

🔊 **163**

vgl. 🔊 50 / 167 (B1 / A1 – B1)

🔊 **164 – 165**

vgl. 🔊 51 – 52 / 168 – 169 (B1 / A1 – B1)

🔊 **169**

vgl. 🔊 58 / 175 (B1 / A1 – B1)

🔊 **170**

Sprecherin: Bundespräsident – Gesetzgebung – Zweitstimme –
Wechselwähler – Regierungskoalition – Bundestagspräsident
– Bundesverfassungsgericht – Vermittlungsausschuss – Erst-
stimme – Regierungschef – Wahlpflicht – Rechtsstaat

🔊 **187**

Verkäuferin: Guten Tag, kann ich Ihnen helfen?
Kundin: Ja, ich suche eine Bluse in Weiß oder Gelb. Sie muss zu
dieser blauen Hose, aber auch zu diesem grünen Rock passen.
Verkäuferin: Wir haben da leichte Sommerblusen in verschiedenen Farben. Schauen Sie, hier ist zum Beispiel eine weiße Bluse.

🔊 **188**

Hr. Haller: Firma Infactory, Martin Haller, guten Tag.
Fr. Ebener: Guten Tag, Ebner hier, ich möchte gern Frau Gruber
sprechen.
Hr. Haller: Frau Gruber, hm, tut mir leid, die ist heute nicht mehr
da. Und am Montag und Dienstag hat sie Urlaub. Sie ist erst
wieder am Mittwoch ab 8.30 Uhr im Büro.
Fr. Ebener: Gut, dann rufe ich am Mittwoch noch einmal an.
Danke, auf Wiederhören!

🔊 **189**

Kollege 1: Ah, ich habe schon großen Hunger. Gehen wir zusammen etwas essen?
Kollege 2: Ja, gern, ich habe aber nur eine halbe Stunde Zeit. Also,
in ein Restaurant kann ich jetzt nicht mit.
Kollege 3: Viel Zeit habe ich auch nicht, denn ich muss noch was
im Supermarkt einkaufen. Aber da hinten ist doch ein Café, wir
können dort schnell hingehen.
Kollege 1: Gute Idee, viel Zeit habe ich ja auch nicht!
Kollege 2: Also gut, dann los.

🔊 **190**

Bahnkunde: Entschuldigen Sie, wissen Sie vielleicht, wann wir in
München ankommen? Denn um 14.45 Uhr geht mein Zug nach
Wien.
Zugbegleiter: Hm, wir sind in ca. 25 Minuten in München, also um
14.35 Uhr.
Bahnkunde: Ah, um 14.35 Uhr, das passt. Danke für die Auskunft.

🔊 **191**

Ulli: Hallo Tim.
Tim: Hallo Ulli, du, es ist schon kurz vor neun und ich stehe vor
dem Kino, soll ich gleich Karten kaufen?
Ulli: Ja, super, mach das bitte! Ich komme leider ein bisschen zu
spät.
Tim: Macht nichts. Wo möchtest du denn sitzen? Hinten auf den
Plätzen für 11 Euro oder lieber auf den Plätzen für 9 Euro.
Ulli: Na möglichst weit hinten, aber heute ist ja Kino-Montag, da
kosten alle Karten nur 8 Euro.
Tim: Ja, richtig, hier lese ich es gerade: Heute alle Plätze für 8 Euro.
Das ist prima!

🔊 **192**

Sabine: Emil, kann ich heute Abend bei dir essen? Denn ich habe
nicht eingekauft. Ich hatte einfach keine Zeit.
Emil: Aber klar Sabine, was soll ich uns denn machen? Gemüse-
suppe oder Salat oder eine Pizza?
Sabine: Hm, Salat habe ich schon heute Mittag gegessen und Piz-
za mag ich nicht so, aber auf eine Suppe habe ich richtig Lust.
Emil: Gut, ich habe genug Gemüse für einen ganzen Topf Suppe.
Sabine: Mmh, das klingt gut.

193

Mann: Entschuldigung, ich suche das Büro von Herrn Koller. Ist das nicht hier im 3. Stock?

Frau: Herr Koller, Moment, äh, nein, Herr Koller hat sein Büro im 2. Stock, Zimmer 278.

Mann: Ah, vielen Dank, dann habe ich das falsch aufgeschrieben, ich dachte Zimmer 378.

Frau: Nein, nein, Zimmer 278, da müssen Sie in den zweiten Stock.

Mann: Ah ja, danke noch mal.

194

Sprecher: Eine Durchsage: Achtung Passagiere Richtung Hauptbahnhof! Die Straßenbahn-Linie 20 fährt heute nur bis Rathausplatz. Nehmen Sie dort bitte die Bus-Linie 15, die Bus-Linie 15 fährt direkt zum Hauptbahnhof.

195

Sprecherin: Achtung! Eine Änderung für die Fluggäste von Flug 724 nach Hamburg. Ihr Gate hat sich geändert. Bitte gehen Sie zum Ausgang B 48. Ich wiederhole: Fluggäste von Flug 724 nach Hamburg: Bitte gehen Sie zum Ausgang B 48.

196

Sprecherin: Liebe Reisende, wir begrüßen Sie auf der Fahrt im ICE 309 nach Berlin. Wir haben heute leider eine schlechte Nachricht: Wir haben heute keine warmen Gerichte für Sie, denn der Herd im Zugrestaurant ist kaputt. Wir bringen Ihnen aber gern Salate, belegte Brötchen oder Kuchen.

197

Sprecher: Liebe Kundinnen und Kunden, kommen Sie in unsere Obst- und Gemüseabteilung. Dort erwarten Sie heute viele Angebote: Bio-Karotten 1 Kilo für nur 1,50 Euro, Tomaten aus der Region 1 Kilo für nur 99 Cent und ein Bund Frühlingszwiebeln gibt's heute für 50 Cent. Also, auf in die Obst- und Gemüseabteilung!

198

Sprecher: Achtung! Eine Durchsage für den Fahrer vom blauen Opel Astra mit dem Kennzeichen KS-TG-4398. Ihr Auto steht in einer Durchfahrt. Bitte fahren Sie so schnell wie möglich aus der roten Zone. Ich wiederhole: eine Durchsage für den Fahrer vom blauen Opel Astra mit dem Kennzeichen KS-TG-4398.

199

Assistentin: Guten Tag, hier Büro Maier. Sie wollten mit Herrn Dr. Maier sprechen. Leider ist Herr Dr. Maier heute nicht im Haus. Morgen hat er um 9.00 Uhr eine Besprechung, also rufen Sie am besten ab 10.00 Uhr an. Auf Wiederhören.

200

Markus: Hallo Claudia, hier spricht Markus, ich sag dir schnell, wie du zu mir kommst. Also, du fährst mit der U-Bahn-Line 3 bis zum Mozart-Platz, dort nimmst du den Ausgang Steinstraße. Auf dem Mozart-Platz siehst du links eine Bäckerei. Dort gehst du in die Bachstraße, ich wohne in der Nummer 17.

201

Iris: Hallo Eva, Iris hier. Leider kann ich heute nicht um 14.00 Uhr kommen. Geht es bei dir morgen um 15.00 Uhr? Ich habe dann ca. zwei Stunden Zeit, so bis 17.00 Uhr, passt das? Bitte ruf mich noch heute an. Danke!

202

Sebastian: Hi, Sebastian hier. Leider war ich zu spät bei der Wäscherei, die war heute schon geschlossen. Hm, und morgen komme ich nicht in Stadt. Du weißt ja, Samstag ist immer Training. Ich kann die Wäsche also erst am Montag abholen. Tut mir leid, ich hoffe, du brauchst sie nicht dringend.

203

Michael: Hi, ich bin's Michael. Weißt du was? Einen Tisch reservieren für heute Abend – das war gar nicht so leicht! Die Pizzeria Napoli war leider schon voll. Und Francesco hat heute Ruhetag. Zum Glück haben wir im Restaurant Blaustern einen Platz bekommen. Pizza essen wir eben ein anderes Mal.

204

Fr. Studer: Guten Tag Herr Dr. Krause, hier Inge Studer. Ich möchte gern Informationen über die Veranstaltung „Studieren im Alter" haben. Heute Abend bin ich im Theater. Da können Sie mich telefonisch nicht erreichen. Bitte schicken Sie mir eine E-Mail, denn mit der Post dauert das zu lange. Meine Mail-Adresse haben Sie ja. Vielen Dank und auf Wiederhören.

205

Sprecherin: Und nun der Wetterbericht für morgen Freitag, 18. Juli: Im Norden ist es sonnig und warm. Die Temperaturen liegen bei 25 Grad am Tag und 18 Grad in der Nacht. Im Osten ist es den ganzen Tag bewölkt. Im Süden ist es zuerst bewölkt, am Nachmittag und Abend regnet es dann. Die Temperaturen fallen dort in der Nacht auf 13 Grad. Am Samstag scheint wieder überall die Sonne.

206

Sprecherin: Hallo Clemens, hier ist Tina. Ich glaube, ich kann heute nicht mitkommen. Ich arbeite immer noch an meinem Referat. Das muss bis Mittwoch fertig sein. Außerdem muss ich am Samstag und Sonntag den ganzen Tag meinem Chef helfen, denn einer von unseren Kollegen ist krank geworden. Und am Montag habe ich einen Arzttermin – da wartet man immer ziemlich lange im Wartezimmer. Ab Donnerstag habe ich wieder Zeit.

207

Sprecherin: Eine wichtige Durchsage für unsere Kunden, die ihr Auto in unserer Tiefgarage geparkt haben. Durch das starke Gewitter und den Regen ist in unserer Tiefgarage der Strom ausgefallen. Es gibt dort im Moment kein Licht. Wir bitten deshalb alle Kunden, nicht in den Keller zu gehen, sondern im Erdgeschoss zu warten. Die Elektriker sind gekommen. Wir schätzen, dass es ungefähr 10 Minuten dauern wird, bis wir wieder Strom haben. Wir danken Ihnen für Ihr Verständnis.

🔊 **208**

Sprecherin: Guten Tag Frau Koch. Carola Schleifer hier, Arztpraxis Dr. Rapp. Sie hatten heute einen Termin um 16 Uhr. Leider hat Dr. Rapp einen wichtigen Hausbesuch und kann nicht rechtzeitig zurück sein. Er ist erst wieder um 18 Uhr in der Praxis. Haben Sie da Zeit? Wenn nicht, kann ich Ihnen einen Termin morgen um 14 Uhr oder am Montag um 10 Uhr anbieten.

🔊 **209**

Sprecherin: Hallo Dominik, hier ist Sibel. Wir müssen unbedingt ein Geschenk für Kathrin kaufen. Sie hat gestern im Internet einen tollen Spiegel für ihre Diele gefunden. Der hat uns beiden gut gefallen. Patrick will ihr etwas für die Küche, Geschirr oder einen Kochtopf schenken. Das finde ich aber zu unpersönlich. Eine große Pflanze fürs Wohnzimmer ist auch nicht schlecht, aber sie hat eine Katze, die will dann bestimmt auf die Pflanze klettern. Wie findest du meinen ersten Vorschlag, den Spiegel?

🔊 **210**

Hannah: Nächste Woche haben wir frei, keine Vorlesungen, keine Übungen. Dann können wir uns endlich ein bisschen ausruhen. Es gibt im Leben nicht nur Lernen und Studieren.

Julian: Na ja, nur ausruhen geht auch nicht. Vergiss nicht, wir haben viel zu erledigen. Und das Semester ist noch nicht zu Ende.

Hannah: Stimmt, am Montag müssen wir unsere WG putzen. Wir beide sind diese Woche an der Reihe. Aber am Dienstag möchte ich endlich noch einmal in den Bergen wandern. Beim Wandern brauche ich an nichts zu denken, keine Vorlesung, keine Klausuren …

Julian: Wandern in den Bergen? Dann müssen wir erst über 100 Kilometer mit dem Auto fahren. Das ist mir zu anstrengend. Und abends dann wieder zurück. Wenn du unbedingt Sport machen willst, können wir auch Rad fahren.

Hannah: Wenn du mein Rad reparierst, das schon seit Wochen kaputt ist …

Julian: Ok, ich repariere dein Rad und dann machen wir eine Radtour. Aber am Mittwoch müssen wir uns mit Tim treffen und über das Referat sprechen. Ich schlage vor, wir treffen uns in der Uni-Bibliothek.

Hannah: Das geht nicht: Der Lesesaal der Bibliothek ist nächste Woche geschlossen. Wir können das Referat auch irgendwo draußen auf dem Campus besprechen. Wenn das Wetter schön ist, setzen wir uns auf eine Wiese und bringen auch etwas zu essen und zu trinken mit. Das ist ja in der Bibliothek verboten.

Julian: Gut. Das machen wir. Und am Donnerstagabend haben wir einen Termin für eine Wohnungsbesichtigung. Wir müssen ja spätestens am 1. August hier ausziehen.

Hannah: Nein, der Termin ist erst am Sonntagabend. Da hast du irgendetwas verwechselt. Am Donnerstag müssen wir mit Caroline zur Abschlussfeier in die Uni. Sie hat uns doch eingeladen.

Julian: Oh, das habe ich fast vergessen. Und was machen wir am Freitag?

Hannah: Ich will mir ein paar neue Klamotten für den Sommer kaufen. Du kommst mit und berätst mich. Sonst verkaufen die Verkäufer mir wieder irgendetwas, was mir nicht gefällt.

Julian: Das mache ich gerne.

Hannah: Aber am Samstag brauche ich etwas Kultur. Im Theater spielt man den „Faust" von Goethe.

Julian: Das wusste ich gar nicht. Für einen Germanistikstudenten wie mich ist das natürlich ein „Muss".

🔊 **211**

Frau: Die Miete beträgt 500 Euro plus Nebenkosten.

Mann: Und ist die Wohnung möbliert?

Frau: Das Wohnzimmer ist möbliert. Es gibt ein Sofa, ein Regal und einen kleinen Tisch. In der Küche ist eine moderne Einbauküche mit Elektroherd.

Mann: Gibt es auch eine Waschmaschine?

Frau: Ja, vom Vormieter. Dafür möchte er eine Ablöse von 200 Euro.

Mann: Sind die Möbel auch vom Vormieter?

Frau: Nein. Die sind neu.

🔊 **212**

Mann: Wie war die Party bei Julius? Und was gab es zu essen?

Frau: Die Party war wirklich super. Julius wollte eigentlich Würstchen grillen, aber dann hat es geregnet und wir sind reingegangen. Die Würstchen liegen immer noch im Kühlschrank. Zum Glück hat seine Mutter eine leckere Kartoffelsuppe gekocht. Die haben wir dann gegessen. Marion wollte auch kommen und Kuchen mitbringen.

Mann: Und ist sie gekommen?

Frau: Ja, aber wie immer erst spät und den Kuchen hat sie vergessen.

Mann: Das ist mal wieder typisch für sie.

🔊 **213**

Frau 1: Was sollen wir auf der Hochzeit von Antonia bloß anziehen?

Frau 2: Ich ziehe ein langes Kleid an. Du hast doch auch eins?

Frau 1: Ich habe ein langes Sommerkleid, aber das kann ich auf einer Hochzeit im November nicht anziehen. Das ist zu kalt. Ich ziehe eine Hose an.

Frau 2: Eine Hose auf einer Hochzeit? Das geht gar nicht. Dann zieh doch deinen schwarzen Rock mit einer bunten Bluse an. Das sieht schick aus.

Frau 1: Ich weiß nicht. Kannst du mir kein Kleid leihen? Du hast doch so viele?

Frau 2: Das kann ich machen. Komm, wir schauen mal in meinen Kleiderschrank.

🔊 **214**

Frau: Wenn du alles ins Auto gelegt hast, können wir losfahren.

Mann: Ich finde meine Sonnenbrille nicht. Weißt du nicht, wo sie ist?

Frau: Die steckt doch schon in meiner Handtasche. Aber hast du die Landkarten eingepackt?

Mann: Landkarten? Ich habe ein Navigationsgerät, das uns den Weg zeigt.

Frau: Haha!! Beim letzten Mal hat uns dein Navi in die falsche Richtung geschickt.

Mann: Aber jetzt habe ich es aktualisiert. Es funktioniert ganz sicher.

Frau: Ich vertraue dem Ding nicht. Zur Sicherheit nehme ich die Karten mit.

215

Mann 1: Guten Tag. Ich habe mein Portemonnaie verloren.

Mann 2: Wo genau haben Sie es denn verloren?

Mann 1: Irgendwo hier im Einkaufszentrum, vielleicht in einem Geschäft. Ich weiß es nicht so genau.

Mann 2: Was war im Portemonnaie? Kreditkarte? Bargeld?

Mann 1: Nur mein Ausweis und Geld.

Mann 2: Wie viel Bargeld hatten Sie dabei?

Mann 1: Nur noch ein paar Münzen, 3, 4 Euro und ein paar Centstücke. Ich war ja einkaufen hier im Einkaufszentrum und habe alles ausgegeben.

216

Moderatorin: Guten Abend, Mathias. Du kommst aus der Region, aber du lebst schon seit 2 Jahren in Berlin.

Mathias: Ich habe in Stuttgart Abitur gemacht und bin dann zum Studium nach Berlin gegangen.

Moderatorin: Warum so weit? Das sind über 500 Kilometer. Hast du in der Nähe keinen Studienplatz bekommen?

Mathias: Der Studienplatz war nicht das Problem. Ich wollte einfach weg, eine andere Stadt kennen lernen und unabhängig sein.

Moderatorin: Wie haben deine Eltern reagiert, als du ihnen gesagt hast, dass du raus willst aus dem „Hotel Mama"?

Mathias: Meine Mutter konnte mich gut verstehen. Sie hat selbst studiert, in Frankreich. Ihre Eltern fanden das damals nicht gut, sie hat aber gemacht, was sie wollte.
Also, wie gesagt, für meine Mutter war das kein Problem. Aber mein Vater war sehr traurig – ich bin ja der Jüngste von vier Geschwistern.

Moderatorin: Sind deine Geschwister auch in andere Städte gezogen?

Mathias: Meine beiden Brüder haben in Stuttgart studiert, meine Schwester in Tübingen. Sie sind also in der Region geblieben.

Moderatorin: Aber jetzt bist du zurückgekommen. Warum?

Mathias: Zurückgekommen – das stimmt nicht ganz. Es sind Semesterferien und ich habe am 1. August ein Praktikum bei einer Schokoladenfabrik hier in der Region anfangen. Das Praktikum dauert bis Ende September. In dieser Zeit lebe ich natürlich im „Hotel Mama". Aber Anfang Oktober fahre ich nach Berlin zurück.

Moderatorin: Aber in den Weihnachtsferien kommst du doch wieder hierher, oder?

Mathias: Weihnachten ist etwas Besonderes. Das kann man nicht ohne Familie feiern. Na klar, dann bin ich wieder hier.

Moderatorin: Mathias, ich danke dir für das Gespräch und wünsche dir viel Spaß im Praktikum.

217

Sprecherin: Beispiel: Sie hören eine Nachricht auf dem Anrufbeantworter.

Sprecher: Guten Tag, hier ist Baumann von der Buchhandlung Löwenstein. Sie haben bei uns zwei Bücher bestellt, es ist aber nur das Buch „Neue Medien. Band 1" gekommen. Ich habe es an der Kasse für Sie hinterlegt. Ja, und beim zweiten Band kommt es leider zu Lieferverzögerungen. Er wird erst in etwa 2 Wochen kommen. Geben Sie mir bitte Bescheid, ob Ihnen das passt oder ob wir die Bestellung löschen sollen.

218

Sprecherin: Aufgaben 1 und 2. (Pause) Sie hören die Programmvorschau im Radio.

Sprecherin: Und nun zum heutigen Programm. Das Thema der heutigen Diskussionssendung „Talk um fünf" wird aus aktuellem Anlass geändert: Es geht um das Zugunglück in Sachsen. Die Sendung wird außerdem bis 17.45 Uhr verlängert und die nachfolgende Musiksendung auf 15 Minuten gekürzt. Das für heute geplante Thema von „Talk um fünf", „Wasserkraftwerke im 21. Jahrhundert", hören Sie nächsten Donnerstag zur gewohnten Zeit um 17.05 Uhr nach den Nachrichten.

219

Sprecherin: Aufgaben 3 und 4. (Pause) Sie hören Informationen vom Band.

Sprecher: Stadtmuseum Altenbach, grüß Gott! Sie rufen außerhalb der Öffnungszeiten an. Wir sind für Sie zu folgenden Zeiten erreichbar: Dienstag bis Sonntag 11 bis 16 Uhr, am Freitag 11 bis 18 Uhr, am Montag ist geschlossen. Am ersten Sonntag im Monat gibt es um 14 Uhr eine Überblicksführung. Termine für Sonderführungen vereinbaren Sie bitte telefonisch unter der Durchwahl 372. Weitere Informationen erfahren Sie im Internet unter www.museum-altenbach.at. Bis bald im Museum Altenbach!

220

Sprecherin: Aufgaben 5 und 6. (Pause) Sie hören eine Nachricht auf dem Anrufbeantworter.

Sprecherin: Hier Praxis Dr. Schmitt. Guten Tag, Herr Schneider! Das Ergebnis Ihrer Untersuchung ist fertig und liegt zum Abholen bereit. Wir machen aber nächste Woche Urlaub, d.h. Sie können das Ergebnis noch morgen zwischen 14 und 18 Uhr abholen oder dann erst wieder am Montag, den 15. 3. von 9 bis 14 Uhr. Wenn Sie das Ergebnis mit Herrn Dr. Schmitt auch besprechen möchten, dann melden Sie sich bitte rasch wegen eines Termins. In der Woche nach dem Urlaub sind wir nämlich schon fast ganz ausgebucht. Auf Wiederhören.

221

Sprecherin: Aufgaben 7 und 8. (Pause) Sie hören eine Nachricht auf einer Mobilbox.

Sprecherin: Hallo Claudia, hier ist Sonja. Es tut mir leid, dass ich dich in deiner Freizeit störe. Deine Chefin hat gerade bei deiner Durchwahl angerufen, aber du warst schon weg. Sie braucht die Unterlagen morgen bis 11 Uhr. Du hast also noch Zeit, die Zahlen in der Verkaufsstatistik zu ändern, das ist ganz wichtig. Ich schicke dir gleich eine E-Mail mit den aktuellen Zahlen. Ja und du sollst die Unterlagen fünf Mal in Farbe ausdrucken. So, das war's. Also, bis morgen und noch einen schönen freien Nachmittag!

222

Sprecherin: Aufgaben 9 und 10. (Pause) Sie hören eine Durchsage im Kaufhaus.

Sprecher: Liebe Kundinnen, liebe Kunden. Wir bauen für Sie um. Deshalb kommt es momentan zu einigen Änderungen. Wir bitten um Verständnis! Die Damen- und Herrenmode finden Sie im Moment im ersten Stock. Der zweite Stock ist wegen Umbau geschlossen. Dort wird am Montag die neue Herrenmodeabteilung eröffnet. Feiern Sie mit uns ab Montag eine Woche lang – Eröffnungsangebote bis -50 % erwarten Sie in der neuen Herrenabteilung!

223

Sprecherin: Aufgaben 11 bis 15. (Pause)

224

Sprecherin: Sie nehmen an einer Konferenz teil und hören Informationen zum Ablauf.

Sprecherin: Sehr geehrte Damen und Herren, ich freue mich sehr, Sie bei unserer zweitägigen Konferenz hier im Festsaal begrüßen zu dürfen. Mein Name ist Anneliese Selzner und ich bin Teil des Organisationsteams. Meine Aufgabe ist es, Ihnen einige organisatorische Hinweise zu geben.

Beginnen wir bei Ihnen, liebe Teilnehmerinnen und Teilnehmer: Wenn Sie sich noch nicht beim Empfang – gleich draußen vor dem Festsaal – gemeldet haben, machen Sie das bitte gleich in der nächsten Pause. Sie bekommen dort eine Konferenzmappe und ein Namensschild. Das ist wichtig, z. B. in der Kantine. Da genügt es, wenn Sie Ihr Namensschild an der Kasse vorzeigen, dann bekommen Sie den Konferenzrabatt.

Für die Abendveranstaltung, heute um 19 Uhr im Steinbachhaus benötigen Sie aber eine Einladung – Sie finden sie in Ihrer Konferenzmappe. Da ist auch ein Stadtplan und Informationsmaterial zu den öffentlichen Verkehrsmitteln. Und natürlich ist auch das genaue Konferenzprogramm enthalten, mit einem Raumplan. Ein wichtiger Raum ist gleich hier rechts von mir. Dort gibt es Büchertische von verschiedenen Verlagen und da machen wir auch die Kaffeepausen.

Wenn Sie Fragen zum Programm oder den Räumen haben, wenden Sie sich einfach an die Damen und Herren in den roten T-Shirts – sie gehören zum Organisationsteam und können alle Ihre Fragen beantworten.

Ich muss Sie jetzt noch über eine Programmänderung informieren: Frau Maurer-Feldbach ist gestern erkrankt und kann leider nicht bei uns sein. Wir haben Glück, denn ein Kollege von ihr, nämlich Herr Haller, wird sie vertreten. Der Vortrag wird, wie im Programm angekündigt, um 17 Uhr hier im Festsaal stattfinden. Und nun zu den Räumen: Nach dem Eröffnungsvortrag bitten wir Sie, möglichst rasch zu den Workshops zu gehen. Bitte gehen Sie wirklich in den Workshop, für den Sie sich angemeldet haben. Wenn Sie nicht ganz sicher sind, fragen Sie beim Empfang nach. Dort hängen die Namenslisten und die Workshoptitel. Für den Workshop 1 im Raum 233B nehmen Sie den Lift in den 2. Stock und folgen Sie dann den Schildern. Workshop 2 findet vis-à-vis von hier im Raum 24A statt. Und die Teilnehmer von Workshop 3 bleiben bitte hier im Festsaal. Am Nachmittag werden die Workshops dann wiederholt.

Jetzt wünsche ich Ihnen eine angenehme Tagung und übergebe nun das Wort an Frau Michaela Sandner.

225

Sprecherin: Aufgaben 16 bis 20. (Pause)

226

Sprecherin: Sie sind im Schwimmbad und hören, wie sich ein Mann und eine Frau über eine Reise unterhalten.

Nelly: Hallo Oleg, wie war denn eure Reise nach Berlin?

Oleg: Du weißt es schon?

Nelly: Klar, ich habe die Fotos auf Facebook gesehen.

Oleg: Ach ja, ich bin ja jetzt auch auf Facebook und vergesse manchmal, dass ihr jetzt viel besser über mich Bescheid wisst.

Nelly: Na klar, so ist das heutzutage – du hast mich ja zu deinen Freunden hinzugefügt.

Oleg: Stimmt!

Nelly: Bei uns hat es in den letzten Tagen eigentlich nur geregnet – und wie war es in Berlin?

Oleg: Sagen wir mal, abwechslungsreich. Aber uns hat der Regen zum Glück nicht gestört, denn es gibt ja tolle Museen. An den beiden nassen Tagen haben wir u. a. ein tolle Kunst- Ausstellung gesehen. Julia wollte ja auch in den Reichstag, aber das hat nicht mehr geklappt. Vier Tage sind einfach zu wenig. Aber wir wollen bestimmt wieder hin, im Sommer vielleicht.

Nelly: Und wie seid ihr gereist?

Oleg: Zuerst wollte ich Julia überreden einen billigen Flug zu nehmen, aber du weißt ja, ihre Flugangst. Sie hat uns dann mit der Bahncard günstige Tickets besorgt und weil wir den Nachtzug genommen haben, war die Reise dann gar nicht so schlimm.

Nelly: Und – wo habt ihr gewohnt?

Oleg: Also, ich habe Freunde, die ich noch aus der Studienzeit kenne, die wohnen in Wilmersdorf. Leider hatten sie Familienbesuch aus dem Ausland. Sie haben uns aber einen Tipp gegeben, nämlich die Couch-Surfers. Weißt du, das sind Leute, bei denen man vorübergehend kostenlos wohnen kann.

Nelly: Davon habe ich auch schon gehört.

Oleg: Über die Website haben wir jemanden gefunden – war echt nett. Ein Tischler namens Fred, der im Hinterhof eine Werkstatt hat mit einem Nebenraum, wo wir schlafen konnten. Der hat uns auch ein paar Tipps gegeben und uns zu einem Konzert mitgenommen.

Nelly: Ja, es ist schon interessanter, wenn man jemanden kennt.

Oleg: Meine Freunde hatten ja wenig Zeit und so war die Sache mit Fred wirklich super. In unserer Wohnung haben wir leider keinen Platz, sonst würden wir auch hin und wieder jemanden bei uns wohnen lassen. Wie ist das bei dir?

Nelly: Na, ich kann mir das nicht so recht vorstellen – Fremde in meiner Wohnung? Und wenn ich selbst verreise, ist mir sowieso ein Hotel lieber.

Oleg: Verstehe. Übrigens, wir haben ein tolles indisches Restaurant entdeckt, dort haben wir drei Mal gegessen. Da gab es Gerichte mit und ohne Fleisch. Julia hat sich sogar das Rezept für einen Reis-Gemüse-Eintopf geben lassen.

Nelly: Klingt gut!

Oleg: Es war schon anstrengend, den ganzen Tag herumzulaufen. Und deshalb wollten wir wenigstens einmal am Tag richtig essen. Nicht immer nur Currywurst. Du, da fällt mir ein: Wir wollen den Eintopf am Wochenende ausprobieren. Möchtest du zum Essen kommen?

Nelly: Gern! Oh, was, so spät? Ich muss los – wir telefonieren. Tschüss.

Oleg: Gut, wir hören uns morgen. Tschüss.

🔊 **227**

Sprecherin: Aufgaben 23 bis 30. (Pause)

🔊 **228**

Sprecherin: Der Moderator diskutiert mit Frau Bayer und Herrn Steiner über das Thema „Gesunde Ernährung im Alltag".

Moderator: Einen schönen guten Abend bei „Talk um acht", liebe Hörerinnen und Hörer! Heute spreche ich mit Frau Bayer und Herrn Steiner über das Thema „Gesunde Ernährung im Alltag". Frau Bayer ist Musikerin und Herr Steiner ist als Physiotherapeut tätig. Guten Abend im Studio. Frau Bayer, wie wichtig ist gesunde Ernährung aus Ihrer Sicht?

Frau Bayer: Guten Abend! Die Frage scheint so einfach zu beantworten zu sein. Jeder und jede wird sagen: „Ja, gesunde Ernährung ist wichtig", aber so einfach ist das nicht, denn da müsste man wissen, was gesunde Ernährung eigentlich ist.

Moderator: Ja, steht denn nicht fest, dass wir – also die meisten von uns – zu fett, zu süß und zu viel essen? Jedenfalls nicht so, dass man es gesund nennen kann.

Frau Bayer: Das stimmt gewiss. Aber die gesunde Ernährung gibt es nicht. Lesen Sie doch Zeitschriften, da gibt es jede Woche andere Ernährungstipps. Und jedes Jahr erscheinen viele Bücher zu dem Thema – und jedes empfiehlt etwas anderes.

Moderator: Also, wenn man so die Ernährungstipps in den Medien verfolgt, kommt man schon oft auf ausgewogene Mischkost, also von allem ein bisschen: Eiweiß, Kohlehydrate und Gemüse. Das sei das Beste für gesunde Menschen, die nicht Diät halten müssen, weil sie z. B. krank sind. Was meinen Sie dazu, Herr Steiner?

Herr Steiner: Guten Abend. Ja, ich denke, das ist richtig, denn einseitige Ernährung ist bestimmt ungesund. Vor allem, wenn man sich über mehrere Jahre so ernährt. Da gibt es ja die seltsamsten Diäten: wenig Kohlenhydrate oder wenig Eiweiß.

Moderator: Und Ihre Meinung zur Mischkost, Frau Bayer?

Frau Bayer: Für manche Menschen passt das, aber es gilt bestimmt nicht für alle. Das muss man sich ganz individuell ansehen und oft auch selbst herausfinden. Am besten sich selbst beobachten: Was tut mir gut, was nicht.

Moderator: Sie meinen also: Keine allgemeinen Ernährungsregeln für alle, sondern für jeden extra?

Frau Bayer: Ja, genau. Rohkost zum Beispiel gilt als sehr gesund – aber nicht alle Menschen vertragen rohes Obst und Gemüse gut. Für viele ist es besser, wenn sie das gekocht essen.

Herr Steiner: Trotzdem kann man Obst und Gemüse im Allgemeinen empfehlen – und dazu muss man gar kein Vegetarier sein, so wie ich.

Moderator: Man liest immer wieder: Wirklich gesund ist es vor allem, wenn man Obst und Gemüse kauft, das reif geerntet wurde. Das geht eigentlich am besten, wenn es aus der eigenen Region stammt und nicht lange transportiert wurde.

Frau Bayer: Das stimmt, aber auch da muss dann jeder selbst auswählen, was zu ihm oder ihr passt. Hülsenfrüchte wie Bohnen kann nicht jeder essen, auch wenn sie im eigenen Garten wachsen.

Herr Steiner: Mir scheint besonders wichtig, dass wir einen Bezug haben zu dem, was wir essen, dass wir uns Gedanken machen und nachfragen: Woher kommt das, was ich esse? Unter welchen Bedingungen ist es gewachsen? Wie viel Chemie ist dabei? Ja, lauter solche Fragen und auch, wer verdient daran?

Frau Bayer: Ja, das ist ein ganz wichtiger Punkt – wer verdient daran? Denn viele Nahrungsergänzungsmittel, wie Vitamintabletten und Mineralstoffe, werden immer wieder empfohlen, und viele Leute glauben das und kaufen sie. Aber wenn man keinen Mangel hat, sollte man diese Dinge besser nicht nehmen.

Herr Steiner: Ich denke auch, dass bei diesen Produkten die Hersteller viel Geld verdienen. Da gibt es ja ganz viel Werbung dafür und das wird als gesund dargestellt. Obwohl frisches Obst und Gemüse eigentlich genügend Vitamine liefern. Immer mehr Menschen ist es aber zu mühsam, selbst etwas zuzubereiten, leider!

Moderator: Ja, oft wird nur Tiefgekühltes in der Mikrowelle aufgewärmt. Die gibt es ja schon in fast allen deutschen Haushalten. Und das führt zu meiner nächste Frage: Gesundes Essen, muss das selbst gemacht sein? Frau Bayer bitte …

Frau Bayer: Natürlich wäre das besser, aber es geht leider nicht immer. Viele Berufstätige essen fünf Tage in der Woche in der Kantine und da hat man keine Wahl. Da wird mit Zutaten aus der Dose und anderen Fertigzutaten gekocht. Aber wenn Essen haltbar gemacht wird, verliert es leider wichtige Inhaltsstoffe.

Moderator: Auch von den Restaurantküchen wissen wir, dass da immer mehr Lebensmittel halbfertig angeliefert werden. Etwas übertrieben gesagt, arbeiten da eigentlich keine Köche mehr, sondern nur Speisenzusammensteller.

Herr Steiner: Ja und nein, ich habe beides schon erlebt. In guten Restaurants legt man besonders viel Wert auf frische Zutaten und sinnvolle Verarbeitung. Dort wird das Gemüse nicht totgekocht. Das ist natürlich für mich als Vegetarier sehr wichtig. Aber immer mehr Menschen schätzen Qualität und es gibt ja sehr berühmte Köche!

Moderator: Ja, offensichtlich gibt es verschiedene Trends: Einerseits schnell und billig hergestellt und andererseits qualitätsbewusst und regional. Und wir Konsumenten und Konsumentinnen können wählen. Liebe Gäste, ich bedanke mich sehr für das anregende Gespräch. Liebe Hörerinnen und Hörer: Nächste Woche lautet unser Thema „Das Ende des Buches?". Christian Meixner wünscht Ihnen allen einen schönen Abend.

Q Quellen

Bildquellen

Textquellen

S. 19: Grafik: „Beliebte Studienfächer in Deutschland" © Statistisches Bundesamt 2015

S. 28: Artikel „Kamera", aus: PONS Kompaktwörterbuch Deutsch als Fremdsprache, © PONS GmbH, 2012

S. 33: Grafik „Wie finanzieren Studierende in Deutschland ihr Studium?" © Reemtsma Begabtenförderungswerk e.V., Institut für Demoskopie Allensbach 2014

S. 95: Grafik „Deutsche Studierende Im Ausland im Jahr 2013" ©Statistisches Bundesamt, Wiesbaden 2015

S. 164: „Die Deutschen und das Fahrrad", © Umfrage des Meinungsinstituts forsa im Auftrag der CosmosDirekt-Versicherungen, 2015.

S. 195: „Neue Ideen für junge Köpfe" von Thomas Remlein, FNP Online vom 18.05.2015
© Alle Rechte vorbehalten. Frankfurter Societäts-Medien GmbH, Frankfurt

S. 249: Statistiken: „beliebsteste Dialekte in Deutschland", aus: Gärtig, Anne-Kathrin / Plewnia, Albrecht / Rothe, Astrid, *Wie Menschen in Deutschland über Sprache denken. Ergebnisse einer bundesweiten Repräsentativerhebung zu aktuellen Spracheinstellungen.* Mannheim: Institut für Deutsche Sprache – amades –, 2010.
(amades – Arbeitspapiere und Materialien zur deutschen Sprache 40)

Q Quellen

Audio CD

Aufnahmeleitung: Ernst Klett Sprachen GmbH, Stuttgart
Produktion: Bauer Studios GmbH, Ludwigsburg
Sprecher: Magalie Armengaud, Robert Atzlinger, Kerstin Behrens, Coleen Clement, Monica Cociña, Steffen Damm,
Kim Engelhardt, Philipp Falser, Andrea Frater-Vogel, Miguel Freire, Martin Haider, Godje Hansen, Sabine Harwardt,
Anuschka Herbst, Friso de Jong, Annette Kuppler, Barbara von Münchhausen, Eva Neustadt, Stephan Moos,
Mario Pitz, Mary-Ann Poerner, Stefanie Plisch de Vega, Ingrid Promnitz, Anastasia Raftaki, Sarah Ravizzah,
Laila Richter, Inge Spaughton, Michael Speer, Elisa Taggert, Ulrike Trebesius-Bensch, Martin Trenner, Katrin Wilhelm,
Johannes Wördemann, Ligita Zelvgte
Tontechnik: Bauer Studios GmbH, Ludwigsburg
Presswerk: optimal media GmbH, Röbel / Müritz